运动生理学彩色图谱

运动和健身的智慧

Color Atlas of Ergophysiology

The Wisdom of the Moving Body

〔希〕瓦西利斯·克里苏拉斯　编著

杨焕明　主译

科 学 出 版 社

北 京

图字：01-2023-0966 号

内 容 简 介

本书构思新颖，全书 11 章，涵盖了从运动的生物能量学到人体机能学等多个主题，细分为 100 个关键概念，每个概念均由两面组成：一面包含科学基础及概念的内涵和外在解释，对应的另一面图表汇集了与本概念相关的所有内容。每一章都提供了归纳性的总结，以帮助读者提高对所涉及概念及其实际意义的理解，并将每个概念的支持性文献都分门别类地放在全书结尾，专供余兴未尽的读者继续跟进。

本书既有教科书基础性和条理性的专业特点，又有科普书籍文字通俗、娓娓道来的风格，不仅适合体育院校的专业研究者和教育者及运动员、教练员参考使用，也适合运动指导师及中、小学的体育教师和所有热爱运动健身的朋友阅读。

图书在版编目（CIP）数据

运动生理学彩色图谱：运动和健身的智慧 /（希）瓦西利斯·克里苏拉斯（Vassilis Klissouras）编著；杨焕明主译 .— 北京：科学出版社，2023.11

书名原文：Color Atlas of Ergophysiology: The Wisdom of the Moving Body

ISBN 978-7-03-075323-6

Ⅰ.①运…　Ⅱ.①瓦…　②杨…　Ⅲ.①运动生理学–图谱　Ⅳ.① G804.2-64

中国国家版本馆 CIP 数据核字（2023）第 055412 号

责任编辑：王　静　李　悦 / 责任校对：郑金红

责任印制：肖　兴 / 封面设计：刘新新

科学出版社出版

北京东黄城根北街 16 号

邮政编码：100717

http://www.sciencep.com

北京九州迅驰传媒文化有限公司印刷

科学出版社发行　各地新华书店经销

*

2023 年 11 月第　一　版　开本：787×1092　1/16

2024 年 7 月第二次印刷　印张：24 3/4

字数：580 000

定价：180.00 元

（如有印装质量问题，我社负责调换）

杰出的巨著

克里苏拉斯教授的书全面而简洁地概述了运动生理学的基本要素，

一位现代运动生理学之父和重要贡献者以他广阔的视角撰写而成的巨著，

一位在体育界占有一席之地的关键推动者，以其敏锐的洞察力撰写的杰作。

——汉斯·霍普勒（Hans Hoppeler）

瑞士伯尔尼大学功能解剖学和生理学名誉教授

《实验生物学》杂志主编

《运动生理学彩色图谱》有望成为一部历史性的巨著。

一部将教育、科学和文化巧妙结合的佳作。

——乔治·布鲁克斯（George Brooks）

美国伯克利大学整合生物学杰出教授

《运动生理学：人类生物能量学及其应用》作者

这是一本如此扣人心弦、插图精美的作品。

我希望，能用它来传授这些知识。

我相信，它将受到所有有幸拥有此书之人的青睐。

——克莱德·威廉姆斯(Clyde Williams）

英国拉夫堡大学体育科学荣誉教授

这是一个了不起的成就。

内容引人入胜，图文并茂，

“对读者友好”，以归纳观点、提出问题等方式加深了读者的理解。

“内外皆宜”，是特别适合学生和专业外学者的著作。

——杰罗姆·登普西（Jerome Dempsey）

美国威斯康星大学健康科学荣誉教授

一个奇迹……

这是科学与艺术、秩序与创造力、内容的概念性和优雅简洁性成功结合的罕见示例，

这是一部杰作，是献给科学界的珍贵礼物，是该领域研究者的独特参考工具。

——保罗·帕里西（Paolo Parisi）

意大利罗马大学人类生物学教授

欧洲体育科学学院前院长

这是人体工程学/运动生理学之父克里苏拉斯教授的杰作。

该书将文字（人体系统的简要概述）与精美的插图相结合，将使学生和专业人员愉快地体验人体工程学的研究。

这本书理应列入所有运动科学家的必读书单！

——拉布罗·席多思（Labros Sidossis）

美国罗格斯大学体育科学与营养学特聘教授

《生活方式医学》作者

基于最重要的文献，对过去几十年知识的全面总结，解决了“运动生理学”的基本内容。

总而言之，它是一部真正伟大的作品——我确信这一点——值得国际发行和接受！

——诺伯特·巴赫尔（Norbert Bachl）

奥地利维也纳大学运动生理学名誉教授

欧洲运动医学协会联合会名誉主席

一本关于运动竞技和健身锻炼智慧的教科书。

这不是一本普通的书，它是一本科学家的杰作，

一页一图，充满了有趣的科学知识，

图胜万语，这就是Atlas的定义。

它也成为克里苏拉斯（Klissouras）的昵称，Atlas是一个泰坦巨人，他迫使宙斯把天堂放在他的肩膀上。

瓦西利斯（Vassilis）在他职业生涯的后期决定用他的双手

捧起运动生理学的知识海洋。

他将它献给全人类，让我们享受它吧！

——尼科斯·格拉达斯（Nikos Gelada）

雅典大学运动机能生理学教授

中文版序

在所有的文明和文化中，中国最让我着迷！

大约半个世纪前，我还是蒙特利尔麦吉尔大学（McGill University, Montreal）的一名年轻教授时就非常渴望访问这个伟大的国家。当时，我提出了双胞胎模型来研究人类适应性变异的遗传性，并前往东京大学探讨肌肉个体差异的遗传基础。在前往日本的途中，我认为这是一个实现我热切愿望的好机会，并向中国有关部门写信请求许可。但令我失望的是，我收到了一封油印信，上面写着中国还没有准备好接待外国人。

令我激动的是几年后即 1985 年，我收到了一份邀请——通过联合国的一个项目——作为北京体育大学的客座教授，向研究生教授人体生理学。那时，我已经在美国和加拿大度过了长时间的学术旅程，带着将体育科学提升到与传统科学相同的大学水平的愿景，我回到了我深爱的祖国希腊。

那次北京之行，我感受到了博大精深的中华文化，感受了中国人民的热情、善良和团结，让我至今难以忘怀！此外，我深深享受着学术的乐趣，中国大学的人文氛围，学生们的成长。学生们的眼睛闪烁着对科学的好奇心，在与教师们的生动讨论时思想也很活跃，让我见证了他们自己求知的欲望和指导年轻思想的热忱。最重要的是，他们为建设一个新的、更加公正的社会所做的奉献和激情！

在此背景下，当杨焕明教授提议将我的近作 *Color Atlas of Ergophysiology: The Wisdom of the Moving Body* 翻译成中文时，我的激动之情难以言表。这本书原本是用英文写成的，并已被翻译成多种语言。但是，与中国人民交流体育锻炼，让他们过上更健康、更幸福的生活——这是本书的重点——是我最大的梦想之一。

2019 年，我在奥林匹克的“精神故乡”希腊古奥林匹亚体育场第一次见到了杨焕明教授，这是在一个关于“成为一名不服用兴奋剂的奥运会运动员”的国际研讨会上。从那时起，与他之间的友谊使我备感荣幸。

杨焕明是基因组学革命时代的主角之一。他在世纪之交参与了国际人类基因组计划（HGP），是著名的华大基因的联合创始人，其影响遍及全球 100 个国家和地区。此外，他富于远见，也是国际基因组学大会（ICG）的灵魂人物，在推动组学造福人类，并致力于让这个世界变得更美好的进程中发挥着重要作用。

焕明不仅是一位有魅力的学者，也是一位真正的人文主义者。他不断地探索，不断地应用新知识，为人类的更加美好而努力。正如那句谚语所说：“只有一个伟大的民族才能产生这样伟大的人物。”如果我可以补充一句，那一定是：他是一位伟大的探索者和激励他人的科学家。

瓦西利斯·克里苏拉斯（Vassilis Klissouras）

2023 年 3 月 23 日

译者序

作为瓦西利斯·克里苏拉斯（Vassilis Klissouras）教授的学生和挚友，我非常荣幸能有机会将他新近撰写的巨著——*Color Atlas of Ergophysiology: The Wisdom of the Moving Body* 翻译为中文，并向读者郑重介绍这一杰出的有关运动和健康的教科书。

克里苏拉斯教授是奥林匹克运动科学的奠基者之一。我于 2019 年在奥林匹克原址，即每年取圣火的地方召开的奥林匹克科学研讨会上，亲眼见到了来自全世界的所有参会者对他表示出的发自内心的敬意。他是希腊大学及全球多国研究机构的教授、兼职教授或名誉教授，他执教或培训过的一代又一代学生和受训者遍布世界各地。他的第一本英文版教科书——《人体生理学》于 1973 年出版，此后的 50 年来，该书一直深受全球体育院校师生和热爱体育的各界人士的青睐，风靡至今，已连续再版了 11 次，这在西方近代教育史上也是罕见的，足见他在奥林匹克运动科学界的地位以及在全球体育与生物学界的影响和盛誉。

《运动生理学彩色图谱：运动和健身的智慧》一书构思新颖，全书分为 11 章，涵盖了整整 100 个重要的概念，每个概念均由两面组成：一面（左）为介绍相关的科学基础和原理的简洁文字，对应的另一面（右）则是精心设计、精彩绝伦的图表。文字页内容广泛、旁征博引，结合了几乎所有与运动健身相关的人体生理学、生物化学、生物学和遗传学/基因组学的基础知识，既具有教科书基础性和条理性的专业特点，又具有科普书籍文学性和娓娓道来的风格，更能给我们带来知识的获得感和知音的亲切感。而其内容表述上则是亲近大众，所有学过专科、本科人体生理学和生物化学的读者都能大致理解。每章之后还有作者精心设计的问答题，正文之后附有 400 多个专业词汇的扼要解释，既颇具匠心又考虑周到，实属难得。

尽管本人是个地地道道的外行，甚至是书中所说的一个“运动不足者”，我还是要郑重地向我国体育院校的专业研究者、教育者、运动员、教练员及所有朋友，特别是从事新兴行业，如运动指导师，以及中、小学的体育教师等朋友们推荐这本书。它肯定将有助于我们建立具有中国特色的现代化体育运动的教育体系，既结合“一对一、手把手”言传身教的经验式的师徒式教育的传统，又有基于现代科学知识和技术原理的先进现场或远程穿戴智能仪器，还有精心设计的群体队列和对照动物模式实验的大数据研究，这些内容丰富又变化无穷的训练计划既有普遍适用的传统训练成功经验，又有根据人体遗传和发育规律的体力和心理差异的个体化的“量体裁衣”，足以使每一位运动员拥有最大的收获。

在本书的有关章节中，作者有意识地把专业运动员的竞技运动与非专业人员的健身锻炼进行了一定意义的区分，这使我们能较好地了解和理解专业运动员在竞技运动中有一定的成分是挑战人类体能的极限，即“更快、更高、更强……”，并且含有为自身和家庭及民族争光的心理驱动，作者对之做了高度颂扬的同时，也特别强调了奥林匹克精神和公正、公平的规则；既不回避介绍一些兴奋剂的助力功能，又阐明被绝对禁止的科学依据。对“热身”“间歇”“暂停”等必要训练的科学道理的介绍，又使我们大开眼界，而另一个饶有趣味的例子便是不同的音乐（高亢或优雅，欢快或舒缓）对训练产生的奇妙作用。

我也向更多愿意将健身视为拥抱健康生活方式的普通人推荐这本科普书，特别值得所有关心并教导孩子从小开始锻炼身体的父母来阅读。本书从一些平常的生活方式，如久坐和长时间卧床，公交车和出租车司机、售票员的日常工作，诙谐地描述了不同方式对身体的影响，特别是对儿童肥胖症和其他儿童、青春期少年的常见疾病，科学的适量运动都有显著的预防和改善作用。我相信这本书会受欢迎和流行，并且一定会有利于更多家庭和成员的身体健康。当我掩卷长思，一个有趣的想法盘桓在脑海里，也许我们可以问一问：积极的体育锻炼对人类健康和福祉的益处是不可辩驳的。然而，全球有那么多高比例的人过着久坐不动的“运动不足”生活，这种运动减退的决定因素是什么？究竟是什么让人们“运动不足”呢？

我要特别感谢参与这部巨著翻译工作的周润、王元梅、张馨文三位同学。她们秉承认真负责的科学精神，一丝不苟的科学态度，对译稿句句细读、字字推敲，不厌其烦地进行了几十次的修改和订正。还要特别感谢她们的硕士研究生指导老师。“严师出高徒”，正是导师们的呕心沥血，对她们科学态度的培养和各方面的严格训练，才造就了她们严谨的科学态度和深厚的中英文语言功底。

我要感谢科学出版社所有编辑人员精湛的专业素养和严谨的工作态度，他们对本书进行了精心的修改和校对。我还要感谢上海体育大学的王茹博士、北京体育大学的严翊博士在专业方面给予的指导。她们不仅细读了全书的内容，还标记了很多可再推敲之处，以助我们纠错润色。而我自己对译文中一定存在的翻译错误和文字纰漏，绝不以“时间仓促”为借口而放松对“信、达、雅”的要求，仍坚持自己“纠一错，赠一书”的专业教书匠的“初心”，保证虚心接受，并在再版时加以改正，再接再厉使本书的质量更上一层楼，以不负克里苏拉斯教授的重托和读者的期待。

我还要再次对克里苏拉斯教授表示衷心的感谢。他应邀为本书专门撰写了“中文版序”，这为本书的翻译人员带来了很大的鼓舞，鼓舞着我们不断进取、精益求精。

最后，非常感谢克里苏拉斯教授于今年第十八届国际基因组学大会上出席本书的首发仪式，为广大读者签字留念，并作精彩的报告。借此再表感谢！

此为序！

杨焕明

2023 年 6 月 22 日于北京

序

受邀为名誉教授瓦西利斯·克里苏拉斯的新作《运动生理学彩色图谱：运动和健身的智慧》撰写序言，我感到十分荣幸。

人们总是期望一本新书的序言应该赞扬作者、赞美科学或颂扬文学，但也不要太过冗余。这些要求均能得到满足，皆因作者的独特魅力和其著作具有的独一无二的品质。

首先，对于全面地分享信息大家总是都非常感兴趣的。瓦西利斯·克里苏拉斯是我的朋友，我们相识已经大约 50 年了。我们第一次见面是在 1972 年，我邀请他出席我们在加拿大魁北克市拉瓦尔大学实验室的研讨会，当时他刚发表了第一篇关于心肺功能遗传度的论文。第二次见面则是在 2015 年，我被雅典国立和卡波迪斯特拉大学授予荣誉博士学位，如果没有瓦西利斯的举荐，这一学术殊荣是不会授予我的。

克里苏拉斯教授是一位出色的学者和科学家。任何对他熟悉的人都可以证实，他还是古典希腊传统中的人文主义者，一位经常缅于沉思的诗人。如果他选择了那个行业，一定可以通过他的诗歌激励众多读者。瓦西利斯展现了人类历史上文艺复兴和启蒙时期的高尚理性特征与诗歌技巧。他被广泛认为是一位蓬勃向上和热情洋溢的教师。这些特征在《运动生理学彩色图谱：运动和健身的智慧》一书中得到了充分的体现。当他在一个孤岛上独自询问自己一个毕达哥拉斯式的问题“什么事是我应该做却还没有做的？”时，他的自我冒险便开始了。这个问题的答案很有说服力，足以促使他启动一个立足点很高的写书计划，其目的是让学生尽可能地了解运动生理学中最重要的概念。

瓦西利斯一直是体育科学的引领者，并在 20 世纪 90 年代初与欧洲体育科学的其他知名人士一起在欧洲体育科学学院的崛起中发挥了至关重要的作用。在教科书写作的艺术和科学方面，克里苏拉斯教授早已不是新手。他的第一本教科书《人体生理学》于 1973 年在麦吉尔大学出版，为高等教育机构的运动科学的学生而作，该书现在已经出版到第 12 版。第二本书《人体机能学》于 1991 年首次出版，迄今已是第 6 版了。

《运动生理学彩色图谱：运动和健身的智慧》是一本内容丰富、可读性很强、教学效果很好的教科书。该书由 11 章组成，涵盖了从运动的生物能量学到人体机能学等主题。在每一章中，规范地、系统地阐述了很多关键概念。整本书涵盖了整整 100 个关键概念，每个概念都只有两面，并且使用相同的基本格式：一面包含科学基础及概念的内涵和外在解释，另一面是图表，汇集了与概念相关的所有内容。每个概念的支持性文献都被分门别类地放在全书的最后，专供余兴未尽的读者继续跟进。在每一章的末尾，还提供了归纳性的总结，以帮助读者提高对所涉及概念及其实际意义的理解。该书为读者提供了一个很好的运动生理学背景，同时也将丰富那些攻读学位的研究生的科学背景。这本书构思精巧，内容严谨，可读性强。

瓦西利斯在他心爱的希腊小岛上居住时，构思并撰写了《运动生理学彩色图谱：运动和健身的智慧》的部分内容。该书体现了他在此领域的博学、他对科学交流的热情、他对“不运动是错误的”理念的坚持，以及他对人类的热爱、他的智慧和激励人心的个性。这本新书在某种程度上是他给自己的礼物：它代表了他职业生涯的顶峰，或者说提供了“他学术生涯的日暮日落”。《运动生理学彩色图谱：运动和健身的智慧》一书理应会受到运动科学领域的同行、教师和学生的好评。

克劳德·布沙尔（Claude Bouchard）
潘宁顿生物医学研究中心遗传学和营养学教授
美国路易斯安那州巴吞鲁日

前言

人类是一件多么了不起的杰作！

多么高贵的理性！

多么伟大的力量！

多么优美的仪表！

多么文雅的举动！

莎士比亚《哈姆雷特》，第二幕第一场

20 世纪 60 年代末，作为麦吉尔大学的一名年轻教授，我一直在寻找一个术语，它可以简明地描述肌肉运动的生理适应性和人类运动的优化，以及延伸到生理极限和人体的奥秘。因此，我创造了 *Ergophysiology*——（源自希腊语“έργο”，意思是活动）这个术语[①]——其词源涵盖了所有形式的肌肉运动，并统一描述涵盖了整个人类运动的科学。

运动生理学起源于古希腊，最著名的是希波克拉底（Hippocrates，公元前 460 ~ 前 370 年）和盖伦（Galen，公元 129 ~ 210 年）的学说，他们意识到健身锻炼的防病和治病价值。尽管这些医学哲学家凭借他们的观察力积累了深厚的知识，并制定了关于如何通过运动和饮食来恢复和保持健康的合理指南。但直到 20 世纪中叶，各类研究才提供了关于人体对肌肉活动的功能和适应性的可靠证据。大约在同一时期，一个关键的科学知识体系厚积薄发，运动生理学得以问世。

该领域的知识进展虽然一开始较为缓慢，但后来进展迅速并取得了显著的进步。起初，研究的重点是系统层面，即整个机体，但近年来，重点已转移到细胞，直至最近的分子层面。人体肌肉活检针技术的引入及基因组学方法的应用，创造了此时此刻运动生理学前沿的里程碑。

以现代生物技术的成就为基础，借助于当今的分子和遗传工具，新一代的运动生理学家已经将研究深入到细胞和人类基因组层次，努力提高我们对基因、通路和网络的理解。通过这些研究，他们试图揭示身体如何适应，什么是最有效的运动刺激，以及哪些因素给人类的表现设定了上限。这一研究方向对运动生理学已经产生了深远的影响，即拓宽

---

① 本书译为“运动生理学”——译者注。

了这一领域的视野，革新了这一领域的观点，使它成为迅速发展的整合生物学学科。

当今这个时代，全球染上了“身体活动不足”和“运动不足”的顽症。运动生理学开启了人体运动和适应肌肉活动的智慧，使运动医学和运动科学的专业人士能够深入了解健康、健身及体能的重要生理过程。

本书旨在纵览运动生理学的整个领域。它是第一版（分别有英文版和希腊文版）的演变，多年来我一直致力于此。打个比喻来说，20 世纪 60 年代，我在美国大学的“肥沃土壤”中播撒下了种子，20 世纪 70 年代开始在蒙特利尔的麦吉尔大学，而后在雅典大学成长，多年辛勤耕耘直至今日。

我一直在兼收并蓄地采用众多研究者的研究成果。他们对工作充满激情，只是为一个目标：驱散无知的巨大乌云。多年来，我也一直受到许多热切的学生的激励与启发，他们的眼睛里闪烁着对科学的好奇心，不断挑战我，使我做到尽力尽心。

本书采用的概念性方法是其独特和突出的特点。书中从整个运动生理学领域中精选了 100 个自主而又全面的概念。每一个概念都用两面的篇幅来阐述，其中一面强调概念的最新科学进展，而在另一面中则用图表阐明概念的核心，并强调应用的要点。

所有概念都在以下 11 章中得到充分阐述。

第 1 章　肌肉活动的生物能量学　14 个概念解释了能量如何在体内产生，如何在肌肉活动中使用，以及如何限制人类的技能。这的确是最近的一个重要进展，得益于肌肉活检针技术的广泛应用。

第 2 章　肌肉如何工作　12 个概念阐述了肌肉收缩的机制和神奇的肌纤维结构，以及它们的组成和功能如何影响运动表现。此外，本节还讨论了肌肉疲劳、肌肉酸痛、肌肉痉挛，以及肌肉损伤和再生。

第 3 章　身体对运动的反应　5 个概念讨论了肺泵和心脏泵如何为身体提供大量的空气和血液，以满足运动过程中能量代谢的需要，同时还研究了体温调节、神经和激素的调控作用。

第 4 章　运动的训练与适应　10 个概念对训练的生理原理和代谢、心肺和神经肌肉的适应进行了深入的分析。此外，还强调了肌肉和大脑一样具有记忆力。

第 5 章　优化竞技能力 / 运动表现　10 个概念探讨了什么让冠军们变得异常快速、强壮、强大和熟练，以及他们如何优化自己的技能。本节还提出了一个吸引人的问题，即仅靠基因和训练是否足以成就一位冠军，并讨论了表观遗传学在冲击巅峰表现中所发挥的作用。

第 6 章　运动营养学　7 个概念记载了运动员在运动前、运动后和训练之中对食物和液体的需求。同时强调了适当的营养对于竞技运动员努力训练、快速恢复和最大限度地提高成绩是不可或缺的。

第 7 章　兴奋剂 / 增强剂的问题　5 个概念的重点是一些生力物质和干预措施有效性的严格审查，它们在提高运动成绩方面的潜在作用是什么，它们对运动员健康有什么影响，为什么使用兴奋剂被认为是对体育精神的亵渎。

第 8 章　运动的神奇之处　9 个概念介绍了“运动不足”造成的有害影响，以及有规律的多种体育锻炼对健康的益处。特别强调了心脏、大脑和免疫功能如何受益，以及老年人如何活得更健康、更长寿。

第 9 章　健身运动指南　9 个概念介绍了最新的科研成果，揭示了个性化运动对改善健康，特别是对肌肉、心肺和神经肌肉功能的重要性。

第 10 章　运动是良医　10 个概念以最前沿的研究文献强调了定期运动对心血管疾病、高血压、肺部疾病、代谢性疾病、2 型糖尿病、神经系统疾病、精神疾病、肌肉骨骼疾病、某些癌症的预防和治疗价值，以及对降低全因死亡率的意义。

第 11 章　运动测试　9 个概念，重点是评估运动的优点和缺点，并检测参与锻炼计划的对象的生理测试。

当我反思科学知识在人体肌肉活动过程中所取得的惊人进步，并将其与学生时代的无知相比较时，我觉得我们是有幸看到了提出心脏定律的斯塔林（Starling）所描述的景象：“太阳在昏暗的世界上空冉冉升起”。

诚然，到目前为止，我们确实已经获得了大量的知识。我们现在对肌肉活动的适应性有了清晰的认识，也对如何保持健康、改善体能和优化技能有了更好的理解。然而，随着通往未知海岸的、激动人心的科学“航程”的继续，仍有许多东西有待了解。这是一个永无止境的探索，需要通过实验进一步了解运动的身体及生理极限方面的知识，从而扩大运动生理学的范围。

目录

第 1 章　肌肉活动的生物能量学 / 1

本章探讨能量是如何在体内产生，又是如何在肌肉活动中被利用，以及能量如何限制运动表现。

概念 1　基本的供能系统 / 4

概念 2　供能系统的局限性 / 6

概念 3　供能系统的相互作用 / 8

概念 4　运动时的能量供应 / 10

概念 5　乳酸作为一种代谢燃料 / 12

概念 6　身体能量的来源 / 14

概念 7　肌肉运动的燃料 / 16

概念 8　恢复期的燃料补充 / 18

概念 9　能耗的经济性 / 20

概念 10　运动中的摄氧量 / 22

概念 11　最大摄氧量 / 24

概念 12　最大摄氧量：年龄与性别 / 26

概念 13　最大摄氧量的标准 / 28

概念 14　运动员的最大摄氧量 / 30

要理解的问题 / 32

第 2 章　肌肉如何工作 / 35

本章专注于肌纤维的结构，以及它们的组成和功能是如何影响人体运动的。

概念 15　骨骼肌的结构 / 38

概念 16　肌肉收缩的分子基础 / 40

概念 17　肌肉的运动 / 42

概念 18　肌肉的力量 / 44

概念 19　肌肉的机械性能 / 46

概念 20　肌纤维的类型 / 48

概念 21　肌纤维的募集 / 50

概念 22　运动员的肌纤维 / 52

概念 23　什么导致了肌肉疲劳？ / 54

概念 24　什么导致了肌肉酸痛？ / 56

概念 25　什么导致了肌肉痉挛？ / 58

概念 26　肌肉的损伤和再生 / 60

要理解的问题 / 62

第 3 章　身体对运动的反应 / 65

本章研究肺泵和心脏泵如何为身体提供大量的空气和血液，以满足运动时能量增加的需求。

概念 27　运动时的呼吸反应 / 68

概念 28　运动时的心血管反应 / 70

概念 29　运动时的体温调节 / 72

概念 30　运动时的神经调节 / 74

概念 31　运动时的激素调节 / 76

要理解的问题 / 78

第 4 章　运动的训练与适应 / 81

本章介绍各种训练方法及其产生的适应性的一些重要见解。

概念 32　训练的生理学原理 / 84
概念 33　供能系统的训练 / 86
概念 34　间歇性冲刺训练 / 88
概念 35　心肺的适应 / 90
概念 36　代谢适应 / 92
概念 37　肌力训练 / 94
概念 38　神经肌肉的适应 / 96
概念 39　肌肉细胞是如何变大的？ / 98
概念 40　停训—复训和“肌肉记忆” / 100
概念 41　技能训练 / 102
要理解的问题 / 104

第 5 章　优化竞技能力 / 运动表现 / 107

本章介绍是什么让冠军们特别快速、强壮、有力、灵巧，以及如何优化其技能的。

概念 42　冠军的生理学 / 110

概念 43　冠军运动员：先天和后天 / 112

概念 44　表观遗传学：意识与躯体的联系 / 114

概念 45　训练的周期化 / 116

概念 46　过度训练与减量 / 118

概念 47　高温和低温环境下的运动表现 / 120

概念 48　高原训练：一个狭窄的窗口 / 122

概念 49　年轻运动员 / 124

概念 50　女性运动员 / 126

概念 51　精英运动员 / 128

要理解的问题 / 130

第 6 章　运动营养学 / 133

本章关注运动员在训练前、中、后对食物和液体的需求。

概念 52　营养与运动表现 / 136

概念 53　肌糖原的价值 / 138

概念 54　肌糖原的负荷 / 140

概念 55　运动员的食物和液体需求 / 142

概念 56　运动员的脱水和补液 / 144

概念 57　膳食补充剂 / 146

概念 58　微量营养补充剂 / 148

要理解的问题 / 150

第 7 章　兴奋剂 / 增强剂的问题 / 153

基于现有证据，本章讨论了有可能提高运动成绩的多种强力物质。

概念 59　激素制剂 / 156

概念 60　脑兴奋剂 / 158

概念 61　缓冲剂 / 160

概念 62　血液兴奋剂 / 162

概念 63　强力物质应用实践 / 164

要理解的问题 / 166

第 8 章　运动的神奇之处 / 169

本章强调越来越多的研究证据表明：体育运动对健康有诸多益处。

概念 64　运动不足的有害性 / 172

概念 65　运动对心脏的益处 / 174

概念 66　运动对大脑的益处 / 176

概念 67　运动对免疫功能的益处 / 178

概念 68　运动对控制体重的益处 / 180

概念 69　运动对儿童肥胖症的益处 / 182

概念 70　运动对生长发育的益处 / 184

概念 71　运动对抗衰老和长寿的益处 / 186

概念 72　运动对怀孕的益处 / 188

要理解的问题 / 190

第 9 章　健身运动指南 / 193

本章为健康人群提供身体活动指南。

概念 73　运动功能减退的行为 / 196

概念 74　个性化运动 / 198

概念 75　运动前健康检查 / 200

概念 76　运动的方式和运动量 / 202

概念 77　身体活动的量化 / 204

概念 78　运动未动，计划先行 / 206

概念 79　改善心肺适能 / 208

概念 80　改善肌肉适能 / 210

概念 81　改善神经功能和柔韧性 / 212

要理解的问题 / 214

第 10 章　运动是良医 / 217

本章提供的越来越多的研究证据表明，体育运动对多种慢性病有较好的预防作用。

概念 82　运动与全因死亡率 / 220

概念 83　运动与心血管疾病 / 222

概念 84　运动与高血压 / 224

概念 85　运动与肺部疾病 / 226

概念 86　运动与代谢疾病 / 228

概念 87　运动与 2 型糖尿病 / 230

概念 88　运动与精神疾病 / 232

概念 89　运动与神经系统疾病 / 234

概念 90　运动与肌肉骨骼疾病 / 236

概念 91　运动与癌症 / 238

要理解的问题 / 240

第 11 章　运动测试 / 243

本章重点介绍与运动相关的生理学测试，用于评估运动的优点和缺点，及检测运动计划的进展。

概念 92　能量消耗的评估 / 246

概念 93　心肺适能：极量测试 / 248

概念 94　心肺适能：亚极量测试 / 250

概念 95　心肺适能：现场测试 / 252

概念 96　耐力表现的评估 / 254

概念 97　最大无氧功率的评估 / 256

概念 98　肌肉适能的评估 / 258

概念 99　柔韧性的评估 / 260

概念 100　身体成分的评估 / 262

要理解的问题 / 264

词汇表 / 266

文献选编 / 292

运动生理学的测量单位 / 365

附录 1：PAR-Q / 366

第 1 章
肌肉活动的生物能量学

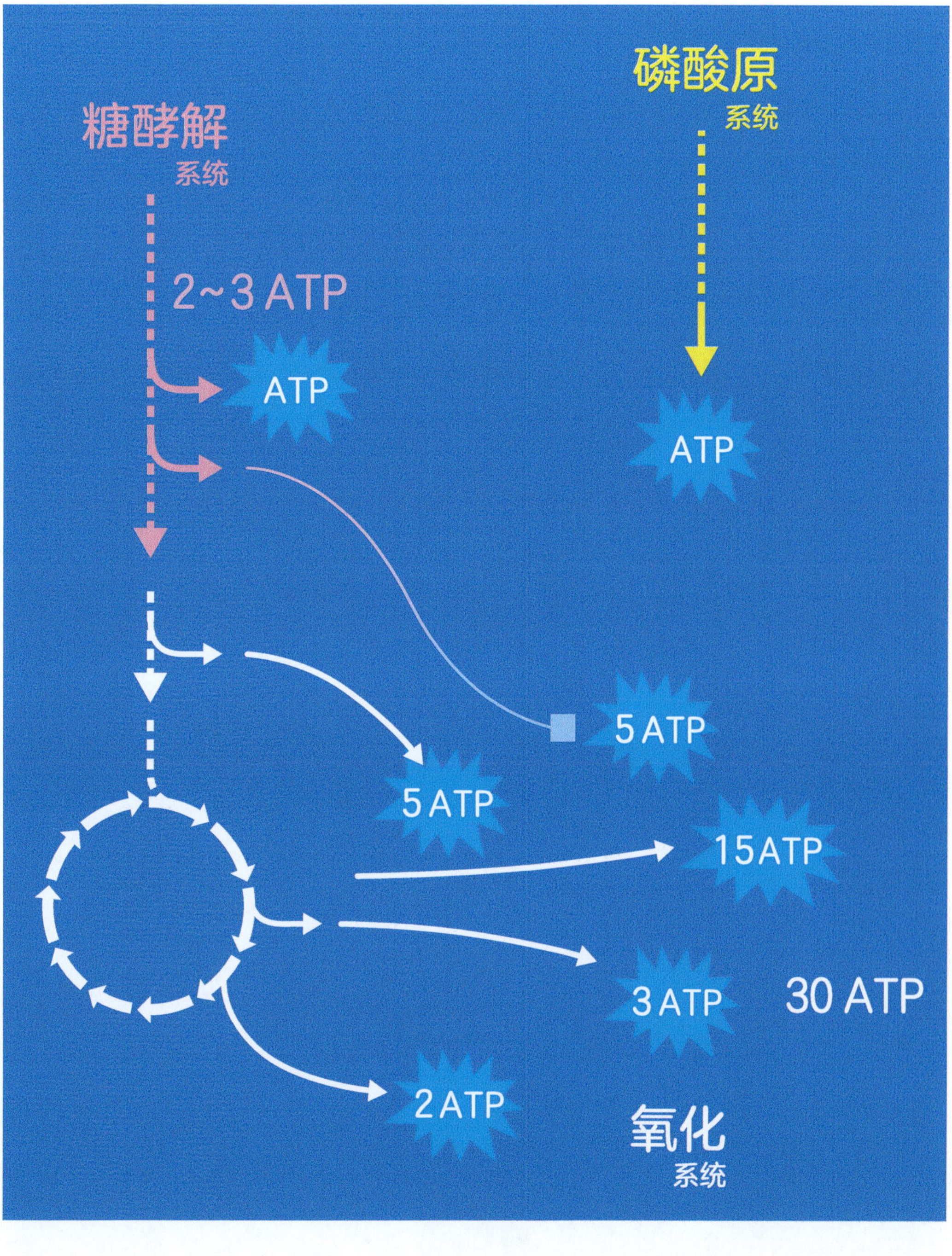

第 1 章　肌肉活动的生物能量学

本章探讨能量是如何在体内产生，又是如何在肌肉活动中被利用，以及能量如何限制运动表现。

概念 1　基本的供能系统

概念 2　供能系统的局限性

概念 3　供能系统的相互作用

概念 4　运动时的能量供应

概念 5　乳酸作为一种代谢燃料

概念 6　身体能量的来源

概念 7　肌肉运动的燃料

概念 8　恢复期的燃料补充

概念 9　能耗的经济性

概念 10　运动中的摄氧量

概念 11　最大摄氧量

概念 12　最大摄氧量：年龄与性别

概念 13　最大摄氧量的标准

概念 14　运动员的最大摄氧量

要理解的问题

通过学习本章的概念，你会对肌肉活动的生物能量学有一个基本的了解，并能够回答如下问题：

- 为什么肌肉活动的表现取决于身体转换、储存和利用能量的能力？
- 在运动过程中，身体产生能量有多快、有多少？
- 在短时间极限强度运动和长时间中等强度运动中，能量从何而来？
- 在各种体育运动，如足球、篮球、短跑和长跑中，能量从何而来？运动中产生乳酸为何重要？为什么它被错误地认为是疲劳之源？
- 间歇性运动对乳酸分泌有什么影响？
- 肌肉运动的最重要燃料是什么？
- 身体活动最有效和最经济的方式是什么？
- 为什么我们在运动后的恢复过程中会继续过度呼吸？
- 有氧运动的生物学价值是什么？

概念 1　基本的供能系统

将食物中的能量转变成生物可以利用的形式——三磷酸腺苷（ATP）。细胞中产生 ATP 的一系列化学反应和途径，称为供能系统。这些供能系统——如图 1-1 所示——包括磷酸原系统、糖酵解系统和氧化系统。

磷酸原系统

当急需能量时，它能迅速提供能量。磷酸原系统源于三磷酸腺苷（ATP）和磷酸肌酸（PC）的高能磷酸盐，它们在细胞质中被分解，通过单一化学反应产生能量。

ATP 是细胞中的通用能量供体，为身体大多数功能服务，包括肌肉收缩。ATP 作为生物体能量交易的“货币”，而 PC 储存可用的能量，并被认为是一种“能量罐”。

糖酵解系统

这一系统为短时间大强度运动提供能量。这是一个被称为糖酵解的代谢途径，葡萄糖或糖原被分解为丙酮酸。当氧气供应不足时，如在非常高的运动强度下，丙酮酸被转化为乳酸。乳酸的产生使得在无氧条件下的高强度运动能有持续的能量供应。如果没有乳酸的产生，糖酵解的过程就会终止，从而使高强度的肌肉运动无法继续下去。

氧化系统

这一系统为长时间运动提供能量。在有氧条件下，丙酮酸不转化为乳酸，而是转化为乙酰辅酶 A，这种辅酶也可以从脂肪酸和氨基酸的分解中形成。它连接两种不同的能量产生机制：无氧和有氧。然后，它参与三羧酸循环［又称克雷布斯循环（Krebs cycle）/柠檬酸循环］，其功能是通过一连串的化学反应从碳水化合物、脂肪和蛋白质等营养物质中提取氢离子（H^+），使营养物质中的势能氢原子（电子）被带到电子传递链上。在链的末端，氧气成为电子和 H^+ 的最终受体，这一过程被称为氧化磷酸化，释放出大量的 ATP 并形成水。所有这些转化都发生在线粒体中，它是细胞的动力工厂。

能量产生的速率是由各种酶来调节的。在糖酵解中最重要的限速酶是磷酸果糖激酶，在三羧酸循环中最重要的限速酶是异柠檬酸脱氢酶。两者都被高水平的二磷酸腺苷（ADP）和磷（Pi）激活，被高水平的 ATP 抑制。磷酸肌酸分解由肌酸激酶调节，而乳酸分解则由乳酸脱氢酶催化。

图 1-1 能量的产生

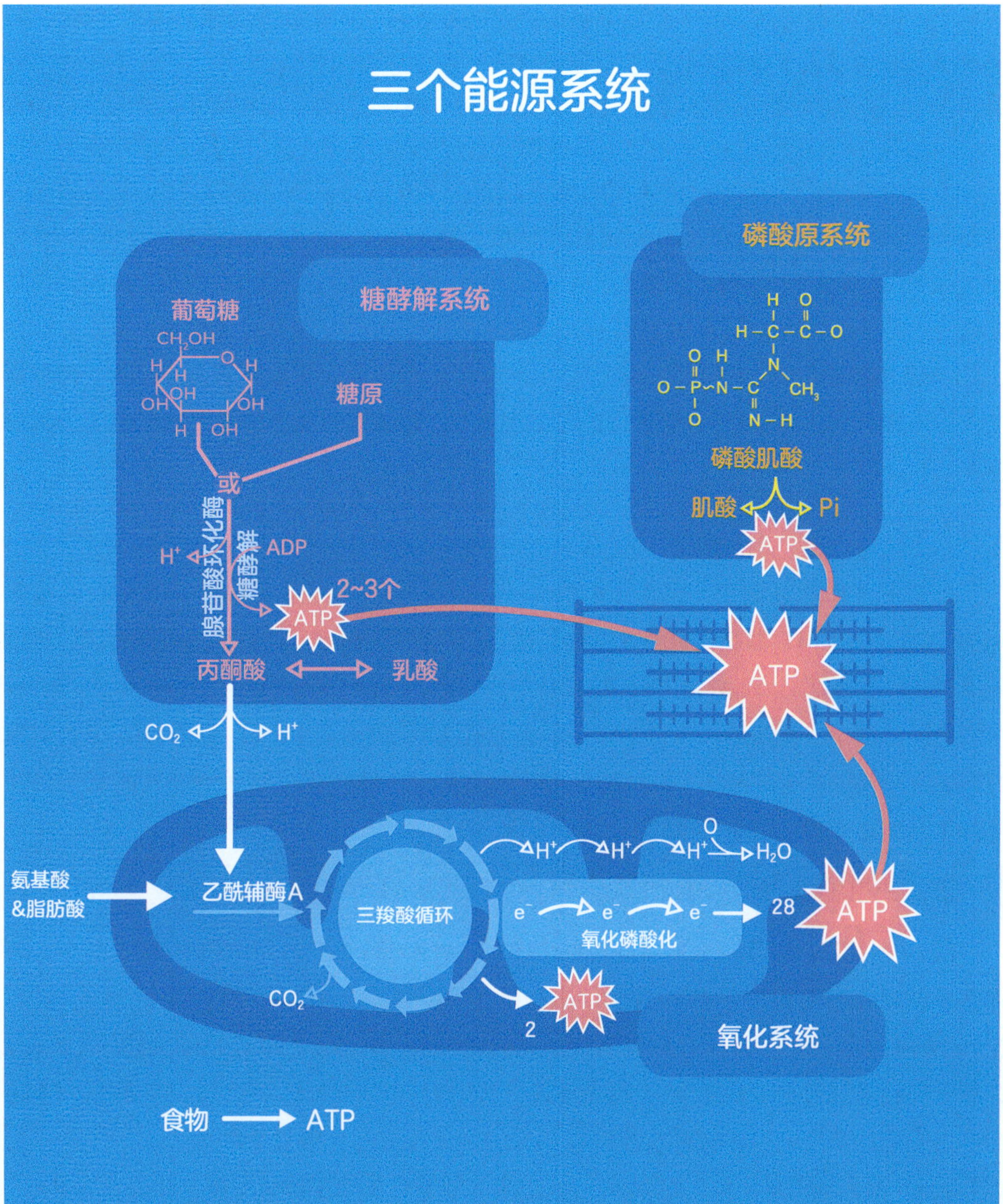

要点

- 磷酸原系统在持续几秒钟的高强度肌肉运动中占主导地位，它释放的ATP量非常有限，并且不产生乳酸。
- 糖酵解系统在持续1分钟的高强度肌肉运动中占主导地位，它释放有限数量的ATP和大量的乳酸。
- 氧化系统在长时间的耐力运动中起主导作用，它产生大量的ATP，并且不产生乳酸。

概念 2 供能系统的局限性

增强和维持肌肉活动的三个能量系统决定了身体做功的最大能力和最大动力。图 1-2 的 ATP 生成表显示了这些系统为肌肉活动提供能量的速度和数量。

磷酸原系统的局限性

在极量运动的情况下，由磷酸肌酸系统（ATP + PC）产生的能量为每千克肌肉约 34 mmol（毫摩尔）的 ATP（6 mmol 来自 ATP，28 mmol 来自 PC），假设一个体重 70 kg 的人有 30 kg 肌肉则可产生 1020 mmol ATP（1.02 mol）。因此，考虑到每摩尔 ATP 在肌肉细胞中的分解可提供 11 kcal 的能量，磷酸原系统产生的可利用能量相当于每千克肌肉 0.374 kcal 或整个身体 11.2 kcal。最大功率，即假设在涉及大肌肉群的极量运动中，总能量在 20 s 内耗尽，那么在可用的 11.2 kcal 能量下，能够产生能量的最大速率估计为每分钟 33.6 kcal。

糖酵解系统的局限性

在无氧糖酵解过程中，从 1 mol（180 g）糖原的部分代谢中重新合成的净能量是 3 mol ATP。如果用葡萄糖代替糖原进行代谢，则仅获得 2 mol ATP，因为有 1 mol 的 ATP 被用于转化为葡糖 -6- 磷酸。相当于 33 kcal 的糖原或 22 kcal 的葡萄糖可能会被释放。然而，在剧烈运动中，从糖酵解中获得的可用能量只有大约 1.5mol ATP 或 16.5 kcal，因为细胞内乳酸的持续积累超过 60 s，就会阻碍肌肉的活动。在这些条件下，糖酵解系统的最大功率估计为每分钟 1.5 mol ATP 或每分钟 16.5 kcal。

氧化系统的局限性

1 mol 葡萄糖或糖原的有氧降解可产生 30 个 ATP。图 1-2 所示，在三羧酸循环中乙酰辅酶 A 的氧化产生了 2 个 ATP，在所有 H^+ 经电子传递链传递给氧气中产生了 28 个 ATP，在氧化磷酸化过程中形成了 H_2O 和 ATP。当肌糖原为 540 g 或 3 mol（1 mol 糖原 =180 g），肌糖原有氧降解的总可用能量为 90 个 ATP（3×30）或 990 kcal（90×11）。显然，540 g 的可用能量几乎有一半在转化过程中以热量的形式损失了。假设效率为 25%，一个平均 $\dot{V}O_2$ max（最大摄氧量）为 3.0 L/min 的人的最大能量产生速率估计为每分钟 11.2 kcal。

图 1-2　ATP 生成的数目

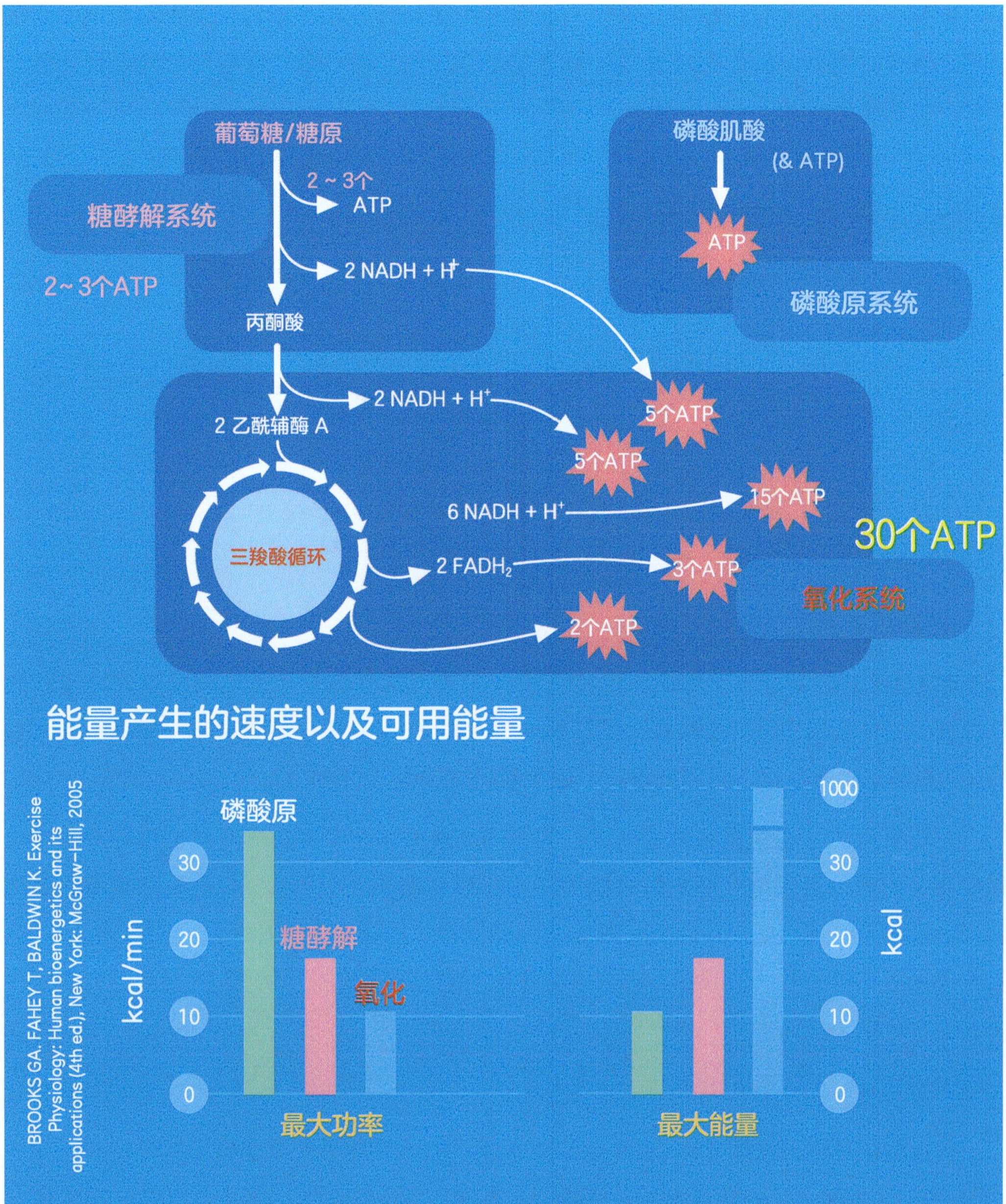

要点

- 在肌肉运动时，ATP 不断地被消耗和产生。
- 磷酸原系统产生 ATP 的速度大约是糖酵解系统的2倍，氧化系统的3倍。
- 糖酵解系统产生的 ATP 是磷酸原系统的1.5倍。
- ATP 主要是通过氧化系统供应给运动肌肉的，氧化系统产生的能量比其他两种能量系统多得多。

概念 3　供能系统的相互作用

在所有类型的体育活动中，这三个能量系统都同时并在不同程度上参与肌肉能量的供应。然而，身体活动的强度决定了每个能量系统的相对贡献，即在特定时间内，哪个系统产生的能量最多。

在进一步讨论之前，我们需要介绍一些新的术语，关于不同的能量系统所使用的机制，从现在起将用以下更常用的名称来指称该术语。

- 磷酸原系统将被称为无氧—无乳酸系统。无氧是因为它不需要氧气，无乳酸是因为它不产生乳酸。

- 糖酵解系统将被称为无氧—乳酸系统。无氧是因为它不需要氧气，而乳酸是其副产品。

这两种机制：磷酸原和糖酵解，也将被统称为无氧供能系统。

- 氧化系统也将被确定为有氧机制，只是因为它完全依赖氧气。

极量运动（图 1–3 上）

图 1-3（上）中描述了有氧和厌氧过程在涉及大肌肉群的极量运动中能量输出的相对份额。如果我们同时考虑两种无氧机制（即无乳酸 + 乳酸），我们可以观察到，在短至 45 s 的极量运动强度中，肌肉能量主要由无氧机制提供（约 65%）。

在持续约 75 s 的肌肉极量运动中，无氧—乳酸系统和有氧机制对总能量需求的参与程度几乎相等，而无氧—无乳酸系统的参与可以忽略不计。因此，800 m 跑理所应当被认为是最艰苦的项目之一，因为它对这两个能量产生的系统都施加了同等的压力。然而，随着极量运动持续时间的增加，有氧机制逐渐代替无氧机制并在持续 10 min 以上的强度中占主导地位（85%）。

超极量运动（图 1–3 下）

在短跑项目的超极量运动（100 m 和 200 m）中，肌肉能量主要来自无氧机制，如图 1-3（下）所示。无氧—乳酸约占 50%，无氧—无乳酸占 30% ~ 40%，而其余 10% ~ 20% 由有氧机制分担。这些估计是基于对运动中摄氧量的测量，以及在超极量运动后立即用肌肉活检针技术获得的肌肉代谢物。许多体育活动同时需要有氧机制和无氧机制来产生能量。例如，在 1500 m 长跑中，无氧机制提供了比赛开始和结束时所需的大部分 ATP，而有氧机制在剩下的比赛中占主导（75%）。

图 1-3　与运动有关的能量机制

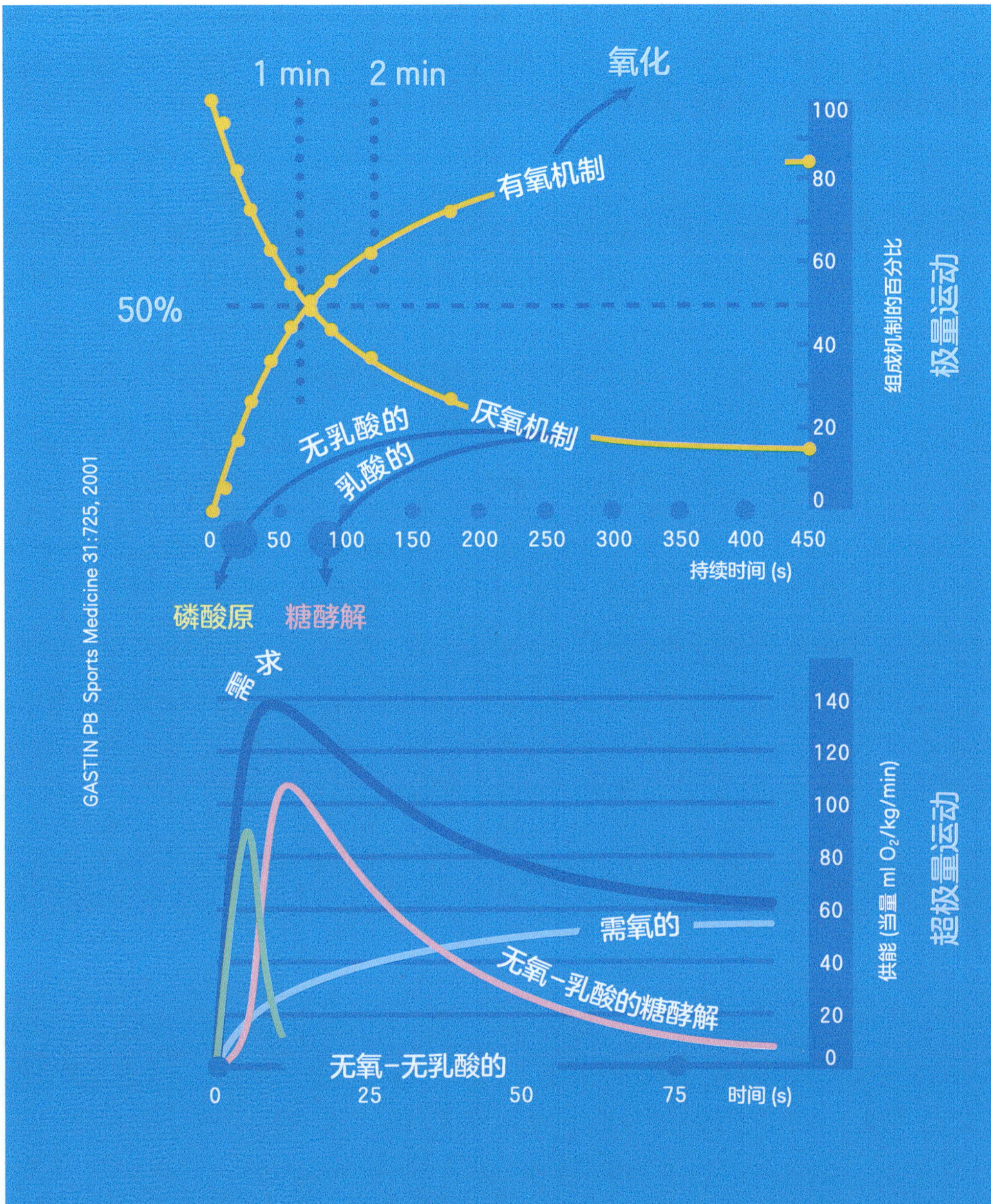

要点

- 运动的强度决定了在给定时间哪个功能系统占主导地位。
- 在短时间、高强度的运动中，无氧机制占优势。
- 在持续约 2 min 的运动中，无氧与有氧机制产能相同。
- 在持续 10 min 以上的极量运动中，有氧能量的产生高于无氧。

概念 4　运动时的能量供应

任何体育活动的分类都是基于普遍存在的整体能量系统。从图 1-4 的分类模型中可以明显看出，尽管在一项体育活动中只有一个能量系统占主导地位，但另外两个能量系统也发挥补充作用，这取决于肌肉运动的强度。

分类模型

所有的体育活动和项目都可以被划分为 4 个能量区（图 1-4）。这个模型主要是根据一些研究中得到的数据构建的，这些研究使用精确的可穿戴式能量代谢检测设备来测量不同运动项目的运动员的能量供应。并且，有的证据也来自使用肌肉活检针技术的研究，以评估训练有素的运动员在肌肉运动中产生所需能量的速度和数量。

能量区 A：无氧—无乳酸　这个能量区的特点是无氧—无乳酸机制的参与，包括所有持续时间不超过 3 s 的项目和体育活动，如举重、跳水、田径中的跳跃和投掷项目。

能量区 B：无氧无乳酸—有乳酸　持续 4 ~ 50 s 并启动无氧机制（包括无乳酸和有乳酸）的体育活动，如排球、器械体操、100 ~ 400 m 的跑步比赛、50 ~ 100 m 的游泳比赛、击剑和拳击，都被分配到这个能量区。

能量区 C：无氧有乳酸—有氧　持续 1 ~ 3 min 的体育活动，如 800 m 跑步、篮球、200 m 游泳、足球、手球和跳台滑雪等都属于这一类别。在这种情况下，能量通过无氧有乳酸—有氧机制输送，而无氧—无乳酸的贡献可以忽略不计。

能量区 D：有氧　在持续时间超过 3 min 的运动中，有氧机制占主导地位，并且无氧机制的占比随着持续时间的增加而逐渐下降，在长时间的运动中变得可以忽略不计，如马拉松跑步。

团队运动中的混合区

在许多体育项目特别是在团队项目中，肌肉的运动强度既不恒定也不相同，而是根据运动的需要而波动，因此有可能出现次级能量系统占上风。例如，打篮球通常被认为是一项有氧—无氧混合运动，因为糖酵解和氧化系统同时都非常活跃，但在传球、跳投、篮板等活动中，主导机制是无氧—无乳酸。在科学的运动训练设计中这些能量的特殊性必须考虑。

图 1-4　能源供应的至关重要性

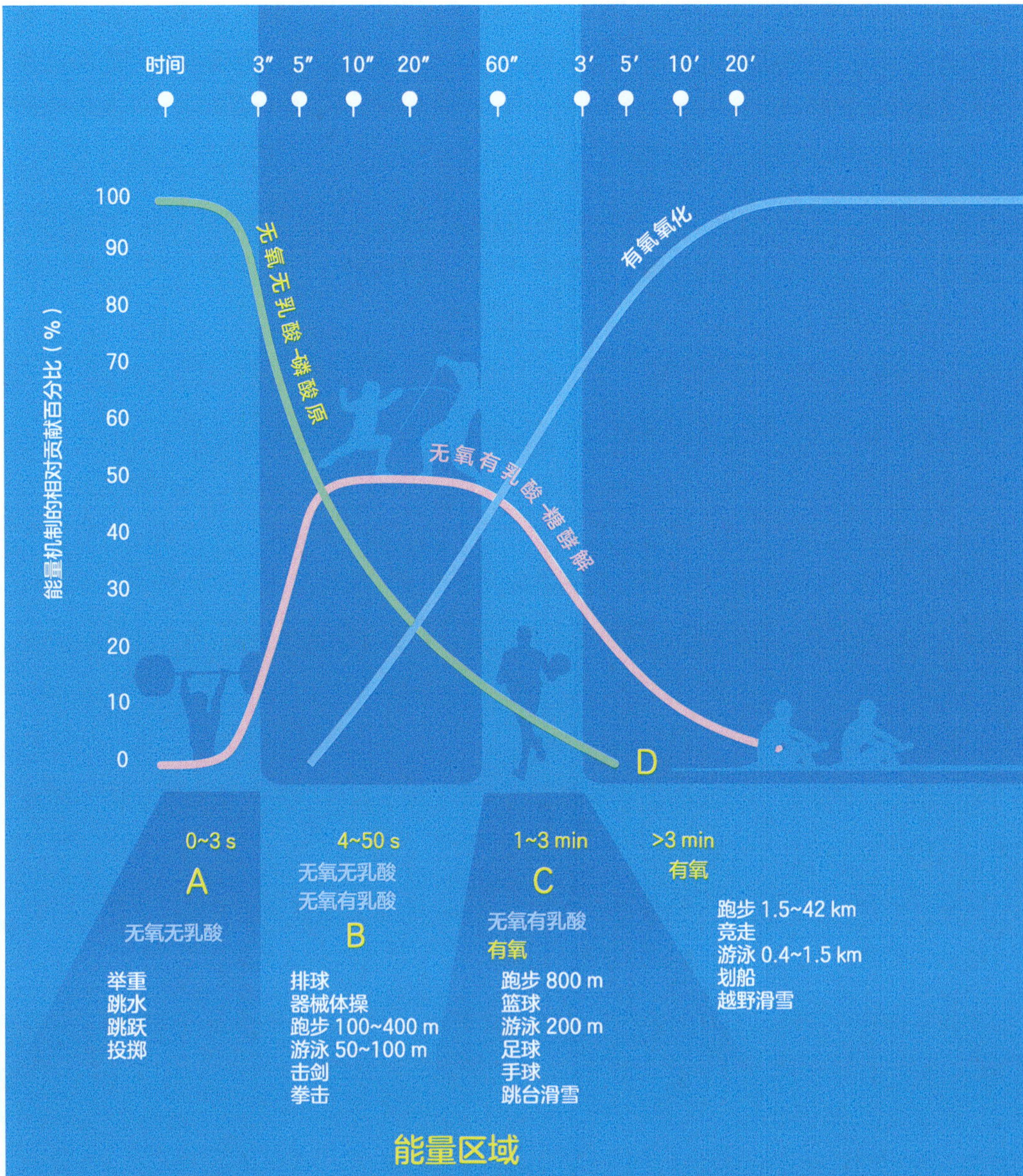

要点

- 虽然每种运动都普遍存在一种主导的能量机制，将其分为无氧-无乳酸、无氧-有乳酸或有氧，但其他能量机制也在不同程度上参与，这取决于运动强度。
- 能量区 A、B、C 和 D 以竞技的持续时间为基础，表明了各种机制在每项体育活动中的优势情况。

概念 5　乳酸作为一种代谢燃料

之前乳酸被认为是一种废物，一种无用的代谢物，而不是在肌肉中形成并在运动中燃烧的燃料。由于乳酸是一种小分子化合物，很容易从肌肉细胞扩散到细胞间液和血液之中。这意味着乳酸可以在一个细胞中产生，然后作为能量来源被输送到另一个细胞中。

乳酸在肌肉、血液和器官之间的持续流动被称为“乳酸穿梭”，主要为慢收缩肌纤维和心脏提供能量。在肌肉中产生的乳酸部分被运送到肝脏，在那里它被重新转化为丙酮酸，并通过糖原异生过程转化为葡萄糖。乳酸循环转化的葡萄糖可作为能量防止在长期剧烈运动中出现低血糖。

乳酸的产生（图 1–5 上）

运动时肌肉中产生的乳酸会扩散到血液中。它在肌肉和血液中的浓度主要取决于运动强度和运动能力，如图 1-5（上）所示。它在低强度运动下略有增加，而在未受过训练者的 $\dot{V}O_2$ max 达到 50% ~ 60% 和受过训练者达到 65% ~ 80% 时，它开始突然呈指数级增加。在给定的相对运动强度下，受过训练者的乳酸浓度一般低于未受过训练者，而在极高强度的间歇运动中，受过良好训练的人血液中的乳酸浓度峰值可超过 25 mmol/L，是未受过训练者的 2 倍。

主动恢复（图 1–5 下）

当肌肉运动剧烈时，乳酸的生成速度远远大于消耗速度，因此，乳酸在血液中的浓度增加。在全力运动时，无氧供能系统占主导地位。

乳酸产生后，立即被分解为氢离子（H^+）和乳酸根离子。氢离子的积累导致 pH 下降，从而破坏了酸碱平衡。由乳酸分解导致的细胞内酸中毒是肌肉疲劳的原因。

加快从血液中清除运动过程中产生的乳酸会对机体的快速恢复产生积极影响。在恢复阶段，继续以较低的强度进行肌肉锻炼，血液中的乳酸浓度会下降得更快，如图 1-5（下）所示。结果表明，低强度的主动恢复（约 35% $\dot{V}O_2$ max）比被动恢复更能加速乳酸的消耗，这是由于慢收缩肌纤维被激活并代谢运动生成的乳酸。此外，有研究表明，主动恢复的最佳强度是在无氧阈值以下，以促进血液乳酸的清除。

图 1-5　运动强度是产生乳酸的关键

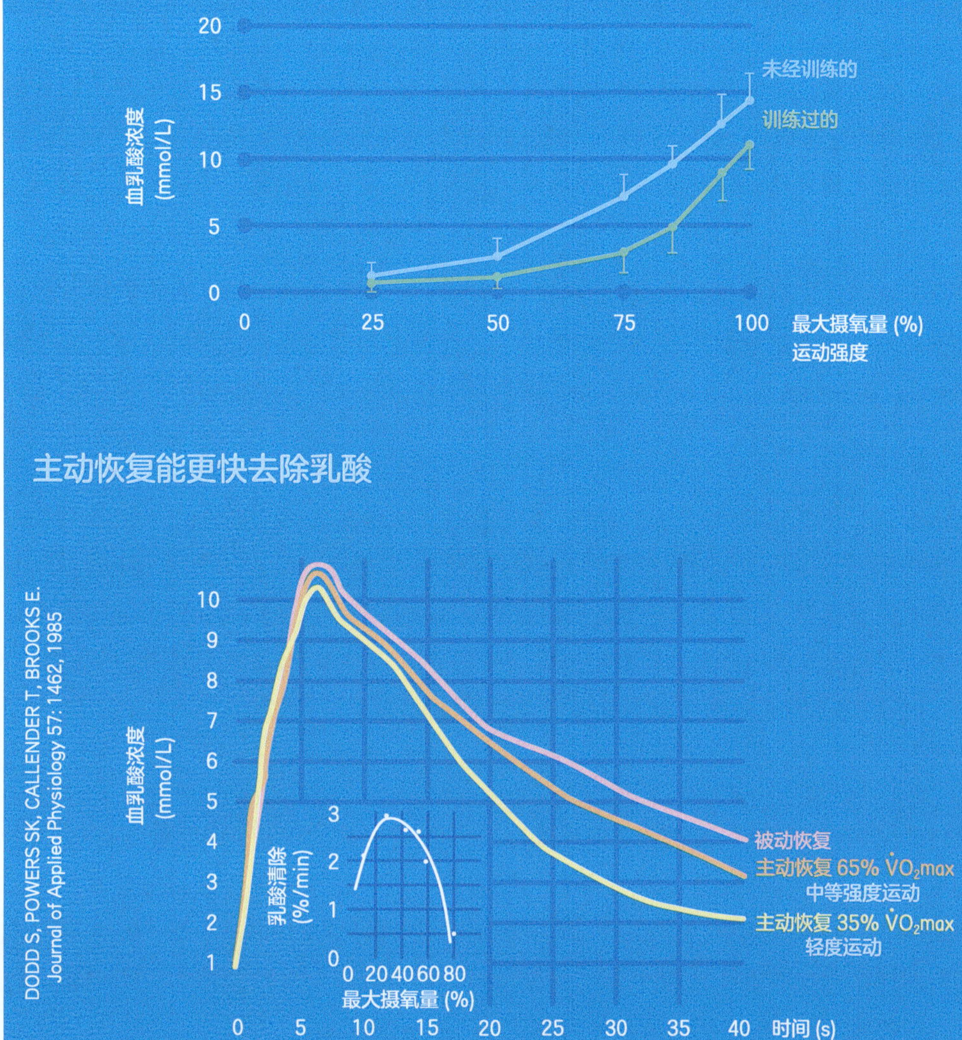

要点

- 尽管心肌层、大脑、肝脏和肾脏等组织、器官都使用乳酸作为燃料，但氧化乳酸的主要组织是肌肉。
- 血液中乳酸浓度过高时，酸碱平衡受到干扰，导致肌肉疲劳，进而影响运动的持续。

概念 6　身体能量的来源

为了在休息和肌肉运动时获得细胞做功所需的能量，人体将碳水化合物和脂肪作为主要燃料，蛋白质作为次要燃料。

燃料利用模式（图 1–6）

首先，胃肠系统将燃料从体外转移到身体内部。在小肠吸收或在肝脏中产生的葡萄糖和脂肪酸最终进入血液。同样的情况也发生在来自脂肪细胞的脂肪酸上。这些分子（葡萄糖和脂肪酸）通过血液循环进入肌肉细胞，并与已经储存在细胞质中的分子一起产生能量。

能量可以通过无氧的糖酵解过程产生，即完全分解葡萄糖或糖原，也可以在有氧的三羧酸循环产生，即糖酵解的代谢产物在 β-氧化过程中与脂肪酸一起消耗。碳水化合物可以在无氧或有氧的情况下进行代谢，而脂肪和蛋白质只能在有氧的情况下进行代谢。

碳水化合物

人体储存了大约 500 g 的碳水化合物。大部分碳水化合物以糖原的形式储存在肌肉（约 450 g）和肝脏（约 50 g）之中，只有 15 g 以血糖的形式储存。碳水化合物比脂肪重，因为每克糖原能储存 2.7 g 的水。富含碳水化合物的饮食几乎可以使肌肉和肝脏中的糖原储备增加 1 倍，而低碳水化合物的饮食将产生相反的效果。因为 1 g 葡萄糖或糖原的能量约为 4 kcal，所以碳水化合物的总能量储备通常约为 2000 kcal。

脂肪

脂肪是细胞储存和燃料消耗的理想形式。1 g 脂肪含有大约 9 kcal 的能量，是 1g 碳水化合物或蛋白质所含能量的 2 倍，这是因为脂肪含有更多的氢原子。脂肪主要以甘油三酯的形式储存在肌肉细胞（约 500 g）和脂肪细胞（约 14 000g）中，少量（0.4 g）脂肪以自由脂肪酸的形式存在于血浆中，这几乎可以忽略不计。脂肪酸按照与丙酮酸相同的路径进入三羧酸循环，但它们通常被缓慢氧化以产生 ATP。

蛋白质

碳水化合物和脂肪酸是运动中产生能量的首选燃料，以便保留功能性蛋白质，如产生新的肌肉蛋白质。然而，在长时间的运动中，肌糖原消耗殆尽时，蛋白质（氨基酸）会进入线粒体以产生 ATP。

图 1-6 燃料利用模式

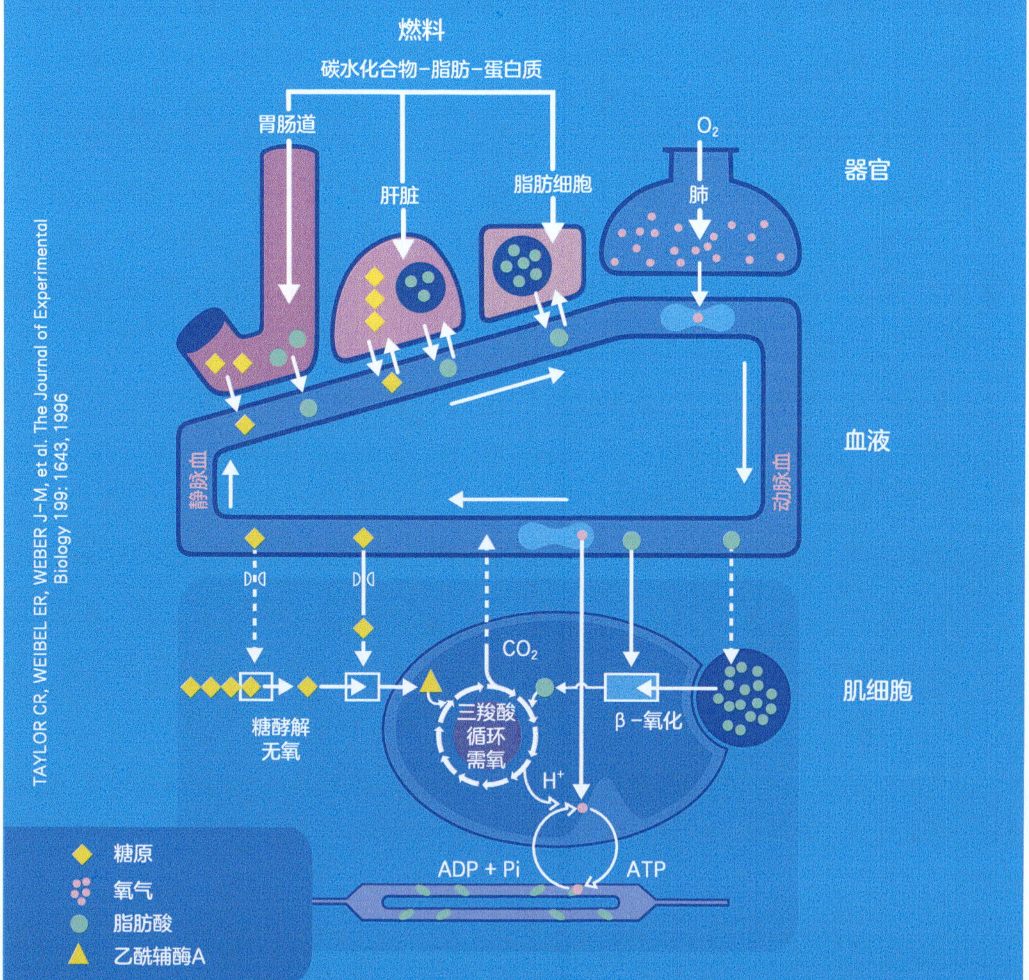

TAYLOR CR, WEIBEL ER, WEBER J-M, et al. The Journal of Experimental Biology 199: 1643, 1996

要点

- 脂肪能量存储约占体内能量储存的 4/5，蛋白质约占剩下的 1/5，而碳水化合物仅占总热量的 1%。但是，碳水化合物在运动中起着最重要的作用。
- 推荐的每日蛋白质摄入量为成年男女每千克体重 0.8 g，青少年为 0.9 g，运动员为 1.2～1.4 g。对于力量型和有氧运动的运动员，每千克体重应至少摄入 2 g 蛋白质。
- 日常饮食 55%～58% 应该来自碳水化合物，30% 来自脂肪（大部分是不饱和脂肪），12%～15% 来自蛋白质。

概念 7 肌肉运动的燃料

当身体处于休息状态时，大部分能量（约 60%）来自脂肪的燃烧，少部分来自碳水化合物（约 35%）。剩下的 5% 左右则来自蛋白质。

在肌肉运动中，燃料对产生所需能量的相对贡献取决于运动的强度和持续时间，以及个人的饮食和训练水平。

运动强度和燃料

运动强度越大，碳水化合物的代谢就会越快，而脂肪的代谢则会减少，如图 1-7（上）所示。脂肪和碳水化合物的“交叉点”对应着较低的运动强度，约为 35% $\dot{V}O_2$ max。超过这个点，就会逐渐转向碳水化合物的代谢，因此在极量运动时，骨骼肌只使用肌糖原和血糖。

这种对碳水化合物的选择性依赖的优点是由于在糖酵解过程中能量的产生几乎比在脂肪分解或蛋白质分解过程中快 2 倍。因此，燃料在能量生产中的相对贡献取决于糖酵解速度，而不是取决于脂肪的可用性。

运动时间和燃料

在长时间的肌肉运动中，肌糖原的储备会逐渐减少，如图 1-7（下）所示。长时间的运动导致血液中胰岛素水平的降低，而胰岛素是一种有效的脂肪酶抑制剂。胰岛素的减少激活了脂肪酶，从而导致脂肪分解，进而增加肌肉细胞中脂肪酸的可用性。

以马拉松比赛为例，肌肉和肝脏中储存的糖原（约 2000 kcal）足以提供跑约 30 km 的能量。此时脂肪被转化为能量，由于其转化效率低得多，因此当跑步者放慢步伐，感觉就像“撞墙”了。

当运动持续较长时间时，不仅糖原的储备减少，而且肌肉中的脂肪酸也减少。因此，随着运动的进行，血液中脂肪酸的参与程度也在增加。然而，脂肪酸的代谢降解离不开碳水化合物的代谢，脂肪“总是在碳水化合物的火焰中燃烧”。

在长时间的运动中，血糖在能量产生方面也起着重要作用。随着肌糖原储备的耗尽，肝脏中的糖原分解越来越活跃，糖原被转化为葡萄糖并在血流中运输，然后进入肌肉，以作为肌肉能量的来源。

在长时间的剧烈运动中（70% ~ 75% $\dot{V}O_2$ max），摄入碳水化合物可以抑制疲劳并提高运动表现，因为它可以节省用于能量生产的肝糖原。

图 1-7 运动中的碳水化合物和脂肪

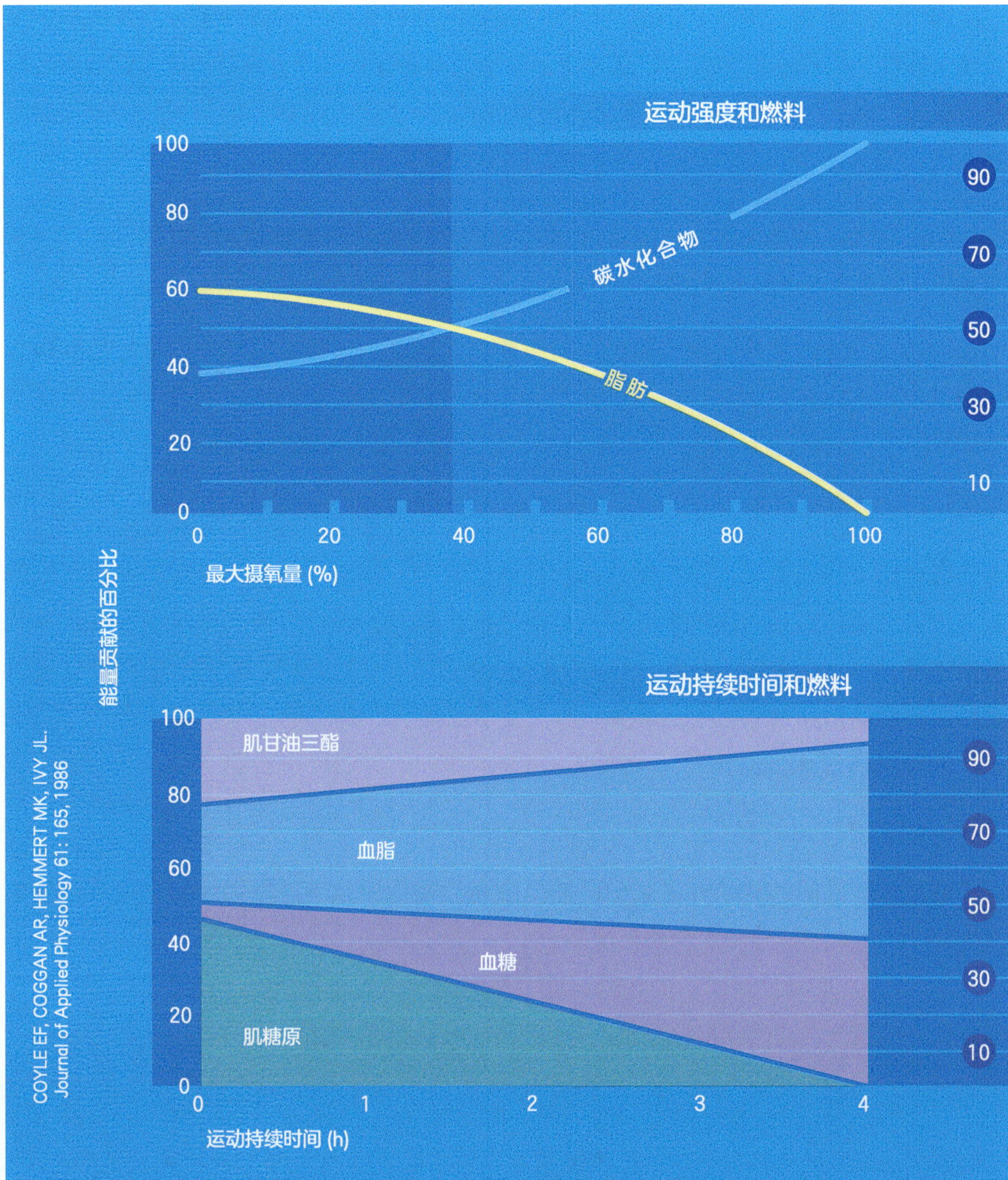

要点

- 如果在长时间的运动中不摄入碳水化合物，血糖会下降，肝糖原储备也会减少，从而出现疲劳。
- 如果摄入碳水化合物，由于血液中葡萄糖的可用性，耐力会增加。更重要的是，在数小时的运动结束时，血液中的葡萄糖可能是碳水化合物的唯一来源，可用于能量的产生。

概念 8　恢复期的燃料补充

肌肉活动中消耗的能量在恢复期间会得到有效的补充。在运动过程中，有两种主要的能量来源被不同程度地消耗，即储存在肌肉中的磷酸盐（ATP + Pi）和储存在肌肉、肝脏中的糖原。

运动后的恢复（图 1–8 上）

图 1-8（上）一方面描述了运动后肌肉中磷酸肌酸和糖原重新合成的时间过程，另一方面描述了恢复期间肌肉中乳酸的消耗情况。

肌肉活检针技术使代谢物代谢过程的研究成为可能，该技术包括用活检针抽取微小的肌肉组织样本，然后对其进行组织化学和生物化学分析。肌肉活检针技术的引入实际上彻底改变了我们对运动中肌肉功能的理解，拓展了人体生理学的视野。

磷酸原的恢复

它在运动后立即发生，并与氧气的消耗速度有关，即消耗的氧气量越多，肌肉中的磷酸原恢复就越多。当肌肉的氧气供应被阻断时，就很少或没有磷酸原恢复发生。在有氧恢复的过程中，从食物中重新合成的 ATP 少量被储存在肌肉中，而其余的则被分解成磷酸肌酸，也被储存在肌肉中。磷酸原的恢复情况如下：30 s 内恢复 50%，1 min 内恢复 75%，3 min 内恢复 100%。

糖原恢复

在剧烈和长时间的运动中消耗的肌糖原会在运动后的恢复期慢慢恢复，具体过程如下：在正常或高碳水化合物饮食的情况下，5 h 内恢复 50%，10 h 内恢复 75%，24 h 内恢复 100%。并且，间歇性运动后的恢复速度更快，因为快缩型肌纤维比慢缩型肌纤维能更快地重新合成糖原，故快缩型肌纤维主要在短时间的运动中被征用。

乳酸清除

剧烈运动后，肌肉和血液中的乳酸被清除。积累的乳酸在大约 15 min 内被清除一半，30 min 内清除 75%，90 min 内清除 100%。因为乳酸是在糖酵解中形成的，并且接近代谢的交叉点，因此它被转化为丙酮酸，直接在线粒体中被氧化，为肌纤维、心肌、肝脏和脑细胞提供能量。通过这种方式，乳酸盐为恢复过程提供了燃料。一定量的乳酸还可以作为葡萄糖异生作用的底物，在肝脏中合成葡萄糖。

恢复的能量学（图 1–8 下）

图 1-8（下）总结了运动后恢复过程中磷酸及糖原的 ATP 恢复过程和速率，以及乳酸的清除过程。

图 1-8　恢复期的代谢

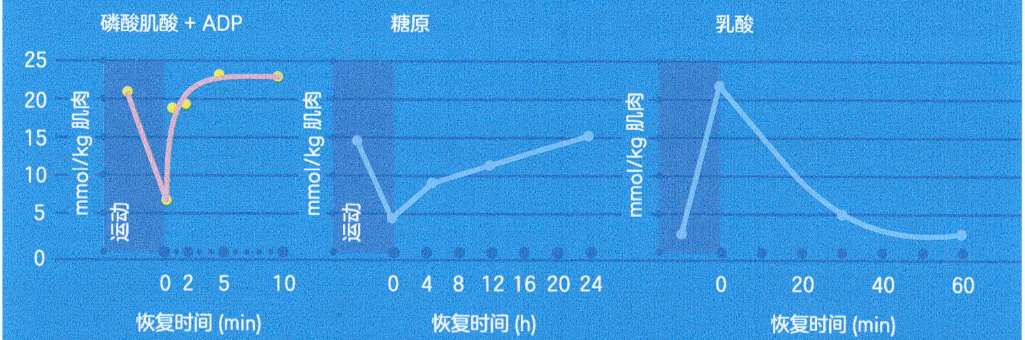

恢复期的能量学

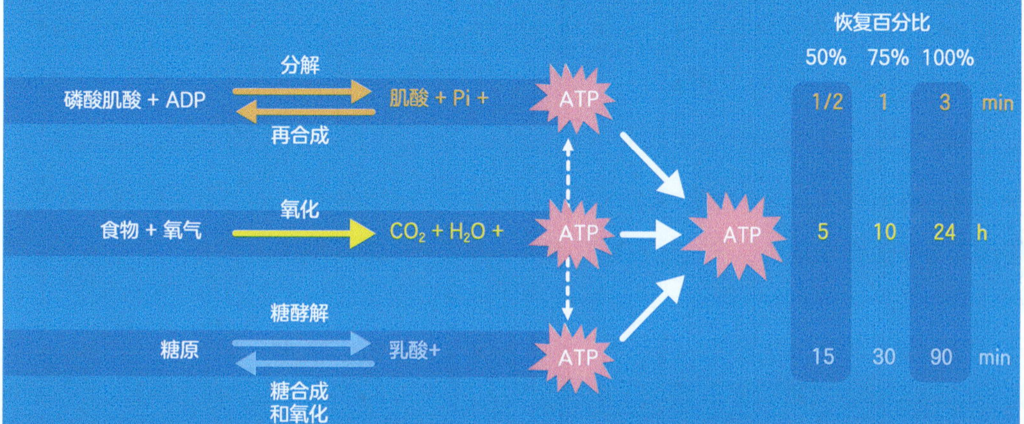

要点

- 如果在运动后 30 min 内摄入碳水化合物（1.0～1.5/kg 体重），并且在运动后的恢复期内（6 h 内每 2 h 摄入 1 次），则运动后肌肉中的糖原可迅速恢复。
- 糖原恢复不仅对耐力有重要的作用，而且对在一天内必须参加多次非耐力比赛的运动员也有重要的作用。

概念 9　能耗的经济性

能耗的经济性是指执行一项任务的能量成本，并通过测量在执行特定任务的稳定状态下的耗氧量来评估。当任务的强度为亚极限时，身体的功能达到稳定状态，能量在有氧中产生，消耗的氧气反映了能量的消耗（1 L 氧气 = 5 kcal）。

个体如果具有更高的能耗经济性，则耗氧量和能量消耗就更少，同时在运动中可以表现出更好的神经肌肉协调和技能。这就解释了为什么在耐力运动中，具有类似有氧能力的高运动效率的跑者，拥有更快的配速并取得更好的成绩。此外，据估计，马拉松选手在给定配速下比中跑和短跑选手奔跑效率高 5% ~ 10%，相当于节约 150 ~ 300 kcal 能量。影响个体运动效率的最重要因素似乎是纤维类型分布。体育训练也可以对能耗经济性产生深刻的影响。

机械效率

机械效率是代表身体能量经济性的另一个指标，表示为工作输出与完成工作所消耗的能量之比。由于在将化学能转换为机械能的过程中，大量能量以热的形式损失，因此人体能量利用率并非 100%。效率取决于肌肉活动的类型。例如，在水平和坡度行走时，效率为 20% ~ 43%；在骑自行车时，效率为 19% ~ 34%；在划船运动中，效率为 10% ~ 20%；在游泳时，效率为 2.5% ~ 9.5%。

最佳效率（图 1–9）

你的身体自然会告诉你该怎么做！在任何类型的有节奏的运动中，身体以其智慧自动选择需要最少能量的速度。这种固有节奏可以随时被意志改变，但不可避免地要以消耗能量为代价。图 1-9 中描述了跑步和呼吸的两种典型情况。在跑步中（图 1-9 上），以每小时 16 km 的速度奔跑时，这种跑步者的最佳步幅约为 150 cm，而无论是步幅过小还是步幅过大都会增加能量消耗，效率也会大大降低。在呼吸方面（图 1-9 下），中等强度运动的最佳频率与自然的固有节奏相吻合，而预先设定的较低或较高的频率显然是低效的。

赤脚跑步

与赤脚跑步相比，穿轻质缓冲鞋跑步可减少 3% ~ 4% 的代谢消耗，效率似乎更高。

图 1-9　能耗的经济性

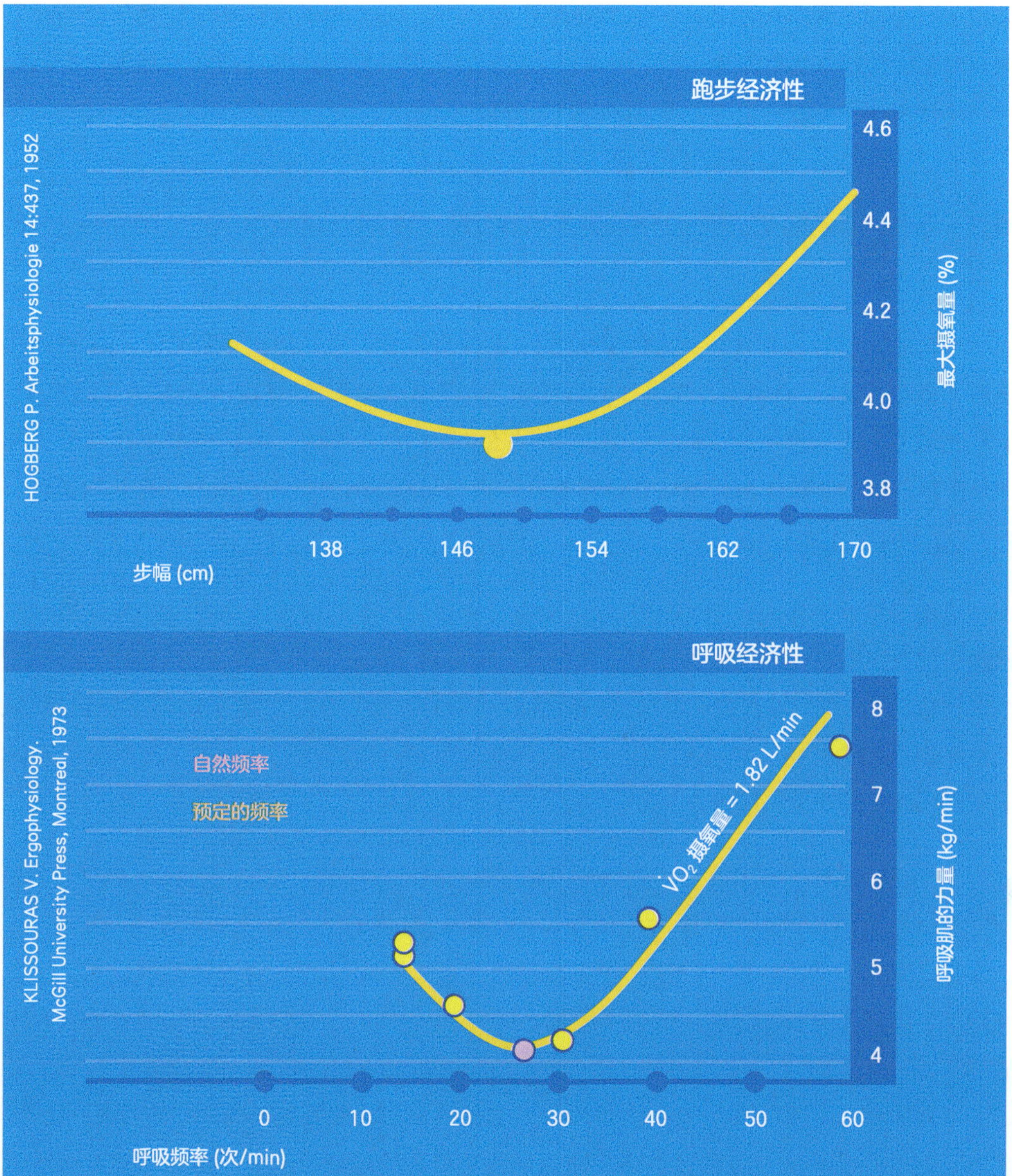

要点

- 慢跑比快跑更经济，其原因是快跑时能量主要来自无氧代谢。
- 慢缩型肌纤维比例高的人比快缩型肌纤维比例高的人表现出更高的运动效率。
- 由于儿童的神经肌肉协调性差，步行和跑步的经济性比成人低 10%～30%。

概念 10　运动中的摄氧量

人类在休息和肌肉活动时，依靠有氧代谢产生的 ATP 来满足机体的需要。我们呼吸的氧气从肺部输送到红细胞（外部呼吸），然后输送到线粒体，参与电子传递链过程，接受包含食物分子中潜在能量的 H^+，并释放 ATP（内部呼吸）。

在运动开始时，摄氧量（缩写为 $\dot{V}O_2$）迅速增加，然后稳定在与运动强度成一定比例的水平上，而在运动结束后，它逐渐恢复到与静止状态相应的水平。

过渡阶段：氧亏缺

当运动开始时，前几分钟内的 $\dot{V}O_2$ 少于实际需氧量，身体会出现氧亏缺，如图 1-10 所示。换句话说，在运动开始的这个过渡阶段，能量需求和氧气供应之间没有完美地匹配，运动越激烈，不匹配的程度越大，氧亏缺也越大。这首先归因于心肺调节反应迟缓，其次是数量有限的线粒体为了满足多酶调节的有氧代谢系统对氧气的需要量而增加的氧耗。

稳定阶段：稳定状态

运动开始几分钟后，$\dot{V}O_2$ 处于一个稳定的状态。运动越剧烈，稳定阶段需要的时间就越长。在稳态下，如果运动强度低到中等，运动所需的能量将由 $\dot{V}O_2$ 的有氧代谢提供。在这种情况下，我们观察到一个真正的平稳期（图 1-10 上、中），其中 $\dot{V}O_2$ 和需氧量相当。但是在剧烈运动（图 1-10 下）中，$\dot{V}O_2$ 并未趋于平缓，显然是因为募集了效率较低的快缩型肌纤维，即 Ⅱ 型肌纤维。

恢复阶段：过量氧耗

在恢复阶段，$\dot{V}O_2$ 在一段时间内保持增加，这取决于前一阶段的运动强度。因此，如果是轻度到中度的运动，恢复只需要几分钟（快速部分），但如果是激烈的、令人疲惫的运动，则需要更长的时间，可以持续数小时（缓慢部分）。在恢复阶段，超过静止水平的运动后过量氧耗（excess postexercise oxygen consumption，EPOC）既反映了补充运动中所消耗的燃料所进行的合成代谢，也反映了血红蛋白和肌红蛋白氧气储存的补充。此外，它还反映了呼吸系统、心血管系统、热能、激素和离子适应的能量需求的增加，这些适应在运动停止后继续发生。这否定了旧的氧债概念，即人们错误地认为它反映了在过渡阶段“借用”的氧气，或完全用于清除运动中积累的乳酸。

图 1-10　休息到运动的摄氧量过渡

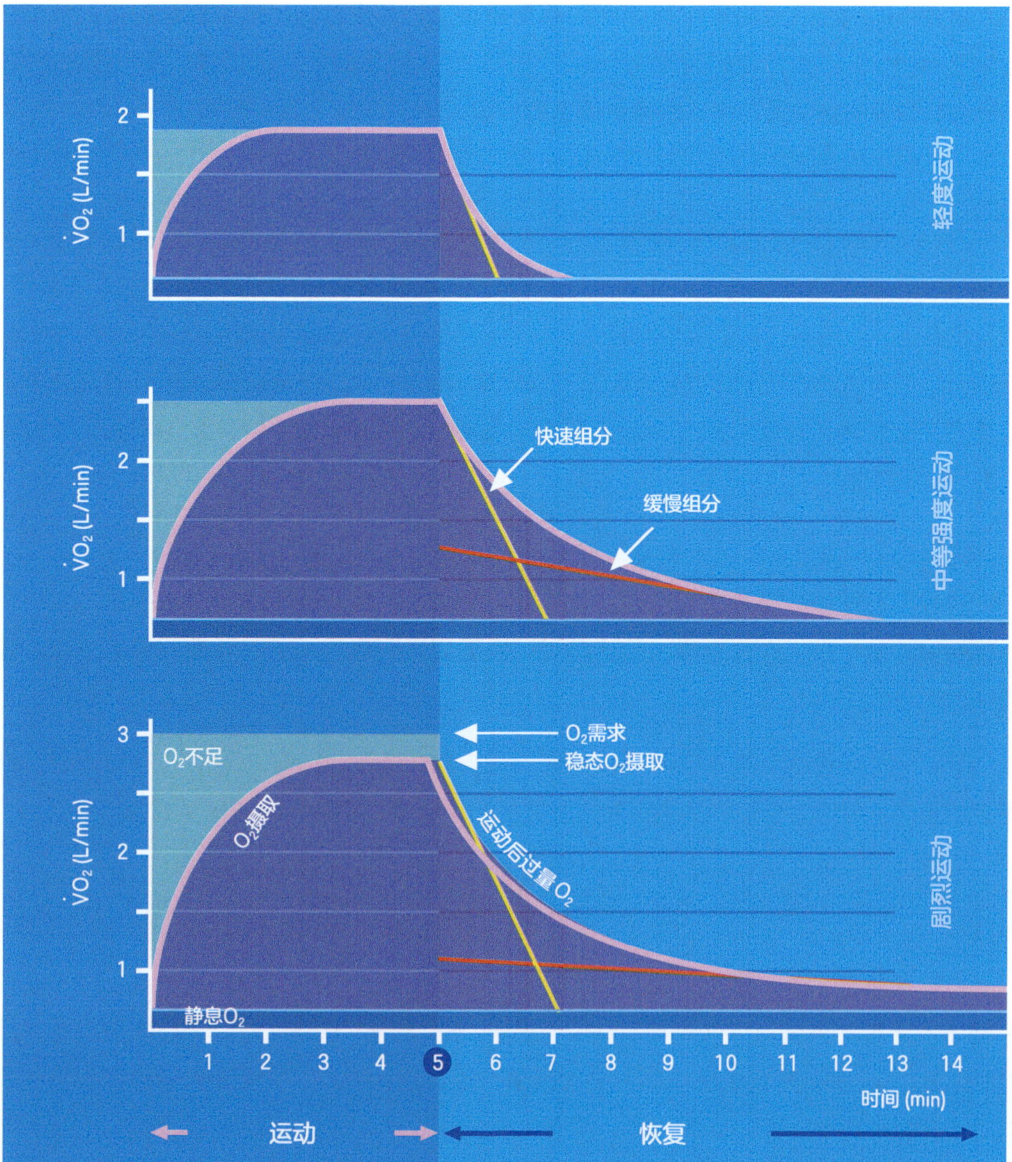

要点

- 运动开始时，有氧代谢缓慢，无法满足能量需求。因此，在这个阶段，无氧途径有助于总体 ATP 的产生。
- 根据之前运动的强度，运动后的代谢率可能会持续升高数分钟或数小时。

概念 11　最大摄氧量

肌肉细胞的摄氧量随着工作强度的增加而增加。单位时间内细胞消耗的最大氧气量被定义为最大摄氧量，简写为 $\dot{V}O_2$ max。它代表了有氧机制为肌肉提供能量的最大速度，因此被认为是衡量个人功能适应性的最重要的指标。

评估 $\dot{V}O_2$max（图 1-11 上）

对 $\dot{V}O_2$ max 的实验室评估是通过心肺运动测试进行的。图 1-11（上）描述了一个年轻男子在逐渐增加的负荷下骑自行车的 $\dot{V}O_2$ 数据，当最高负荷（300 W）趋于平稳时，$\dot{V}O_2$ 没有进一步增加。这表明他已经达到了他的 $\dot{V}O_2$ max，即在剧烈运动中动员所有生理系统、器官和功能的极限。$\dot{V}O_2$ max 以 L/min 或 ml/（kg · min）表示。通常，意志疲劳会迫使人在达到真正的最大 $\dot{V}O_2$ max 之前终止运动。在这种情况下，达到的最高摄氧量被称为摄氧量峰值（$\dot{V}O_2$ peak）。

氧气运输系统（图 1-11 下）

肺呼吸与细胞呼吸及互相依赖的生理功能相结合，以达到 $\dot{V}O_2$ max。因此，在一个健康和健壮的年轻人进行肌肉极量运动时，我们观察到氧气从大气移动到肌肉组织，其顺序如下：

肺部　肺就像一个空气泵，可以将通气量增加 25 倍（从 6 L/min 到 150 L/min），将更多的氧气从肺泡散布到肺动脉和毛细血管中。肺能够提供与肌肉需求量相当的氧气。

血红蛋白　血红蛋白能结合氧气，使动脉血饱和，这意味着每升血液中含有 200 ml 氧气。

心脏　作为一个液体泵，心脏可以将血液输出量增加 5 倍（从 5 L/min 到 25 L/min）。这是通过将每搏量增加 1 倍（从 60 ml/min 增加到 120 ml/min），以及将心率增加近 3 倍（从 70 次 /min 增加到 200 次 /min）来实现的。通过这种方式，大量充氧的血液被输注到运动活跃的肌肉中。

氧气利用系统（图 1-11 下）

在肌肉细胞水平存在着 O_2 和 CO_2 的交换，这是由代谢气体的分压差所促进的。

毛细血管　毛细血管被扩张，增加了对活动组织的灌注，血红蛋白被迫卸载氧气，并将其输送到线粒体中。

线粒体中的燃烧　极量运动时释放的能量是静息时的 10 倍，并产生 CO_2 和 H_2O。静脉血将 CO_2 运送到心脏，然后通过呼吸排出到大气中。

图 1-11 最大摄氧量

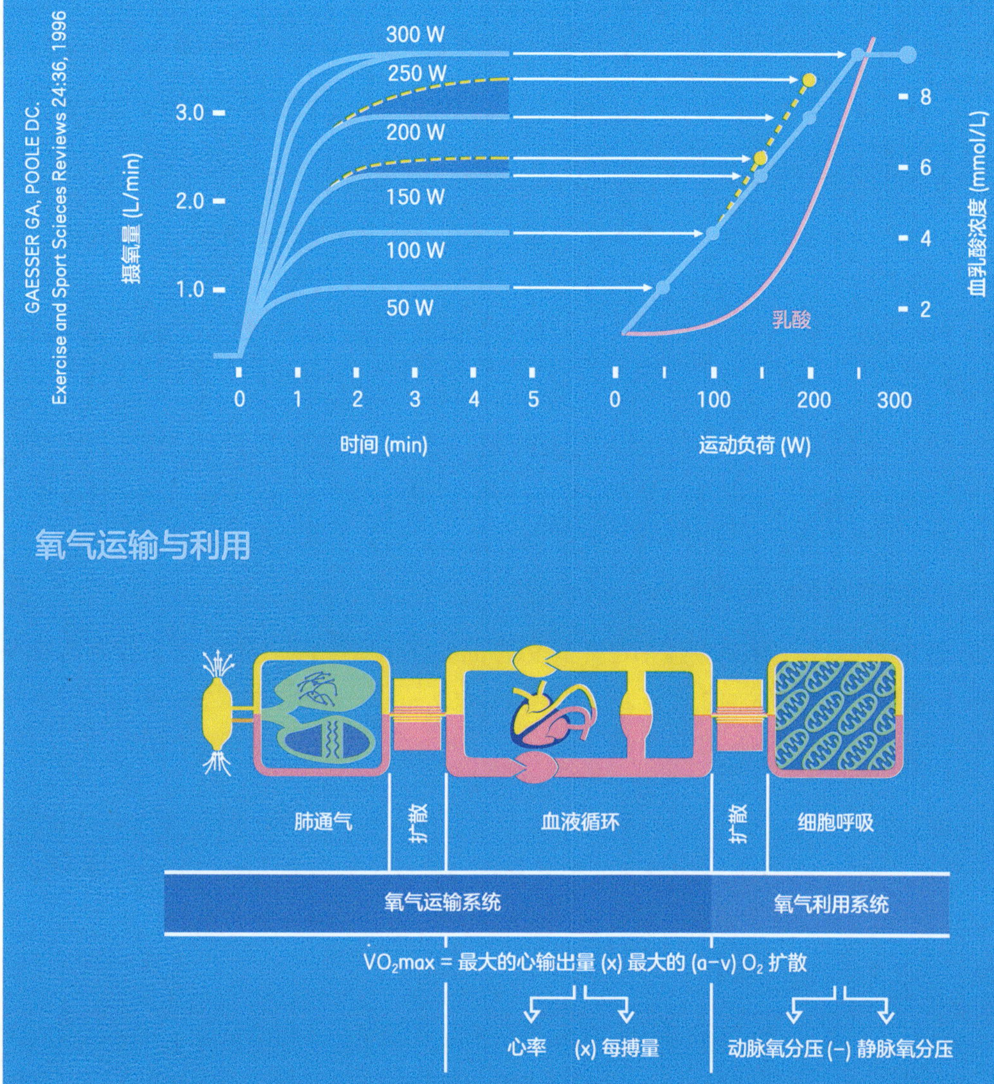

要点

- $\dot{V}O_2$max 由心输出量和肌肉从血液中提取氧气的能力决定。它被认为是心肺耐力或有氧健身的最佳标准。
- 菲克方程 (Fick equation) 表示新陈代谢与心血管功能之间的联系。摄氧量是心输出量与动、静脉氧差的乘积。
- $\dot{V}O_2$max 与向活跃组织输送氧气有关，与肌肉的氧化能力无关。

概念 12　最大摄氧量：年龄与性别

$\dot{V}O_2$ max 存在很大的个体差异，范围为 20 ~ 80 ml/（kg · min），其中大部分归因于遗传因素、年龄和性别，这些因素均超出行为控制范畴。

有氧训练是一个强有力的调节因素，尽管其可训练性也取决于基因型，但它对 $\dot{V}O_2$ max 具有深远的影响。$\dot{V}O_2$ max 的遗传学和可训练性将是后面所讨论的概念的重点。

年龄的影响

图 1-12（上）清晰地说明，最大摄氧量在儿童期和青春期逐渐增加，并在人体发育成熟时达到峰值，在此期间它一直保持在同一水平，直到大约 25 岁。此后，随着时间的推移，$\dot{V}O_2$ max 以每十年 10% 或每年 1% 的速度逐渐下降，这相当于 0.5 ml/（kg · min）的氧气。

25 岁后，$\dot{V}O_2$ max 的下降归因于人体的退化和生理功能的逐渐降低，主要限制因素与氧气输送系统有关，特别是与最大心率的下降［1 次 /（min · a）］有关，这会降低最大心输出量，随之导致运动肌肉的血流量下降。还观察到最大心输出量降低，这归因于左心室射血能力减弱和动脉硬化。

随着年龄的增长，不活动似乎在降低 $\dot{V}O_2$ max 方面起着重要作用。与久坐不动的人相比，保持积极生活方式的老人可以保持更高的 $\dot{V}O_2$ max，如图 1-12（下）所示。

性别的影响

如图 1-12（上）显示女性的 $\dot{V}O_2$ max 通常比男性低。性别之间的这种差异始于青春期；在 14 岁时，男孩的 $\dot{V}O_2$ max 已经比女孩高 25%，在 16 岁时达到 50%。这种差异在青春期后仍然存在，但在老年时会逐渐减少。典型的是，60 岁的中年男性的有氧能力大约等于 20 岁年轻女子的有氧能力。

女性的有氧能力较低主要是由于血红蛋白浓度较低和身体脂肪百分比较高。女性红细胞比男性少 6%，血红蛋白含量比男性低 10% ~ 14%，导致动脉含氧量较低，因此在相同的血液容量下向运动中的肌肉输送氧气较少。

此外，由于女性身材较小，她们的心脏容积和左心室较小，血容量也较低。一般来说，这种结合和输运氧气的能力差异会导致在极量运动时肌肉的氧气供应减少。

图 1-12 $\dot{V}O_2max$ 随年龄和性别而变化

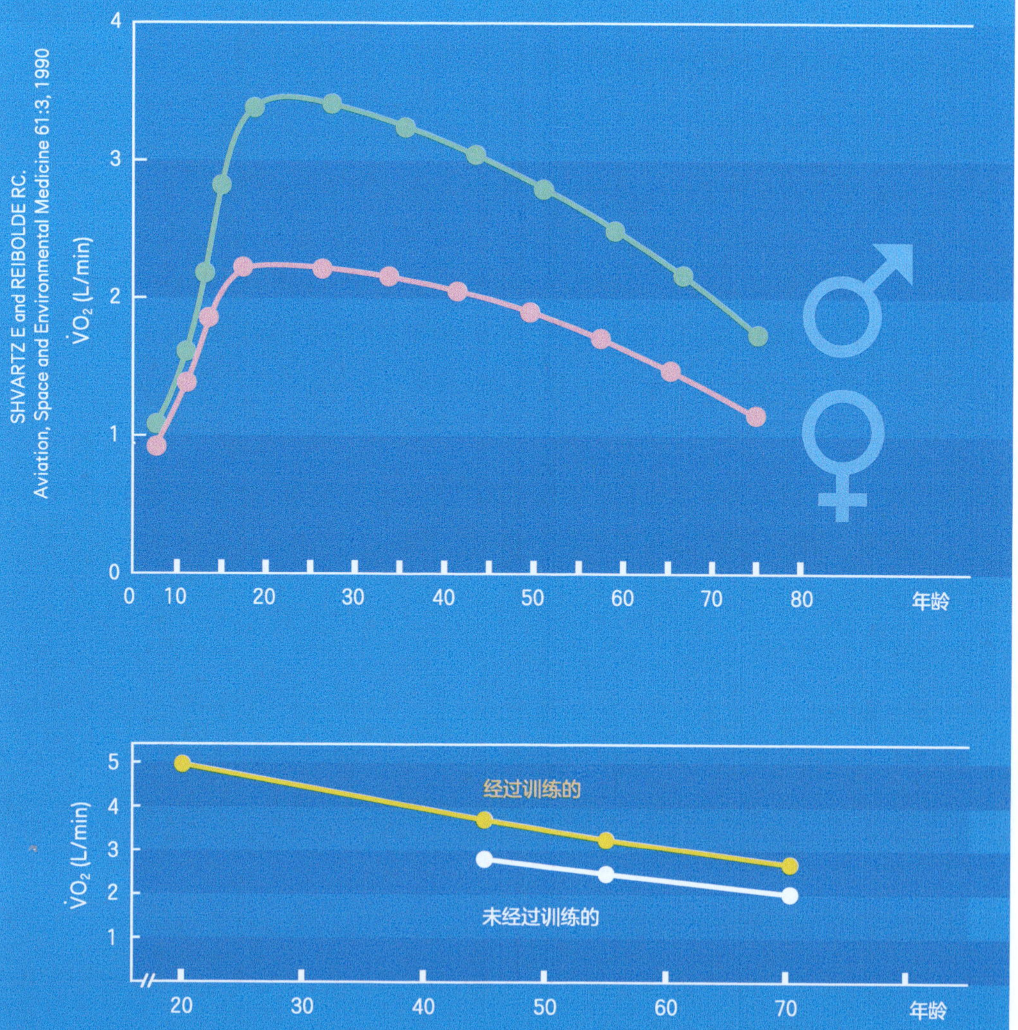

要点

- 定期运动可以抵消和减缓随着年龄增长而发生的 $\dot{V}O_2max$ 减少。
- 与男性相比，女性的 $\dot{V}O_2max$ 较低可能主要归因于女性较低的血红蛋白含量和较低的最大心输出量。
- 女性脂肪减少可能会减小 $\dot{V}O_2max$ 的性别差异。

概念 13　最大摄氧量的标准

最大摄氧量（$\dot{V}O_2$ max）反映了心肺功能，可以在实验室直接测量，也可以间接估算，如本书最后一节介绍的人体工效学中所讨论的那样。间接估算通常基于亚极量运动的生理反应（如心率），或者基于户外测试，通常是跑步活动，需要最大限度的努力，并且持续时间足以充分负荷氧传输和氧利用系统。

$\dot{V}O_2$ max 的标准

$\dot{V}O_2$ max 在所有年龄段和性别中以 ml/（kg · min）为单位被归为 6 个类别，从非常差到卓越，涵盖了每个类别正态分布的范围，如图 1-13（上）所示。例如，在良好类别中，20 岁年轻男子的 $\dot{V}O_2$ max 范围为 45.6 ~ 48.5 ml（kg · min），而同龄年轻女性的范围在 39.5 ~ 42.4 ml/（kg · min）。在分类中，应始终考虑个体的年龄和性别，因为已经确定有氧能力随着年龄的增长而降低，而女孩和女性的氧化能力比男孩和男性低。

图 1-13（上）显示的 $\dot{V}O_2$ max 标准基于一份大样本，其中包括 20 ~ 79 岁的 60 000 多名男性和女性。这些个体在德克萨斯州库铂有氧研究所（Cooper Aerobic Institute ）进行了直接测量，测量时通过逐渐增加跑步强度来测定 $\dot{V}O_2$ max。这些标准体现了数据来源人群的特征。

与健康相关的最小 $\dot{V}O_2$max

一个有趣的问题与正常健康一致的最小 $\dot{V}O_2$ max 水平有关。研究表明，年龄在 20 ~ 29 岁的男性和女性与低心脏病风险相关的最小 $\dot{V}O_2$ max 值分别为≥ 35 ml/（kg · min）和≥ 30 ml/（kg · min）。无论在哪个年龄段，$\dot{V}O_2$ max 最低值多对应着静坐少动的生活方式，并与全因死亡风险增加相关。

儿童的最小 $\dot{V}O_2$ max 和表现

对于年龄在 5 ~ 17 岁的男孩来说，可接受表现一致的 $\dot{V}O_2$ max 最小值估计为 42 ml/(kg·min)。对于 5 ~ 9 岁的女孩，该值估计为 40 ml/(kg·min)，每年减少 1 ml/(kg·min)，直到 14 岁时稳定在 35 ml/(kg · min)，并保持稳定直到 17 岁。

图 1-13（下）显示了一个特定年龄段的儿童完成 1600 m 距离（跑步 / 步行）的最短可接受时间（单位为 min）。表格中的运动时间是基于上述给定的 $\dot{V}O_2$ max 最小值计算的。

图 1-13 $\dot{V}O_2$max 的典型标准

ACSM's guidelines of exercise testing and prescription (9th ed.),
Philadelphia: Lippincott Williams & Wilkins, 2018

男性、女性 $\dot{V}O_2$max [ml/(kg · min)]

男性

年龄	20~29	30~39	40~49	50~59	60~69	70~79
卓越	55.5~60.5	54.1~58.3	52.1~56.1	49.0~54.0	45.7~51.1	43.9~49.6
良好	51.1~54.0	48.3~51.7	46.4~49.6	43.3~46.8	39.6~42.7	36.7~39.5
良	45.6~48.5	44.1~47.0	42.4~44.9	39.0~41.8	35.6~38.3	32.4~35.2
及格	41.7~44.8	40.7~43.9	38.4~41.0	35.5~38.1	32.5~34.9	29.4~31.6
差	38.0~41.0	36.7~39.5	34.8~37.6	32.0~34.8	28.7~31.6	25.7~28.41
非常差	26.5~36.7	26.5~35.2	25.1~33.8	22.8~30.9	19.7~27.3	18.2~24.6

女性

年龄	20~29	30~39	40~49	50~59	60~69	70~79
卓越	49.6~54.5	47.4~52.0	45.3~51.1	41.0~46.1	37.8~42.4	37.2~42.4
良好	43.9~46.8	42.4~45.3	39.6~43.1	36.7~38.8	32.7~35.9	30.6~32.5
良	39.5~42.4	37.7~41.0	35.9~38.6	32.6~35.2	29.7~32.3	28.1~29.8
及格	36.1~38.5	34.2~36.9	32.8~35.2	29.9~32.3	27.3~29.4	25.9~28.0
差	32.3~35.2	30.9~33.8	29.4~32.3	26.8~29.4	24.6~26.6	23.5~25.3
非常差	23.7~30.9	22.9~29.4	22.2~28.2	20.1~25.8	19.5~23.9	16.8~22.2

儿童有氧能力的最低限度

年龄	5	6	7	8	9	10	11	12	13	14	15	16	17
男孩	16	15	14	13	12	11	11	10	9 1/2	8 1/2	8 1/2	8 1/2	8 1/2
女孩	17	16	15	14 1/2	13	12	12	11 1/2	10 1/2	10 1/2	10 1/2	10 1/2	10 1/2

1600 m (min) 的运动时间与最小值 $\dot{V}O_2$max 相关

要点

- $\dot{V}O_2$max 的标准仅供参考，在评估个人的心肺适能状况时应谨慎使用。
- 评估方法以及年龄、性别、训练和遗传易感性等因素可能对个体的 $\dot{V}O_2$max 产生深远影响。

概念 14　运动员的最大摄氧量

图 1-14 展示了不同运动项目男女运动员的 $\dot{V}O_2$ max。最高的值在有氧运动员中能观察到，而且运动的持续时间越长，$\dot{V}O_2$ max 越高。基于相关研究结果，我们可以得出以下结论：

耐力型运动员具有最高的 $\dot{V}O_2$ max，而力量型运动员和需要高水平技巧的运动员则最低。

男女运动员最高的 $\dot{V}O_2$ max 分别为 94 ml/(kg · min) 和 77 ml/(kg · min)，均为越野滑雪男、女运动员的记录。

同一运动项目的运动员 $\dot{V}O_2$ max 存在很大变异性，女性运动员通常落后于男性。

男女个体值的离散型非常大，存在显著的重叠区域。因此，有些女性运动员的 $\dot{V}O_2$ max 比同一运动项目的某些男性运动员要高。

尽管在无氧运动中，有氧代谢对总能量生产的贡献很小，但这些运动员也需要具备较好的有氧能力。例如，虽然排球的有氧需求较低［约为 4 代谢当量（MET）］，但顶尖排球运动员的 $\dot{V}O_2$ max 仍相对较高［55 ~ 60 ml/（kg · min）］。这可以部分地解释现代训练计划对有氧需求的增加。

$\dot{V}O_2$ max 的生理决定因素

高 $\dot{V}O_2$ max 的运动员有更有效的肺（可以交换更多的气体）、更强有力的心脏（能够在每次收缩时输送更多的血液）、更大的血容量（更多的可携带氧气到组织的血红蛋白），以及更丰富的毛细血管网络（可以更好地灌注肌肉细胞）和更多的线粒体、更有效的有氧代谢酶及更多的慢缩型肌纤维来消耗更多的氧气。

$\dot{V}O_2$ max 受个体基因组成和有氧训练方式的影响，后者通过增强氧运输系统的能力引起心血管适应性。

$\dot{V}O_2$ max 在有氧运动表现中起决定性作用，例如一个顶级长跑运动员需要拥有超过 70 ml/（kg · min）的 $\dot{V}O_2$ max。然而，应该注意的是，我们不能仅根据 $\dot{V}O_2$ max 来区分耐力运动员的表现。例如，一个 $\dot{V}O_2$ max 78 ml/（kg · min）的运动员不一定在 10 000 m 赛跑中比 $\dot{V}O_2$ max 72 ml/（kg · min）的运动员表现得更好。

与耐力表现有关的其他因素是比赛中 $\dot{V}O_2$ max 的利用百分比、跑步效率、无氧阈值和高比例的慢缩型肌纤维。对于持续 30 min 以上的运动项目，肌糖原储备也可能影响耐力表现。

图 1-14 运动员在不同项目中的 $\dot{V}O_2max$

	运动	$\dot{V}O_2max$ [ml/(kg · min)] ♂	$\dot{V}O_2max$ [ml/(kg · min)] ♀
耐力项目	长跑	75~80	65~70
	越野滑雪	75~78	65~70
	铁人两项	75~78	—
	骑自行车	70~75	60~65
	半马拉松	70~75	65~68
	滑冰	65~72	55~60
	游泳	60~70	55~60
	划船	65~69	60~64
	赛艇	60~68	50~55
	竞走	60~65	55~60
团队运动	足球	50~57	—
	手球	55~60	48~52
	冰球	55~60	—
	排球	55~60	48~52
	篮球	50~55	40~45
	网球	48~52	40~45
	乒乓球	40~45	38~42
格斗项目	拳击	60~65	—
	摔跤	60~65	—
	柔道	55~60	50~55
	击剑	45~50	40~45
力量项目	冲刺跑	48~52	43~47
	跳远	50~55	45~50
	十项全能和七项全能	60~65	50~55
	举重	40~50	—
	投掷和铅球	40~45	35~40
	标枪	45~50	42~47
	撑竿跳	45~50	—
	跳台滑雪	40~45	—
技能项目	高山滑雪	60~65	48~53
	花样滑冰	50~55	45~50
	体操	45~50	40~45
	艺术体操	—	40~45
	帆船运动	50~55	45~50
	射击	40~45	35~40

要点

- 耐力运动员在比赛中会消耗掉很大比例的 $\dot{V}O_2max$。马拉松运动员消耗的 $\dot{V}O_2max$ 约为 75%。因此，两名最大摄氧量为 4 L/min 和 5 L/min 的马拉松运动员，在比赛期间将分别消耗 3 L/min 和 3.75 L/min 的氧气。
- 在上述情况下，如果两者的体重相同，则 $\dot{V}O_2max$ 较高的运动员在比赛中具有明显的优势，容易在赛跑中领先。

要理解的问题

第1章　肌肉活动的生物能量学

牙买加短跑运动员尤塞恩・博尔特（Usain Bolt）以 9.58 s 的惊人成绩创造了 100 m 的世界纪录，相当于每小时 37.6 km 的速度，而肯尼亚长跑运动员埃利德·基普乔格（Eliud Kipchoge）以 2 小时 01 分 39 秒的最快成绩创造了马拉松（42.2 km）的世界纪录，相当于每小时 20.9 km 的速度，即慢了 44%。他也是第一个突破 2 小时马拉松壁垒的人，记录时间为 1 小时 59 分 40 秒，但这是在“实验”条件下跑出的结果，未得到认可。

- 你认为在尤塞恩和埃利德各自的跑步活动中，哪个能量系统会给他们的身体提供能量？（见概念 1）

- 尤塞恩和埃利德的能量系统是如何增强和维持肌肉活动的不同，它们是如何影响各自的表现的？（见概念 2）

- 在短跑和长跑中，有氧和无氧过程的能量输出的相对份额是多少？（见概念 3）

- 短跑和耐力会被划分在哪个能量区？那么团队运动呢？团队运动的肌肉消耗既不是恒定的，也不是同一强度的，而是根据运动的要求而波动的。（见概念 4）

- 乳酸的产生在尤塞恩和埃利德的表现中起什么作用？乳酸是疲劳的原因吗？（见概念 5）

- 在尤塞恩和埃利德的表现中，能量产出的首选燃料是什么？（见概念 6）

- 为什么大多数马拉松运动员在 30 km 左右放慢速度，会有种“撞墙了”的感觉？（见概念 7）

我有六个忠实的仆人

（他们教会我一切）。他们是：

“什么”、“为什么”和“什么时候”，

以及“如何”、“在哪里”、“谁”。

鲁德亚德·吉卜林（Rudyard Kipling）（1902 年）

- 在短跑和马拉松比赛中消耗的能量储存如何在恢复期间得到有效补充。（见概念 8）

- 导致短跑运动员和耐力运动员之间能耗的经济性差异，最重要的生理因素是什么？（见概念 9）

- 尤塞恩和埃利德在比赛和恢复期间的耗氧动力学是什么？（见概念 10）

- 最大摄氧量的含义是什么？它是如何在体内运输的，又是如何被组织利用的？它对运动员的生理价值和表现的意义是什么？（见概念 11）

- 最大摄氧量是如何受年龄影响的？男性和女性之间是否有差异？造成这种差异的生理因素是什么？（见概念 12）

- 最大摄氧量标准在评估个人心肺功能方面的价值是什么？（见概念 13）

- 你预计尤塞恩和埃利德之间的最大摄氧量有多相似，以及它与他们各自的表现有多大的关系？（见概念 14）

- 你如何解释一个优秀的短跑运动员不可能同时成为优秀的长跑运动员，反之亦然？（见概念 1，14）

- 显然，短跑和耐力运动的生物能量学基本上是不同的。你能想象这个事实对休闲运动者和竞技运动员的个性化训练计划的影响吗？（见后续的概念）

第 2 章
肌肉如何工作

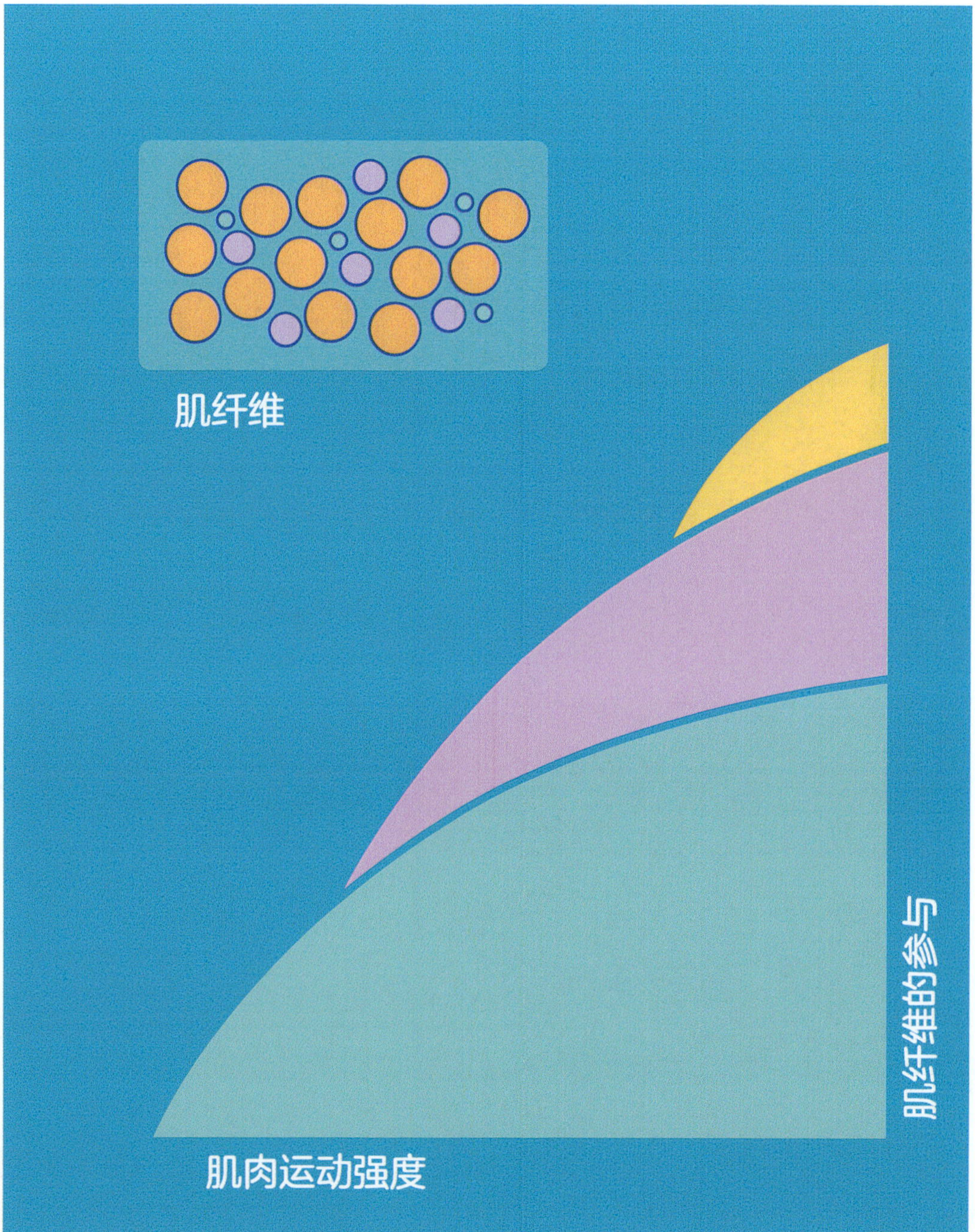

第 2 章　肌肉如何工作

本章专注于肌纤维的结构，以及它们的组成和功能是如何影响人体运动的。

概念 15　骨骼肌的结构
概念 16　肌肉收缩的分子基础
概念 17　肌肉的运动
概念 18　肌肉的力量
概念 19　肌肉的机械性能
概念 20　肌纤维的类型
概念 21　肌纤维的募集
概念 22　运动员的肌纤维
概念 23　什么导致了肌肉疲劳？
概念 24　什么导致了肌肉酸痛？
概念 25　什么导致了肌肉痉挛？
概念 26　肌肉的损伤和再生
要理解的问题

通过学习本章的内容，你将深入了解肌肉收缩产生力量和运动的机制，你应该能够回答以下问题：

- 哪些独特的特性使肌肉产生运动？
- 电信号如何转换为引起运动的机械事件？
- 肌纤维如何缩短？肌肉缩短的机械作用是什么？是什么引发了肌肉的缩短？
- 为什么肌肉伸长时产生的力量最大，而缩短时产生的力量最小？
- 为什么攀爬绳索比下滑更困难？
- 为什么举起轻的物体比重的物体快？
- 为什么随着年龄的增长肌肉力量会下降？训练能否阻止其下降？
- 为什么女孩的肌肉力量比男孩小？
- 慢缩型肌纤维和快缩型肌纤维的生化和收缩特性是什么，它们与运动表现有何关联？
- 在运动过程中，肌纤维是按什么顺序被募集的？
- 不同运动运动员的肌纤维是如何分布的？短跑运动员和马拉松运动员的肌肉构成是否相同？
- 人类肌肉疲劳的原因是什么？
- 运动引起的痉挛、酸痛和损伤的原因是什么？

概念 15 骨骼肌的结构

肌肉 > 肌纤维 > 肌原纤维（图 2-1 上）

人体含有 600 多块骨骼肌，约占身体总体重的 40%。骨骼肌是由肌纤维组成的，肌纤维就是单个的肌肉细胞。每根肌纤维是一个细长的圆柱体，延伸贯穿整块肌肉，由肌原纤维组成，这些肌原纤维是沿着肌纤维延伸的线状结构。不同的结缔组织鞘围绕着每根肌肉、每束肌纤维，以及每个肌纤维。所有这些鞘都与肌腱融合，肌腱插入骨骼并传递肌纤维产生的力量来产生运动。

围绕每个肌纤维的细胞膜是肌膜，它为肌纤维提供保护屏障，并调节各种功能物质进出肌纤维的通道。肌膜下方是肌动蛋白丝，它沿着中心肌质方向运动，肌质是一种明胶状物质，含有蛋白质和能量物质和各种细胞器，如与特定细胞功能有关的线粒体。在肌膜上方是卫星细胞，它们是参与肌肉生长和修复的肌源性干细胞，肌肉拉伸和损伤可将其激活。

肌纤维内的另一个重要结构是肌质网，它一方面可作为钙的储存场所，另一方面促进了动作电位沿肌纤维快速传递。动作电位和钙是肌肉收缩的关键。

肌小节＞ 肌球蛋白＞ 肌动蛋白（图 2-1 中和下）

肌纤维可被进一步细分为单独的节段，如肌小节。肌小节是肌肉的基本功能单位。肌小节首尾相连在一层称为 Z 线的结构蛋白薄层上。每个肌小节由两种类型的蛋白质纤维组成，即肌球蛋白（粗丝）和肌动蛋白（细丝），统称为肌丝，以六边形格子排列（三条粗丝围绕一条细丝）。这些肌丝的相互滑动缩短了肌小节并产生了力量。第三种是肌联蛋白，它像弹簧一样从肌小节的 Z 线延伸到 M 线，参与肌肉拉伸时的力生成。

肌丝如何滑动？这是由于大量横桥（肌球蛋白的球状头）的作用而发生的，这些横桥被激活时会倾斜并将细丝拖向肌小节的中心。细丝附着在 Z 线上，在滑行过程中，仅由细丝组成的 I 线变得更窄，而由两种细丝组成的 A 线则保持不变。细丝的另外两种蛋白质（原肌球蛋白和肌钙蛋白）在激活横桥过程中起着重要的调节作用。

图 2-1 肌肉组织

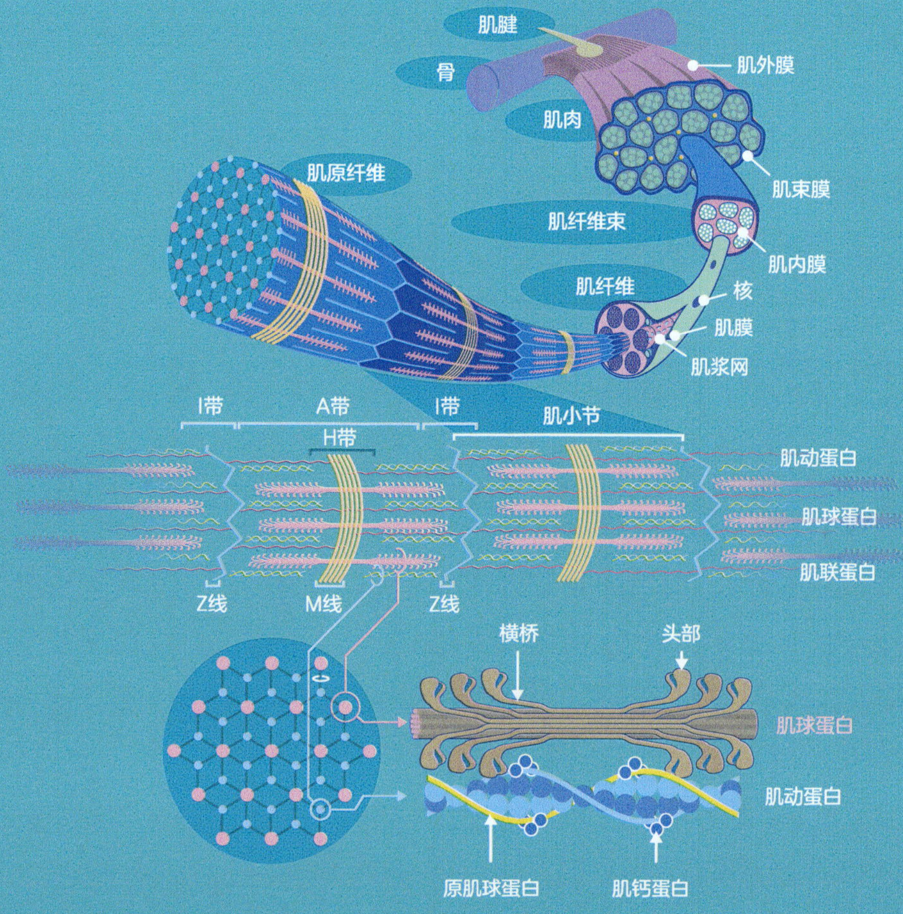

要点

- 肌肉的主要功能是将电信号转换为机械信号并产生力和运动，使肌肉产生运动的独特特性如下：

兴奋性：接收和响应刺激的能力。
收缩性：缩短的能力。
拉伸性：延长的能力。
弹　性：恢复到先前长度的能力。

概念 16 肌肉收缩的分子基础

肌动蛋白丝和肌球蛋白丝在静止状态下并不紧密连接。然而，当神经冲动到达神经肌肉接头（运动神经元轴突末梢和肌纤维相遇的部位）时，肌丝和肌肉收缩之间的相互作用过程开始。肌肉收缩时在分子水平上发生的化学和机械事件被称为兴奋－收缩耦联，因为它起始于运动神经的兴奋，结束于肌纤维的收缩。这在图 2-2 中已给予说明，按其顺序排列如下：

兴奋（步骤 1、2、3）

1. 神经冲动从运动神经元到达神经肌肉连接处，导致神经递质乙酰胆碱从突触囊泡释放到突触间隙。

2. 乙酰胆碱与运动终板上的受体结合，导致肌膜对钠离子（Na^+）的通透性增加。这导致了去极化和终板电位的上升，这是肌肉开始收缩的信号。

3. 去极化沿着横向小管传导，导致钙离子（Ca^{2+}）从肌质网的侧囊释放到肌质中。

收缩（步骤 4、5）

4. 钙在肌纤维的收缩和代谢活动中起着关键的调节作用。它通过以下方式激活横桥来启动肌肉收缩：在静止状态下，肌球蛋白覆盖着肌动蛋白的活性部位，但在去极化过程中，钙与肌球蛋白结合，导致肌球蛋白的位置发生变化，从而暴露了肌动蛋白的活性位点。

5. 肌球蛋白横桥与肌动蛋白的活性位点紧密结合。ATP 被分解为 ADP + Pi ＋能量，释放的能量促使肌丝发生相对运动。只要有 Ca^{2+} 和 ATP，这个收缩步骤就可以重复进行。

放松（步骤 6）

6. 神经刺激停止后，肌质网主动地将 Ca^{2+}（利用 ATP）从肌质移回侧囊。肌球蛋白再次自由移动，以覆盖肌动蛋白的结合点，横桥运动停止。

肌丝滑行学说

肌丝滑行学说是休·赫胥黎（Hugh Huxley）提出的，他解释了肌肉收缩是如何发生的。附着在肌动蛋白上的肌球蛋白横桥被激活时，肌球蛋白头会发生倾斜，以便它们能将两侧的肌动蛋白拉向肌小节的中心。因此，肌丝、肌动蛋白和肌球蛋白相互滑动，导致肌小节缩短。这个循环反复进行，致使肌肉缩短并产生力量。

图 2-2　兴奋 - 收缩耦联

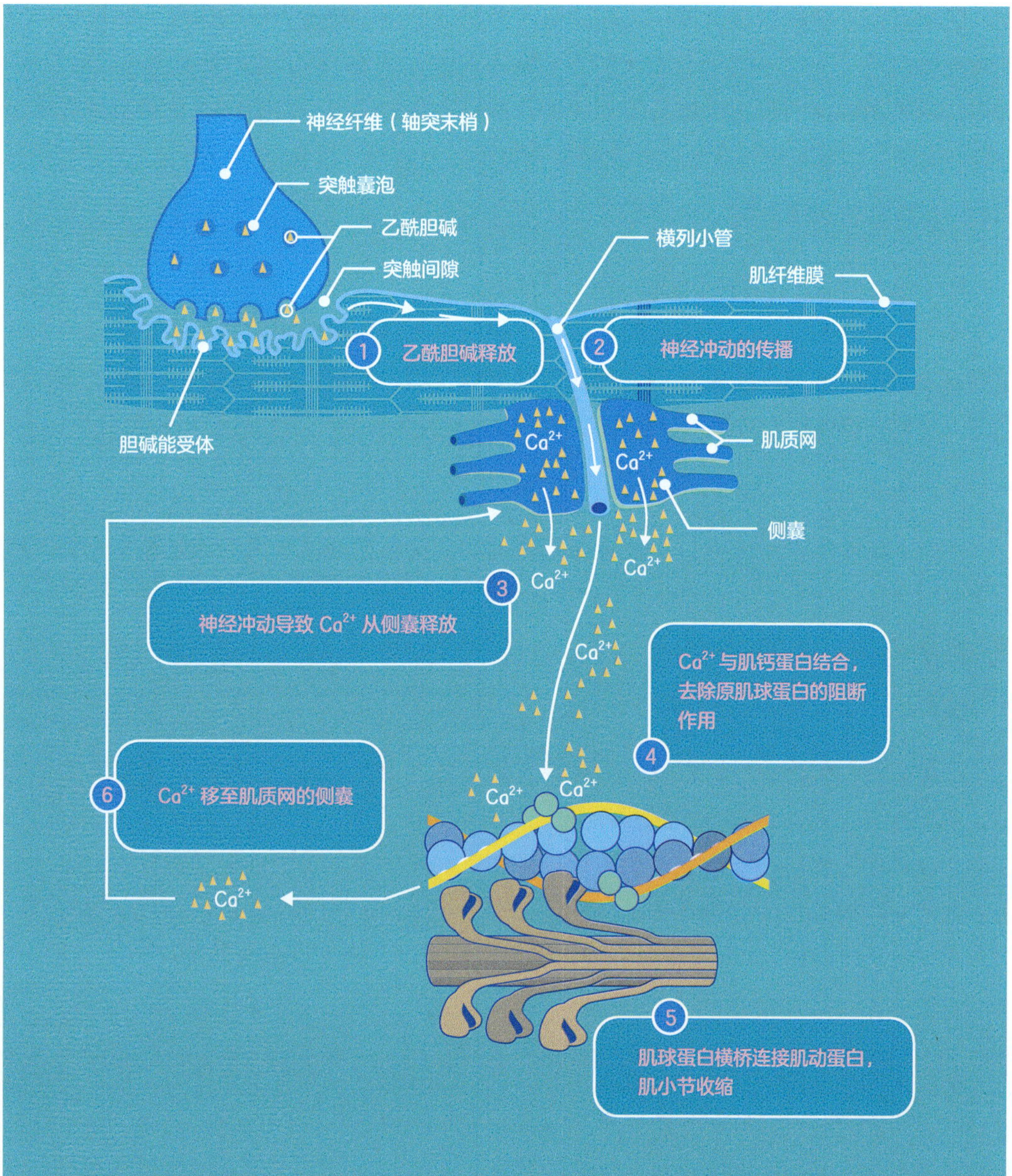

要点

- 从中枢神经系统到达神经肌肉接头的神经冲动是肌肉力量产生的信号。
- 肌肉的收缩和放松，动作和不动作之间的交替，是主肌和拮抗肌之间合作所必需的一种生物学机制，因此也是力量的产生所必需的。

概念 17　肌肉的运动

肌动蛋白复合物的激活过程，导致肌肉力量的产生，被称为肌肉运动。肌肉运动有三种类型：等长、向心和离心。最大的力量由离心运动产生，最小的力量由向心运动产生，而中等水平的肌肉力量则由等长运动产生。这些差异的原因一方面可以从肌丝滑行学说中寻找，另一方面也可以从弹性和非弹性元素参与力的产生中寻找。

等长运动（图 2-3 上）

在等长运动期间，肌肉施力，但它不缩短。肌肉长度和关节角度保持不变。例如，当一个人试图举起一个难以承受的重量或克服一个无法克服的阻力时，或者甚至当他通过固定肘关节来支撑一个重量时，都会出现等长运动。显然，在所有这些情况下都会产生力，这意味着横桥被激活，但外力太大，细丝无法克服阻力，因此无法移动。

向心运动（图 2-3 上）

在向心运动中，肌肉缩短导致身体部位运动。这种类型的肌肉动作是最常见的，因为大多数活动都需要关节运动和身体部位的运动。在向心运动中，几乎一半的横桥被激活，因为细丝被拉向肌小节的中心。

离心运动（图 2-3 上）

在离心运动过程中，肌肉拉长，关节发生运动。当一个人伸出肘部放下重物时，肱二头肌的拉伸，或肩上有杠铃的情况下，股四头肌的拉长，都是肌肉离心运动的例子。在离心运动中，横桥被激活以产生力量，正如它们在等长运动中被激活一样。但有一个明显的区别，在离心运动的情况下，细丝被拉到离肌小节中心更远的地方，肌肉被拉长。因此，与等长运动或向心运动相比，更多的横桥被激活，产生更多的力量。

弹性元件（图 2-3 下）

弹性元件包括围绕肌肉的结缔组织鞘，它们与纤维平行并且串联排列。平行元件像橡胶一样抵抗纤维的拉伸，并有助于力量的发展。串联的元件储存弹性能量，用于优化性能。肌联蛋白是一种结构蛋白，从肌小节的 Z 线延伸到 M 线，起到弹簧的作用，增强了肌动蛋白力量的产生，并可以在肌肉的离心运动中抵抗过度拉伸。

图 2-3 肌肉运动的类型

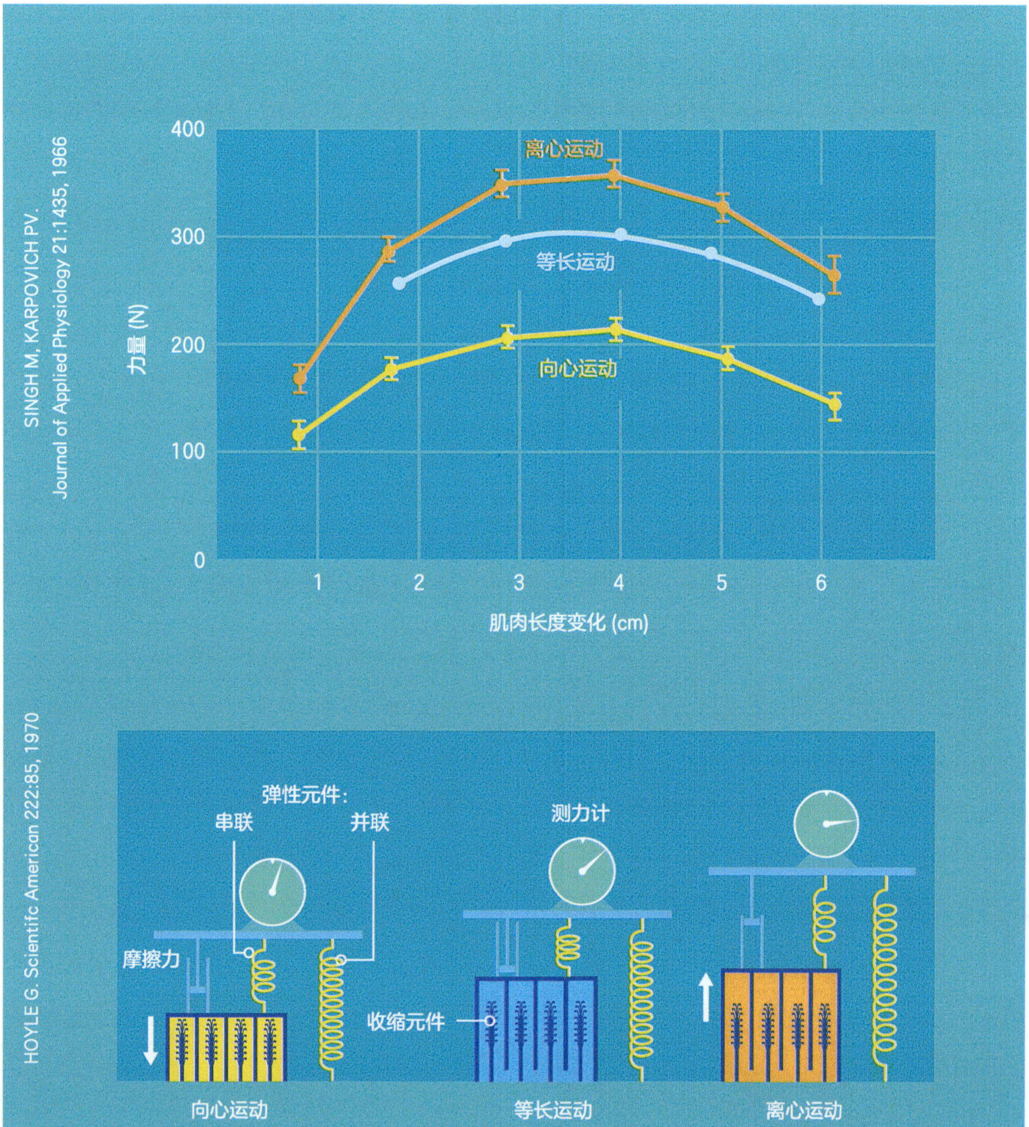

要点

- 离心运动产生的力最大，向心运动产生的力最小。
- 离心运动的优势归因于横桥的募集，以及肌肉的弹性元件串联。
- 在拉伸、缩短循环中，当离心和向心运动相结合时，会产生更大的力量，就像在跑步、行走和跳跃中发生的那样。

概念 18 肌肉的力量

肌肉力量是指一块或一组肌肉所产生的最大力量。人类现有的神经抑制作用阻止了所有运动单元被同时调动，因此很少能产生绝对的最大力量。一些因素，如肌肉运动的类型和机制、所涉及的肌肉的质量和组成，以及个人的年龄和性别都可能影响肌肉力量的产生。

年龄与体力（图 2-4 上）

肌肉力量在儿童期和青春期稳步增长。在青春期前（6 ~ 13 岁），女孩和男孩的力量增长是线性的，而且非常相似。男孩在青春期开始后（13 ~ 14 岁），由于肌肉质量的增加和神经的成熟，力量增长速度加快；同时观察到睾丸激素分泌几乎增加了 10 倍。女孩在青春期不会经历如此快速的力量增加，因为她们的肌肉质量增加速度较慢。

肌肉力量在身体发育完全成熟时达到高峰，即 20 岁左右，在 40 岁之前几乎保持不变。在这个年龄段之后，肌肉力量以每年略低于 1% 的速度持续下降。因此，在 60 岁时，肌肉力量几乎已经下降了 20%，随着年龄的增长，肌肉力量可能急剧下降，甚至无法完成简单的任务。

年龄与肌肉质量（图 2-4 下）

与年龄有关的肌肉力量损失的原因是什么？许多研究表明，随着年龄的增长，肌肉力量的丧失主要是由于肌肉质量的明显下降，称为肌少症。肌肉质量下降主要是由于身体活动减少，蛋白质合成能力下降，以及肌纤维的总数量和横截面积减少。由于生长激素的分泌减少，60 岁以上的老年人合成的蛋白质比 20 岁的人少 30%。

肌肉质量的损失从 25 岁左右开始，并持续一生。据估计，从 25 岁到 50 岁约产生 10% 的肌肉流失，从 50 岁到 80 岁又有 40% 的肌肉流失，因此，一位八旬老人已经失去了其总肌肉质量的二分之一以上，这严重影响了肌肉的功能。

性别与力量（图 2-4）

女性在所有年龄段产生的肌肉力量都比男性少，尤其是在上肢。这种差异是由于女性上肢肌肉分布较少，且肌肉质量少。

如果力量与体重相关，性别差异就会大大减少，如果力量与游离脂肪量相关，性别差异就会更小。

图 2-4　性别和年龄的影响

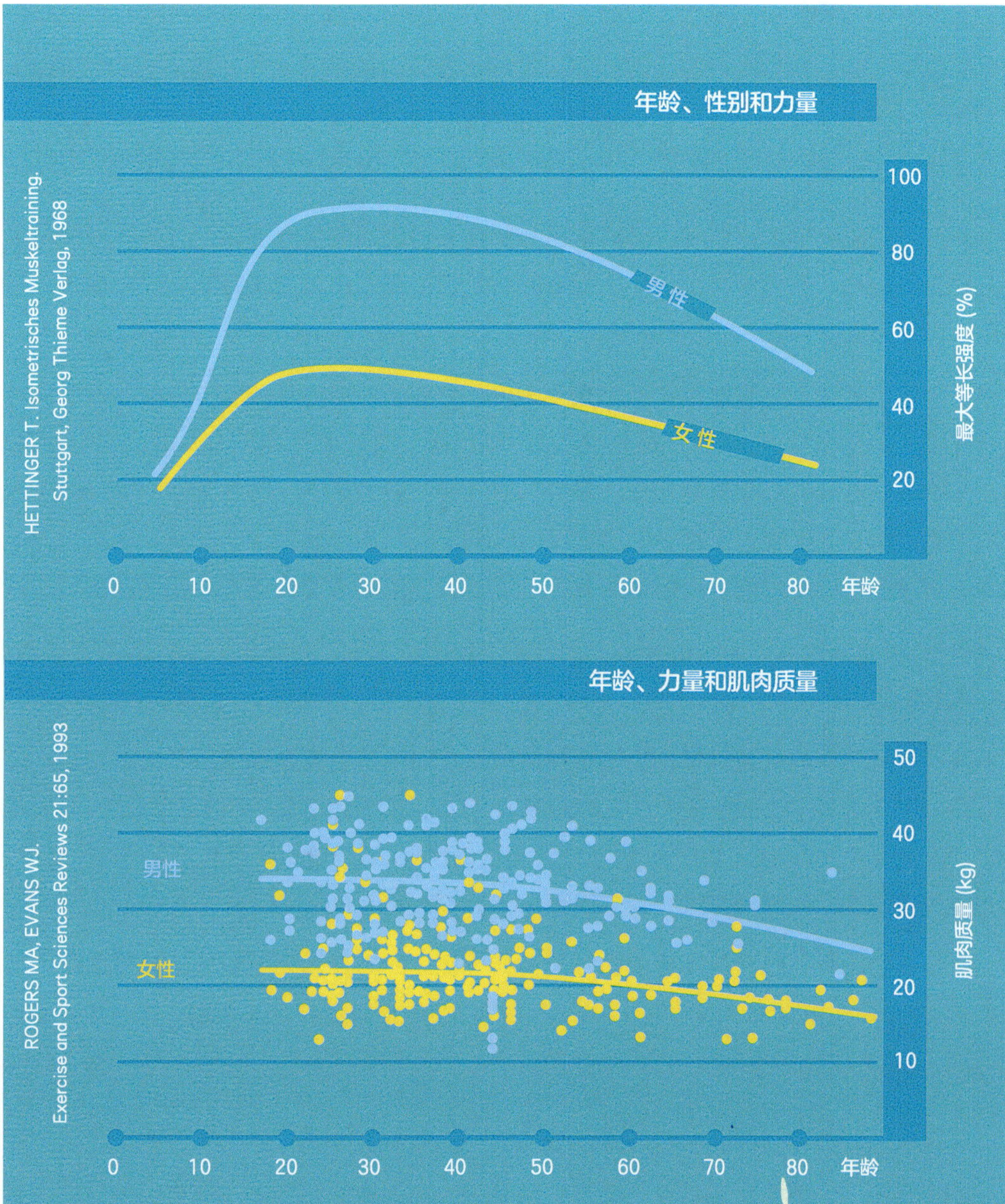

要点

- 肌肉力量在成长过程中增加，并随着年龄的增长而稳步下降。
- 与年龄相关的肌肉力量下降主要是由于肌肉质量的损失。
- 随着年龄的增长，肌肉质量的损失归因于体力活动减少，蛋白质合成减少以及肌肉纤维总数和横截面积减少。
- 训练不能阻止随着年龄增长而导致的肌肉力量下降，但可以减缓力量下降的速度。

概念 19 肌肉的机械性能

长度 – 力量的关系（图 2–5）

肌肉在运动时的初始长度决定了其产生的力量。肌纤维存在一个最佳长度，在这个长度上可以产生最大的力量。这个最佳长度与肌肉的静息长度相对应。在这个长度上，粗肌丝和细肌丝在肌小节水平上有一个最佳的重叠，因此，横桥激活的数量最多。

相反，当肌小节被拉伸时，肌球蛋白和肌动蛋白之间的重叠受限，很少有横桥可以相互作用。同样，在另一个极端，当肌肉的初始长度缩短和 Z 线接近粗丝时，横桥连接受限，因此力也会降低。

在人体中，每个关节都存在一个最佳角度，对应于肌肉的最佳长度，此时各肌肉可以产生最大的力量。例如，前臂屈肌在 120° 时能够产生最大的等长力。由于这个原因，用于加强屈肘的哑铃的重量受到更"弱角"的限制。在 120° 时，屈肌能够产生 100% 的最大力量，而在其他较大或较小的角度时，屈肌只能产生 75% 的最大力量。因此，为了避免这些"弱角"的影响，训练者需要在训练过程中限制运动范围，尤其是在疲劳的后期阶段。

速度 – 力量的关系（图 2–5）

肌肉具有内在的调整机制，能够根据收缩系统的运动速度来调节所产生的力量。在向心运动中，肌肉在较低速度时产生的力最大，这与横桥连接和分离的速度有关。另外，根据速度—力的关系，以及功率 = 力 × 收缩速度的原理，在慢速和高速时产生的功率最小，而在肌肉收缩速度的 1/3 时产生的功率最大。

在离心运动中，肌肉在高速运动时能够产生更大的力，因为更快的运动可以最大限度地施加力。

肌肉结构的影响（图 2–5 上）

肌肉中纤维的排列和方向对力量和速度的产生起着重要作用。羽状的肌纤维，如腓肠肌和股直肌，其长度较短且方向倾斜，这增加了它们的数量和横截面积，从而产生更多的力量。相反，纺锤形的肌纤维，如胫骨前肌和半腱肌，长而平行，肌肉收缩的速度更快。

图 2-5 力 - 长度和力 - 速度的关系

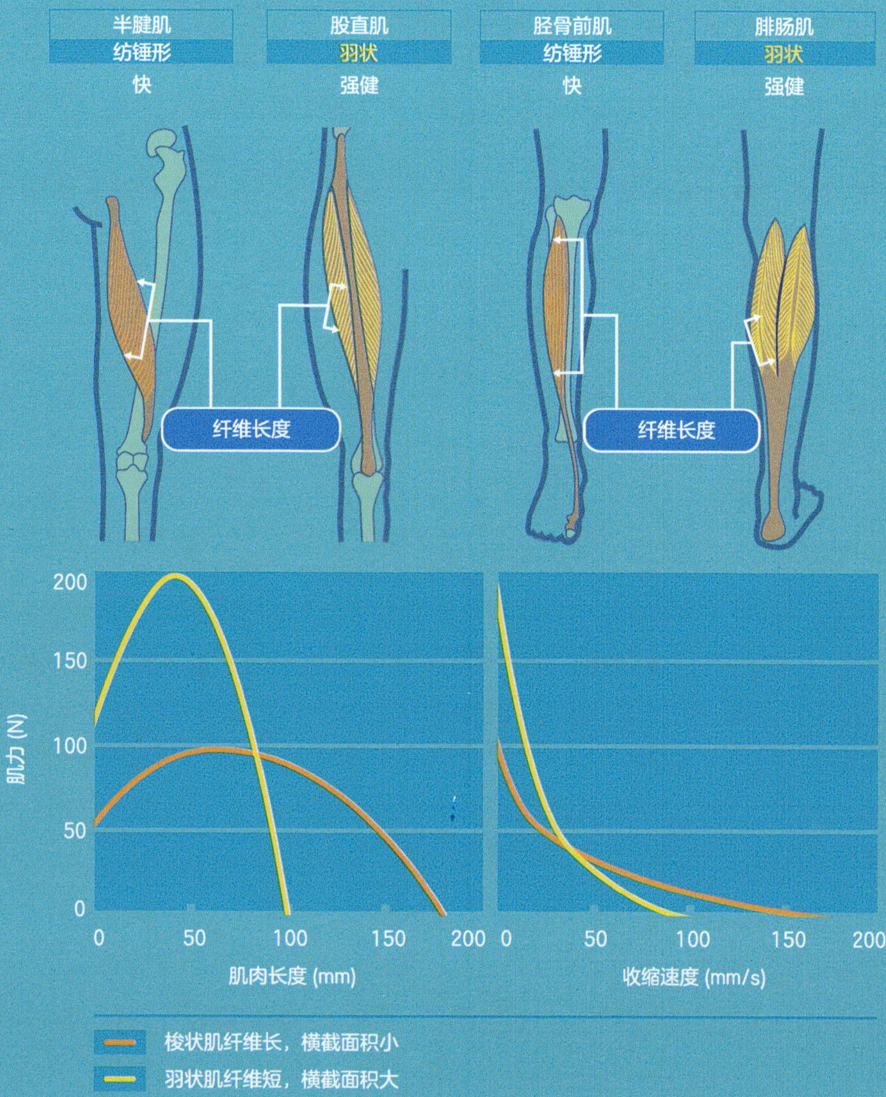

LIEBER RL. Skeletal muscle structure and function. Baltimore: Williams and Wilkins, 1992

要点

- 肌肉的静息长度是产生最大力的最佳长度，它对应于给定的关节角度。
- 肌肉缩短得越快，它产生的力就越小，这也就是为什么举起重量轻的东西比举起重物快得多。
- 腓肠肌和股直肌被认为是强健的肌肉，而胫骨前肌和半腱肌因其纤维的方向而被认为是快肌纤维。

概念 20　肌纤维的类型

肌肉活检针技术在人体中的引入，以及对肌肉由不同类型纤维组成的认识，使得人们在理解人类运动方面取得了巨大的进步。肌纤维根据其生化和收缩特性被分为两大类，即慢缩型肌纤维和快缩型肌纤维。

慢缩型肌纤维：I 型（图 2-6）

慢缩型肌纤维，也称为 I 型或氧化型纤维，主要由有氧能量系统控制，耐疲劳，更适合于耐力运动。这就是为什么它们含有大量的线粒体和氧化酶、高浓度的肌红蛋白、高浓度的甘油三酯和丰富的毛细血管网络的原因，这为它们提供了所需的燃料和氧气，同时这些特征使得有氧代谢的副产物更容易被清除。

在收缩特性方面，I 型肌纤维一方面发展出缓慢的最大收缩速度，因为它们拥有较低的肌球蛋白 ATP 酶活性，能缓慢地降解 ATP；另一方面，由于它们在每一横截面积的纤维中含有少量的肌球蛋白横桥，因此产生的力量较小。

快缩型肌纤维：IIa 型和 IIx 型（图 2-6）

快缩型肌纤维存在两种亚型：IIa 型和 IIx 型。这两种亚型的快缩型肌纤维都以无氧机制能为主，对疲劳的抵抗力较差，速度更快，力量更强，更适合于短暂而有力的运动。同时，它们富含糖酵解酶，并具有良好的收缩特性。也就是说，它们有更大的 α 运动神经元，支配着更多的纤维（> 300），它们的肌质网高度发达，因此可以释放更多的钙，从而更迅速地调控肌肉收缩。此外，它们的肌球蛋白 ATP 酶活性更高，从而产生更快的收缩速度和更强的力量。

IIx 型肌纤维也被称为糖酵解型纤维，因为它们几乎完全依赖无氧糖酵解机制获得能量，它们比 IIa 型肌纤维更快、更强，主要在高爆发性的体育活动中被激活。

IIa 型肌纤维也被称为氧化－糖酵解型纤维，因为它们依靠有氧和无氧代谢获得能量。虽然它们是快缩型肌纤维，但它们也有慢缩型肌纤维的特征，因此被认为是中间纤维。它们主要用于高强度的肌肉活动。

平均而言，大多数肌肉大约有 50% 是慢缩型肌纤维，50% 是快缩型肌纤维（25% 为 IIa 型，25% 为 IIx 型），但这些比例差别很大，特别是在精英运动员中，可能是由于遗传倾向的不同。

图 2-6　肌纤维种类及性能

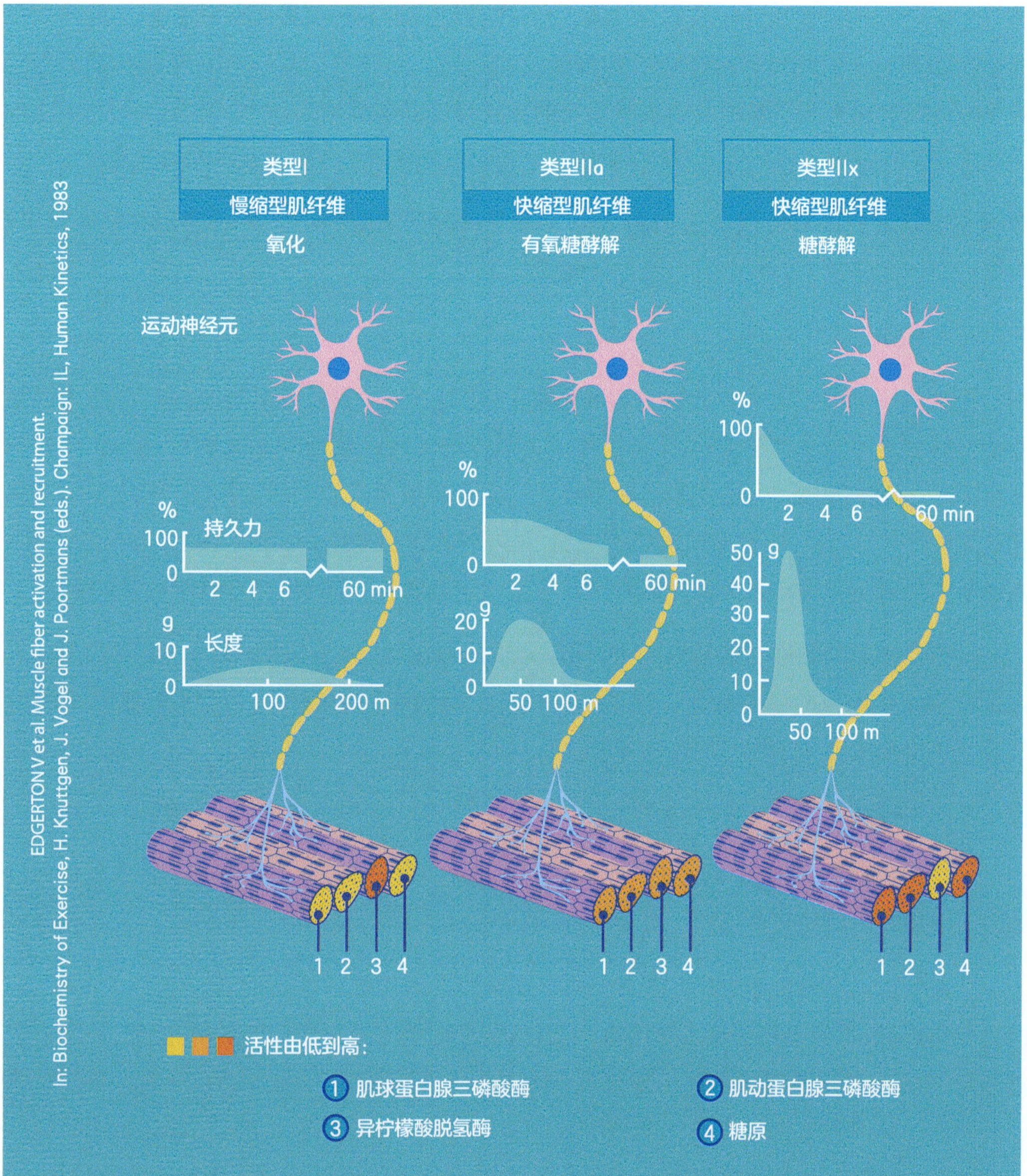

要点

- 肌纤维的分布因肌肉和人而异，没有仅一种肌纤维的纯肌肉。
- 快缩型肌纤维产生乳酸的速度更快，而慢缩型肌纤维消耗乳酸的速度更快。
- 一些久坐不动的人从不激活他们的快缩型肌纤维（IIx型），因此他们的兴奋性低，容易导致肌肉萎缩和退化。
- 个人对低强度或高强度体育活动的偏好与他/她的肌肉纤维分布有关。

概念 21　肌纤维的募集

为了更好地理解肌纤维在运动中是如何被募集的，有必要提及运动单元。因为如果没有运动神经元的刺激，肌纤维不能单独发挥作用。运动单元是一个 α 运动神经元与它所支配的所有肌纤维一起构成的肌肉活动的神经控制功能单位。

刺激一个运动单元会引起该运动单元中所有肌纤维的收缩，遵循全或无的规律。激活单个运动单元会导致肌肉的微弱收缩，因此产生的力量也小。激活的运动单元越多，收缩的肌纤维就越多，产生的力量也就越大。

有序募集（图 2-7）

根据大小原则，运动单元被有序地募集，最小的运动神经元最容易兴奋，而大的运动神经元则最不容易兴奋。因此，含有较少肌纤维的较小运动神经元的运动单元首先被募集，然后逐渐募集越来越大的运动神经元。这意味着具有较小运动神经元的 I 型运动单元首先被募集。然后，随着运动强度的增加，具有较大运动神经元的 IIa 型运动单元被募集。当对肌肉的力量和功率要求非常高时，具有最大运动神经元的 IIx 型运动单位被募集。

大小原则的基础很可能是兴奋性突触后电位（excitatory postsynaptic potential，EPSP），它是产生动作电位的必要条件。较小的运动单元有较小的表面积，会产生较大的 EPSP，从而更快地形成动作电位并优先传导。

募集与疲劳

运动单位的选择性募集，取决于肌肉力量的需求，这可以用来解释运动员在耐力运动项目中逐渐出现的疲劳感。

让我们以马拉松赛跑为例：在跑步的早期阶段，运动的强度低于最大限度，所需的肌肉力量也很低，神经系统调动 I 型运动单元，这些运动单元适应于有氧活动，能够抵抗疲劳。然而这一运动单元的调用导致了糖原被逐渐耗尽，而糖原是慢缩型肌纤维的主要能量来源。因此，神经系统为了维持比赛的步幅，被迫募集了 IIa 型运动单元。但是，由于这些运动单元中的糖原在比赛结束时也被耗尽，在整个比赛中几乎处于休眠状态的最快的 IIx 型运动单元随后也被调动起来。在这种情况下调动 IIx 型运动单元需要极大地运动强度，疲惫感随之而来。

图 2-7 运动强度和肌纤维动员

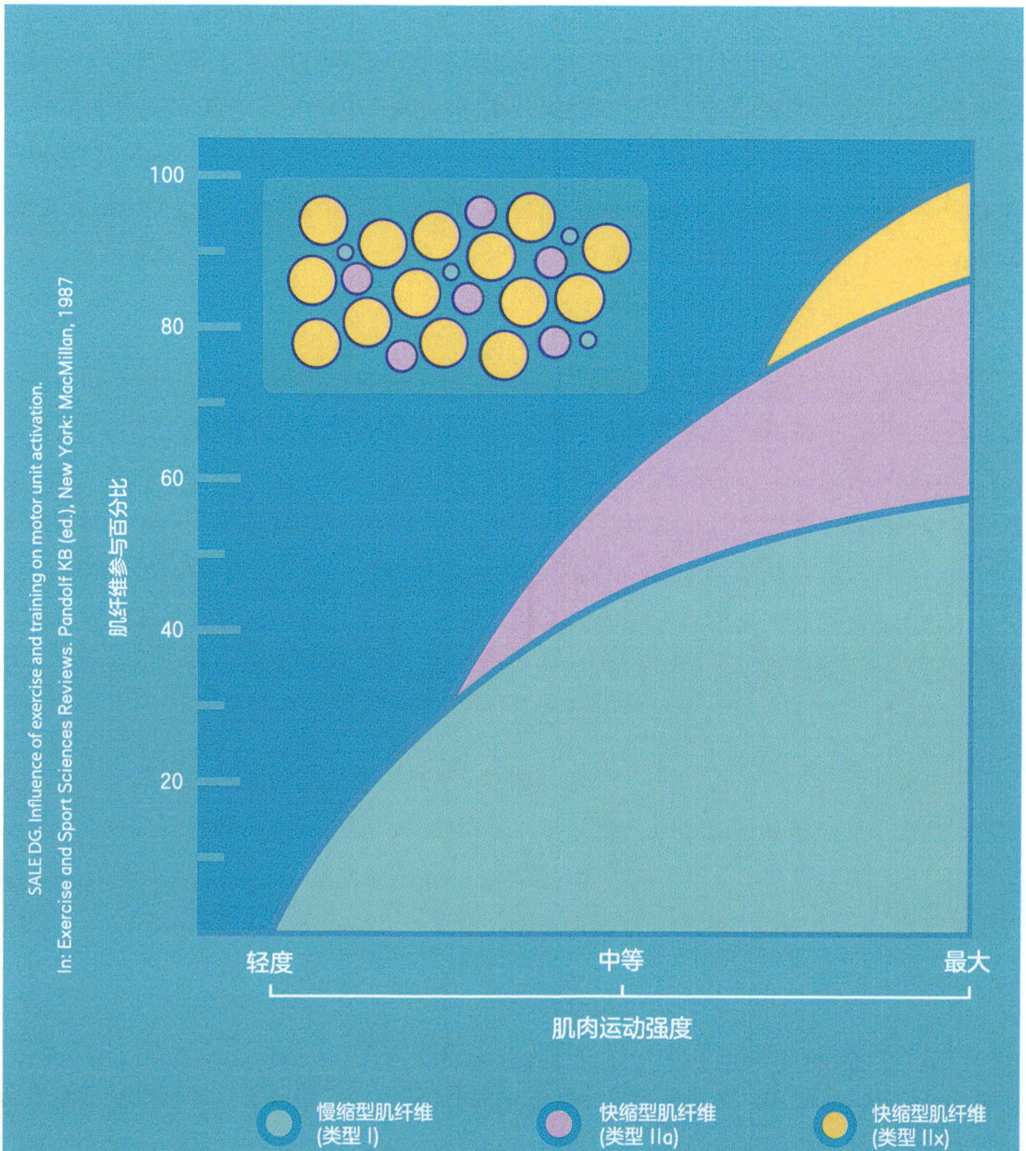

要点

- 所有人都有一种内在的防御机制来保护肌肉和肌腱免受可能的断裂，如果一块肌肉中所有运动单位的所有肌纤维同时被激活，就可能引发这种断裂。
- 在跑步过程中腓肠肌比股直肌更容易被募集。

概念 22　运动员的肌纤维

耐力型运动员通常有较高比例的慢缩型肌纤维，而力量型项目的运动员拥有较高比例的快缩型肌纤维。然而，在每项运动中肌纤维的比例都有很大的差异。例如，马拉松运动员的腓肠肌中慢缩型肌纤维的预期百分比是 80%，但个体差异非常大，从 50% 到 95%。这清楚地表明，马拉松运动员的表现并不完全取决于其慢缩型肌纤维的高百分比。事实上，我们知道耐力表现不仅取决于慢缩型肌纤维，其他因素也可能有助于耐力表现，如 $\dot{V}O_2\,max$。比赛中利用 $\dot{V}O_2\,max$ 的百分比和运动的效率也是耐力表现的决定因素。

运动员纤维类型的可变性（图 2–8）

肌纤维分布的差异不仅存在于运动员之间，而且也存在于同一运动员的不同肌肉之间。耐力赛跑者的特点是，他们的股直肌中拥有高比例的慢缩型肌纤维（70%），在跑步过程中被动员起来，而在三角肌中只有 50% 的慢缩型肌纤维。在皮划艇运动员中观察到的情况恰恰相反，他们的三角肌中拥有 70% 的慢缩型肌纤维，这是这项运动中负荷最大的肌肉，而股直肌中只有 50% 的慢缩型肌纤维，负荷最小。换句话说，正如预期的那样，优秀的耐力运动员在肌肉中有很高比例的慢缩型肌纤维，这些纤维被募集并成为他们运动的主角。研究还发现，他们腿部肌肉中慢缩型肌纤维的横截面积平均比快缩型肌纤维高 20% 左右。

尚未解释为什么举重运动员、投掷运动员和跳高运动员在腿部和手臂肌肉中表现出相同的快缩型肌纤维和慢缩型肌纤维分布，尽管可以预估快缩型肌纤维占主导地位，因为他们的运动需要高功率、速度和力量。然而，值得注意的是，这些运动员的 IIx 型快缩型肌纤维的大小是 IIa 型快缩型肌纤维的 3 倍，两者的占比分别是 33% 和 10%。

遗传和训练

对双胞胎的研究表明，在肌纤维分布中观察到的变异具有很高的遗传性。尽管如此，抗阻训练似乎可以将 IIx 型快缩型肌纤维转化为 IIa 型快缩型肌纤维，即从纯糖酵解型转化为中间的氧化 – 糖酵解型。

然而，据观察，在耐力运动员中，当他们从耐力训练改为高强度密集间歇训练时，慢缩型肌纤维被转化为 IIa 型肌纤维。这意味着耐力型运动员可以在一定程度上提高他的速度，而短跑运动员或力量型运动员可以通过改变训练方法来提高他的耐力。

图 2-8 肌纤维类型和运动性能

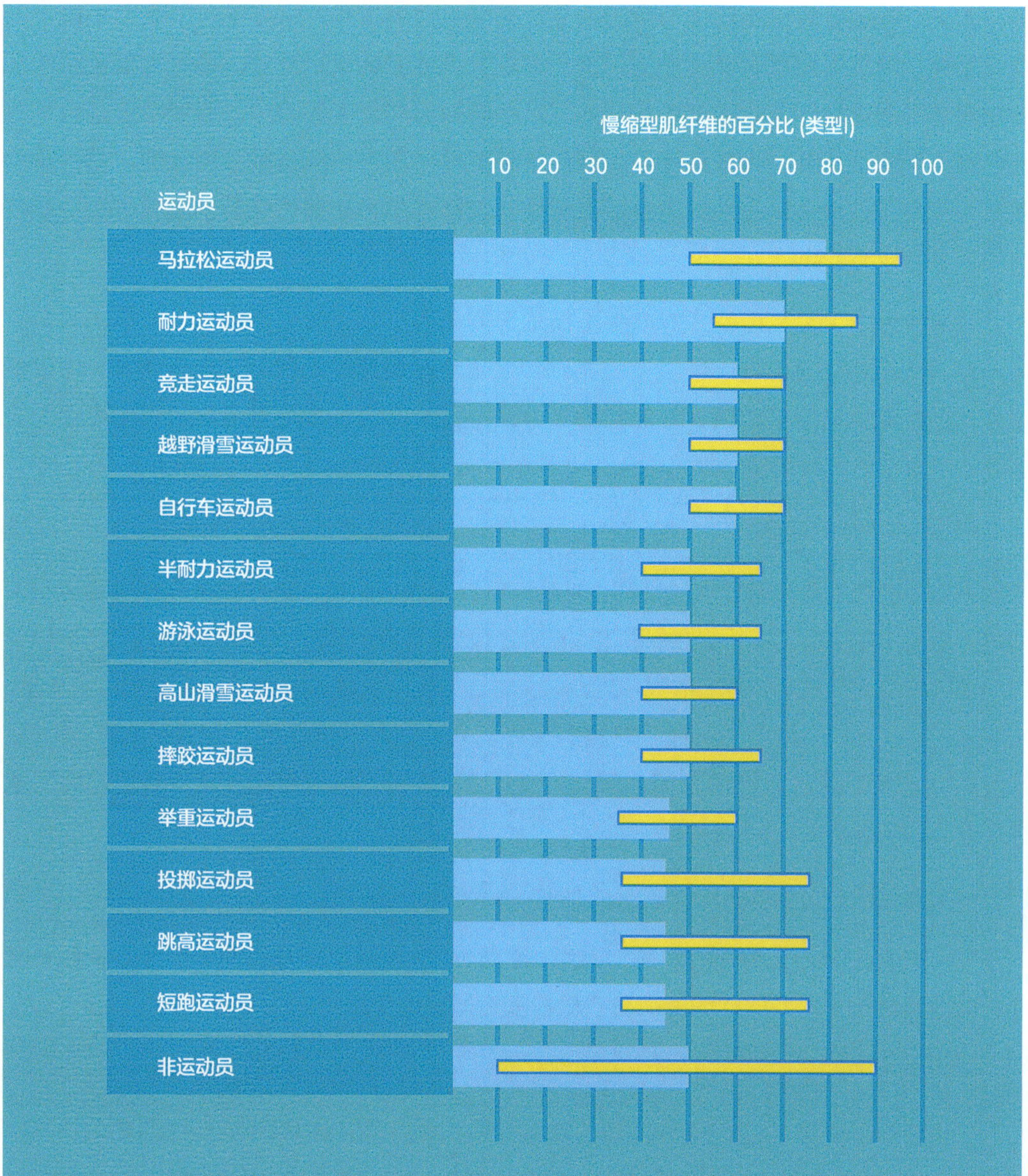

要点

- 肌纤维的分布不能用作预测最佳运动表现的工具，原因有两个：首先肌肉活检针技术是侵入性的，其次获得的值变化很大。
- 肌肉力量测试与肌肉纤维的分布高度相关，可用于定向运动训练。

概念 23　什么导致了肌肉疲劳?

人类肌肉疲劳的特点致使暂时无法完成需要完成的工作，这是非常复杂的机制，没有一个单一的因素可以解释其原因。因此，在长期的亚极量运动中，疲劳可能是由于肌糖原耗尽、低血糖、高热或者脱水。此外，在短期的高强度活动中，肌肉疲劳是由于乳酸解离成氢离子扰乱了内环境稳态，抑制了糖酵解中的限速酶磷酸果糖激酶，导致肌肉疲劳。在疲劳的最大自主性肌肉激活过程中，与肌动蛋白接触的横桥的数量减少，导致产生力量的能力下降。

普遍认为，人类肌肉疲劳的产生不仅是因为肌肉层面上的生理变化，神经机制不能充分驱动运动神经元也是一个重要因素。一般来说，疲劳的机制可以分为两类，即中枢和外周，神经肌肉接头构成它们的临界点。在神经冲动的传导过程中，从产生命令的大脑到产生力量的肌纤维横桥都可能成为导致疲劳的“薄弱环节”。

中枢性疲劳

中枢性疲劳的假说基于实验证明：与肌肉的自发激活相比，诱导性唤醒或对疲劳肌肉的电刺激会产生更大的张力。Ikai 和 Steinhaus（1961）在一项经典的研究中表明，在极量运动前鸣枪或对受试者喊叫、催眠，甚至口头鼓励，都可以增加肘部屈肌的最大自主力量。Neyroud 等（2012）使用了一种巧妙的实验方法来确定中枢神经是否限制了 20% 最大随意收缩（MVC）持续收缩的时间，研究发现：尽管有充足的收缩储备，运动驱动力的减少还是导致了任务失败。

中央调控模型（central governor model，CGM）

近年来，关于 CGM 的争论仍在继续，证据表明：即使肌肉没有充分疲劳，大脑也可能会命令运动停止，以保持体内平衡，保护重要器官免受损伤。

外周疲劳（图 2-9）

肌肉疲劳的外周起源可能与兴奋 – 收缩耦联机制有关，这可能涉及 Ca^{2+} 在肌质网中的滞留和 H^+ 对横桥形成的干扰等过程。研究还表明，疲劳可能是由于细胞外 K^+ 积聚在 T 小管中，导致肌纤维无法被激活。

争论的焦点

有证据表明，在剧烈的耐力运动中，来自运动肌的体感反馈似乎通过对中枢运动输出施加抑制性影响来限制运动表现，这一现象大概是为了将外周运动肌疲劳的发展限制在个人的“疲劳阈值”。尽管如此，肌肉疲劳仍是一个有争议并引起了激烈争论的问题（Perrey，2010）。

图 2-9 外周疲劳的潜在来源

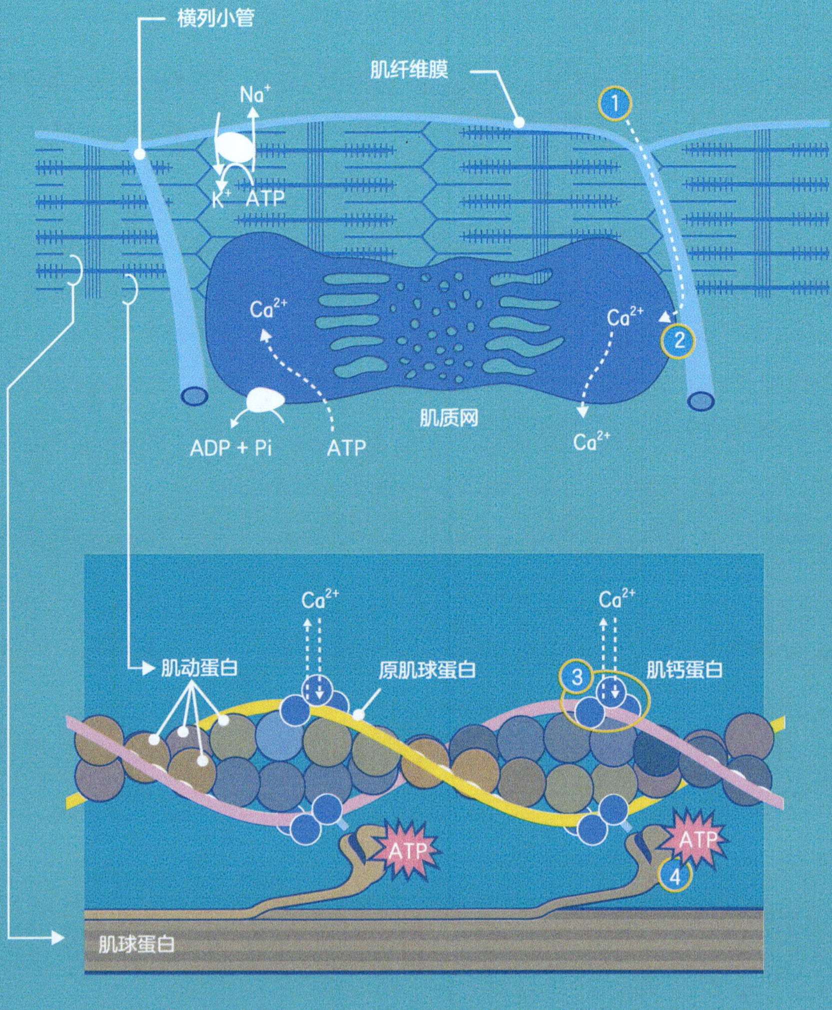

FITTS RH. Journal of Applied Physiology 104:551, 2008

要点

- **肌肉智慧** 肌肉可以激活其传感器并在最大自动收缩期间降低其发射速率，以免筋疲力尽。
- **女性对肌肉疲劳的抵抗力比男性更强** 男性使用更多的肌纤维来维持恒定的力量输出，这导致血管的压缩相对较大，血流和氧气供应受到限制。
- **环境影响** 暴露在炎热和寒冷的环境中会导致疲劳更早出现。
- **自我对话** 这种策略可以通过延缓疲劳来减少对运动的感知并提高耐力。

概念 24　什么导致了肌肉酸痛?

肌肉酸痛最常发生在剧烈运动后，尤其是当涉及不熟悉并且有离心运动时，如下坡跑步或做抗阻运动。肌肉表现为僵硬、触压痛和疼痛，可以在运动后立即或 1 ~ 2 天后感觉到。

急性肌肉酸痛

这种酸痛通常在剧烈的肌肉运动结束后立即可感觉到，是温和的，只持续 2 h，并导致最大力量下降。其主要原因是代谢物在运动肌肉中的积累，特别是乳酸分解产生的氢离子，产生细胞内酸中毒。水肿也会导致这种感觉。

延迟性肌肉酸痛（delayed onset muscle soreness，DOMS）（图 2-10）

这种类型的酸痛出现在剧烈运动后的 24 ~ 48 h，主要是离心运动导致的，并导致力量下降。尽管对导致DOMS的机制并不完全清楚，但主流观点认为它与一系列的事件有关，首先是肌肉细胞的微小撕裂，导致刺激疼痛感受器的炎症反应。图 2-10 说明了离心运动后伴随 DOMS 的各种生理因素的时间进程。

肌肉疼痛　第 2 天或第 3 天达到高峰，一星期内消失。

肌肉过敏反应　肌肉对外部压力甚至触摸过度敏感，与肌肉疼痛的模式类似。

肌肉力量　立即下降到运动前的 40% ~ 50%，至少 10 天才能逐渐恢复到初始水平。兴奋 – 收缩解耦在力量下降中起主导作用，特别是在前 5 天，而收缩蛋白的损失主要出现在第 14 天后。

水肿　钾的细胞外运输诱发水肿（液体从血浆转移到肌肉），从而增加细胞内压力并刺激感觉神经末梢。这个过程会持续一个星期。

白细胞　其计数在 48 h 达到高峰，72 h 内恢复正常。

巨噬细胞　它们吞噬受损肌纤维的碎片。

炎症反应　它包括前列腺素 / 组胺产物的增加和自由基的产生。

肌酸激酶　它从肌肉释放到血液中，被认为是细胞损伤的一个粗略指标。它在血液中的浓度在 4 ~ 8 天后达到峰值。

肌糖原　当肌肉受损时，其再合成减少。

肌小节　肌丝发生断裂，持续约 3 星期。

预防延迟性肌肉酸痛

无论是肌酸补充剂还是非甾体类抗炎药物，对运动引起的肌肉酸痛都没有保护作用。但是，以前接触过离心运动的人，在随后的相同和更激烈的运动中，可以减轻肌肉酸痛和损伤。

图 2-10　肌肉酸痛的延迟出现

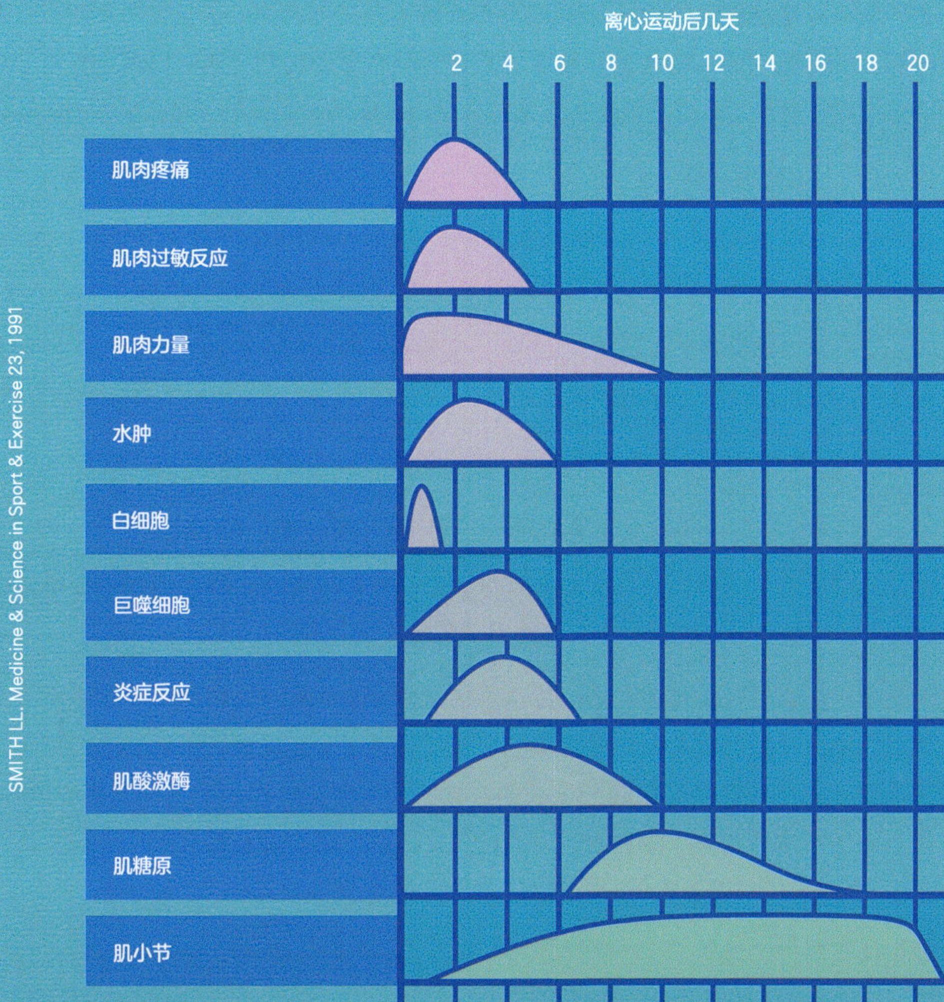

要点

- 为了降低延迟性肌肉酸痛的发生率，应从低强度的运动计划开始，并循序增加，同时还应避免离心运动的产生。
- 延迟性肌肉酸痛恢复后，再次重复同样的运动可能会减轻疼痛症状。

概念 25　什么导致了肌肉痉挛？

运动引起的肌肉痉挛被描述为在肌肉运动过程中或肌肉运动后立即发生的不自主的骨骼肌疼痛和痉挛性收缩。在过去，肌肉痉挛被认为是由于细胞内液体的电解质平衡紊乱造成的，其信号是钠离子（Na^+）流出细胞导致细胞膜的超极化。大量出汗和肌肉血液流动受限被认为是致病的主要因素。最近的流行病学和实验研究对这一旧观点提出了质疑，并提出了新的假设，即运动引起的肌肉痉挛是由 α 运动神经元的过度活跃引起的。

α 运动神经元的过度活跃（图 2-11）

普遍认为，当肌肉疲劳干扰了肌肉收缩的控制机制，导致 α 运动神经元过度活跃时，就会发生由运动诱导的肌肉痉挛。导致肌肉痉挛的一系列事件如图 2-11 所示。

上半部分　肌肉感受器通过肌梭（IIa 和 II 型感觉纤维）向中枢神经系统提供有关肌肉长度的信息，通过腱器官，又称高尔基腱器官（IIb 型感觉纤维）提供有关肌肉张力的反馈。

α 动神经元　通过向肌肉传递神经冲动而做出反应。

中间部分　在肌肉收缩过程中，刺激和抑制之间存在着一种平衡。

下半部分　在疲劳的肌肉中，肌梭的刺激性影响增加，而高尔基腱器官的抑制性影响减少。因此，细胞膜的兴奋性上升，可能导致肌肉痉挛。

多关节肌肉更容易发生肌肉痉挛，特别是在它们疲劳和收缩的情况下，这是因为在它们收缩时，高尔基腱器官的活动受到抑制，从而促进了 α 运动神经元的活动。经常发生在游泳者身上的腓肠肌抽筋就是一个典型的例子。在游泳过程中，当腓肠肌收缩时，踝关节处于最大的掌屈状态，跟腱上的张力降低。因此，高尔基腱器官的活动减少，而 α 运动神经元的兴奋性对腓肠肌的影响增加，从而导致肌肉痉挛。

被动拉伸肌肉被认为是缓解疼痛收缩的有效方法，因为拉伸可以激活高尔基腱器官，从而抑制 α 运动神经元的活动，导致肌肉放松。

热痉挛

热痉挛与在高温下运动时过度出汗和钠流失有关，这是由于神经肌肉连接处的过度兴奋，引发了电解质失衡。每 5 ~ 10 min 喝一次含钠饮料（500 ml 中含 3g 钠）可以缓解肌肉痉挛。

图 2-11 肌肉痛性痉挛的顺序

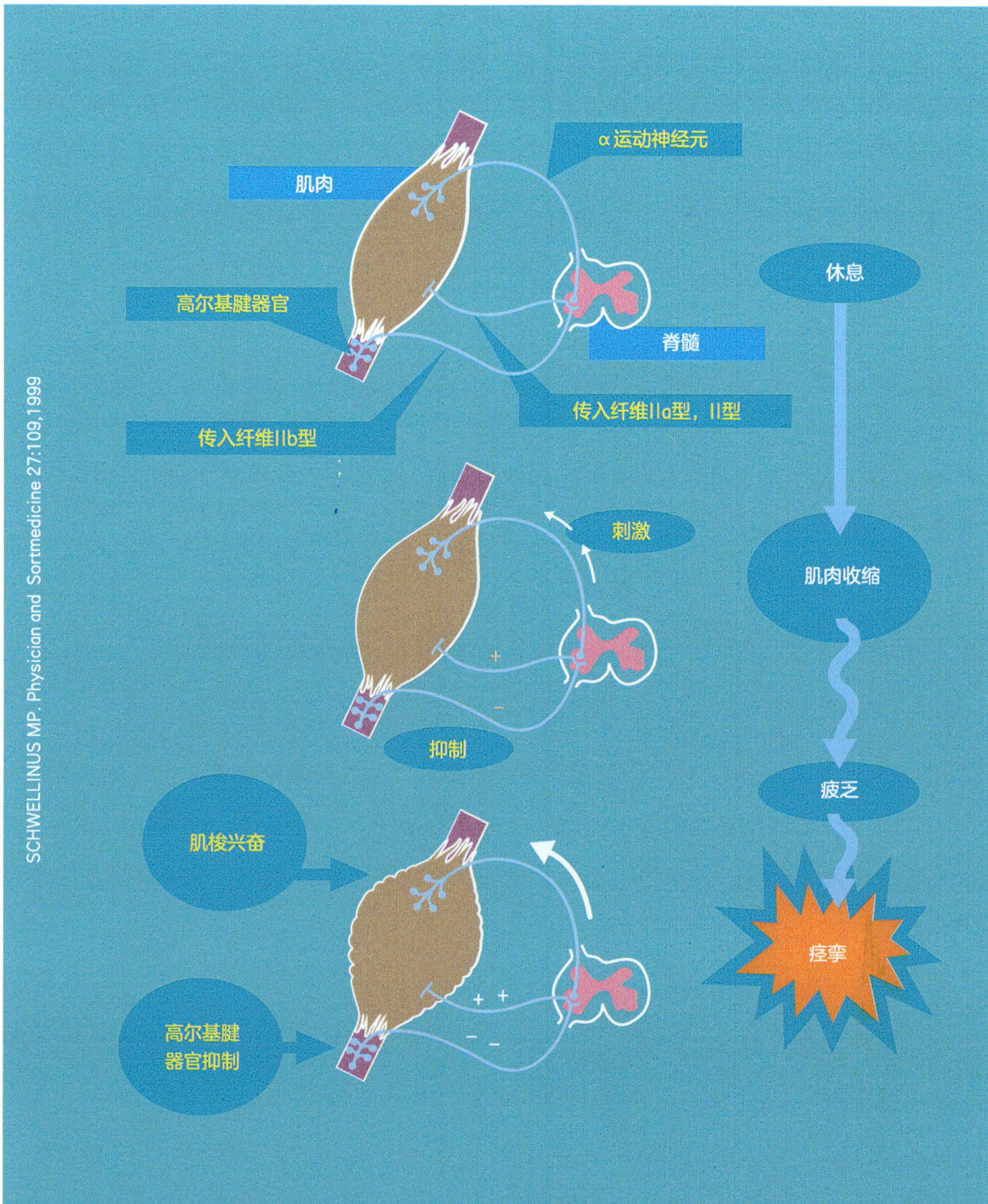

要点

- 肌肉痉挛可以通过良好的调理、减少肌肉锻炼的强度和持续时间来预防。
- 被动肌肉拉伸将缓解肌肉收缩带来的疼痛感。
- 盐（钠）含量较高的运动饮料（如每 500 ml 液体含 300～500 毫克钠）可能有助于降低痉挛的风险。

概念 26　肌肉的损伤和再生

在剧烈运动中，尤其是离心运动后，肌肉会发生结构性破坏和再生。离心这一过程被破坏的肌纤维数量是向心收缩运动的 2 倍，这是由于肌小节解体和 Z 线不连续造成的。这种破坏似乎对快缩型肌纤维的影响大于慢缩型肌纤维，这是因为快缩型肌纤维主要在离心收缩运动时被更多地募集。

肌肉从损伤中恢复并再生。卫星细胞是肌源性干细胞，在肌肉拉伸和损伤时被激活，其增殖并融合到受损区域，刺激蛋白质合成并产生新纤维。

肌肉损伤（图 2-12）

图 2-12 描述了下坡行走后，即进行离心运动股四头肌的组织结构变化。肌肉活检针技术是在肌肉用力后的第 4 天、第 7 天、第 12 天和第 20 天进行的。一些已经发生退化的肌纤维（4～12 天）死亡，其碎片被巨噬细胞清除，但 3 周后这些肌纤维已经完全恢复，表现出正常的形态结构和生理功能。更具体地说，可以看到：

图（1）运动后第 4 天，肌纤维是正常的。

图（2）运动后第 7 天，一些肌纤维出现局部损伤，并被巨噬细胞浸润。

图（3）运动后第 12 天，肌纤维的破坏和巨噬细胞浸润达到高峰。

图（4）运动 20 天后，肌纤维完全恢复，外观和生理功能恢复正常。

显然，在肌肉损伤和肌肉修复之间存在着一种联系。肌肉损伤是炎症反应的信号，最初会引起疼痛，抑制肌肉功能。在这个过程中发生了一系列事件，使受伤的组织愈合并恢复健康。

肌联蛋白：肌肉损伤的薄弱环节

我们如何解释肌肉在离心运动时比向心运动时更容易受到损伤这一事实？其原因是离心运动时募集的肌纤维较少，特别是快缩型肌纤维，其负荷较大，更容易受伤。

更具体地说，肌联蛋白细丝似乎是肌肉损伤的“薄弱环节”。肌联蛋白是一种弹性蛋白，贯穿整个肌小节。从 Z 线延伸到 M 线，肌联蛋白将粗大的肌球蛋白丝固定在适当的位置，因此在力的传递中起着重要作用。似乎有些肌球蛋白丝不能克服离心运动时的过度拉伸而断裂，使肌肉变弱。

冷冻疗法　有证据表明，接受全身冷冻疗法可以减少疼痛，抑制炎症反应，并加速运动后肌肉结构完整性和功能的恢复。

图 2-12　离心运动后肌肉的损伤及修复

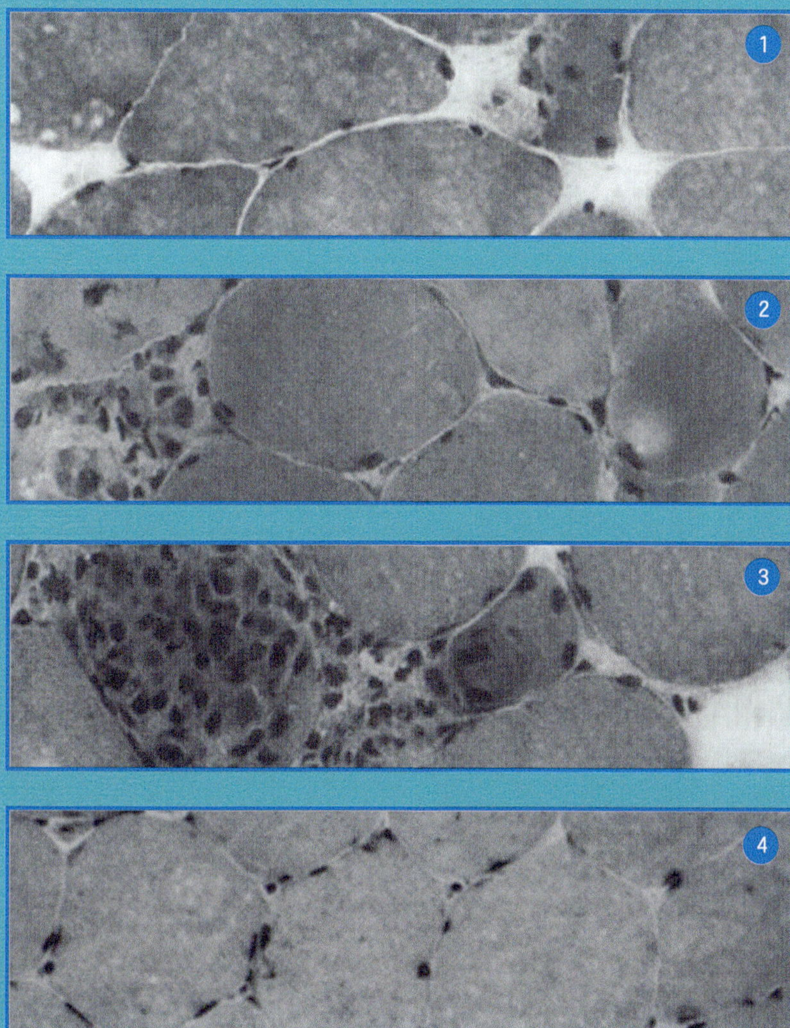

JONES D, ROUND J, De HAAN A. Skeletal muscle from molecules to movement. Churchill Livingstone, Edinburgh, 2004

要点

- 力量增加和肌肉肥大似乎会导致肌肉损伤。
- 离心运动的肌肉损伤是向心运动的 2 倍。
- 离心运动时肌肉的初始长度越长，损伤越严重。
- 快缩型肌纤维比慢缩型肌纤维更容易受伤。

要理解的问题

第 2 章　肌肉如何工作

- 肌小节——肌肉中最小的功能单位——是如何缩短来产生力量的？（见概念 15）

- 在肌肉收缩过程中，神经冲动的作用是什么，在分子水平上发生的化学和机械事件是什么？（见概念 16）

- 肌肉的力量是通过等长、向心和离心的肌肉运动产生的。如何解释肌肉离心运动产生的力量最大，而肌肉向心运动产生的力量最小？（见概念 17）

- 肌肉力量在生长过程中增加，在完全身体发育成熟时达到顶峰，并随着年龄的增长稳步下降。是什么原因导致肌肉力量的增加在青春期开始时加速，而随着年龄的增长而减少？（见概念 18）

- 在所有年龄段，女性产生的肌肉力量都不如男性，这是什么原因？（见概念 18）

- 肌纤维存在一个最佳长度，在这个长度上可以产生最大的力量。例如，在 120° 下，肘部屈肌有其最佳长度，产生 100% 的最大力量，而在更大或更小的角度下，它们产生的力量较小。如何解释这个问题？（见概念 19）

- 如何解释肌肉缩短得越快，它所产生的力量就越小？（见概念 19）。

- 慢缩型肌纤维和快缩型肌纤维的生化和收缩特性是什么，它们如何影响运动表现？（见概念 20）

• 运动过程中，运动单位会按照有序的方式被招募：首先招募包含肌纤维少的、较小的运动单位，随后逐渐招募较大的运动单位。这种有序招募运动单位的生物学意义是什么？（见概念 21）

• 基因组成和适当的训练将如何影响运动员的肌纤维分布和他的表现？（见概念 22）

• 神经冲动从大脑传递到肌原纤维的横桥上，并在那里产生力量。神经冲动传递过程中的哪个部位是导致疲劳的“薄弱环节”？（见概念 23）

• 急性肌肉酸痛的原因是什么？伴随着离心运动后肌肉酸痛延迟发生的生理事件的顺序是什么？（见概念 24）

• 运动引起的肌肉痉挛是指在肌肉运动过程中或紧随其后发生的痛苦的、不自主的、痉挛性的骨骼肌收缩。肌肉痉挛的原因是什么？缓解疼痛收缩的有效方法是什么？（见概念 25）

• 肌肉在剧烈运动后，特别是在离心运动后，会经历结构的破坏和再生。造成肌肉损伤的薄弱环节是什么？新纤维是如何产生的？（见概念 26）

第 3 章 身体对运动的反应

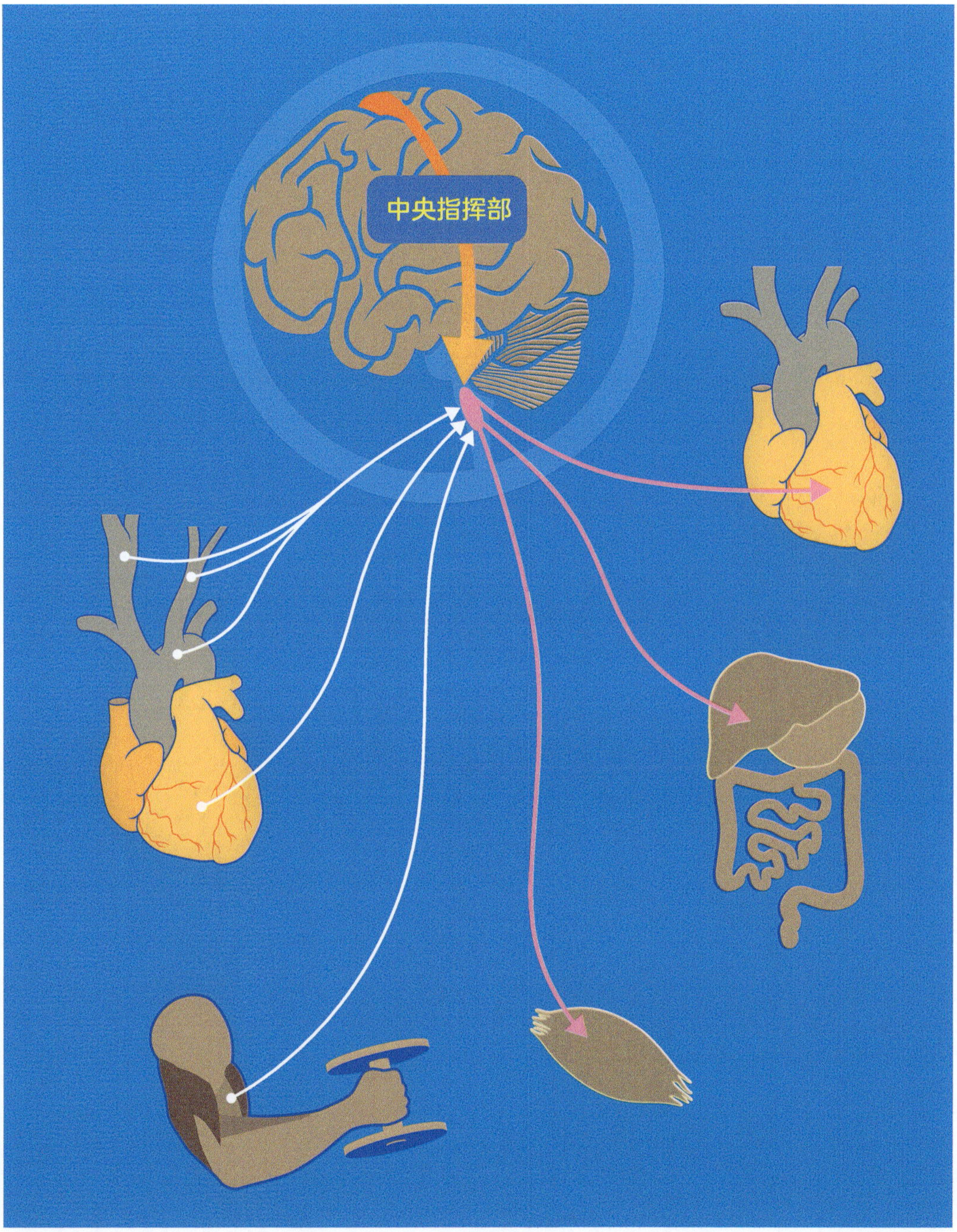

第3章　身体对运动的反应

本章研究肺泵和心脏泵如何为身体提供大量的空气和血液，以满足运动时能量增加的需求。

概念 27　运动时的呼吸反应
概念 28　运动时的心血管反应
概念 29　运动时的体温调节
概念 30　运动时的神经调节
概念 31　运动时的激素调节
要理解的问题

通过学习本章的概念，你将深入了解运动中的呼吸反应和心血管反应、运动时的体温调节，以及运动时的神经和激素调节，你应该能够回答以下问题：

- 为什么我们在运动中和运动后呼吸更为急促？
- 呼吸是否会限制运动表现？
- 为什么训练有素的人在休息时和亚极量运动时的心率比久坐不动的人慢？
- 如何解释受过训练和未受过训练的人有相同的最大心率，却有不同的最大心输出量呢？
- 有氧和静态训练中的心血管反应是什么？它们之间的差异基础是什么？
- 为什么我们在运动中会出汗，在什么环境条件下出汗量最多？
- 中枢和外周神经系统是如何协同控制肌肉活动的？
- 在运动中如何调节身体机能，使中枢神经系统和肌肉能够获得所需的燃料？
- 在运动过程中，如何控制体内的水分？
- 身体是如何进入准备状态以应对环境挑战、干扰和威胁的？运动引起的痉挛、酸痛和损伤的原因是什么？

概念 27　运动时的呼吸反应

在所有持续几分钟到几小时的肌肉活动中，能量来自于发生在细胞质线粒体中复杂的代谢反应过程，其中氧气的供应是至关重要的。

外部环境和身体之间的气体交换，导致氧气补充，并从血液中清除 CO_2，这是通过肺呼吸完成的，而组织中氧气的利用和 CO_2 的产生则是通过细胞呼吸完成的。

氧气从大气到组织（图 3-1）

氧气需要经过几个阶段才能从大气中到达线粒体，在那里它被消耗以产生 ATP。让我们以图 3-1 中所描述和编号的运动来阐述这些阶段。

通气（1）使氧气和 CO_2 进入和离开肺部。随着运动强度的增加，肺通气量也会随之增加，这是由于每次呼吸运动的气体量和呼吸频率的增加所导致的。

氧气和 CO_2 的交换（2）在肺泡和肺毛细血管之间进行自由扩散。氧气从肺部进入血液，因为肺部的氧气浓度比血液中高。同样，由于血液中 CO_2 的浓度更高，促使它从血液中进入肺部并随呼气排出。

休息时红细胞在肺部毛细血管中的转运时间为 0.75 s，而在剧烈运动时可大幅缩短至 0.35 s，这可能导致动脉缺氧并限制耐力运动员的运动表现。

氧气和 CO_2 在血液中的运输（3）氧气以与血红蛋白结合的方式在血液中运输。氧合血红蛋白解离曲线显示了在不同的血氧分压（PO_2）值下血红蛋白与氧气的饱和度。运动期间血液温度和氢离子浓度的增加使氧解离曲线向右移动，允许更多的氧气被释放到组织中。在组织中产生的大部分 CO_2，主要以碳酸氢根离子（HCO_3^-）的形式被输送到肺部，这对防止运动中血液过度酸化起着重要作用。

氧气和 CO_2 的交换（4）在全身毛细血管和组织细胞之间，它反映了氧气的吸收量，是指动脉和静脉（a-v）氧气的差异。在静止状态下，每 100 ml 血液（a-v）中氧气差约为 5 ml，而在运动期间，特别是在极量运动时，每 100 ml 血液中的氧气差高达 18 ml。氧气消耗发生在肌肉细胞的线粒体中，氧气由肌红蛋白运输，并在非常低的 PO_2 下释放出来。

肺部是为运动而生的吗？邓普西（Dempsey）在最近的一长篇综述中总结为：在健康的、未受过训练的年轻成人中，呼吸系统的构造是理想的，可以满足运动的需求，但在受过高度训练的耐力运动员中，它似乎“构造不足”，影响了运动表现。

图 3-1 氧气：从大气到线粒体

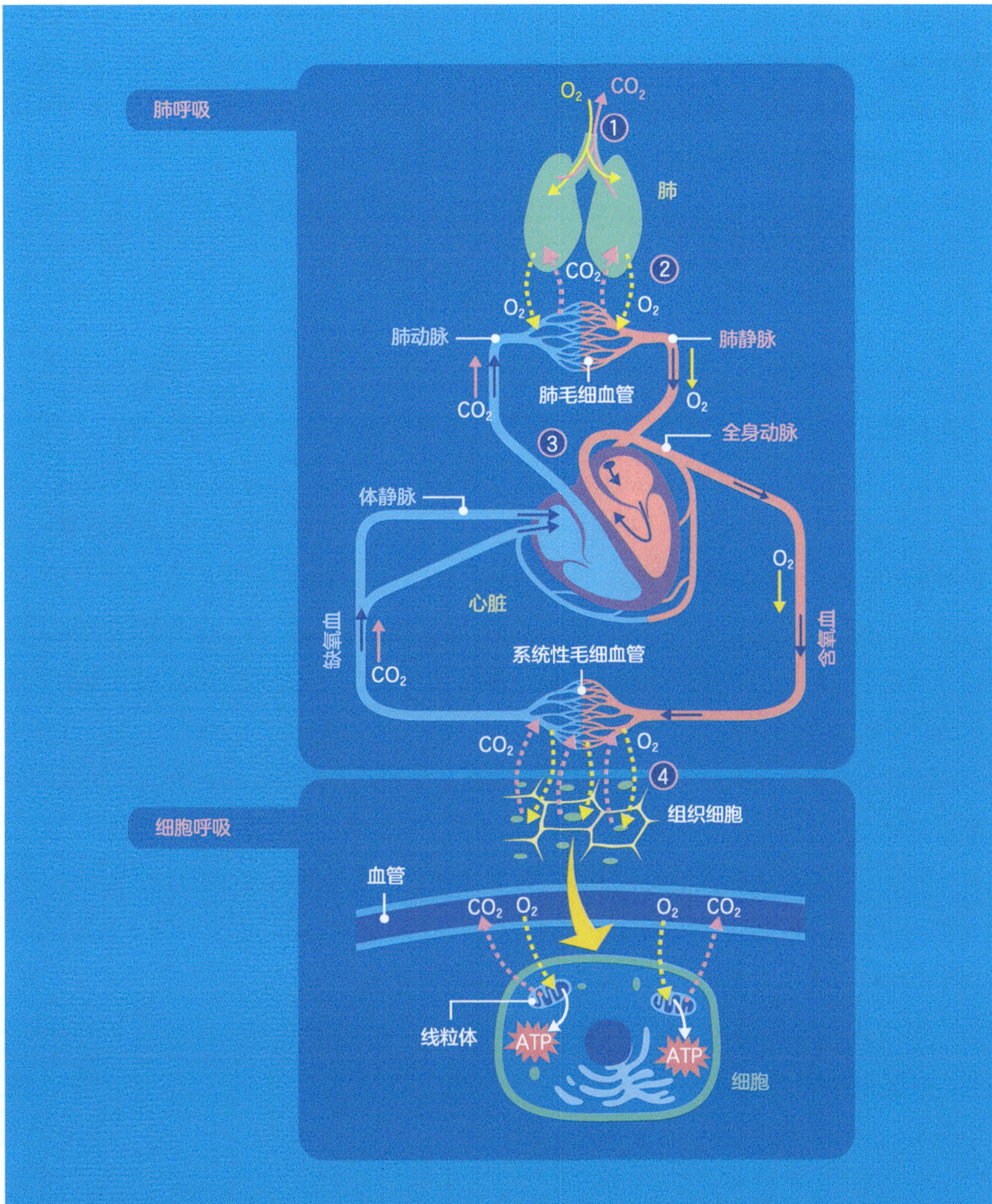

要点

- 除了那些处于极量运动状态的精英运动员外，健康人的肺和呼吸肌对于运动带来的通气和换气需求是“过度设计”的。
- 剧烈运动后，前倾姿势可以最有效地促进呼吸的恢复。

概念 28 运动时的心血管反应

心血管系统的主要功能是为各组织提供氧气。运动中消耗的氧气是由心脏输氧的能力和组织摄取氧的能力决定的。这种关系可用菲克方程（Fick equation）表示，即耗氧量等于心输出量乘以动脉血氧含量减去静脉血氧含量，也就是供应组织的动脉血和从组织流出的静脉血之间的氧差：

耗氧量 = 心输出量 ×（动脉血氧含量 – 静脉血氧含量）

心输出量是每搏量（每次搏动时泵出的血）和心率的乘积：

心输出量 = 每搏量 × 心率

对有氧运动的反应

在有氧运动中，中枢和外周循环与活动组织对氧气供应的需求增加相协调。

心输出量 随每升氧气消耗 6 L 血液并呈线性增加。年轻人的最高值为 20 L/min，而耐力运动员的最高值可能超过 35 L/min。在低强度情况下，心输出量增加是由每搏量和心率的增加引起的，而在高强度的情况下（> 40% ~ 50%）则只与心率有关。

心率 在低强度运动中（< 100 次 /min），心率呈线性增加。这是由于迷走神经对心脏的作用暂停，而在更高强度运动下是由于副交感神经暂停作用和交感神经被激活。最大值很少超过 220 次 /min。

每搏量 它在运动中的增加反映了静脉回流的增加，并在 $\dot{V}O_2$ max 40% ~ 50% 的强度下达到最大值（110 ~ 120 次 /min）。在运动员中，它持续上升，没有平稳状态。

动脉压力 对于训练有素的人来说，收缩压随着运动强度的增加而增加，在最大运动量时，动脉压力将超过 200 mmHg（1 mmHg ≈ 1.333×10^2 Pa）。由于心输出量的增加，平均收缩压略有增加，而舒张压则随外周阻力下降而下降。

外周阻力 其减少反映了组织血管的扩张。

心血管反应的神经控制（图 3–2）

图 3-2 给出了运动过程中心血管控制的概要。

中央指挥部（1） 在运动开始时，从运动皮层到髓质的初始信号确定了心血管反应的一般模式。

延髓（2） 心血管的控制中心。

外周反馈（3、4、5） 位于颈动脉和主动脉弓内的动脉压力感受器（对动脉血压的变化敏感）、心脏和肌肉机械感受器（对肌纤维的拉伸敏感）及肌肉化学感受器（对乳酸和钾等代谢物的增加敏感）向延髓发送冲动信号，以微调心血管对特定运动的反应。

交感神经的刺激（6、7、8） 交感神经向心脏、其他内脏和肌肉发出脉冲，导致微循环的小动脉血管收缩。

图 3-2 心血管反应的神经控制

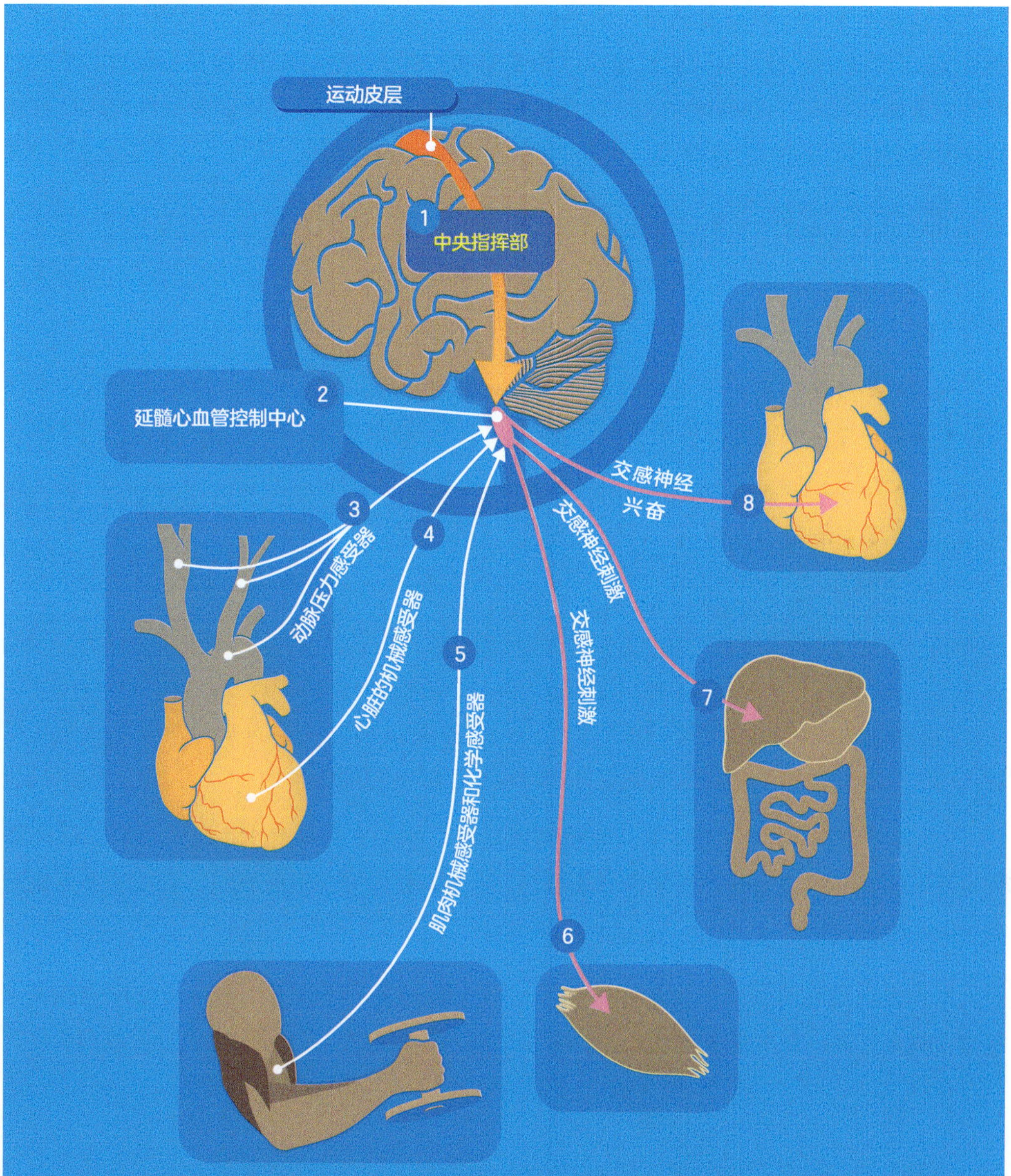

要点

- 血液会流向身体各个部位。在运动中，由于必要的体温调节，血液在活跃的肌肉中增加，而在内脏中急剧减少，在心脏和大脑等重要器官中保持不变，在皮肤中略有波动。
- 在亚极量运动中，腿相对于手，脉搏、血压和外周阻力更高。
- 有氧和抗阻运动均可通过不同机制降低血压。

概念 29　运动时的体温调节

肌肉运动中产生的热量总是大于消耗的热量，这就导致了体温升高。在亚极量运动（$\dot{V}O_2$ max 约 50%）时，核心温度增加了约 1 ℃（37 ℃到 38 ℃）。在极量运动时，核心温度增加了约 3 ℃（37 ℃到 40 ℃）。运动时肌肉的温度，即热量过度产生的地方，比身体其他部位的温度高 0.7 ℃左右。

运动中的热量损失（图 3-3 上）

图 3-3（上）说明，随着运动强度的增加，产热呈线性增多。肌肉运动产生的能量中约有 75% 以热量的形式释放出来。因此，所做工作的效率约为 25%。

运动时产生的热量大于消耗的热量，因此体温升高。位于全身，特别是皮肤和中枢神经系统的温度感受器将信号传递给下丘脑，下丘脑像恒温器一样运作，调控体温平衡。

- 皮肤动脉血管扩张会导致血流量增加，通过蒸发（约 80%）促进热量散发，而热传导和辐射的贡献是恒定的且相对较小。
- 汗腺导致汗液分泌和进一步的热量释放。

在高温下锻炼（图 3-3 下）

低温环境下热量损失主要通过热传导和辐射实现（75%），在高温下进行长时间亚极量运动时几乎完全通过汗液蒸发实现（100%），如图 3-3 所示。

运动时肌肉中产生的热量由血液输送到皮肤，并排出到环境中。这就造成了肌肉和皮肤之间的竞争，因为两者都要求血液灌注；肌肉需要血液来供应氧气，而皮肤需要血液来运输氧气和散热。

肌肉血液循环的主要作用是产生能量，而皮肤血液循环的主要作用是维持体温恒定和体内热量平衡。在高温下运动时，肌肉和皮肤对有限的心输出量的竞争中，肌肉获胜。

热适应

高温环境下的训练能提高一个人对后续运动的耐受能力——热应激，以下是在 7 ~ 14 天内产生的生理适应的结果：

- 运动时出汗较早，出汗率较高，促进蒸发性热散发。
- 减少汗液中的盐分流失。
- 血浆体积的扩大，有助于增加每搏量，从而有助于向运动时的肌肉和皮肤输送血液。
- 运动时心率和核心温度降低。

图 3-3　运动方式和热量交换

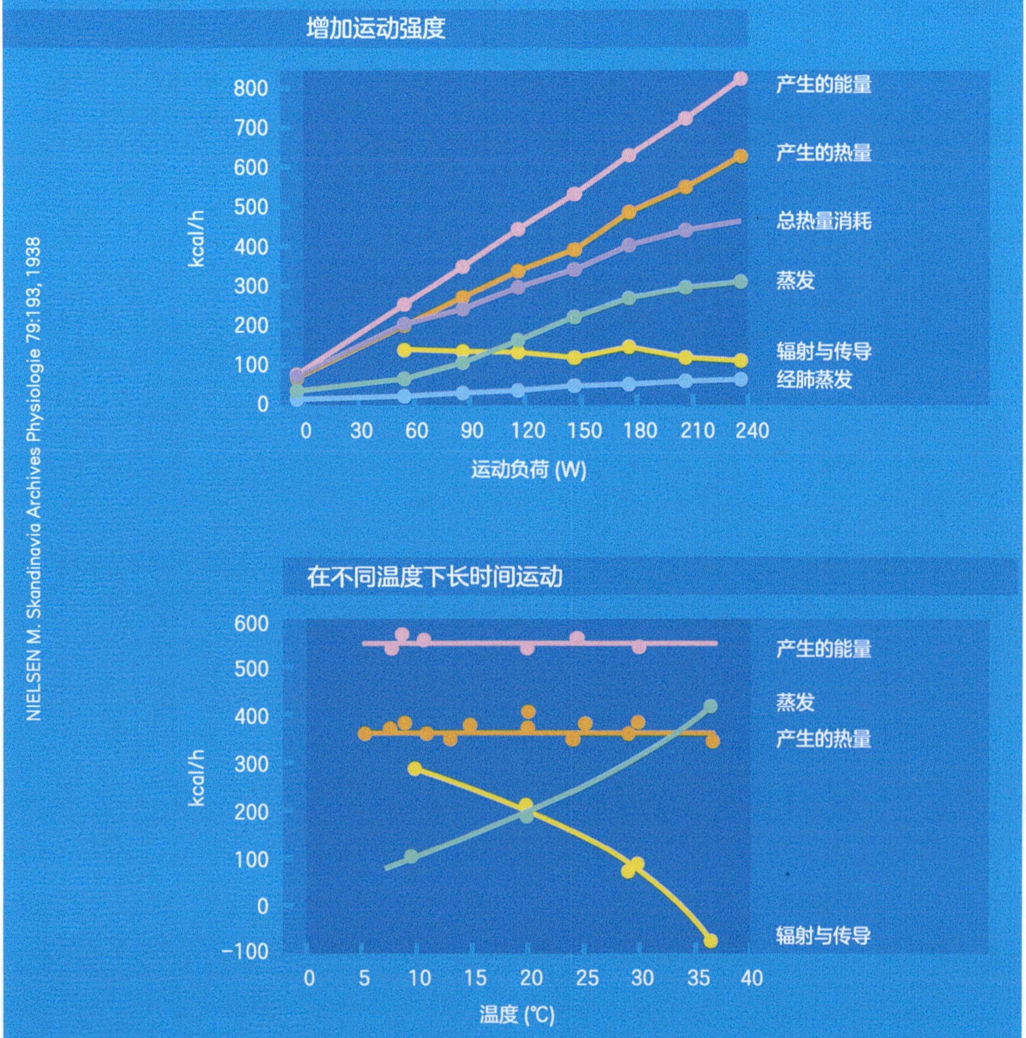

要点

- 炎热条件下周期性地锻炼，身体适应新环境，对热负荷和运动能力产生更大的耐受性。
- 热适应在训练结束后被逆转，在 4 周内完全消失。
- 炎热条件下的运动表现，特别是在耐力赛中，可以通过预凉（例如，在比赛前摄入冷饮或在空调条件下）来提高。

概念 30　运动时的神经调节

对人体所有功能的调节，包括运动行为，都归功于神经元间快速准确地互相交流以及与靶细胞（如肌肉和腺体细胞）通信的独特能力。

神经元（即神经细胞），能够对各种类型的刺激做出反应，并将其转换为神经冲动。正是细胞内液中钠离子和钾离子的浓度差异，以及细胞膜对这些离子的渗透性差异，产生了电信号或神经冲动。

当神经冲动足够强烈时，就会产生动作电位并沿着神经元传递，然后通过在神经元连接处（突触）释放神经递质再传递给另一个神经元。乙酰胆碱是运动神经元最重要的神经递质，而去甲肾上腺素是自主神经元最重要的神经递质。

肌肉动作调节（图 3-4）

图 3-4 描述了中枢神经系统和外周神经系统如何协同调控肌肉动作。肌肉传感器（肌梭）检测到的肌肉长度（肱二头肌）的变化信息，通过感觉神经元（传入途径）经脊髓传到大脑皮层，再传递到两个突触中转站：脑干和丘脑。

在脊髓中，感觉神经元向调控肱三头肌运动的运动神经元（抑制性中间神经元）发送抑制信号以舒张肱三头肌，从而促进肱二头肌的行动。

在主体感觉皮层处理感觉信息后，大脑通过运动神经元（传出路线）从运动皮层向肱二头肌发送命令以调节运动。

自主神经调节

自主神经系统作用于内部，自主控制着内部环境。特别是交感神经系统对环境干扰和威胁产生保护性反应，使身体处于“战斗或逃逸”的准备状态。运动中的这种反应能增加能量代谢、肺通气、心率、血压、心肌收缩力、出汗和减少非运动组织的血液供应。

与交感神经系统相反，副交感神经系统在运动后恢复期间和休息时被激活。副交感神经的一个主要作用是降低心率，这是作为对定期有氧运动的一种慢性适应。

交感神经平衡

心率变异性（heart rate variability，HRV），即心脏跳动之间的时间变化，反映了交感神经平衡，即副交感神经系统和交感神经系统之间的平衡，高 HRV 被认为是自主神经平衡的良好指标，而低 HRV 表明不平衡。例如，定期的体育活动会促进休息时副交感神经张力的增加（高 HRV），而不运动会导致交感神经活动的增加（低 HRV）。

图 3-4　肌肉活动的神经控制

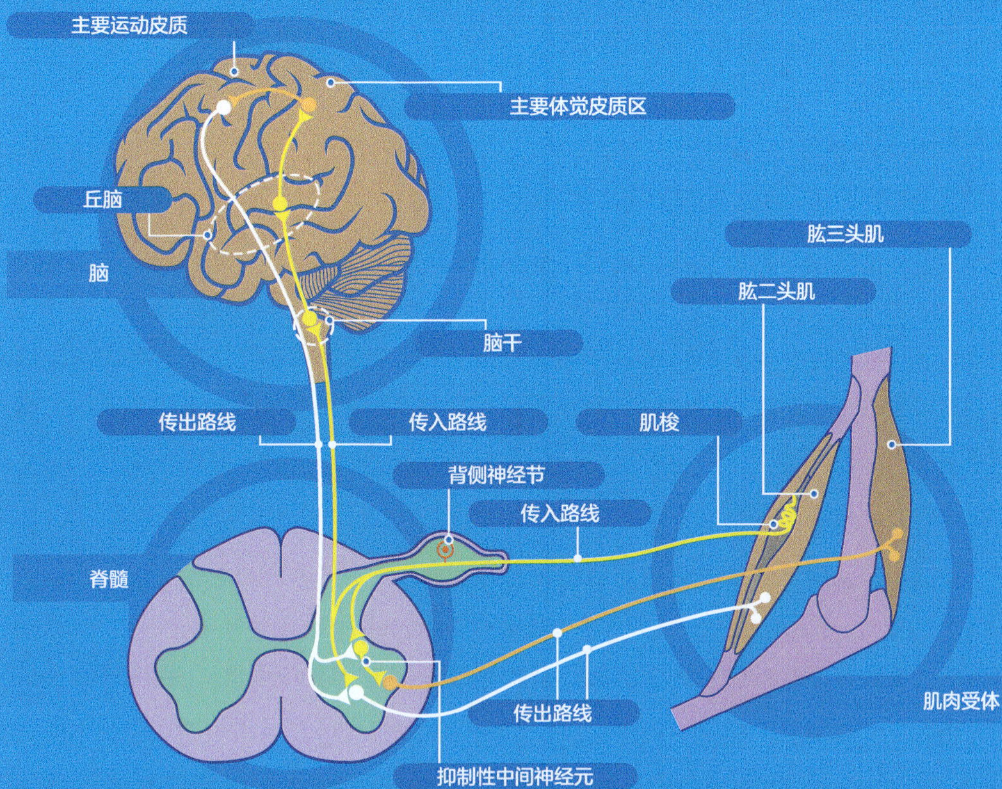

要点

- 神经系统可分为两个主要部分：一个向外起作用来影响机体，另一个是向内起作用并维持机体本身的恒定状态，称为体内平衡。

  ——沃尔特·坎农（Walter Cannon），1932年

- 交感神经系统的激活可以让人做好面对危险（“战斗”）或逃离危险（“逃逸”）的准备。

概念 31　运动时的激素调节

在运动过程中，神经系统和内分泌系统协同以控制身体机能。神经系统发出信号，即神经递质，通过神经突触传递信息，而内分泌腺释放化学信号，即激素，到血液中，对靶细胞施加影响。神经递质作用迅速，影响短暂，而激素反应缓慢，但影响较为持久。

尽管与剧烈和温和运动有关的生理过程受多种激素的调控，但在这个概念中，我们只关注一些运动中与葡萄糖代谢和体液调节相关的关键激素。此外，我们重点提到了佩德森（Pedersen）的开创性和基础性工作，近年来，他揭示了骨骼肌也是一个分泌器官，在运动时释放肌动素，介导肌肉－器官相互作用，在身体的其他部位调控多种生理、代谢和免疫过程。

运动中的液体调节（图 3-5 上）

在长时间运动中，血浆容量减少，导致血压和工作肌肉的血流量下降，从而影响耐力表现。图 3-5（上）描述了抗利尿激素（antidiuretic hormone，ADH）如何控制体内的持水量。当运动强度高于 $\dot{V}O_2$ max 的 60% 时，在下丘脑中产生并储存在垂体后部的 ADH 就会分泌到血液中。随后，ADH 作用于肾脏，增加水的渗透性和肾小管的重吸收，减少体内水分的流失。

运动中的血糖调节（图 3-5 下）

运动中激素调控最重要的部分是维持血糖浓度，以便中枢神经系统和肌肉能够获得所需要的能量。考虑到在剧烈或长时间运动中，血液中的葡萄糖氧化速率约为 1g/min，而肝脏储存的葡萄糖非常有限，不超过 80 g，维持运动中血糖浓度是一项艰巨的任务。

因此，几种激素，如肾上腺分泌的肾上腺素、去甲肾上腺素和皮质醇，以及胰腺分泌的胰高血糖素对运动做出反应，并通过以下方式协同作用以维持血糖浓度：(a) 增加肝脏和肌肉中的糖原分解；(b) 增强肝脏中的糖异生作用，以确保从氨基酸、乳酸和甘油中获得新的葡萄糖；(c) 增加脂肪组织中游离脂肪酸的调动，使其作为一种能量来源。胰腺分泌的胰岛素的作用恰恰相反，它减少了血液中循环的葡萄糖量，使之能被大脑利用。

儿茶酚胺和“战斗或逃逸”

肾上腺素和去甲肾上腺素统称为儿茶酚胺，由交感神经系统的一部分肾上腺髓质释放。这两种激素在交感神经系统中也起着神经递质的作用，除了在维持血糖浓度方面发挥重要作用外，它们还具有类似于交感神经系统的强大作用，使身体准备以“战斗或逃逸”来应对来自环境的挑战。

图 3-5　运动时的体液调节

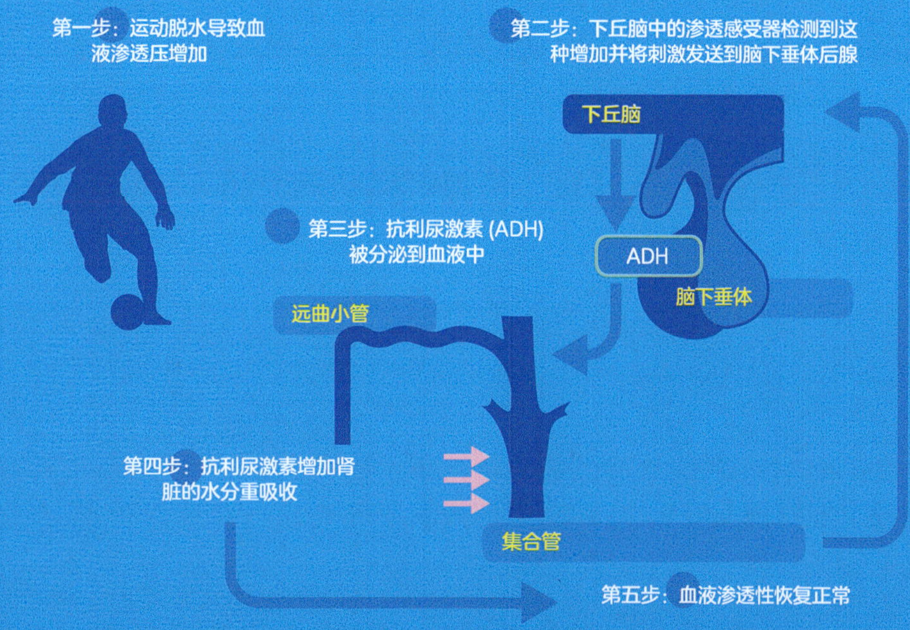

运动时的血糖调节

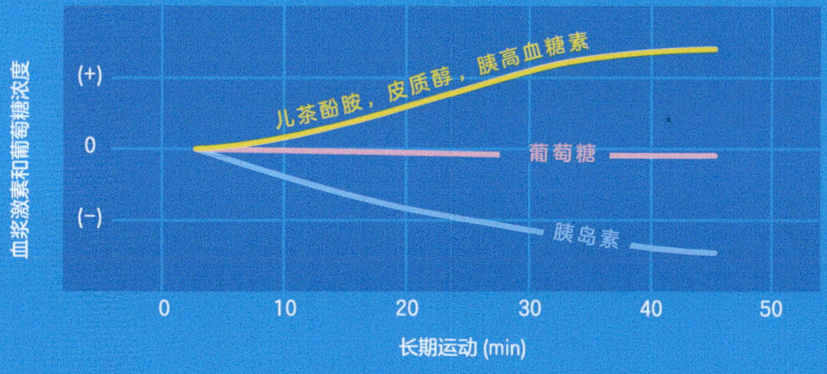

要点

- 运动出汗时，下丘脑中的渗透压感受器不仅告诉肾脏保持水分，还能在血液大量流失时调节身体的口渴感。
- 力竭运动可以被视为一种被称为“一般适应综合征”的压力活动，分为三个阶段：(a) 分泌皮质醇所导致的警报反应；(b) 修复抵抗；(c) 修复不足或者疾病导致的疲惫。

要理解的问题

第 3 章　身体对运动的反应

• 呼吸系统并不限制健康人的运动表现，但它可能会限制精英耐力运动员的最佳表现。呼吸系统是如何限制运动员表现的呢？（见概念 27）

• 有氧运动期间的心血管调节与活动组织对氧气供应需求的增加相协调。这些调节在多大程度上是被取代的，它们是如何被调节的？（见概念 28）

• 运动期间消耗的氧气取决于心脏输送氧气的能力和组织提取氧气的能力。哪个方程式表达了这种关系，它说明了什么？（见概念 28）

• 工作时产生的热量大于损失的热量，所以体温会升高。体温是如何调节的？（见概念 29）

• 在低温环境和高温环境下，长时间的次最大强度运动中热量是如何损失的？（见概念 29）

• 在高温下运动时，肌肉和皮肤之间产生了竞争，因为两者都需要血液灌注；肌肉需要血液来供氧，而皮肤需要血液用于热量传递和散热。肌肉和皮肤哪一个会获胜呢？（见概念 29）

• 中枢神经系统和外周神经系统如何协同工作以调控肌肉运动？（见概念 30）

• 运动时激活交感神经系统会引起哪些身体反应？而在恢复期间激活副交感神经系统又会引起哪些反应？（见概念 30）

• 抗利尿激素（ADH）如何在长时间的运动中控制体内的持水量？（见概念 31）

• 运动期间激素控制最重要的部分是维持血糖浓度，以便中枢神经系统和肌肉获得所需的燃料。这是如何实现的？（见概念 31）

第 4 章
运动的训练与适应

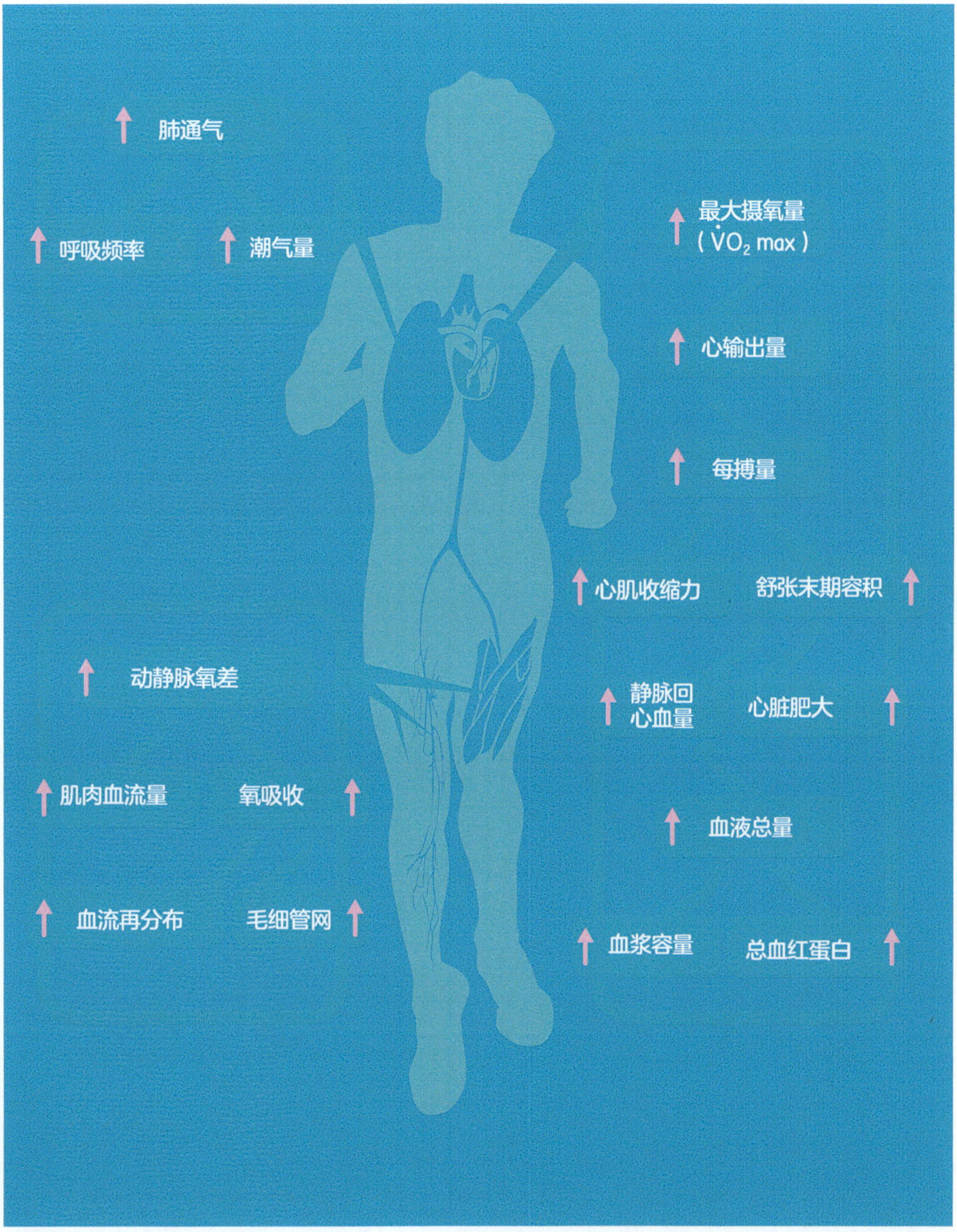

第 4 章　运动的训练与适应

本章介绍各种训练方法及其产生的适应性的一些重要见解。

概念 32　训练的生理学原理

概念 33　供能系统的训练

概念 34　间歇性冲刺训练

概念 35　心肺的适应

概念 36　代谢适应

概念 37　肌力训练

概念 38　神经肌肉的适应

概念 39　肌肉细胞是如何变大的?

概念 40　停训—复训和“肌肉记忆”

概念 41　技能训练

要理解的问题

通过学习本章的概念，你将更深入地了解训练的生理学原理，以及如何更有效地提高力量、功率、耐力和技能。因此你应该能够回答以下类似的问题：

- 一个人要获得最佳表现，应该进行多久、多大强度、多长时间的训练？
- 停止训练后，效益损失的速度有多快？重返训练后效益的恢复速度又有多快？
- 为什么重返训练后，以前受过训练的人会比未受过训练的人适应得更快？
- 为什么在完全相同的训练计划下，有些人进步很大，而另一些人进步很小，甚至没有进步？
- 一个人怎样才能用最少的时间，最大的努力来提高他的有氧能力？
- 肌肉强化的正确负荷是什么？多少组？重复多少次？多长时间一次？
- 在激发心脏和肌肉的最佳训练适应方面，强度和容量哪个是最重要的？
- 有氧训练最普遍的心脏适应性是什么，它的原因是什么？
- 技能训练、力量训练和耐力训练后，最主要的适应能力是什么？
- 同时进行有氧训练和肌肉强化的效果如何？
- 久坐不动的人在遵循有效的有氧运动计划后，预期的代谢适应是什么？
- 与年轻人相比，老年人如何适应肌肉强化？

概念 32 训练的生理学原理

训练的生理学原理包括特异性、超负荷、可逆性和个体特征，适用于所有形式的运动训练，为了设计有效的训练计划，实现最佳的适应性，了解个体对训练反应的差异，从而提高表现，应该考虑到这些原理。

特异性（图 4-1 上）

特异性既指参与某一特定运动的肌肉，也指为实现该运动提供 ATP 的主要能量系统。

肌肉的特异性 训练计划应包括在特定运动项目中使用的运动单元。因此，在训练中，作为一项规则，游泳运动员必须游泳，跑步运动员应该跑步，自行车运动员就得骑自行车。这就是为什么当运动员使用适合其运动的特殊测力计时，其 $\dot{V}O_2$ max 比在跑步机上跑步时高 3% ~ 5% 的原因，这种差异显然归因于肌肉运动的代谢适应性。

能量系统的特异性 特异性也是指运动的主要能量系统的负荷，以便引起适当的适应，满足其特定的能量需求。

超负荷（图 4-1 中）

超负荷是指身体承受的压力逐渐超过它原有的水平。为了引起更大的适应性，有必要以超过正常负荷的强度、持续时间和频率来挑战身体的特定运动模式。如图 4-1（中）所示，经过 20 天强度为 11 km/h 的跑步训练后，血液乳酸浓度下降并稳定在给定的亚极量运动水平。通过增加至 13 km/h 的训练强度，使机体超负荷运转，在同样的亚极量运动下，血液乳酸浓度进一步下降，这意味着运动机能的改善。

这一原则的本质是渐进，这意味着负荷的增加应该是渐进的，通常每周不应超过 10%。

可逆性（图 4-1 下）

图 4-1（下）为例，肌肉的线粒体含量随着有氧训练的增加而增加，而当停止训练时，适应能力迅速下降并逐渐消失。重返训练时，重新适应非常缓慢，需要 4 倍的时间去适应（4 周对应 1 周），而在那些训练时间相对较短的人中，适应更容易消失。

个性特征

在对同一训练项目的适应性反应（心肺、神经肌肉、代谢）的测试中，观察到了广泛的个体差异。有些人是强反应者，而有些人则是弱反应者，因为他们的基因差异。现已有 21 个基因被确认在适应性训练中发挥重要作用。

图 4-1 训练的生理学原理

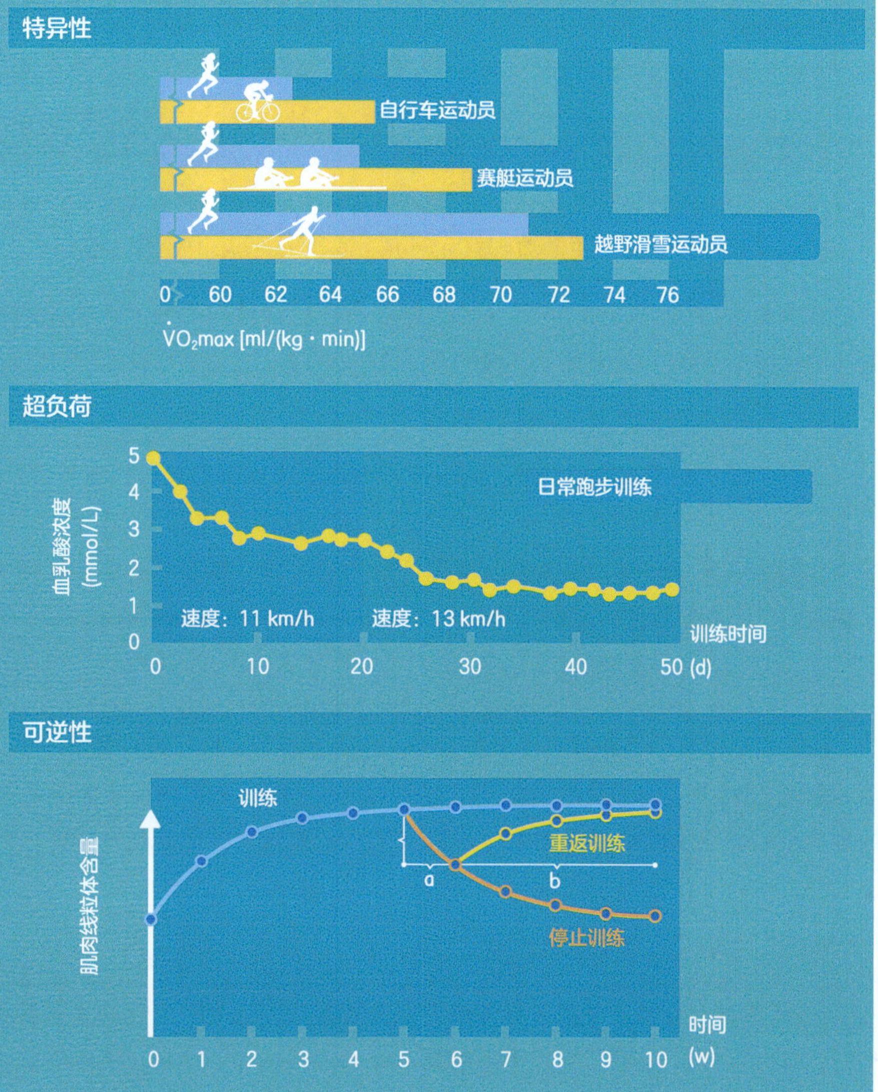

STROMME SB, INGJER F, MEEN ID. Journal of Applied Physiology 42:833, 1977

TERJUNG RL.Sports Science Exchange, 8:1,1995,Gatorade Sports Science Institute

要点

- 并非所有人都能适应相同的锻炼计划，有些人表现出很大的进步，而有些人则进步很小，甚至没有进步，这反映了人们适应能力的先天差异。
- 通过重返训练，受过训练的人会比未受过训练的人适应得更快。这是由于先前训练的肌纤维中肌核数量的增加，这种现象被称为“肌肉记忆”。
- 在相同负荷下，人体在10～21天达到适应高峰。

概念 33　供能系统的训练

图 4-2 介绍了能源系统的训练模型。该模型基于血液中乳酸浓度与肌肉用力强度之间的联系而创建的，以最大摄氧量百分比为例。随着训练的进行，曲线向右移动，乳酸达到了新的峰值。

I 区：有氧训练

I 区以有氧和无氧阈值为界。有氧阈值设定有氧训练的最低强度，使血乳酸浓度达到 2 mmol/L，无氧阈值设定了相当于血乳酸浓度为 4 mmol/L 的强度上限。在这个有氧训练的区域内，年轻人的最低和最高心率分别为 130 次 /min 和 180 次 /min。

这种训练的预期适应性和耐力的改善取决于运动量和强度。有氧训练的量可以从非运动员每周约 2000 kcal 到耐力运动员每周约 6000 kcal。在持续的运动中，强度可以低到最大心率的 60%～95%。

然而，越来越多的证据表明，高强度间歇训练可以有效地替代传统的持续有氧训练，因为它可以引起类似的适应，包括增加肌肉氧合能力、线粒体生物合成、肌糖原合成、减少乳酸生成和增加最大摄氧量。可见，耐力运动员可以通过将这种高强度的训练，加入到他们已经高容量的有氧训练计划中，来进一步提高他们的运动表现。

II 区：有氧—无氧的乳酸训练

II 区是以无氧阈值和最大摄氧量为界。训练强度最低时，血液乳酸浓度为 4 mmol/L，而训练强度最高时，血液乳酸浓度可达 10 mmol/L。相应的心率为 180 次 /min 和 200 次 /min。这种有氧—无氧的乳酸训练主要存在于有氧—无氧运动的运动员之间，但耐力运动员也可以把它作为一种辅助方法。

III 区：无氧—有乳酸训练

III 区是以个人的最大摄氧量和最大血液乳酸浓度为界。它包括重复的超高速运动和短暂的恢复（30～60 s），使血液乳酸和心率达到最大值。这种类型的训练主要被无氧运动的运动员采纳。

Ⅳ 区：无氧—无乳酸训练

它涉及间歇性冲刺训练，即非常短的全力以赴的运动（< 10 s）与长时间的休息（约 4 min）穿插进行，这样就不会产生乳酸，磷酸肌酸得到完全的补充。这种类型的训练最适合于力量型和团队型运动的运动员。

图 4-2　能源系统训练模式

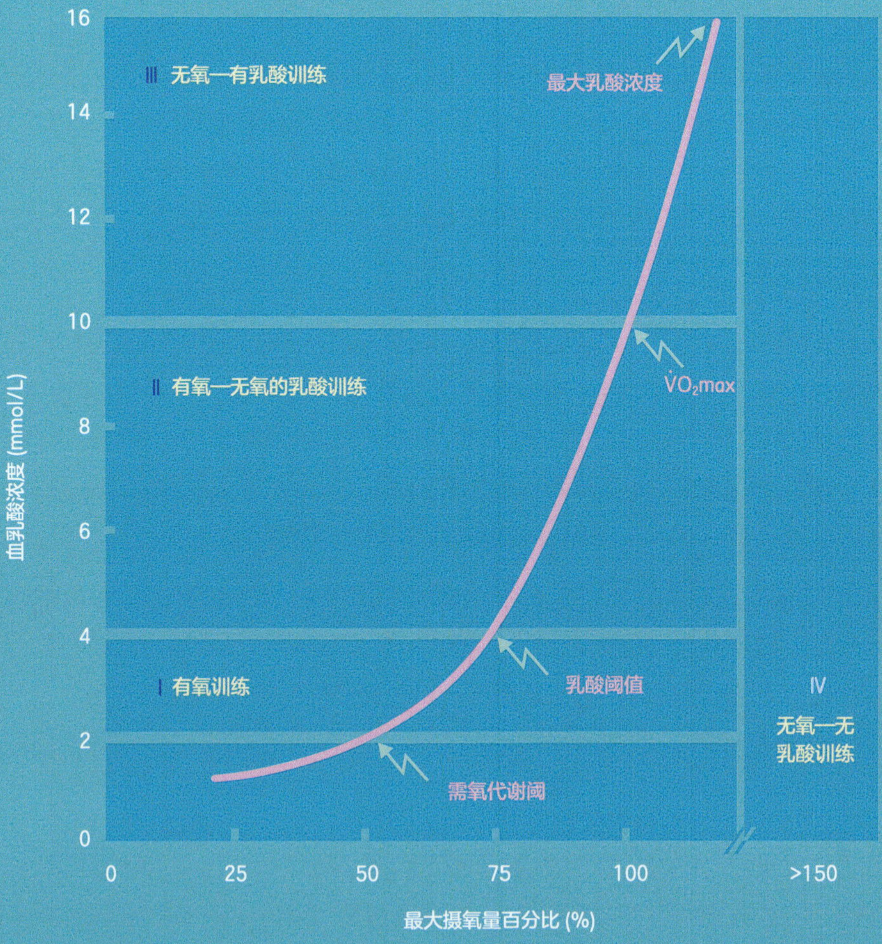

要点

- 频率：≥5 天/周的中度运动，或≥3 天/周的剧烈运动，或≥3～5 天/周的中度和剧烈运动的组合。
- 强度：大多数成年人适合中等和/或剧烈强度运动。
- 时间：大多数成年人每天进行 30～60 min（150 min/w）的中等强度运动，或 20～60 min/d（75 min/w）的剧烈运动，或中等强度和剧烈运动结合。
- 训练量：≥ 500～1000 MET.min/w 或计步器每天计算步数 ≥ 7000 步。
- 模式：可以每天进行一次训练，也可以连续多次训练，每次 ≥ 10 min，间歇训练是有效的。

概念 34　间歇性冲刺训练

特定运动的能量需求，决定了发展该运动所需要的能量系统，因此也决定了最有效的训练策略。

间歇训练（图 4–3 上）

发展任何能量系统最优化的一个非常有效的方法是间歇训练，即反复进行中到高等强度的运动，与恢复期（休息或低强度的运动）交替进行。根据训练的能量系统的不同，运动 / 恢复的时间也不同，如图 4-3（上）示例，重复的 5 次训练包括 200 m 跑 /2 min 休息的无氧训练，400 m 跑 /1 min 休息的有氧—无氧训练，以及 800 m 跑 /15 s 休息的有氧训练。如前所述，间歇训练策略是基于对乳酸的产生所做出的调整。

高强度间歇训练

越来越多的证据表明，高强度间歇训练（high-intensity interval training，HIIT），即短暂的、间歇性的超最大强度训练，中间穿插休息或低强度运动，是一种非常有效的训练方法，与传统的中等强度连续有氧训练相比，具有类似甚至更好的适应性。例如，每周进行 3 天，每次 30 s 的 4 ~ 6 次冲刺，中间间隔 4 ~ 5 min 的被动恢复，结果与受试者每周进行 5 天，每次 40 ~ 60 min 的连续运动训练时的适应性相当。

在 HIIT 训练中观察到的适应性反映了传统耐力训练后观察到的适应性，如线粒体含量和酶的增加，糖原和脂质的氧化，无氧阈值和最大摄氧量。最近的证据表明，最大摄氧量的增加可归因于组织供氧的改善，而不是肌肉提取氧气能力的增加。

主调节器：PGC–1a（图 4–3 下）

图 4-3（下）显示了肌肉如何适应不同的运动刺激。在大容量训练中，细胞内钙离子持续上升，从而激活 Ca^{2+}- 钙调蛋白依赖性蛋白激酶（CaMK），而在高强度训练中，ATP 会小幅下降，引起 AMP 上升，激活腺苷 – 单磷酸激酶（adenosine-monophosphate kinase，AMPK）。然而，这两个信号分子（CaMK 和 AMPK）有一个共同的信号分子：PGC-1α（过氧化物酶体增殖剂—激活剂受体 γ 共激活剂），它被认为是参与有氧肌肉表型发展的一个“主开关”。显然，不同的信号刺激之间存在着交叉对话。

一种两极分化的训练方法　即 10% ~ 15% 的有氧训练是高强度的，其余是大运动量训练，这被认为是参加耐力项目的精英运动员的最佳训练模式。

图 4-3 训练时间不宜过长

COSTILL D. Inside running: Basics of sports physiology. Indianapolis: Benchmark Press,1986

间歇训练模式

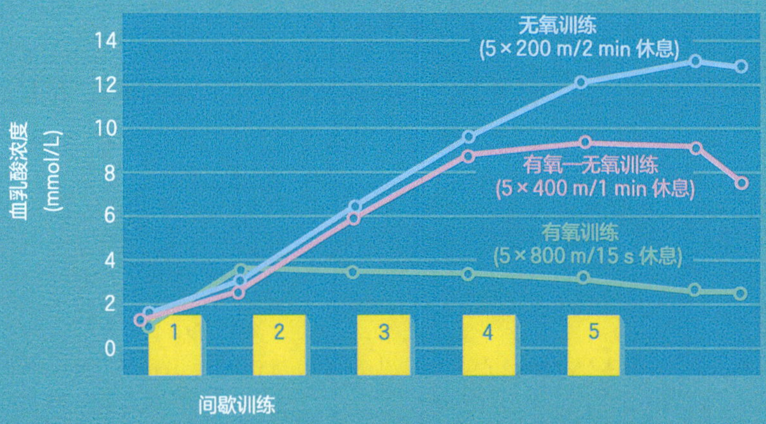

LAURSEN PB. Scandinavian Journal of Medicine and Science in Sports 20 (Suppl. 2): 1, 2010

主调节器：PGC-1α

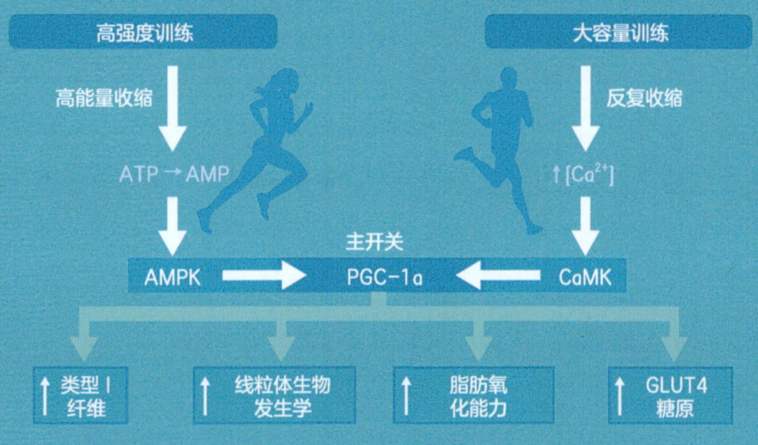

要点

- 高强度间歇训练可以作为传统耐力训练的有效替代。
- 通过高强度间歇训练，你可以在一点点疼痛的情况下获得巨大的收获，似乎“少即多”。
- 最佳训练适应性取决于强度而不是时间。所以，训练时间不宜过长。

概念 35　心肺的适应

有氧训练引起的主要心肺适应性是最大摄氧量（$\dot{V}O_2$ max）增加。一般增加 15% ~ 20%，但在极量运动期间的高摄氧率与呼吸适应性以及氧运输和氧利用系统的适应性有关。

呼吸系统适应性（图 4-4）

经过有氧训练，肺部成为一个更有效的空气泵，帮助 $\dot{V}O_2$ max 的改善。

最大肺部通气量　由于更大的潮气量和呼吸频率的共同作用，在极量运动中通气量会大大增加。肺部扩散：在静止状态及亚极量运动期间没有变化，但在极量运动时增加。肺功能可能会限制耐力运动员的表现，因为肺部毛细血管的运输时间减少，导致动脉低氧血症，即一定体积的血液中氧饱和度和含量降低。

氧气运输系统（图 4-4）

有氧训练后，随着 $\dot{V}O_2$ max 的增加，氧气运输系统表现出极大的适应性。

最大心输出量　每分钟离开心脏的最大血液量随着最大搏出量的大幅增加而增加，这在很大程度上导致了 $\dot{V}O_2$ max 的增加。

最大搏出量　由于静脉回流和心脏肥大，心脏收缩力和舒张末期容积增强，左心室每次跳动时的最大射血量也会随之增加。在休息时和有氧训练后的亚极量运动中，每搏量也会增加。

心率　在极量运动中，它保持不变或可能略有下降，但在休息和亚极量运动中，特别是在较高的强度下，它会出现大幅度下降。在运动后恢复期间，它也会迅速下降。心率变慢的原因是固有心率下降，而不是像以前认为的那样，是副交感神经张力升高或交感神经张力的减弱。

血容量　由于血浆量和红细胞量的增加，总血容量增加。

氧气利用系统（图 4-4）

最大动脉—静脉氧差（a-v O_2 diff）　在大约 1 个月的短期有氧训练中，$\dot{V}O_2$ max 的增加完全是由于最大心输出量（即最大搏出量）的增加，而在较长的训练时间内（> 8 个月）是由于最大心输出量和最大 a-v O_2 diff 的增加。这种最大 a-v O_2 diff 的扩大反映了血流量和氧气提取的增加，这是通过增加毛细血管密度和血流量的重新分配来实现的。

运动员的心脏　耐力运动员的心脏，尤其是左心室，适应性最强，从而心腔更大，心壁更厚，射血力更强。

图 4-4 氧气，更多的氧气！

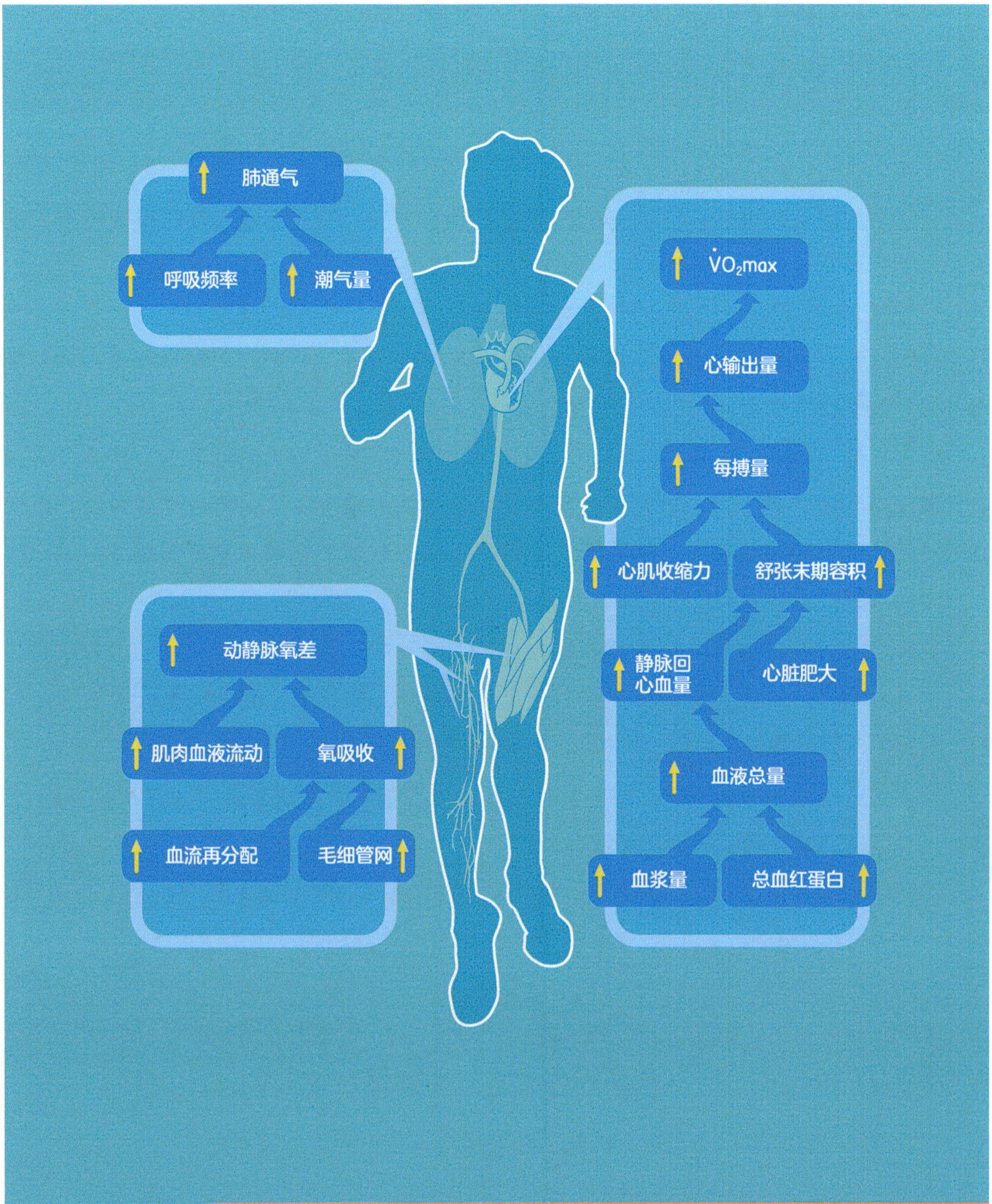

要点

- 心动过缓，是指有氧训练引起的静息心率下降。在训练的最初几周，久坐不动的人心率通常每周会减少1次。训练有素的耐力运动员静息心率可慢至每分钟40次。
- 受过训练的人心率的降低与每搏量的增加相匹配。还有一个悬而未决的问题是：心率的降低是否会导致每搏量的增加，反之亦然？

概念 36 代谢适应

代谢适应对提高有氧能力和进行长时间、高强度肌肉活动的能力起着决定性作用。

这种能力反映在无氧阈值上，它是耐力表现的主要生理标志，与较高的 $\dot{V}O_2$ max 利用率和较快的比赛速度有关。

图 4-5 说明了肌肉细胞中关键代谢适应的位置（编号为 1 ~ 10），这是有氧训练的结果。

1. 氧气　在有氧训练后，休息时的耗氧量没有改变，在亚极量运动时反而可能略有下降，而在极量运动时则显著提高（约 20%）。尽管 $\dot{V}O_2$ max 的改善主要是由于工作肌肉的氧气输送增加，但肌肉细胞的代谢适应在这个过程中发生了实质性的变化，从而使它们在极量运动时利用氧气的能力提高。还应注意的是，运动开始时的氧债较低，运动期间可较早达到稳定状态。

2. 肌红蛋白　进入肌肉细胞的氧气会与肌红蛋白（一种类似于血红蛋白的分子）结合，这是氧气储备的一种方式，只有在细胞内 PO_2 非常低的情况下才会释放到线粒体，就像在运动开始时和极量运动时发生的那样。它在慢缩型肌纤维中的含量可能随着有氧训练的进行而增加到 80%。

3. 线粒体　线粒体消耗氧气以产生大量的 ATP，被认为是肌肉细胞的动力源。它们的可塑性非常大，由于有氧训练，它们数量（线粒体生物合成）和大小都有所增加。同时还观察到关键线粒体氧化酶——琥珀酸脱氢酶和柠檬酸合酶的活性显著增加。

4. 毛细血管　耐力训练后，每根肌纤维周围的毛细血管数量显著增加（ > 15%），血液与工作肌肉之间接触面增加，扩散距离缩短。

5. 肌纤维　有氧训练后，慢缩型纤维形成更大的横截面积。此外，可能有一个 IIx 型肌纤维向 IIa 型的转变，以及 IIa 型肌纤维向慢缩型纤维的转变。

6,7,8. 燃料　有氧训练后，肌糖原含量增加，在长时间的运动中，糖原以较慢的速度被利用（糖原节约），而脂肪以较高的速度被利用，因此运动员可以以更快的速度持续运动。在长时间的运动中，氨基酸也可以对能量的产生做出贡献（约 10%）。

9. 乳酸　有氧训练后，它在亚极量运动时减少，在极量运动时增加。

10. 高能磷酸盐　无氧—乳酸训练增加了肌肉细胞中磷酸肌酸和 ATP 的储备。

11. 肌肉质量　有氧训练可以增加久坐人的总肌肉量。

抗阻训练

最近的证据表明，抗阻训练除了能塑造和维持肌肉形态，还能带来有氧运动的好处。在肌肉形态方面，它也能诱发有氧运动的好处。

图 4-5　训练对肌肉细胞的影响

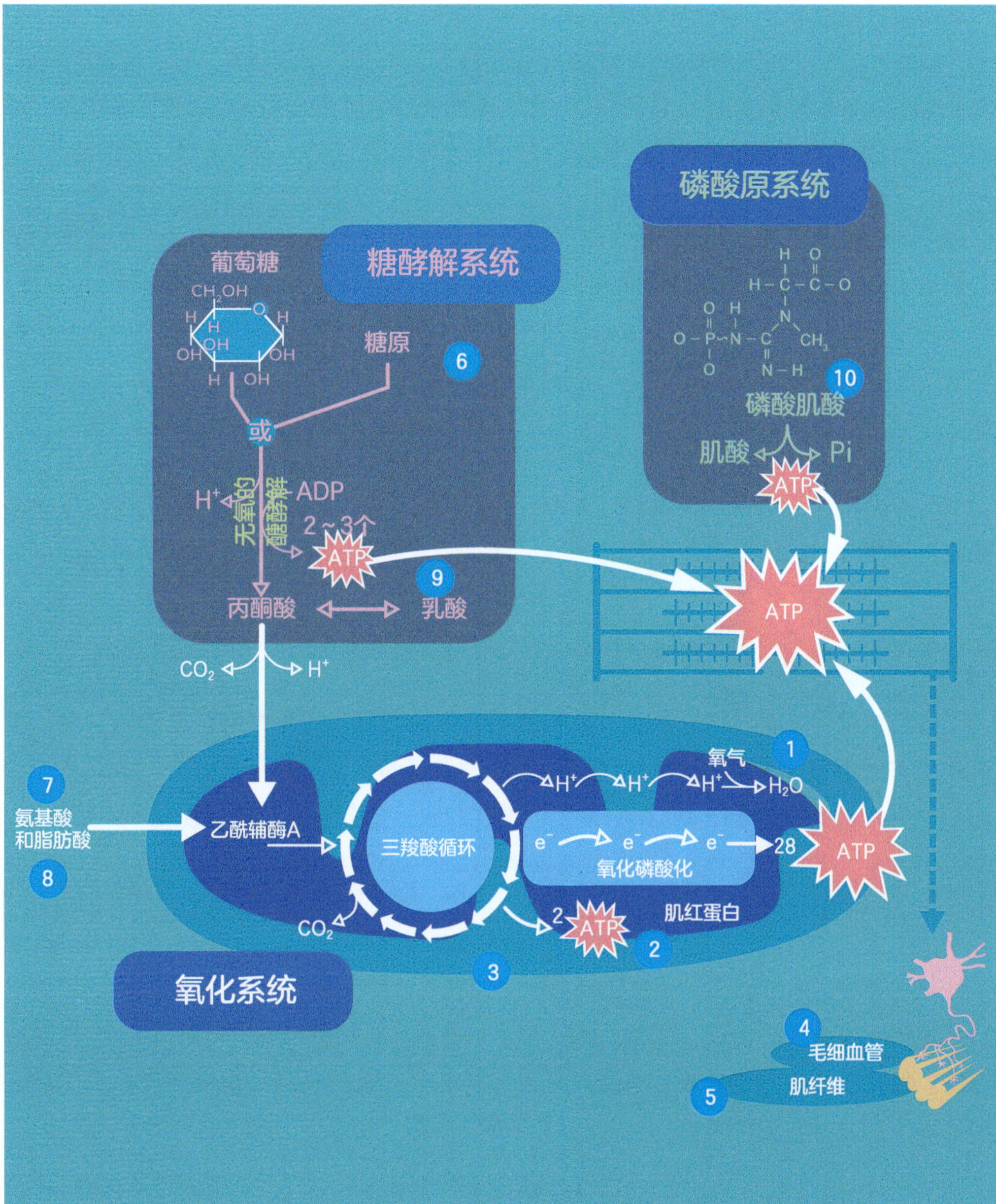

要点

- 一个久坐不动的人，每周进行 3～5 次有氧训练，持续6个月，中等强度训练 [最大心律 (HRmax) 的65%～75%]，每天持续 20～60 min，预计在代谢适应方面会有极大的改善：最大摄氧量增加 15%～20%，厌氧阈值增加 15%～20%，肌红蛋白增加 18%～25%，线粒体数目增加 40%，氧化酶增加 25%～50%，毛细血管增加 29%，慢缩型肌纤维截面积增加 7%～22%，肌肉尺寸增加 7%～9%。

概念 37　肌力训练

肌肉强化是基于力—速度的关系，如图 4-6 模型所示，它划定了抗阻训练的三种主要类型，即向心训练、等长训练和离心训练。虽然这些是不同的训练方法，但值得强调的是，肌肉的动作通常是混合的。

向心训练（图 4-6）

向心训练涵盖了力—速度关系的整个范围。这意味着在向心训练中，力和速度的变化是可以被控制的，这取决于训练的目的。因此，运动员需要采用高负荷来提高肌肉强度，采用高速度来提高肌肉速度，采用中等负荷和速度的组合来提高肌肉力量。中等负荷和速度的结合也可以用来提高肌肉耐力，前提是训练量足够大。

等长训练（图 4-6）

等长训练的要点是力—速度的关系点，即肌肉动作的速度为零，因此肌肉长度和关节角度没有变化。肌肉力量的增加主要是在施加等长肌肉动作的关节角度观察到的，以最大强度进行训练时最为有效，持续 3 ~ 5 s，重复 15 ~ 20 次，每周至少 3 天。

离心训练（图 4-6）

在离心训练中，肌肉被迫拉长，抵消力量大于最大等长收缩并且远超向心收缩。由于纤维蛋白的重塑，与向心训练相比，高速离心训练的强度增益是最大的。增强式训练是向心—离心训练的结合：储存在肌肉平行弹性和收缩部分的能量在收缩过程中被恢复。这种类型的训练导致了更大的运动单元募集和力量的提高，如长凳辅助弹跳。

提高肌肉力量的准则

在使用任何训练方法设计个性化肌肉强化训练时，都应考虑以下因素：个人的训练水平，以每周次数表示的频率，以最大重复次数（repetition maximum，RM）的百分比表示的强度，以重复次数和组数表示总量，以及表明休息间隔的模式。提高肌肉力量的循证抗阻训练计划应当遵循如下规定：

频率　每个主要肌肉群应在 2 ~ 3 天 / 周内进行训练。

强度　新手到中级锻炼者为 1RM 的 60% ~ 70%，刚开始锻炼的老年人为 1RM 的 40% ~ 50%，有经验的力量训练者大于 1RM 的 80%。

重复次数　对大多数成年人来说，8 ~ 12 次；对于开始锻炼的老年人，10 ~ 15 次。

组　大多数成年人可做 2 ~ 4 组，老年人和运动新手适合 1 组。

模式　每组之间的休息间隔为 2 ~ 3 min，两次训练之间的休息间隔为 48 h。

图 4-6　肌肉强化的训练模式

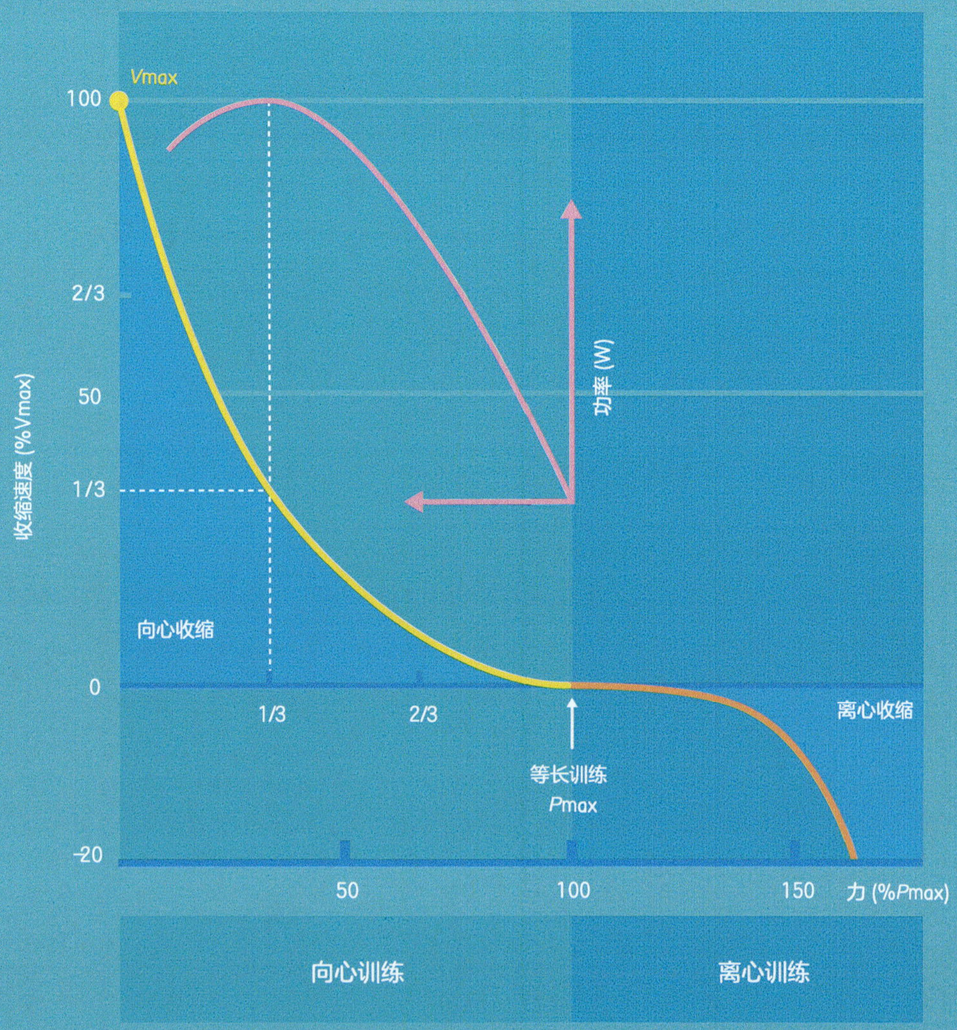

要点

- 提高肌肉力量也能增加韧带和肌腱承受撕裂的能力。
- 同时进行力量和有氧训练会削弱力量的增益，但不会增加有氧能力。
- 单侧力量训练可以增强未训练的对侧肢体的肌肉大小和力量。
- 用于增强肌肉的电刺激和血液阻断可能对老年人或受伤恢复者有一定好处，但对那些能举起重物的人可能没有好处。

概念 38　神经肌肉的适应

训练后力量的增加不仅是肌肉增强的结果，也是神经适应的结果。神经肌肉系统的特点是对抗阻训练具有高度的反应性和可塑性。

神经适应性（图 4–7）

肌肉服务于中枢神经系统，服从它的指令。抗阻训练改变了神经系统的行为，对肌肉动作和最大力量的产生有显著影响。这在训练的前几周尤其明显，大部分肌肉力量的初始改善是由于神经适应（图 4-7）。当只对一只手臂进行抗阻训练后，训练过的和未训练过的手臂的肌肉力量都会增加。更具体地说，抗阻训练可能诱发以下运动—神经适应，从而导致力量的增加：

增加运动单元的募集和释放；

增加运动单位的同步性；

增加神经肌肉接头的大小（约 15%）；

最大限度减少激动剂和拮抗剂肌肉的共激活；

减弱了自体抑制，减少了对高尔基腱器官的抑制性冲动，使肌肉达到更高的力量水平。

肌肉适应性

肌肉组织对抗阻训练的可塑性表现为三种不同的适应机制，即纤维肥大、纤维增生和纤维转化。

纤维肥大　即由于合成新的肌动蛋白丝和肌球蛋白丝，为力量的产生提供了更多的横桥，导致纤维横截面积增大，肌肉尺寸增加。

纤维增生　由于纤维分裂成“子”细胞而导致肌纤维数量增加，这一现象在动物身上得到了证实，极有可能也发生在极端负重训练，特别是离心训练的人类身上，在这些活动过程中肌卫星细胞被激活并与现有的肌纤维融合以产生新的肌纤维。

纤维转化　在人类中，IIx 型肌纤维可以转化为 IIa 型。

合成代谢过程（图 4–7）

从图 4-7 可以明显看出，在抗阻训练后，最初的力量增长主要是由于神经适应，而后来的增长则是肌肉适应的结果。这些抗阻训练后的肌肉适应性会随着睾酮的增加而加强。睾酮是体内最重要的合成代谢激素，它通过在肌肉中增加更多的细胞核来促进肌肉蛋白的合成。无论是否同时进行抗阻训练，睾酮与肌肉质量和力量之间都存在剂量反应关系。然而，新的证据对运动后睾丸激素的升高是增加肌肉合成代谢和力量所必需的表示怀疑。

图 4-7 力量，更大的力量

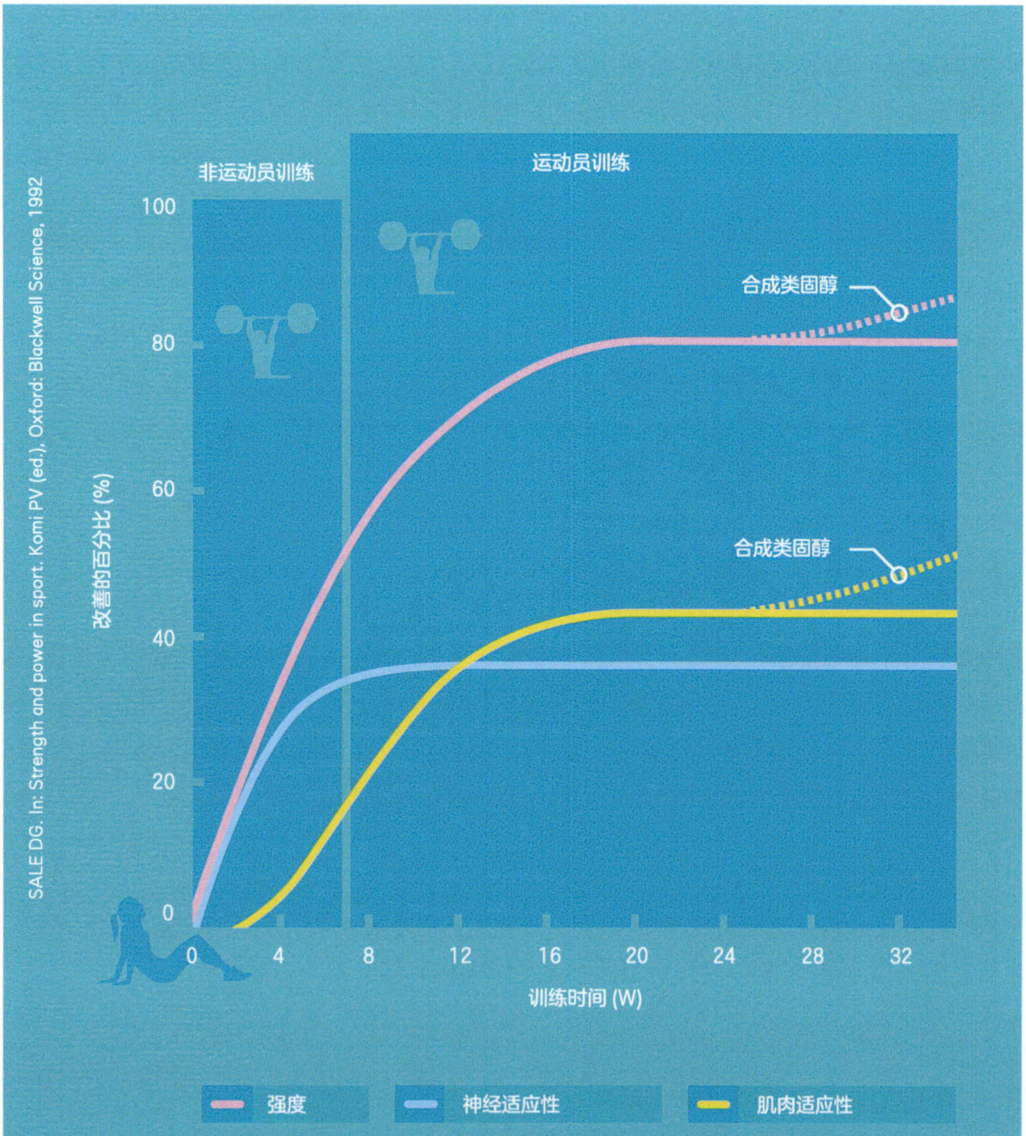

要点

- 抗阻训练 8 周后观察到肌肉厚度显著增加。肌肉生长的巅峰状态是每周增加 1%，对应的肌肉质量约为每周 0.3 kg。
- 在老年人中，通过抗阻训练增强力量主要取决于神经适应，只有一小部分取决于肌肉适应。

概念 39　肌肉细胞是如何变大的?

肌肉的可塑性取决于使用方式。在高负荷的情况下，肌肉调整其相关结构（毛细血管和线粒体），支持氧气输送和消耗。在高负荷下，它也会增加其收缩蛋白，增加肌肉的厚度和力量。

肌肉肥大的机制

肌肉蛋白质处于不断变化的状态。在运动中，它们被降解，而在静止中，它们被恢复。当蛋白质的合成率超过降解率时，我们就会出现正氮平衡，从而导致肌肉过度肥大。主要的刺激是对肌肉的拉伸，引起细胞内氨基酸浓度下降。这引发了蛋白质的降解，并将氨基酸运输到肌肉细胞，氨基酸供应的增加进一步刺激了蛋白质的合成。因此，肌肉组织的重建发生了，其中肌原纤维、肌动蛋白丝和肌球蛋白丝的数量增加为肌肉运动提供了更多的横桥。

卫星细胞：蛋白质合成（图 4–8）

卫星细胞在肌肉形成中起着核心作用。卫星细胞是休眠的成肌细胞，即与肌纤维直接接触的未分化的细胞，它们位于肌膜和基底膜之间。但当肌肉的内稳态被严重破坏时，如在抗阻运动或受伤时，卫星细胞受到刺激从而增殖和分化。分化后，它们与先前存在的肌纤维融合，将其细胞核转移给它们，从而促进基因表达和蛋白质合成，这一过程分 5 个阶段，如图 4-8 所示。

1. 合成蛋白质的遗传信息被编码入细胞核的 DNA 中。

2. 从细胞质进入细胞核的细胞外信号（神经冲动）发出信号，将编码信息从 DNA 转录到信使 RNA（mRNA），这是合成蛋白质所需的编码信息的“蓝图”。

3. mRNA 离开细胞核，移动到核糖体，即细胞质中蛋白质合成的场所。

4. 转运 RNA（tRNA）携带氨基酸，即蛋白质的组成部分，进入核糖体。

5. mRNA 中包含的信息被翻译，氨基酸被连接在一起，形成特定的蛋白质链。

影响的因素

蛋白质摄入量、年龄和基因型被认为是影响抗阻训练效果的主要因素。在抗阻运动之前和之后至少 24 h 内摄入蛋白质，将优化肌肉的生长和运动后的恢复。与年轻人相比，老年人对抗阻训练的过度反应减少，在老年人身上观察到的力量增加主要是由于神经适应。基因型决定了一个人在力量训练中变强的速度。

图 4-8　蛋白质合成

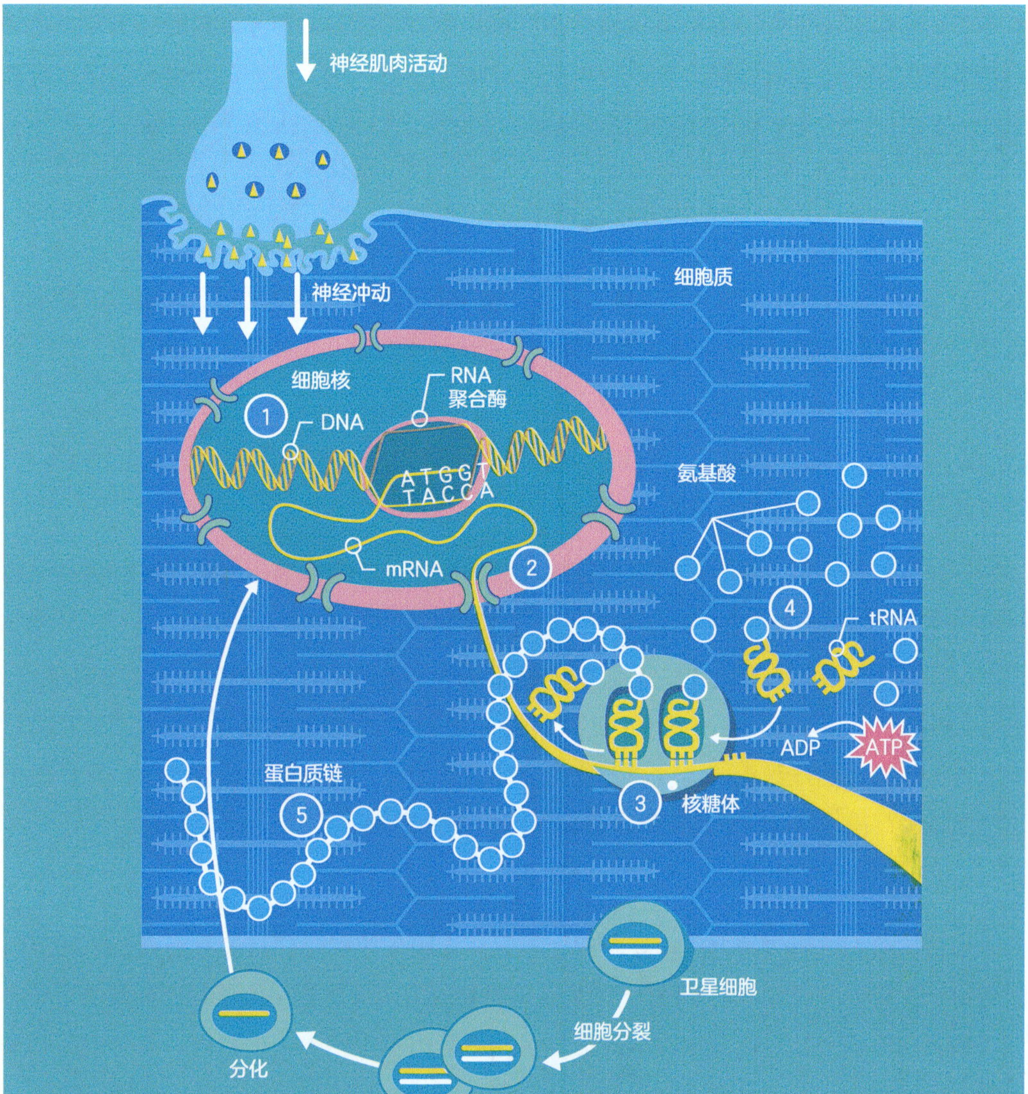

要点

- 抗阻训练和蛋白质摄入能刺激蛋白质合成和肌肉肥大。
- 抗阻训练运动员应在运动后摄入足够量的蛋白质 [高达 1.7 g/(kg BW · d)] 以刺激肌肉蛋白质合成，并摄入碳水化合物以补充肌糖原消耗。

概念 40　停训—复训和“肌肉记忆”

众所周知，以前训练过的肌肉在经过一段时间停止训练后会更快地适应重新训练。这意味着，与新手相比，以前受过训练的人如果在一段时间停止训练后重新训练，预计会在肌肉质量和力量方面取得更快的进步。直到最近，这种现象才被肌肉的神经调控和已知的肌肉肥大机制所解释，其中卫星细胞发挥了核心作用。然而，新出现的证据解释了这种观察到的肌肉质量和力量的快速恢复是由具有记忆功能的肌细胞来调控的。

“肌肉记忆”（图 4–9）

根据新的细胞模型，记忆是一个信息编码、存储和检索的过程，不仅发生在大脑中，而且也存在于肌纤维中。图 4-9 解释了肌肉，特别是肌核——其功能对肌肉蛋白的合成很重要——是肌肉记忆的场所。更大的肌纤维需要更多的肌核，因为每个肌核控制一个小的肌肉区域，称为肌核域。

训练　从图 4-9 中可以看出，以前未经训练的纤维很小，几乎没有肌核；当训练时，它最终形成一个具有许多肌核的大纤维。

停止训练　停止训练后，纤维萎缩，蛋白质流失，体积变小，但仍保留着在之前的抗阻训练中获得的大量的肌核。

重返训练　如果纤维被重新训练，由于先前存在大量的肌核，而且没有募集新的肌核，纤维就会肥大。正如图 4-9 所见，在重新训练期间，纤维质量不仅得到了恢复，而且恢复的速度比新形成的纤维更快。较高密度的肌核被认为是肌肉记忆的储存系统，正是由于这些肌核的存在，以前的肥大纤维在重新训练中被“记住”了。

影响

据估计，人类的肌肉记忆持续时间很长，并假设一些在年轻时通过力量训练获得的肌核可能在后来的训练中被“记住”，从而更容易获得肌肉质量和力量。这种做法在衰老期可能特别有益，在老年人中，抗阻训练引起的肌肉肥大能力大大减弱，其产生新肌核的能力受损。

此外，肌肉记忆可能会影响兴奋剂违反者的禁赛时间，因为研究证明，短暂接触合成代谢类固醇可能会产生长期的成绩提高效果。

耐力训练没有细胞记忆。细胞记忆模型似乎适用于力量训练，但未能在耐力训练中得到证实，一个人拥有了健康的心肺功能，在经过一段时间的不活动后，再进行训练可能不容易恢复健康的心肺功能。

图 4-9　肌核是肌肉的记忆中心

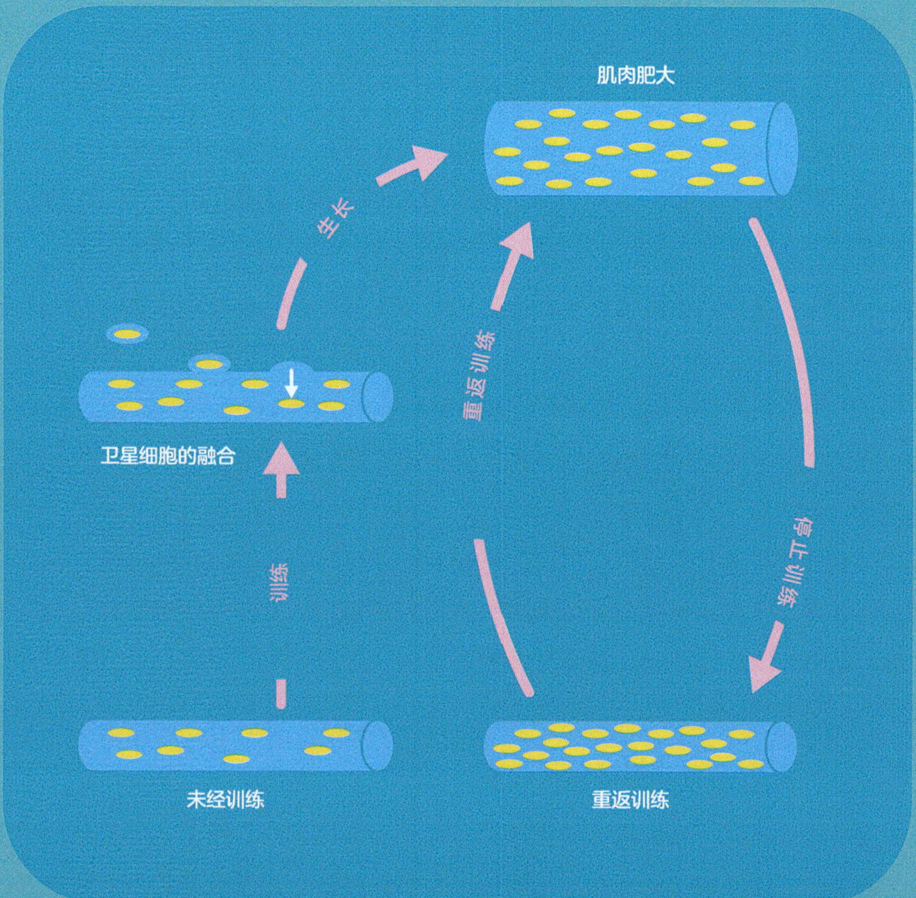

Gundersen K. Journal of Experimental Biology 219: 235, 2016

要点

- 肌肉记忆能使先前训练过的肌肉在一段时间的停止训练后，通过再训练更快地恢复力量。
- 年轻时的力量训练可能会在以后被“记住”，这种肌肉记忆可能对老年人特别有益，因为他们产生新肌核的能力受损。

概念 41 技能训练

与力量和耐力等其他形式的训练相比，技能训练的特点主要是大脑皮层的适应。力量训练可能会诱发脊髓内的一些神经元变化，但似乎并不诱导突触发生，也不改变运动皮层中运动表征的重组。同样，耐力训练能诱导血管生成并增加运动皮层的血流量，但不能诱导突触生成，也不能改变运动图谱的组成。因此，与技能训练不同的是，力量和耐力训练似乎不会诱发皮质回路的任何显著变化。

运动皮层的可塑性（图 4-10 上）

对动物的一些研究已经充分证明了运动皮层的可塑性是技能训练的结果。如图 4-10（上）所示，在技能训练的头几天，运动技能迅速提高，同时伴随着各种蛋白质合成的增加。技能训练后期阶段的特点是突触生成的增加和运动皮层内运动表征的重组。

使用神经影像技术和经颅磁刺激也证实了在人类运动皮层中类似的变化。例如，高度熟练的排球运动员的内侧三角肌和桡骨近端肌肉的皮质表征明显大于精英跑步者。此外，与非优势肌肉相比，排球运动员的优势肌肉的运动图谱区域更大，而跑步者则不然。显然，排球运动员肩部协调运动的繁重训练要求诱发了这种运动皮层表征和技能运动的神经元编码。

皮层的可塑性部分是由基因决定的 精英运动员，除了高强度的训练外，还可能在某种程度上遗传了皮质对运动训练做出更好反应的能力。双胞胎研究已经证明，遗传不仅在运动策略、运动控制和运动学习方面表现出很大一部分差异，而且在人类运动皮层的可塑性和皮质兴奋性方面也是如此。

新手和专家的大脑激活情况（图 4-10 下）

使用功能性核磁共振成像的研究表明，训练有素和未经训练的运动员使用大脑的方式是不同的。如图 4-10（下）所示，新手激活边缘区（后扣带、杏仁核 – 前脑复合体和基底神经节），而专家则激活辅助运动区（顶叶上部、背外侧前运动区和枕叶区）。来自边缘结构的输入会干扰皮质运动程序的激活，导致技能和表现的灾难性恶化。

在技能训练中，新手会专注于与所需任务无关的细节，而专业人员的思想是系统的，因此他们的运动行为具有无意识的自主的。

图 4-10　运动皮层的可塑性

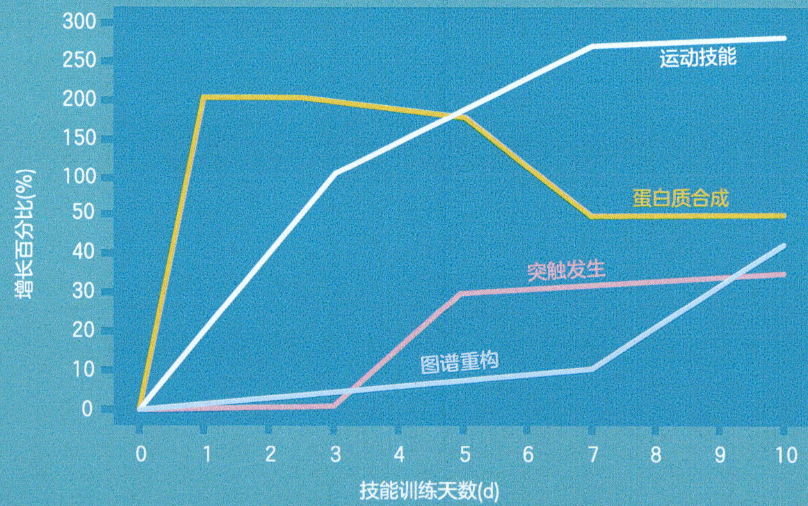

Adkins DL, Boychuk J, Remple MS, Kleim JA. Journal of Applied Physiology 101:1776, 2006

专家的思想是专注的

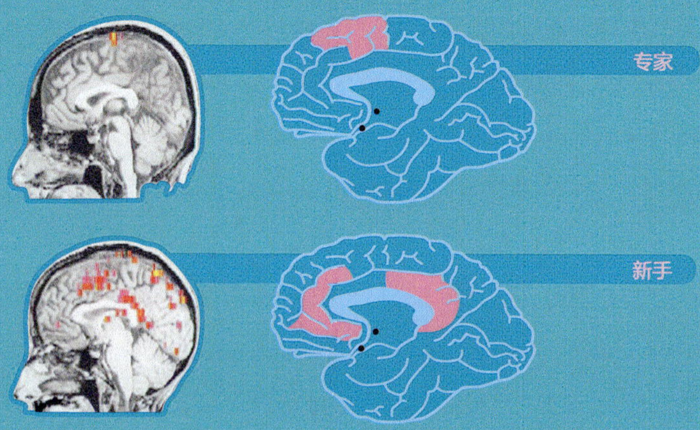

Milton J, Solodkin A, Hlustík P, Small SL. NeuroImage. 35:804, 2007Adkins

要点

- 技能训练改变大脑，从而驱动熟练动作的获得和执行。
- 在学习复杂动作时，旧的运动模式可能会阻碍对新运动模式的学习。
- 似乎大多数新的运动行为都是通过一些技能学习、力量增强和耐力增强而获得的。

要理解的问题

第4章　运动的训练与适应

- 训练的生理学原理为所有形式的运动训练提供了设计合理方案的框架。这些原则是什么，它们说明了什么？（见概念 32）

- 能量系统的训练可以通过相应的运动训练刺激所引起的血乳酸浓度来划分。这将如何应用于不同运动项目的运动员训练？（见概念 33）

- 肌肉如何适应不同的训练刺激，特别是适应高容量和高强度的训练？（见概念 34）

- 有氧训练如何影响呼吸系统和心血管系统的适应性，在氧气运输和氧气利用系统中发生的最深刻的适应性是什么？（见概念 35）

- 运动员的心脏有哪些适应性，心动过缓带来的伴随性适应是什么？（见概念 35）

- 有氧训练如何影响有氧能力，肌肉细胞发生了怎样的代谢适应？（见概念 36）

- 向心训练是如何提高力量、速度、功率和耐力的？（见概念 37）

- 如何通过等长、离心和负重训练使肌肉力量最大化？（见概念 37）

• 同时进行力量和有氧训练如何影响力量的增加？（见概念 37）

• 抗阻训练带来了哪些具体的神经适应，在训练的哪个阶段这些适应性特别明显？（见概念 38）

• 肌肉组织对抗阻训练的可塑性体现在哪些适应性机制上？（见概念 38）

• 睾酮是体内最重要的合成代谢激素，它在肌肉质量和力量增长中起什么作用？（见概念 38）

• 肌肉细胞如何在抗阻训练中变大，卫星细胞发挥什么作用？（见概念 39）

• 以前训练过的肌肉在经过一段时间的脱离训练后会更快地适应重新训练。如何用“肌肉记忆”的细胞机制来解释这一现象？其含义是什么？（见概念 40）

• 技能训练诱导了哪些皮层适应，新手和专家在运动中激活的皮层区域是什么？（见概念 41）

第 5 章
优化竞技能力 / 运动表现

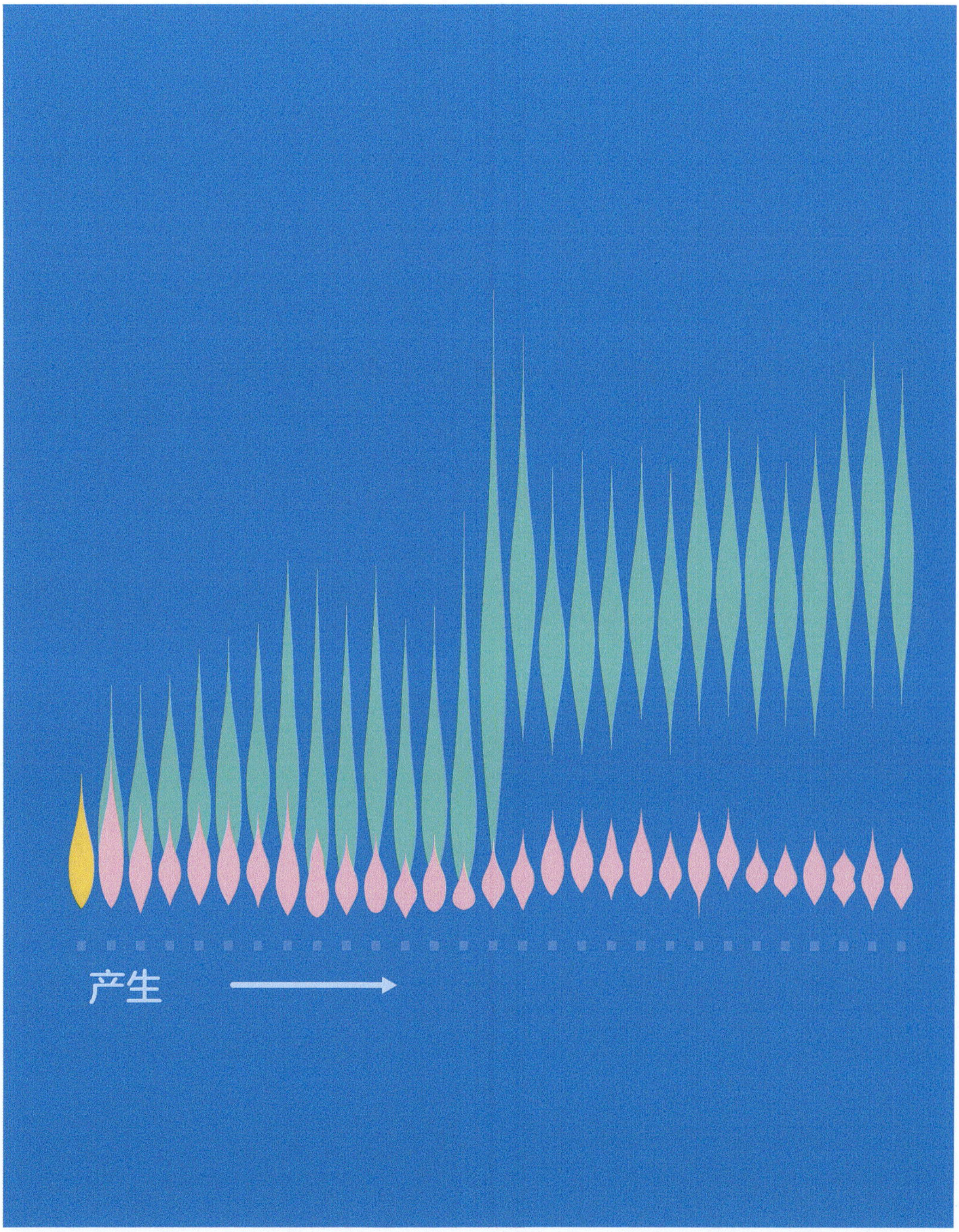

第 5 章 优化竞技能力 / 运动表现

本章介绍是什么让冠军们特别快速、强壮、有力、灵巧，以及如何优化其技能的。

概念 42　冠军的生理学

概念 43　冠军运动员：先天和后天

概念 44　表观遗传学：意识与躯体的联系

概念 45　训练的周期化

概念 46　过度训练与减量

概念 47　高温和低温环境下的运动表现

概念 48　高原训练：一个狭窄的窗口

概念 49　年轻运动员

概念 50　女性运动员

概念 51　精英运动员

要理解的问题

通过学习本章的概念，你将深入了解运动的生理学基础，并应该能够回答类似以下问题：

- 过度训练综合征对运动员的健康和技能的发挥有什么影响？
- 过度训练有哪些症状？如何预测和避免？又如何治疗？
- 什么是与改善运动技能有关的减量适应？
- 在耐力、半耐力和力量项目运动中，优秀运动员成绩的决定因素是什么？
- 为什么一个短跑运动员不能成为长跑运动员，反之亦然？
- 哪些生物学特征决定了男性和女性在运动表现方面的差异？
- 如何确定遗传和环境差异对运动表现中观察到的个体差异的相对贡献？
- 哪些基因已被证实与运动表现有关？
- 仅仅是基因和训练就足以造就一个冠军吗？
- 表观遗传学差异在巅峰运动表现中的作用是什么？

概念 42 冠军的生理学

诺贝尔生理学或医学奖得主 A.V. 希尔（A.V. Hill）以其对肌肉力量生理学的开创性研究，为了解限制人类技能的因素奠定了基础。在 1925 年发表在《柳叶刀》杂志上的一篇开创性文章中，他分析了随着距离的增加跑步速度逐步下降的现象，并确定了运动表现和肌肉能量之间的因果关系，他指出：

“……最可靠的生理学数据，与其说是在生理学或医学书籍中，不如说是在跑步者的运动记录中。”

速度－距离曲线（图 5-1 上）

图 5-1（上）显示了世界田径记录中速度和距离之间的下降关系。男子的跑步速度在短距离（100 m 和 200 m）中几乎保持不变（10.4 m/s），然而有两个组成部分呈下降趋势，一个是快跑（400 m、800 m 和 1500 m），一个是慢跑（大于 5000 m），在马拉松比赛中的速度下降到 5.7 m/s，即下降了 45%。女性的跑步速度也有类似的表现，而男女之间的差异稳定在 11% 左右，与距离无关。

这些关于成绩下降的观察，正如我们所看到的，在曲线的初始部分是很大的，随着持续时间的增加而变得相对较小，为成绩的多个生理决定因素提供了重要的见解，使冠军运动员在速度和耐力方面脱颖而出。

精英表现的决定因素（图 5-1 下）

精英短跑运动员和长跑运动员的生理特征有着根本的不同。

长跑运动员长距离比赛中的速度基本上靠有氧代谢来维持。精英长跑运动员具有较高的 $\dot{V}O_2$ max，在比赛中利用较高的 $\dot{V}O_2$ max 百分比。他们以 100% $\dot{V}O_2$ max 参加 5 km 赛跑，以 90%～100% $\dot{V}O_2$ max 参加 10 km 赛跑，以 75%～85% $\dot{V}O_2$ max 参加马拉松。如图 5-1（下）所示，他们的高 $\dot{V}O_2$ max 与高肌肉毛细血管密度、心脏每搏量、血红蛋白含量和有氧酶活性相关。除了 $\dot{V}O_2$ max 外，无氧阈值和跑步经济性也有助于在长跑过程中获得最佳表现速度。

短跑运动员全力奔跑的速度取决于新陈代谢和机械因素。精英短跑运动员比长跑运动员拥有更大比例的快缩型肌纤维来产生能量，同时他们调动无氧来源的磷酸根和糖酵解系统来提供所需能量。一个精英短跑运动员的特点是有大量的纯 MHC IIx 型肌纤维，其功率输出比 MHC IIa 型肌纤维高约 2 倍，比 MHC I 型肌纤维高 14 倍。高水平的短跑还取决于肌肉骨骼的力量运用。在精英短跑运动员中观察到的踝关节力学和足部比例有利于增加跑步速度。

图 5-1 跑步的世界纪录

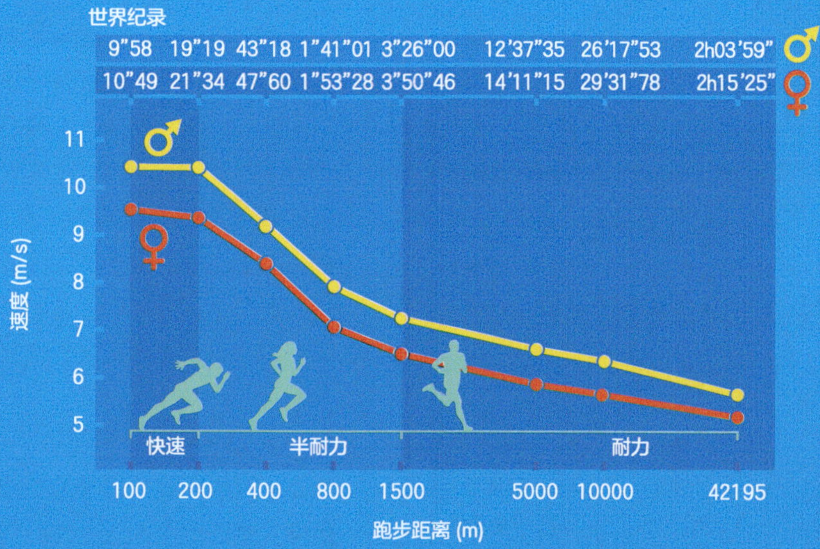

速度的决定因素

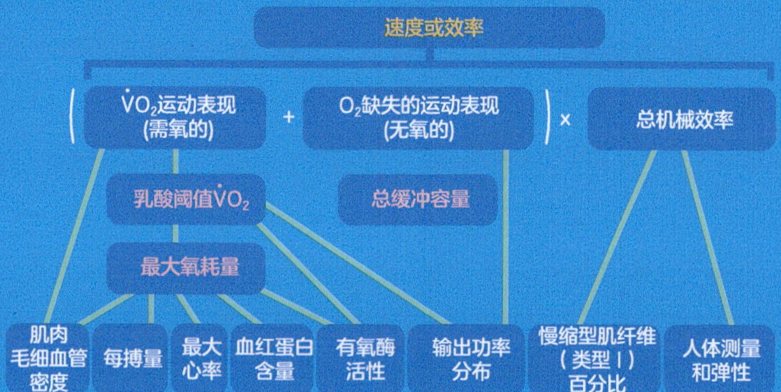

JOYNER MJ, COYLE EE.
Journal of Physiology 586:35, 2008

要点

- 长跑运动员的特点是高有氧能力和高慢缩型肌纤维百分比，短跑运动员的特点是高厌氧能力和高快缩型肌纤维百分比。
- 男性运动员的表现优于女性，这主要归因于能量生产能力的差异以及身体组成的差异。
- 肯尼亚跑步者的体型（苗条和低体重）特征可能是优秀耐力跑步者的重要先决条件。

概念 43　冠军运动员：先天和后天

在其他动物和人类身上进行的若干学科的大量研究，绝大多数都接受了遗传及环境影响在理解卓越表现方面的重要性。

动物研究：皆归结于基因（图 5-2 上）

研究人员使用选择性大鼠育种模型，将低能跑步者（low-capacity runner，LCR）与高能跑步者（high-capacity runner，HCR）进行了多代比较。这些大鼠在一生中都保持静止状态。因此，在两个品系之间观察到的耐力表现的任何差异都将归因于基因的内在决定能力。从图 5-2（上）可以看到，28 代之后，HCRs 和 LCRs 的耐力跑距离相差大约 8.3 倍，这是由基因造成的惊人差异。

双胞胎研究：多基因性状的遗传（图 5-2 下）

双胞胎模型已被用于研究人类与卓越运动表现相关的复杂和多因素性状的遗传和环境的关系。该模型比较了同卵双胞胎和异卵双胞胎之间的相似性。同卵双胞胎的核 DNA 完全相同，而异卵双胞胎的 DNA 序列只有 50% 相同。基于这种双胞胎相互的比较，我们得出了一个特定复杂性状的遗传度估计值，它反映了在该性状中观察到的个体间的差异归因于遗传差异的比例。遗传度越接近于 1，遗传影响越强。图 5-2（下）总结了与精英运动表现相关的人类多基因性状的遗传度估计。每个符号代表一个不同的双胞胎研究。几乎所有的双胞胎研究都得出了大量的遗传度估计值，并一致认为几乎所有的运动能力、形态特征、肌肉组成、运动属性和行为特征的个体差异都是可遗传的。

基因“猎取”

双胞胎研究为基因鉴定开辟了道路。数量遗传学和分子遗传学结合在一起，可以检测与精英运动表现有关的复杂数量性状的特定基因。今天，有证据表明某些基因（如 *ACTN3* 和 *ACE*）可能与卓越运动表现有关，但并没有明确表明它们在精英运动员中更常见。目前可用的遗传工具似乎无法对多基因表型做出具有预测能力的判断。显然，有必要在基因猎取方面进行范式转变，采用新的方法，利用基因组学、表观基因组学和转录组学，结合大规模、可重复的研究设计。

专项训练

与遗传倾向形成鲜明对比的是，冠军是在 10 年内积累的 10 000 h 的刻意练习中培养出来的。一项对 88 项合格研究的大数据（Meta）分析中发现，专项练习可以解释 18% 的运动成绩差异，并得出这样的结论：专项练习对专业的表现很重要，但并不一定像人们所认为的那样重要。遗传倾向对个体差异的影响似乎是无处不在的。

图 5-2 与生俱来的能力

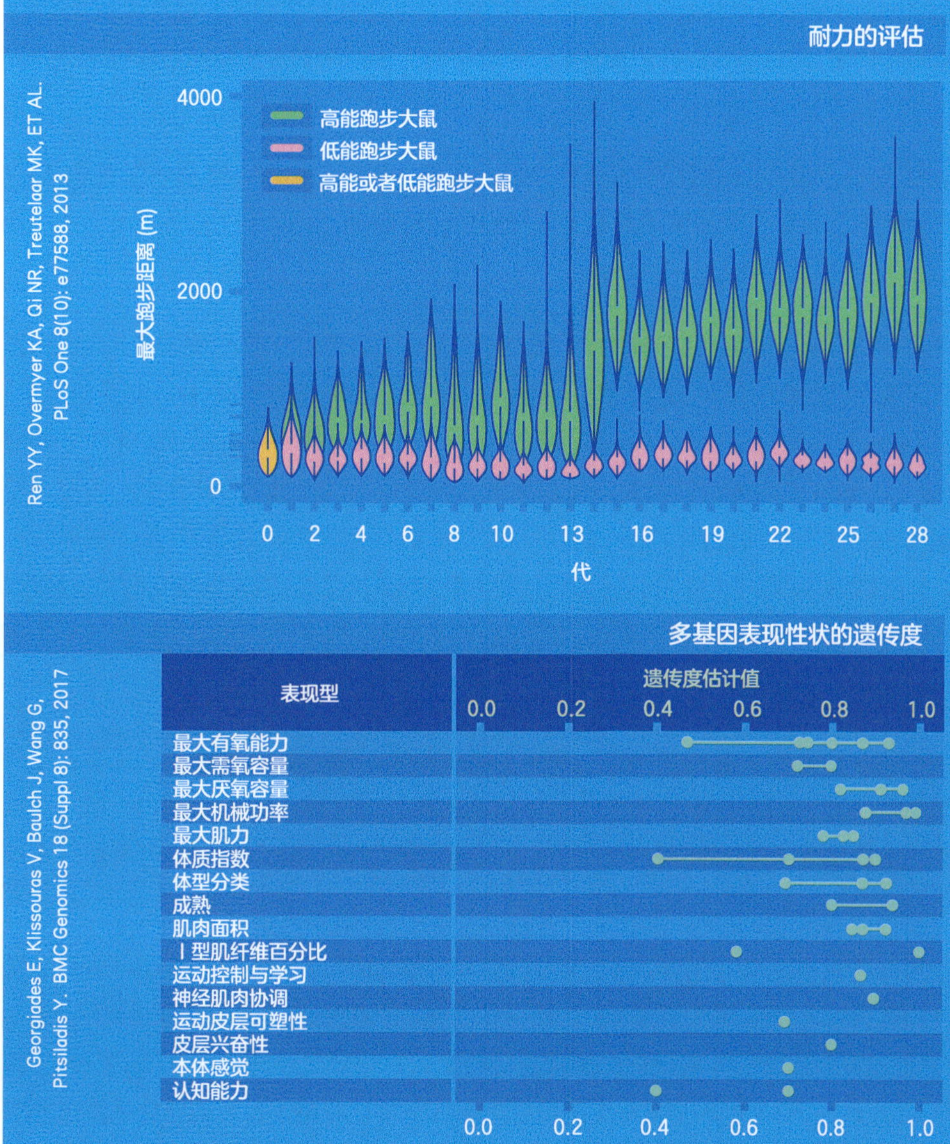

要点

- 精英运动员是从那些天生有这种倾向的人中培养出来的。
- 实际上，所有与运动成绩相关的特征都具有很强的遗传度，并且都可能在一定程度上受到环境条件的影响。
- 要了解哪些基因和因素导致最佳运动表现的变化，还有很长的路要走。

概念 44　表观遗传学：意识与躯体的联系

多年来，许多科学家坚持不懈地探索和破译影响最佳运动成绩的原因是什么？今天的主流观点是，精英运动员被赋予了很高的遗传潜质，并通过艰苦的训练得以实现。此外，天才运动员之间的差异还存在于生理功能、组织化学、生物化学活性和形态学方面。

然而，新出现的证据表明，意识和躯体是密不可分的，而且人类的意识可能会凌驾于生物过程之上。因此表观遗传因素可能会促进生理、代谢、认知、情感和行为的改变，从而使有天赋的、训练有素的运动员的表现超越感知的极限。

表观遗传因子（图 5-3 上）

表观遗传学（epigenetics）是指 DNA 的化学修饰，而不影响 DNA 序列（遗传密码），只影响基因表达，这些化学修饰是由 DNA 甲基化和组蛋白修饰等过程产生。如图 5-3（上）所示，在 DNA 甲基化过程中，一个表观遗传因子——甲基基团——可以通过化学方式结合到 DNA 上，改变基因表达的模式，使其变得更弱或更强。在组蛋白修饰中，表观遗传因子与组蛋白"尾巴"的结合改变了 DNA 与组蛋白的结合程度，以及 DNA 中基因的可用潜力。如果 DNA 可访问，基因就会被激活，而如果 DNA 不可访问，基因就会失活。因此，表观遗传因子可以影响某些基因的表达，但不能改变 DNA 的序列。

与人类表现的相关性（图 5-3 下）

表观遗传学如何与人类表现相关？在过去的十年中，越来越明显的是，采用表观遗传学可以解释在双胞胎调查中获得的看似矛盾的结果，即同卵双胞胎尽管在生理上有惊人的相似之处，但在个性特征和表现结果上却表现出明显的差异，这表明仅靠基因和训练不足以成就一个冠军。

一个典型的例子是一对同卵双胞胎奥运选手在 20 km 竞走比赛中的表现。他们接受了同样的艰苦训练，并受到几乎相同的生活方式的影响，但他们的成绩却截然不同；其中一个获得了三次奥运会冠军，而他的兄弟却慢了约 5%。对他们的生物行为特征的评估［图 5-3（下）］显示，他们的内部差异在生理特征方面几乎可以忽略不计，但在个性特征方面却大相径庭。

这一特别引人注目的观察结果，结合已经确立的事实，即共同的环境差异不会显著增加人格特征的表型变异程度，暗示了独特的环境影响的重要性和某些表观遗传功能的必要性。几项动物和人类研究已经提供了重要的见解，即表观遗传标记如何激活细胞内通路，导致基因表达的改变，从而调节神经功能和行为。表观遗传学似乎是一个有吸引力的假说，以探索未知的巅峰运动表现。

图 5-3　蛋白质的合成

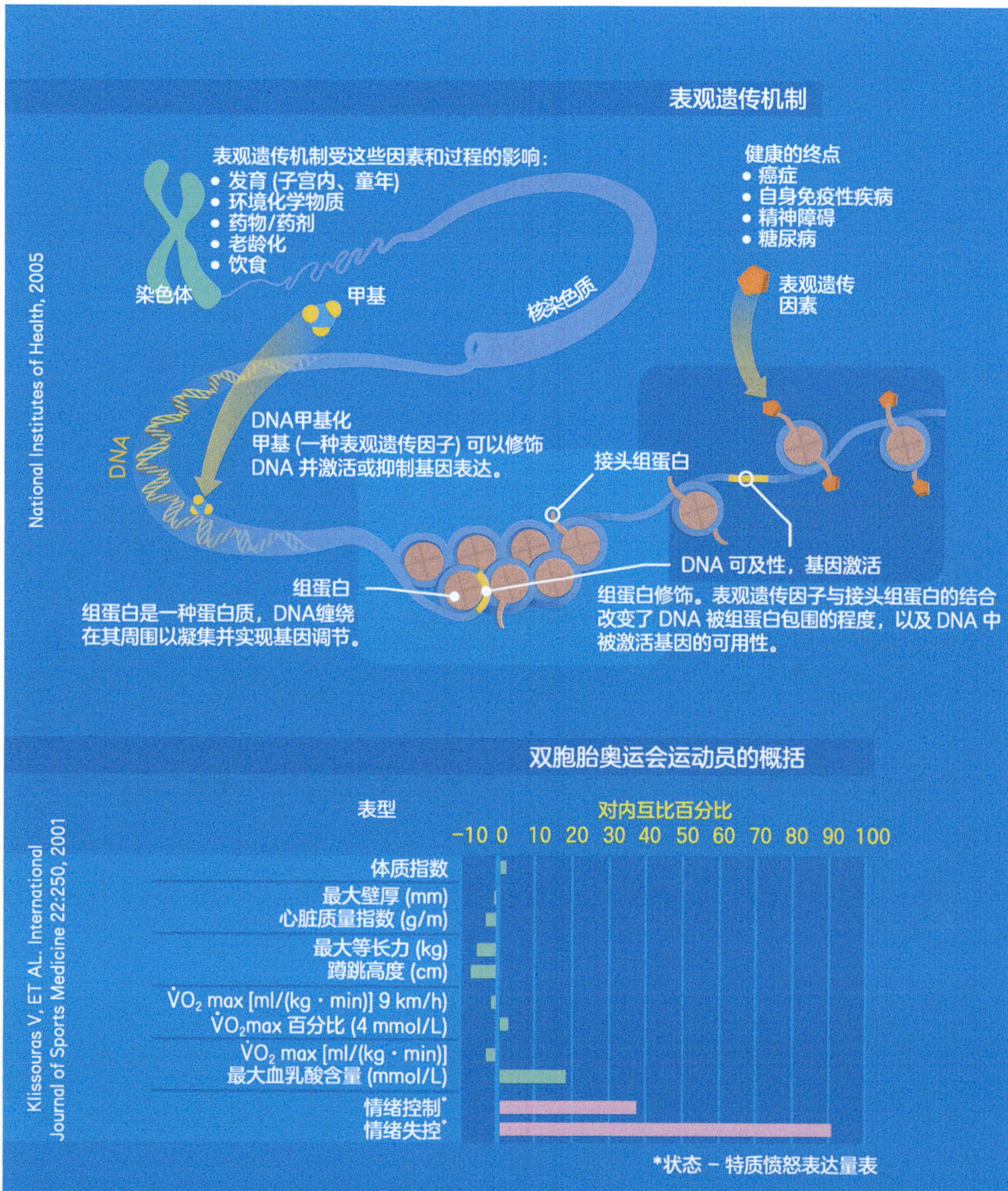

要点

- 运动员的精神力量与他的生理机能同样重要，可以为运动员的表现设定最高限度。
- 运动员的表现远远不止是基因功能的总和。
- 大脑功能的表观遗传调控可能有助于调节与表现障碍有关的行为。

概念 45　训练的周期化

训练周期化是一个系统化的过程，通过调整训练刺激（即模式、量和强度）的方式来完成预期的生理适应、预防生理适应不良，并在竞技赛季中达到最佳运动表现。

训练的周期化以渐进式超负荷原则为基础，因此在训练的初始阶段，训练量大而强度小，随着训练的周期性进行，训练量减小，强度逐渐增加。在这个过程中，主要是使身体恢复并重新获得在前一次运动中消耗的能量。运动和恢复是一个不可分割的整体。运动引起的变化导致了技能的短暂下降，而随后的恢复则确保了运动机能的修复并回到正常状态。过度训练和恢复不足都可能会超出运动员的适应能力，并可能导致过度训练综合征。

训练模式（图 5-4）

大多数运动项目的训练计划是按年度规划的，包括三个阶段：

准备期（季前赛）大约持续 6 个月，通过逐步增加训练强度来逐步提高适应性。

比赛期（赛季期）持续 3 ~ 5 个月，以成绩优化为目标。

间歇期（过渡期）是一个积极的休息期，在这个时期不那么强调生理适应性，不以性能提高为目的。

图 5-4 说明了这些阶段的训练重点在量、强度、力量发展和技能掌握方面。为了更好地控制机体的负荷，每个阶段都被分为小周期、中周期和大周期。

一个小周期（图 5-4 下）持续 1 周，包括根据运动需求和运动员水平的个性化运动刺激。

一个中周期（图 5-4 中）持续 4 周，在每个小周期和每个训练期中，对训练刺激的类型、量和强度的强调是不同的。

一个大周期是由几个中周期组成的。

抗阻训练的周期化

最近的一篇系统综述和大数据分析了相关的研究，比较了线性分期和波动分期抗阻训练计划，以评估它们对肌肉力量的影响。线性分期是指将一个训练年分解成小周期、中周期和大周期，训练期从高容量 / 低强度逐渐过渡到低容量 / 高强度。波动分期是指更频繁的、每天、每周或每两周变化强度和量，提供更频繁的刺激和恢复期的变化。该综述的结果表明，这两种方法增加的最大力量几乎相同。此外，另一篇综述表明，分期训练计划比非分期训练计划更有效地促进最大力量的提高。

图 5-4 阶段性训练计划

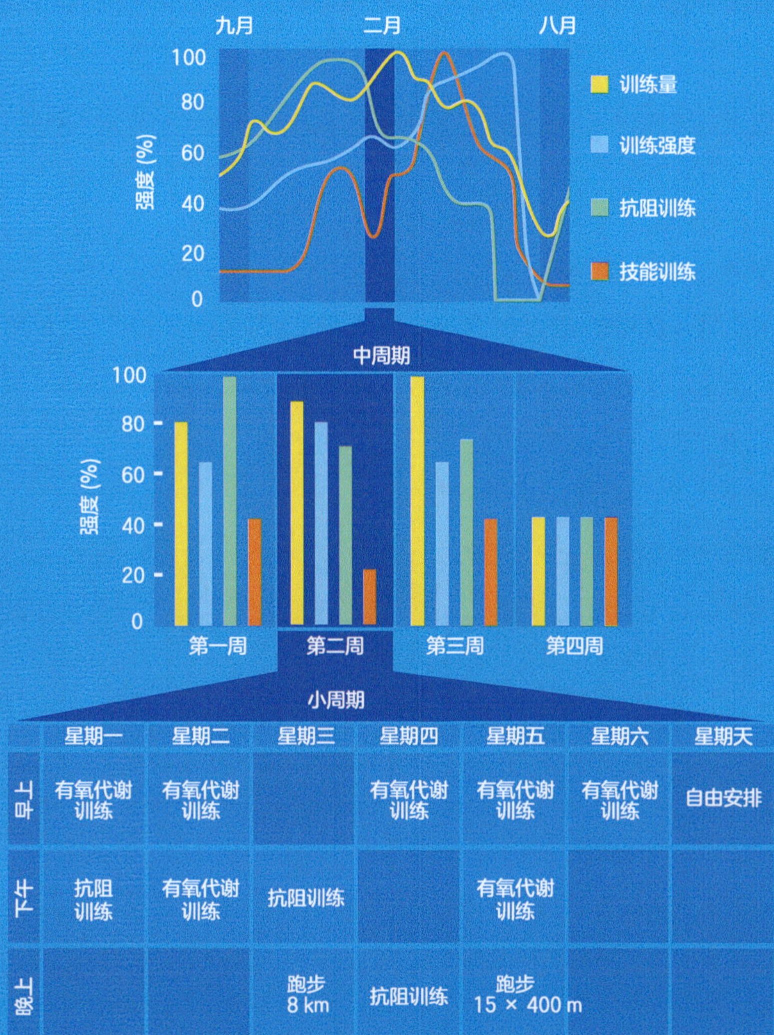

KEARNEY IT. Scientific American 274:52, 1996

要点

- 分期训练为教练提供了基于生理学原理的指导准则，可以运用于运动员的培养和规划。
- 分期模式通过提高长期适应和避免过度训练来实现运动表现的最大化，过度训练对健康和运动表现都是灾难性的。

概念 46　过度训练与减量

一个运动员要想发挥他/她的基因潜力并达到巅峰表现，必须进行严格的训练辅以适当的调整。长时间的过度训练量和强度，如果没有任何休息，可能会导致慢性疲劳、发挥失常、成绩下降。

过度训练（图 5-5 上）

过度的艰苦训练和不切实际的超负荷训练可能会导致过度训练综合征，其特征是运动成绩突然下滑、慢性疲劳和适应过程的崩溃。尽管过度训练综合征是一个复杂的、多因素的现象，其机制尚不完全清楚，但其中的一些症状包括：

- 休息时心率和动脉血压升高。
- 体重下降，食欲改变和睡眠障碍。
- 易受感染，疾病发病率增加。
- 训练或比赛后的恢复期延长。
- 心理变化，如动力和热情的丧失。
- 感到抑郁、易怒和注意力不集中。

其中一些症状与激素反应紊乱、自主神经系统功能的改变或免疫功能的抑制有关，并提出了几种假说来解释该综合征的原因。

检测过度训练　一个简单的测试，即监测运动员的心率，在给定的亚极量强度下进行一次标准化的运动，如图 5-5 所示，以固定速度完成 1600 m 跑步，可以检测出心率是过度训练的症状之一。麦森（Meeusen）和他的同事们根据激素反应，设计了一个更有效的两轮极量运动测试来诊断运动员是否过度训练。

预防　训练的周期性，高强度与中等强度的训练交替进行可以防止过度训练，而降低训练强度和训练量可以缓解过度训练。

渐进式（图 5-5 下）

减量训练是指在重大比赛前的短时间内（4～28 天），暂时性地逐步减少训练强度和训练量，以提高运动成绩。在减量过程中，我们观察到以下与改善运动表现有关的适应情况：

- 强度和力量的增加，可能是由于诱导了肌纤维收缩特性的变化。
- 修复运动中引起的组织损伤。
- 补充肌肉和肝脏中的糖原储备。

有一个例子，在一项精心设计的研究中发现，游泳运动员 3 周的减量可改善以下方面：(a) 游泳时的肌肉力量（13%）；(b) IIa 型肌纤维的速度（67%）；(c) 游泳成绩（3%～4.7%）。

图 5-5 最佳运动表现的实现

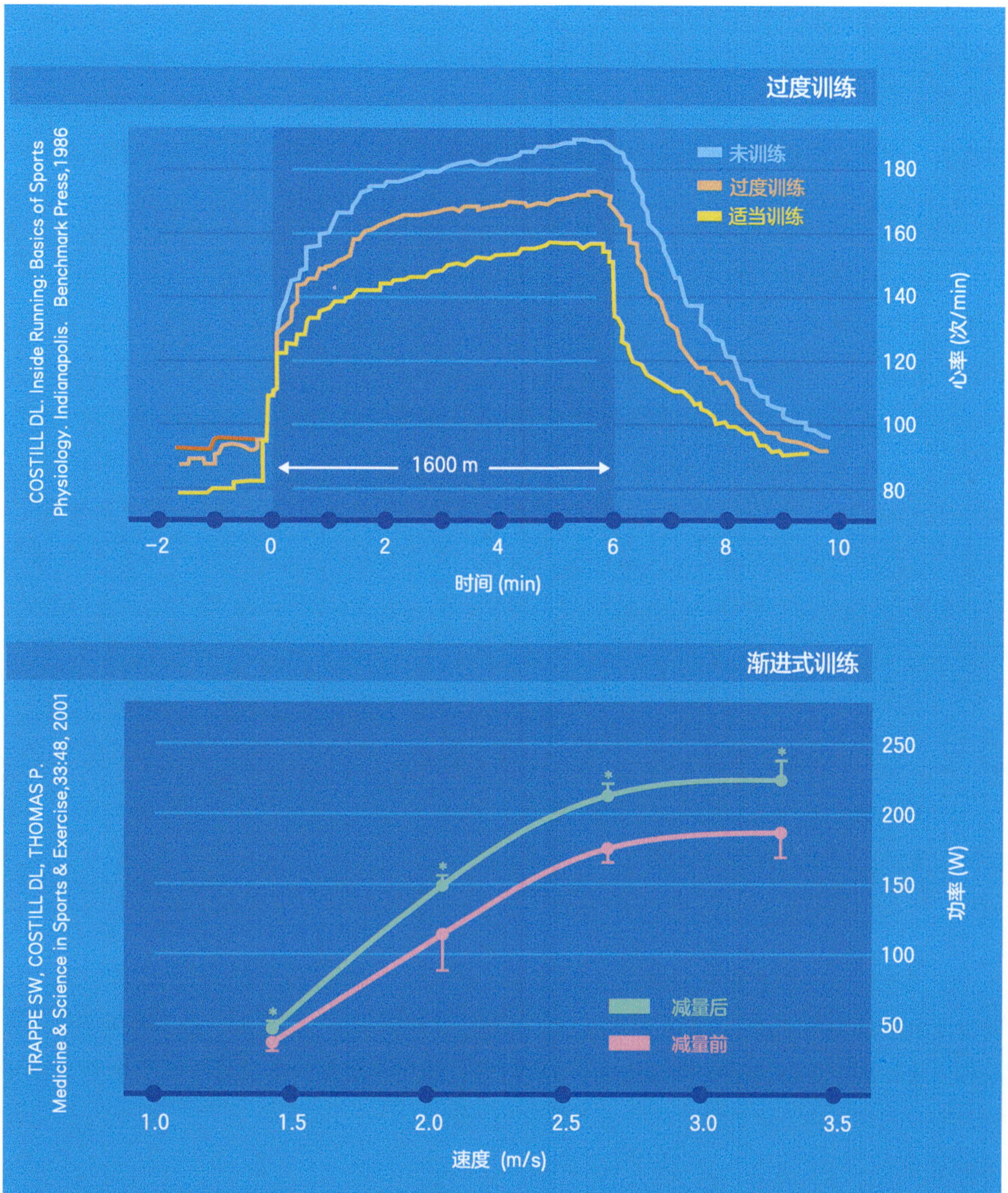

要点

- 过度训练综合征可以通过周期性训练来避免，其中高强度的微观训练与降低强度和恢复的微观训练交替进行。
- 运动量减少 3 周后，游泳者游泳时的肌肉力量 (13%)、IIa 型肌纤维速度 (67%)、游泳成绩 (3%～4.7%) 都得到改善。

概念 47 高温和低温环境下的运动表现

在高温或低温条件下进行的体育活动，会引起体温变化和生理上的紧张，导致运动成绩下降，从而引发严重的健康问题，如运动性中暑和冻伤。这些不良后果可以通过适当的策略加以预防。热适应是运动员减少生理紧张、避免热病、优化成绩的最重要的干预措施，而冷适应是预防寒冷天气损伤的关键策略。

训练和竞争的热度（图 5-6 上）

与温和环境相比，在炎热环境下进行运动时，有氧能力明显受损。这种性能的损害主要归因于身体的运动性中暑，这由脱水引起，导致心输出量减少，肌肉、皮肤和大脑的血流量减少，最终导致疲劳。图 5-6（上）说明了这一机制。训练有素的自行车运动员在不可控的热环境中，以固定的亚极量工作负荷（50% $\dot{V}O_2$ max）运动到精疲力竭，在临界核心温度约为 40℃时终止运动，但运动持续时间有很大差异。在 40℃的环境中骑车时，将颈部浸入 17℃（预冷）、36℃（对照）或 40℃（预热）的水中 30 min 后，测量食道温度。显然，在这种过高的体温下，大脑会发出信号，终止自主性的肌肉活动，以保护身体免受细胞损伤、线粒体功能障碍和其他病理生理学上的有害条件的影响。除了运动性中暑外，任何其他可能使心血管系统超负荷或干扰散热的因素都可能导致高温下的表现受损。

健康风险　在运动中产生过多的热量可能会损害正常的细胞功能，并可能导致热痉挛、热衰竭和中暑等热病症。热痉挛是由钠流失和脱水引起的；热衰竭是由于液体和电解质的过度流失，导致血容量减少，从而影响血液流向肌肉和皮肤；而中暑是由于体温调节机制的失效，导致机体核心温度上升到致命的水平。

热适应（图 5-6 下）

热适应可以改善高温环境条件下的有氧运动表现，对于在高温环境下比赛的运动员来说是必不可少的。如图 5-6（下）所示，在适应过程中，出汗率增加，而心率和体温（核心和皮肤）则会下降。运动员应在 1 ~ 2 周内通过反复的运动—热暴露来适应环境，同时在训练和比赛中应处于正常水化状态，尽量减少脱水。

寒冷训练

人类在暴露于寒冷时表现出外周血管收缩，这种生理反应减缓了热量损失并保护了核心温度，但可能会损害脂肪储存的循环，影响长时间的运动。暴露在寒冷天气下的运动员可能会适应，但与热适应相比，体温调节在降低体温过低的风险方面效果没有那么显著。

图 5-6 高温对运动表现的影响

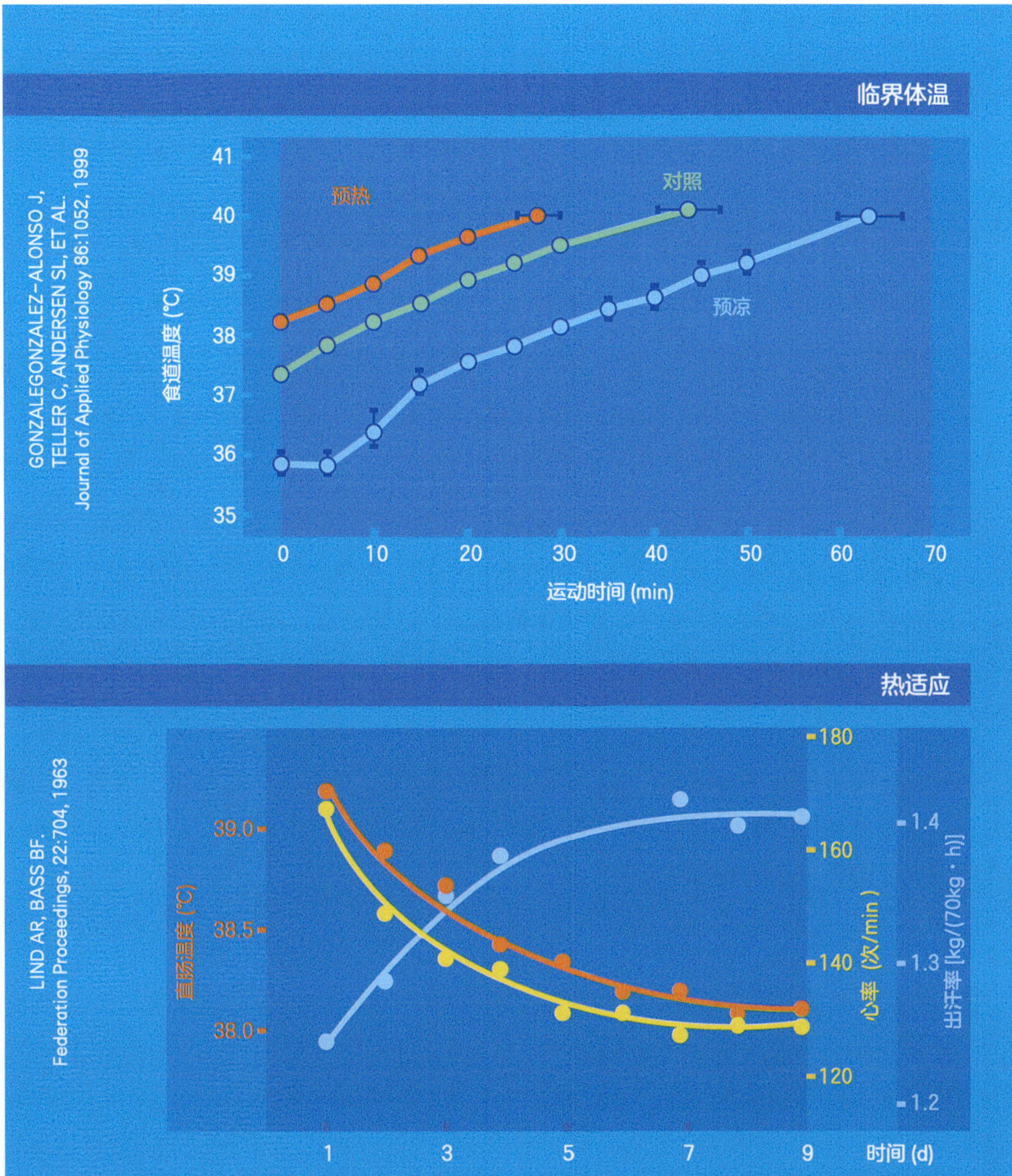

要点

- 预凉可以有效提高耐力，但不能提高冲刺成绩。
- 训练后浸泡冷水似乎不会影响耐力适应和运动表现。
- 与耐力运动员（40～41℃）相比，未接受训练的人耐受较低水平的运动热疗（38～39℃）。
- 湿球黑球温度被广泛用于评估环境对个人的生理热应激，并预测高温竞争的健康风险。

概念 48　高原训练：一个狭窄的窗口

当来到更高的海拔时，大气压力下降，空气密度降低，导致氧分压降低。因此，在高原地区，我们呼吸获取的氧气较少，从肺部运输到血液中并输送到组织的氧气也较少。这就意味着在高原地区，肌肉的摄氧量受到影响，这对运动表现有显著的生理影响。

$\dot{V}O_2$ max 的减少（图 5-7）

图 5-7 的图片清楚地表明：

1. 海拔高度大气压（P_b）和氧分压（PO_2）之间的关系；例如在海平面上，P_b=760 mmHg，PO_2 = 159 mmHg（760×0.2093）。而在海拔 2000 m 处，P_b 为 596 mmHg，PO_2 为 125 mmHg。

2. $\dot{V}O_2$ max 随海拔升高而下降。海平面上的下降定为 0%；在约 1500 m 开始下降，几乎呈线性下降，每上升 300 m 下降 3%；因此，在 2000 m 时，$\dot{V}O_2$ max 大约下降 10%。

3. 随着海拔的升高，有氧运动中运动成绩下降。如图 5-7 所示，跑步和游泳耐力项目的表现随着海拔的升高而下降，与海平面的表现相比，比赛时间更长。相比之下，持续 2 min 或更短的无氧运动项目中，对氧气运输系统的要求最低。此外，在一些力量项目，如短跑、跳跃和投掷，由于暴露在高空密度较低的空气中，运动的空气动阻力可能会较小，空气阻力减小，运动成绩可能会略有提高。

$\dot{V}O_2$ max 随海拔升高而降低，可能归因于最大心输出量的减少和组织中摄取氧气量的减少。在海拔高达 4000 m 的地方，$\dot{V}O_2$ max 主要是由于 PO_2 的下降引起的与血红蛋白结合的氧气量减少而受到不利的影响。

高原 / 低氧训练

高原 / 低氧训练干预措施有可能提高返回平原后的运动表现。暴露在高原低 PO_2 环境中，在很大程度上与血液携氧能力的增加有关，即红细胞生成素（erythropoietin，EPO）、红细胞质量和血红蛋白浓度增加。高携氧能力和高效的心输出量共同导致了对运动中的肌肉的氧气输送增加。

“高住 – 低练”　竞技耐力运动员使用这种模式成功的概率最大。来自精心设计的研究证据表明，生活在海拔 2000 ~ 2500 m，在接近海平面的低海拔地区进行训练，是最有效的高原训练方案，可以为机体提供最佳的血液适应性，以提高运动员在海平面训练的耐力和技能。

图 5-7 海拔对训练的影响

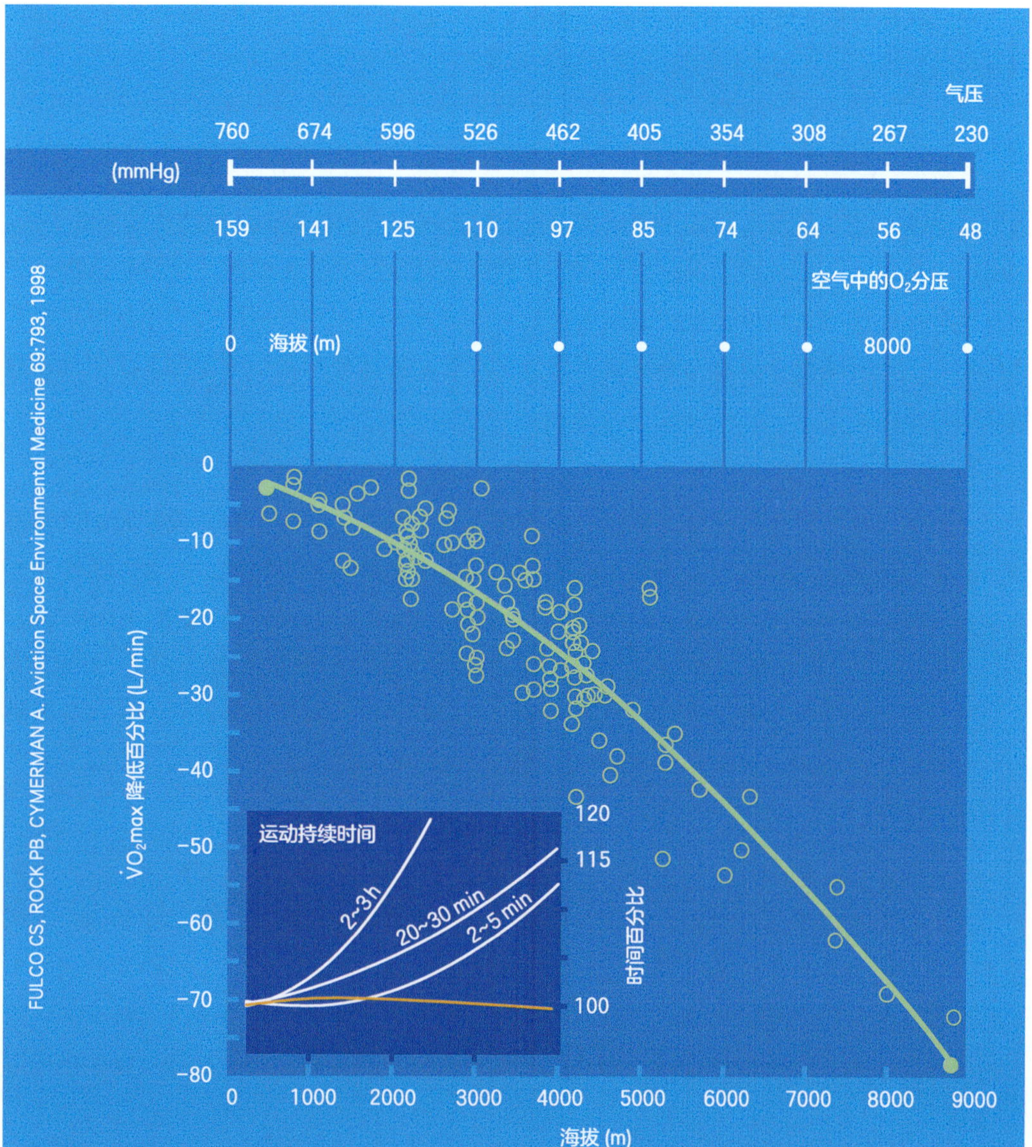

要点

- 最大摄氧量从海拔 580 m 开始降低。对运动员来说，海拔每上升 305 m，最大摄氧量就降低 1%。
- 生活在海拔 2000～2500 m，在接近海平面的高度进行高强度训练，是提高运动员海平面耐力项目成绩的最佳海拔训练方案。
- “高住-低练”方案可能通过增加红细胞和促红细胞生成素（刺激红细胞生成的激素）浓度来显著提高运动能力。
- 在低海拔至中等海拔参加比赛的耐力运动员应生活在比赛海拔，而不是更高的海拔。

概念 49　年轻运动员

在儿童和青少年时期，随着神经系统的发育和身心的成熟，体型、肌肉质量、力量，以及神经肌肉、新陈代谢和心肺功能也随之提高。

生理能力（图 5-8 上）

儿童的有氧和无氧能力如图 5-8（上）所示。他们的有氧能力和高能磷酸盐（ATP 和 PC）在静息状态下的储备与成人相似，但他们的无氧能力和能耗经济性比成人要低一些。较低的无氧能力主要反映了乳酸脱氢酶和磷酸果糖激酶（无氧糖酵解的关键限速酶）的酶活性较低，而他们单位体重的肌肉质量较小，以及神经肌肉协调能力的不足似乎也起了作用。儿童肝糖原分解能力和肌糖原含量也较低，因此他们在运动中更多地依赖脂肪氧化作为燃料。

生理适应

年轻运动员训练的生理原理和适应机制与成人运动员很相似。但在成长时期的训练中，要谨慎地考虑心理因素和成熟阶段。例如，由于雄激素水平较低，对青春期前儿童的训练几乎不会导致肌肉大小的变化，任何力量的增加都与运动单元募集的改善有关。同样，$\dot{V}O_2$ max 几乎也没有改善，可能是因为心脏生长有限。然而，在青春期，力量、有氧和无氧能力的增加与成年人相当。越来越多的证据表明，有氧训练对儿童心血管系统的生长和发育没有不良影响，并且适当的抗阻训练也不会像人们曾经认为的那样导致骨骼和软骨损伤。

基因与天才选拔（图 5-8 下）

已有令人信服的证据表明，在成为精英运动员的过程中，先天因素占主导地位。问题是，我们能否在幼年时准确预测运动能力和成功的基因特征。今天，这个问题的答案无疑是否定的。运动表现具有显著复杂性并且涉及的基因很多，单个基因对整体表现结果的贡献都很小，这使得通过基因筛选识别人才仍然存在问题，卓越的运动表现仍然不可预测。

例如，与速度和力量表现相关的 *ACTN3 RR* 基因可能只占短跑表现个体间变异的 2% ~ 3%，而与耐力相关的 *ACE II* 基因，正如图 5-8（下）所示，世界上几乎不可能有人拥有 23 个多态性标记的“完美多基因图谱”。据估计，世界上一些人最多只能拥有 16 个与精英耐力表现相关的多态性标记。

早期的专业化

早期的专业化和专项运动训练是否能带来未来的非凡成就，这是值得怀疑的。此外，那些在达到青春期年龄后才参加各种运动和专项训练的儿童，往往比那些早期就参加各种运动和专项训练的儿童受伤更少，坚持运动的时间更长。

图 5-8 青年运动员的挑选

BAR-OR O, ROWLAND TW. Pediatric Exercise Medicine. Champaign, IL, Human Kinetics, 2004

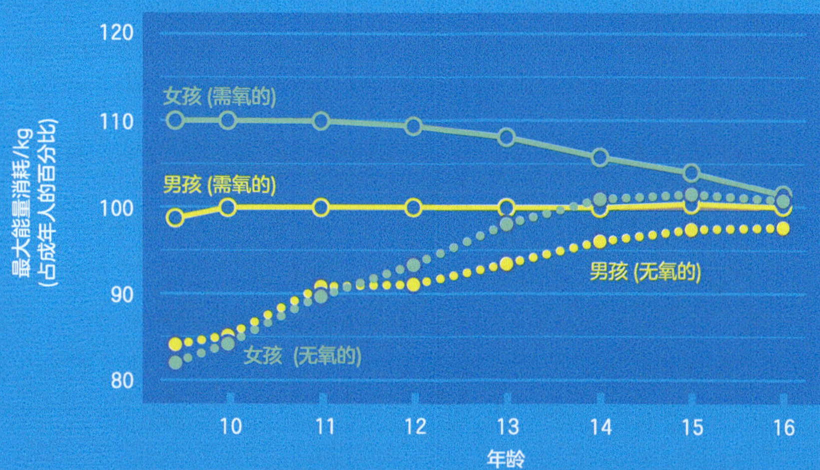

基因测试

WILLIAMS Ag, FOLLAND JP. The Journal of Physiology, 586:113, 2008

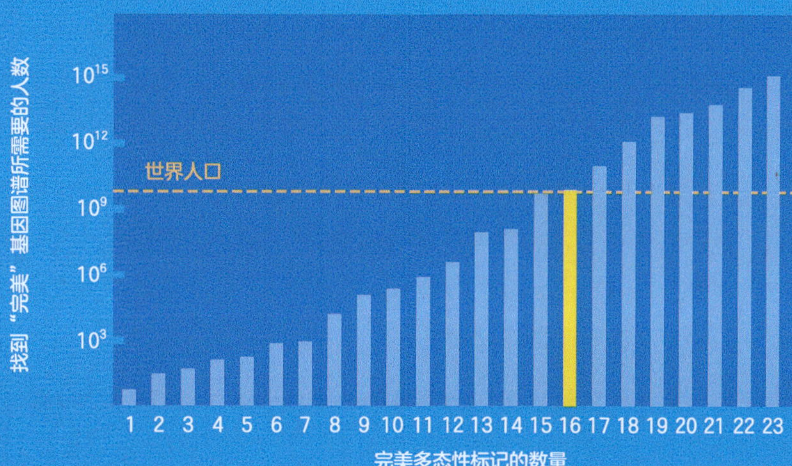

要点

- 任何儿童或年轻运动员都不应当接受“直接面向消费者”(direct-to-consumer，DTC)的基因测试，更不能据此来确定或改变训练，也不能用于挑选有天赋的儿童或青少年。
- 目前还不能根据DNA的个体差异来预测运动成绩。
- 实地测试仍然是评估运动员潜力的最有力工具。
- 儿童应该接触到多种有趣的、激发性的运动项目，以促进其全面发展和自我实现。

概念 50　女性运动员

在所有体育项目中，女性运动员的实力都不及男性运动员。在跑步项目（马拉松、中长跑、长跑和短跑项目）中，女性运动员的成绩比男性运动员低 11% 左右。在跳远项目中，女性运动员的成绩比男性运动员低得多（约 16%），而在游泳项目中，根据项目的不同，差异略小（3% ~ 10%）。

马拉松成绩的差异（图 5-9 上）

图 5-9（上）说明了男性和女性马拉松成绩的演变。过去观察到的时间的快速下降可能主要归因于大众参与和全球化等社会因素，而在近代，生理决定因素可以解释男女之间的成绩差距。今天马拉松赛跑的最佳纪录是女性 2 小时 15 分 25 秒，男性 2 小时 01 分 39 秒。肯尼亚选手埃利德·基普乔格（Eliud Kipchoge）在 2019 年打破的 2 小时记录（1 小时 59 分 40 秒）没有得到国际田径联合会的认可，因为它是在有利于“实验”的条件下进行的比赛（起搏器、带电束的电动步伐、防风等）。

差异的解释（图 5-9 下）

最大摄氧量　$\dot{V}O_2$ max 似乎是耐力表现的主要生理限制因素。精英男性长跑运动员的数值在 70 ~ 85 ml/kg，而精英女性的相应数值在 60 ~ 75 ml/kg，低 10% ~ 14%。图 5-9（下）说明了两性的 $\dot{V}O_2$ max 的差异性，以及女性的最高值与男性的较低值之间存在相当大的重叠。

$\dot{V}O_2$ max 的这种性别差异主要是由于女性的携氧能力较低，这可归因于她们的总血红蛋白较低，以及由于她们的心脏较小和血容量较少从而限制了她们的每搏量。然而，如果考虑到身体成分、$\dot{V}O_2$ max 以及用 ml/kg 表示的游离脂肪量时，男女运动员之间的差异就不存在了，因为女性的脂肪储存量更大。

无氧阈值和跑步经济性也是耐力表现的决定性因素。但在高度训练的男性和女性中，这两个因素似乎是相似的。此外，值得注意的是，生理上对运动训练的适应似乎也与性别无关。

身体结构　体型的大小和身体的组成会影响成绩。与男运动员相比，女运动员的体型较小，这在体操和跳水项目中是一个优势，但在投掷项目中则是劣势。此外，她们的身体脂肪比男性多 5% ~ 10%，与陆地项目相比，在水中有相对优势。另外，在相同的体育活动中，还可以观察到身体比例的性别差异。

图 5-9 马拉松的世界纪录

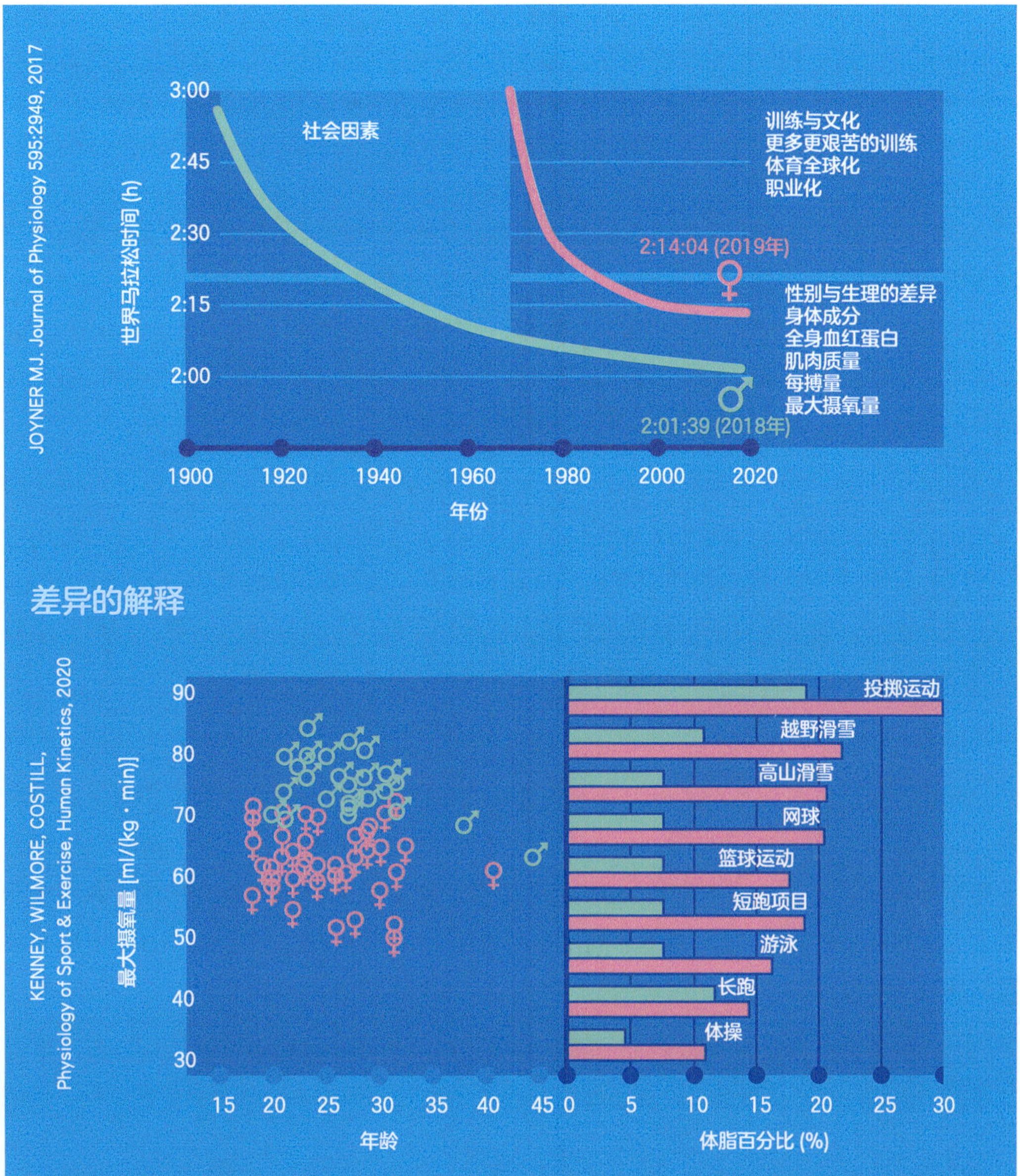

要点

- 女性运动员更善于调整自己的节奏，来避免在马拉松比赛的后半段因生理、决策或两者的差异而导致的速度变慢。
- 女性的运动表现似乎不受月经周期的影响。
- 预防和早期干预是女性运动员“三联征”优先考虑的事情，“三联征”指的是低能量可用性、月经功能障碍和低骨密度之间的相互关系。

概念 51　精英运动员

大多数运动项目的运动员最佳运动表现会保持到 35 岁左右，然后逐渐下降。尽管成绩下降是不可避免的，但精英运动员，即在年轻时就曾是运动员，并且继续进行高强度的训练，参加体育比赛的人，重点研究他们成绩下降的生理决定因素是很有意义的。

精英运动员的有氧能力（图 5-10 上）

$\dot{V}O_2$ max 是一个衡量有氧能力的总体指标。随着年龄的增长，男性和女性运动员在 25 ~ 35 岁开始以每十年 10% 的速度下降。然而，对于精英运动员来说，下降速度取决于他们的训练状态。对于那些不训练的人来说，下降的速度很明显，达到每十年下降 15%，而对于那些继续训练的人来说，下降的速度是平缓的，每十年不超过 5%。因此，精英运动员的高强度运动训练可能会减弱 $\dot{V}O_2$ max 的下降速度。

图 5-10（上）表示终身接受耐力训练的运动员拥有高有氧能力，将八旬老人（> 80 岁）耐力运动员的 $\dot{V}O_2$ max 与年龄匹配的未受训练的男性进行了比较，八旬老年运动员的 $\dot{V}O_2$ max 为 38 ml/（kg·min），几乎是未受过训练的八旬老人的 2 倍［21 ml/（kg·min）］。为了进行比较，图中还标注了健康男性整个生命周期的标准值以及运动能力和死亡率的预后值［17.5 ml/（kg · min）或 5METs］，以虚线表示。

耐力下降的原因（图 5-10 下）

训练有素的精英运动员的耐力运动表现随着年龄的增长而下降，其原因是运动训练强度和运动量的减少而产生的一系列生理上的不适应。如图 5-10（下）所示，与耐力表现下降有关的主要因素是 $\dot{V}O_2$ max 的不适应，这主要是由携氧能力（最大每搏量 + 最大心率）和吸氧能力（a–v 氧差）的降低而引起。后者很可能归因于毛细血管密度和线粒体体积的降低。

能耗经济性有助于提高年轻运动员的耐力表现，但对精英运动员则没有效果，很可能是因为影响能耗经济性的肌纤维类型分布在年龄增长中保持不变造成的。

以 % $\dot{V}O_2$ max 表示的乳酸阈值不随年龄变化，因此对耐力表现没有影响。

精英运动员的肌肉力量

肌肉力量随着年龄的增长而下降，主要是由于肌少症，尤其是 50 岁以后。然而，精英运动员似乎有更多存活的运动单元和大量的可兴奋肌肉，使得他们能保持肌肉功能并减轻肌少症的有害影响。

图 5-10　运动员的有氧能力

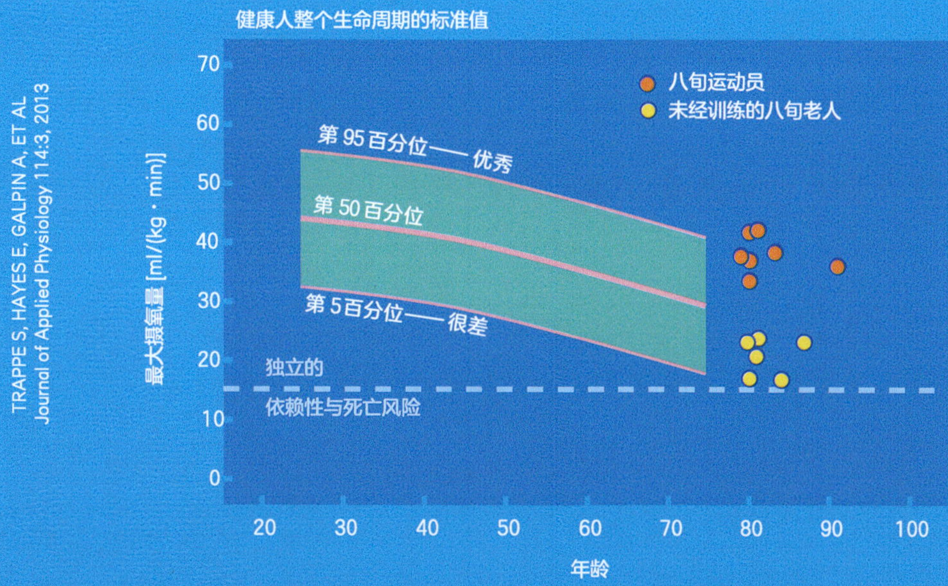

生理机制

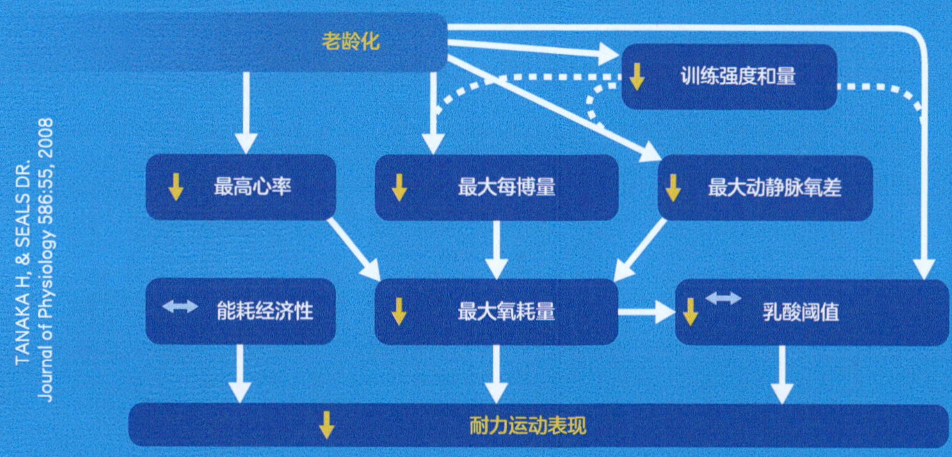

要点

- 极量运动不会损害生命质量或寿命。
- 精英运动员比一般人群寿命长，特别是耐力运动员比力量运动员寿命长。
- 终身高训练量的精英运动员似乎不太可能产生潜在的不良反应和慢性心脏损伤。

要理解的问题

第5章　优化竞技能力/运动表现

- 精英长跑和短跑运动员中最显著的生理决定因素是什么？（见概念42）

- DNA如何成就奥林匹克运动员，动物和双胞胎研究的证据是什么？（见概念43）

- 表观遗传学的观点如何解释同卵双胞胎奥林匹克运动员之间成绩的对内差异？（见概念44）

- 训练周期化的生理学基础是什么，如何安排才能更好地控制机体的负荷？（见概念45）

- 过度训练综合征的最典型症状是什么，什么是可以实际用于证明它的客观指标？（见概念46）

- 运动员可以期望通过减量而产生的一些深刻的适应性是什么？（见概念46）

- 如何解释在高温下训练和比赛时观察到的成绩下降？（见概念47）

- 在运动中获得过多的热量可能会损害正常的细胞功能，并可能导致严重的热量紊乱。这些紊乱是什么？它们是如何引起的？（见概念47）

● 热适应可以提升高温环境条件下的有氧运动成绩，对于在高温环境下比赛的运动员来说是必不可少的。适应性训练引起的生理学适应是什么？（见概念 47）

● 在高原有氧运动中，哪些生理因素会导致运动成绩下降？提高运动成绩的最佳高原训练方案是什么？（见概念 48）

● 与成人相比，儿童的有氧和无氧能力如何？（见概念 49）

● 有氧和抗阻训练对儿童和青少年生理适应性有什么影响，它们与成人相比如何？（见概念 49）

● 在成为精英运动员的过程中，基因占了上风，问题是：我们能否在早期就识别出预测运动能力和成功的基因特征？（见概念 49）

● 哪些生理决定因素可以解释男女在马拉松比赛中的成绩差距？（见概念 50）

● 精英运动员耐力成绩下降的主要原因是什么？（见概念 51）

第 6 章
运动营养学

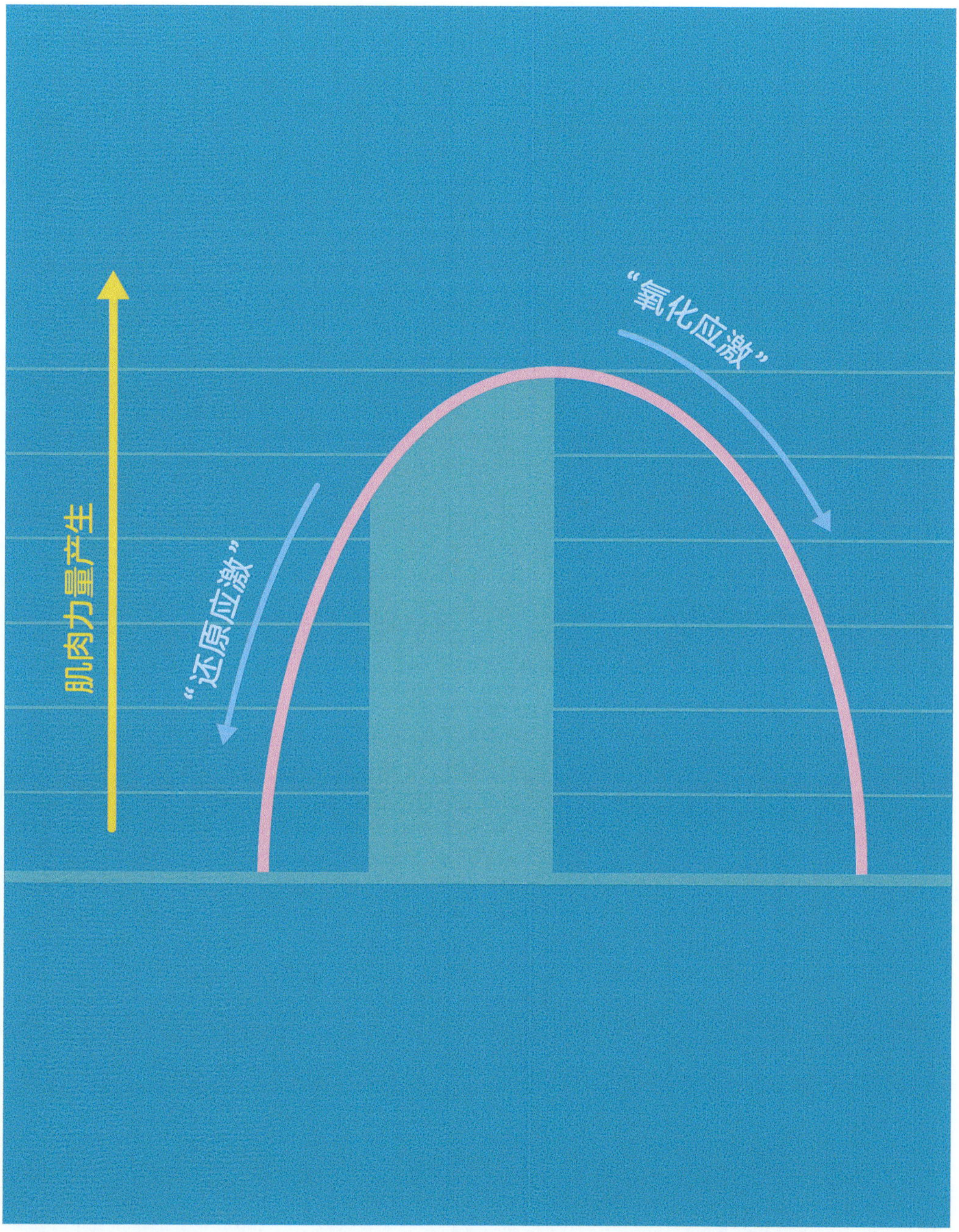

第 6 章　运动营养学

本章关注运动员在训练前、中、后对食物和液体的需求。

概念 52　营养与运动表现

概念 53　肌糖原的价值

概念 54　肌糖原的负荷

概念 55　运动员的食物和液体需求

概念 56　运动员的脱水和补液

概念 57　膳食补充剂

概念 58　微量营养补充剂

要理解的问题

在本章中，我们重点讨论能量、营养和液体对运动成绩的影响。适当的营养是让运动员努力训练，迅速恢复，发挥最佳水平所不可或缺的。

能量来源需要为运动员量身定制：碳水化合物的摄入量为 3 ~ 10 g/(kg BW·d)，蛋白质的摄入量为 1.2 ~ 2 g/(kg BW·d)，而总能量摄入的 20% ~ 35% 应来自脂肪。

本章强调了与最佳运动表现有关的营养方面的关键问题，并为理解以下问题提供了基础：

- 为什么碳水化合物被认为是运动时肌肉和大脑的主要燃料？
- 糖原储存的耗尽会不会影响，及如何影响运动员的表现？
- 运动员如何最有效地增加肌肉和肝脏中的糖原储备？
- 训练前、训练中和训练后的最有效营养策略是什么？
- 液体对最佳成绩有多重要？运动员在比赛中和比赛后应该喝多少饮料？
- 肌酸和咖啡因的补充对耐力和短距离运动的表现有什么影响？
- 抗氧化剂对运动成绩有什么作用？

概念 52　营养与运动表现

运动员需要适当的营养以保持健康和最佳运动表现。他们需要摄取更多的液体来补充汗液的流失，并需要更多的能量来满足训练和比赛所带来的肌肉活动的额外需求。

循证指南

美国运动医学会（The American College of Sports Medicine）在 2016 年发表了关于“营养与运动表现”的最新指南，在对支持性研究证据进行系统分析和评估后，为运动员提供了摄入食物、液体和膳食补充剂的适当类型、数量和摄入时间的指南。与提高运动成绩有关的一些关键结论如下：

- 训练饮食的主要目标是提供营养支持，使运动员保持健康和机体无受损，同时最大限度地提高功能和代谢对周期性锻炼计划的适应性。
- 在运动中，体内碳水化合物的储存为大脑和肌肉提供了重要的能量来源，并受运动和饮食摄入的影响。碳水化合物的摄入量通常为 3 ~ 10 g/（kg BW · d）[对于极端和长时间的活动，最高可达 12 g/（kg BW · d）]，并应根据运动员和项目的具体情况进行调整。
- 蛋白质摄入量通常应在 1.2 ~ 2.0 g/（kg BW · d）。
- 脂肪摄入量通常应在总能量摄入的 20% ~ 35%。
- 在比赛过程中，与营养有关的因素可能会导致疲劳、技能或注意力的下降，从而限制能力的发挥。
- 活动前 1 ~ 4 h 内摄入的食物和液体应有助于身体碳水化合物的储存，确保适当的水合状态，并在整个活动中保持胃肠道舒适。
- 脱水 / 缺水会增加对运动的感知并限制运动表现。
- 在生理要求较高的训练或竞技比赛之间迅速恢复，需要适当摄入液体、电解质、能量和碳水化合物，以促进补水和恢复肌糖原。
- 一般来说，维生素和矿物质的补充对运动员来说是不必要的，因为各种各样的食物已经给运动员提供了充足的热量。

燃料利用（图 6-1 上）

图 6-1（上）说明了在 20 min 的高强度运动中，碳水化合物（糖原、葡萄糖）和脂肪对总能量消耗的贡献。由此可见，肌糖原是肌肉高强度运动时的主要燃料来源。蛋白质实际上起不到燃料的作用。

新观点（图 6-1 下）

碳水化合物漱口机制。有力的证据表明，用碳水化合物溶液漱口可以提高 2% ~ 3% 的耐力表现。这一机制归因于大脑调控中心，特别是纹状体内的多巴胺能通路的激活（见图 6-1 下）。碳水化合物不仅仅是储存，低碳水化合物的摄入不足会影响运动成绩，但新的证据表明，适当摄入碳水化合物可能增强对肌肉的训练刺激和代谢适应。

图 6-1 运动中糖原的利用

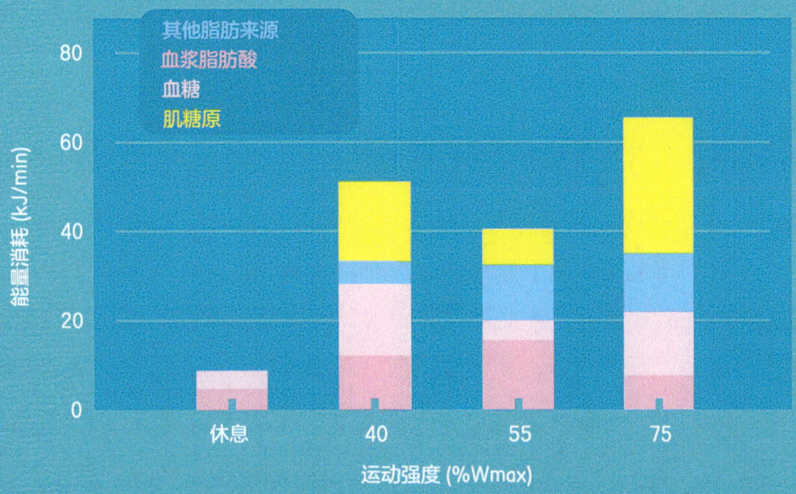

VAN LOON LJC, GREENFALF PL, CONSTANTIN-THEODOSIN D, ET AL. Journal of Physiology (Lond), 536:295, 2001

口含的碳水化合物会激活大脑

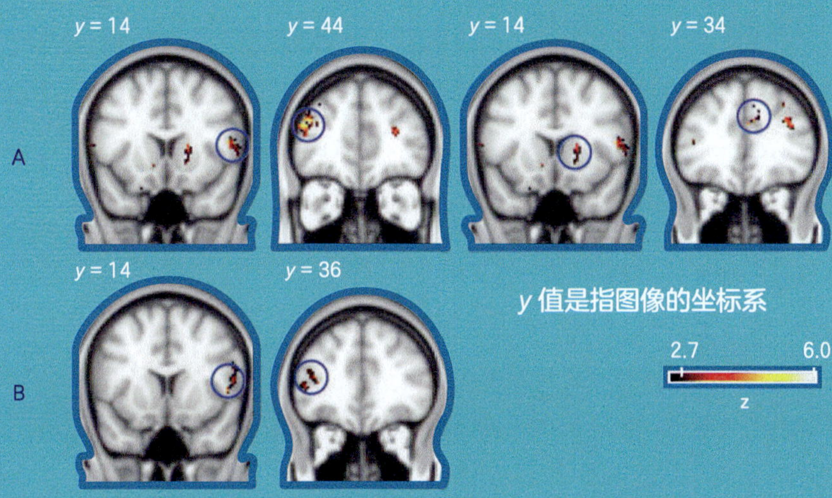

Chambers ES, Bridge MW, Jones DA. Journal of Physiology, 587:1779, 2009

要点

- 作为液体或固体食物摄入的碳水化合物不会影响糖原的合成。
- 运动后，每减掉 1 kg 体重，应补充 1.25～1.5 L水。
- 在持续 45～75 min的高强度运动中，嘴里含少量碳水化合物可以通过刺激大脑来提高运动表现。

概念 53　肌糖原的价值

肌糖原和成绩（图 6-2 上）

竭尽全力运动后，肌肉会耗尽所有的糖原。运动强度越大，肌糖原消耗得越快。如图 6-2（上）所示，在高强度（80% $\dot{V}O_2$ max）下，运动员能够在功率脚踏车上运动约 2 h，而在中等强度（60% $\dot{V}O_2$ max）下，他们能坚持超过 5.5 h。然而，每当他们的肌糖原储备耗尽时，他们就会筋疲力尽并只得停止运动。

运动员在运动或项目训练中，如果强度要求在 65% ~ 85% $\dot{V}O_2$ max，持续时间超过 80 min，其耐力将直接取决于糖原储备。肌糖原的初始水平高并不意味着运动员的速度更快，而是意味着他 / 她可以在更长的时间内保持非常高强度的运动。换句话说，肌糖原储备的排空有延迟，因此执行运动的速度也会延迟减慢，这反过来又会提高运动成绩。

当肌肉运动的强度低于最大强度的 90% 时，如在马拉松比赛中，即使在运动完成后，肌肉中还是有一定比例的糖原剩余。这种糖原储存在快缩型肌纤维中，只有在完成超极量运动时才会被调动。

肌糖原和疲劳（图 6-2 下）

肌糖原含量取决于适当的营养。与低碳水化合物饮食（40%）的运动员相比，高碳水化合物饮食（每 2 h 训练后 70%）的运动员肌糖原维持在更高的水平，如图 6-2（下）所示。

肌肉中的低糖原储存可能是灾难性的。它们与疲劳有关，表现为工作速率降低、技能受损和对运动的感知增加，所有这些都会损伤运动表现。

肌肉中的糖原储备耗尽后，糖原的再合成就会立即开始。5 h 后达到糖原储备量的 50%，24 h 后全部完成。然而，当有足够的葡萄糖时，它可以更快地实现糖原的再合成。

糖原储备的补充还有一个额外的实用价值：它为身体提供多余的水分，这在长时间的肌肉运动中是必要的，特别是在炎热环境中运动时。水解约 500 g 储存的糖原可产生超过 1.5 L 的水，而同样数量的脂肪只能产生 0.5 L 水。

图 6-2　肌糖原是必不可少的

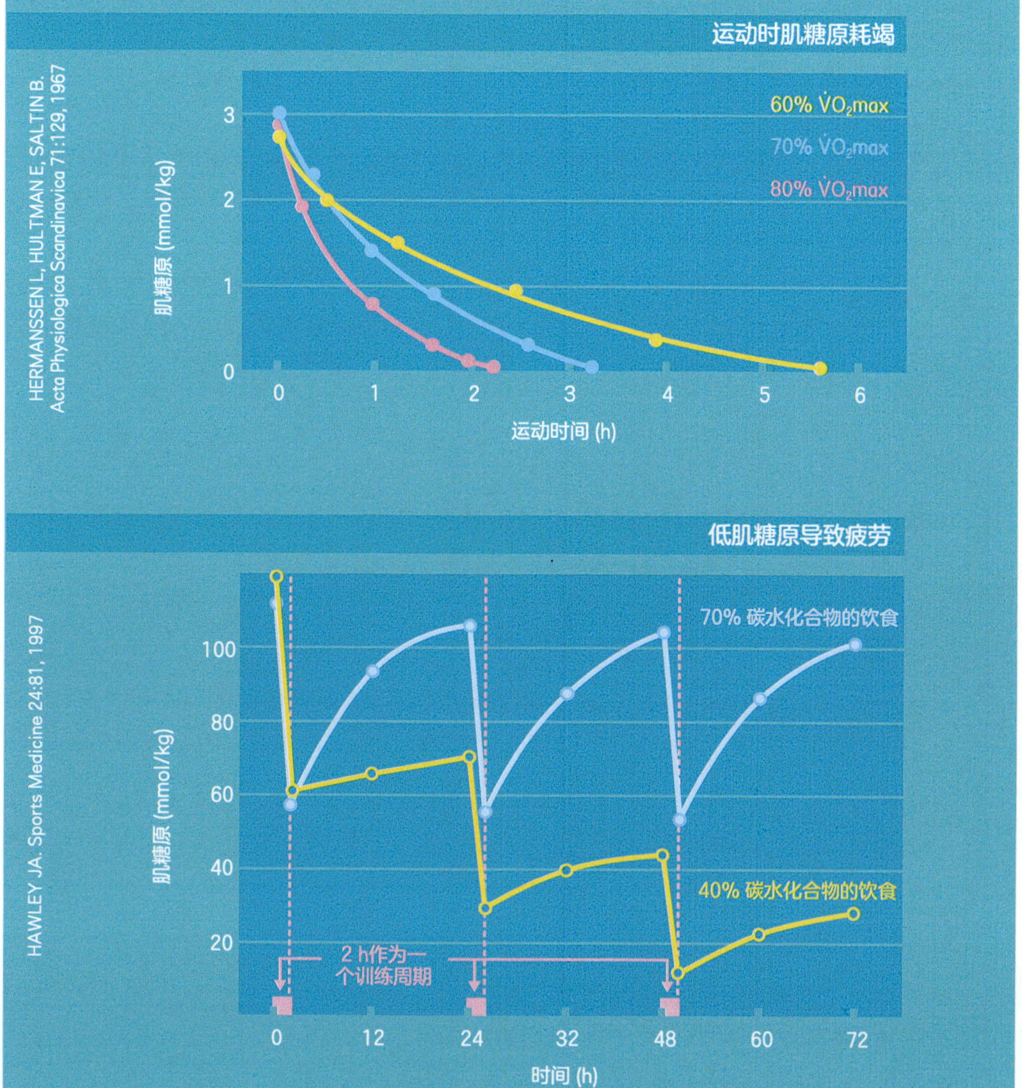

要点

- 在肌肉运动过程中消耗的碳水化合物可以刺激大脑，为肌肉提供能量。
- 运动员在恢复的前 30 min内应每千克体重摄入 1.5 g 碳水化合物，并继续每 2 h 摄入相同剂量的碳水化合物，可持续 4～6 h。他们还应摄入适量的蛋白质 (20～25 g) 来增强和修复肌肉。
- 长跑时，踝关节伸肌，如腓肠肌，比大腿肌肉消耗更多的糖原。

概念 54　肌糖原的负荷

20 世纪 60 年代末，瑞典生理学家伯格斯特龙（Bergstrom）和赫尔特曼（Hultman）在能量利用的研究中引入了活检针技术，彻底改变了整个人体生理学领域。使用这项创新技术，他们观察到，在剧烈运动和随后的饮食补充耗尽的肌糖原后，会出现糖原超量恢复。这一实验最初是在他们自己身上进行的，使用的是一个巧妙而简单的实验装置。他们被放置在一个摆线仪的两侧，用一条腿骑车直到筋疲力尽，而另一条腿则作为对照休息。这些开创性的实验为比赛前的肌糖原负荷提供了理论基础。随后的几项系统研究表明，低肌糖原储备会导致过早的疲劳并降低有氧项目的运动表现，而在持续时间超过 60 min 的项目中，增加肌糖原储备会增加耐力的表现。

以下两种模式提供了确保充足碳水化合物的营养策略，使运动员能够延缓疲劳和减少成绩下降。在比赛前的 6 天内，将激烈运动与饮食治疗相结合，是增加肌糖原的非常有效的手段。

经典模型（图 6–3 上）

A 阶段：糖原耗尽

- 第 1 天　在正常饮食后，进行 90 min 的激烈运动，排出参与特定运动的肌肉中的糖原含量。
- 第 2、3、4 天　饮食中富含脂肪、蛋白质和低碳水化合物（每天 60 ~ 100 g）。

B 阶段：糖原补充

- 第 5、6 天　饮食中富含碳水化合物（400 ~ 700 g）和正常数量的蛋白质（15%）。

C 阶段：比赛

- 第 7 天　比赛前进食富含碳水化合物和足够数量的蛋白质、维生素、电解质和水的餐食。

修订模型（图 6–3 下）

A 阶段

- 第 1 天　运动员训练 90 min，强度约为 75% $\dot{V}O_2$ max。同时保持正常饮食（55% 碳水化合物、30% 脂肪和 15% 蛋白质）。
- 第 2、3 天　训练时间减少到 40 min，饮食保持不变。

B 阶段

- 第 4、5 天　训练时间减少到 20 min，而饮食中碳水化合物的含量增加到提供总能量的 70%。在这个阶段，肌糖原过多。

C 阶段

- 第 6 天　休息。
- 第 7 天　比赛。

通过应用这个模型，肌糖原的储备增加了 3 倍。每 100 g 肌肉的糖原储备从 1.7 g 上升到 4 g 以上。此外，运动员发现这种方法不那么费劲，在他们的训练中更为实用。

图 6-3 肌糖原的超量恢复

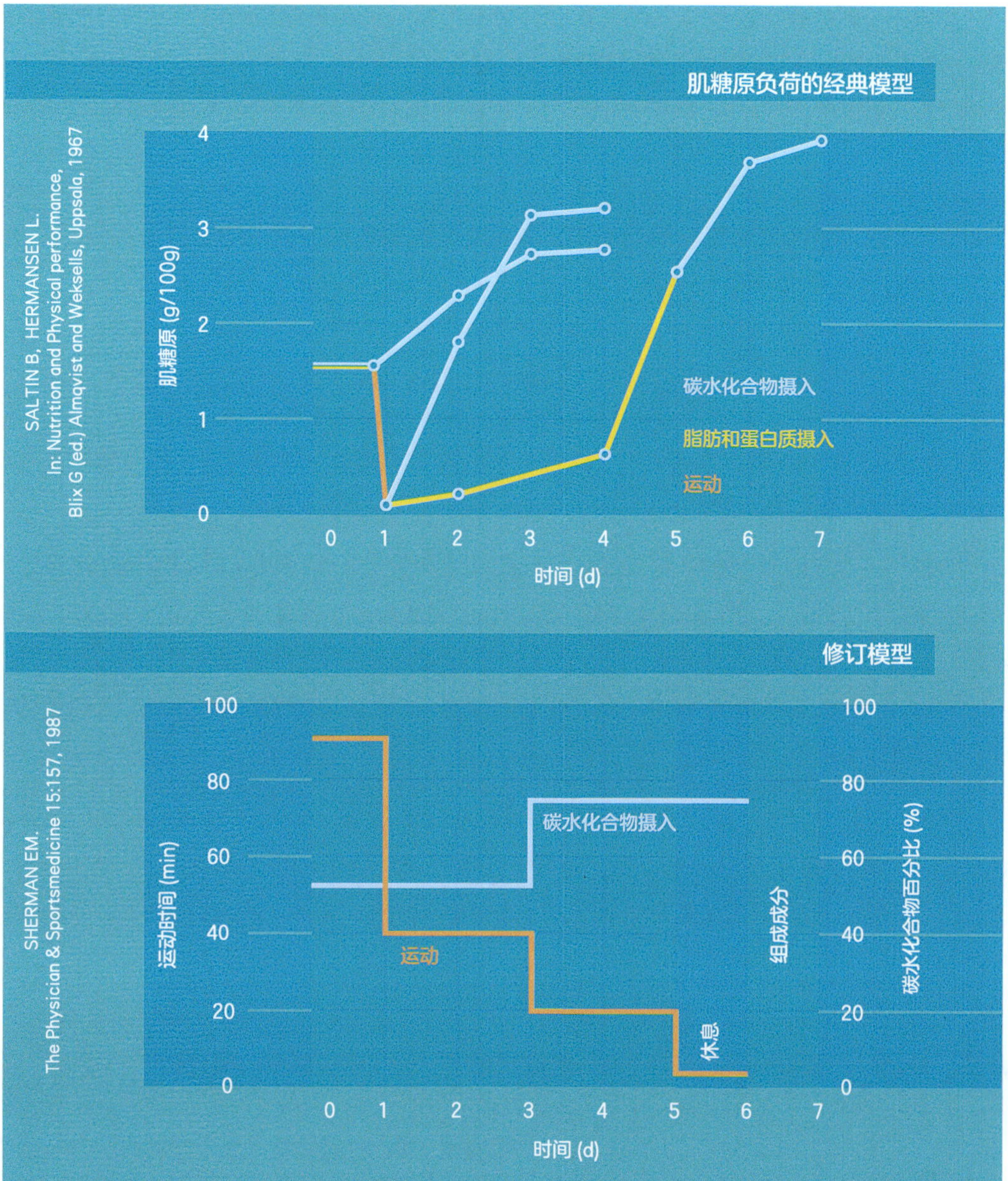

要点

- 肌肉中糖原的过量可能会导致肌肉“紧绷”和一种普遍的“重量”感。这是因为糖原是亲水的，这意味着每克糖原会储存 2.7 g 水。
- 糖原储备只能在重要和关键的时候进行。

概念 55　运动员的食物和液体需求

运动员和非运动员在营养方面的本质区别是，运动员需要增加一些营养物质的储备，以应对训练和比赛中运动引起的能量和液体的损失。

碳水化合物可用性（图 6-4 上）

在训练和比赛中，碳水化合物为肌肉、大脑和中枢神经系统提供了关键的燃料。它的优势在于它能被无氧和氧化途径利用，并且它能在每体积的氧气中比脂肪提供更多的 ATP。运动员的日常碳水化合物需求取决于他们的训练负荷，如图 6-4（上）所示。

运动的能量策略（图 6-4 下）

赛前　在运动前 1 ~ 4 h 食用富含碳水化合物的食物（每千克体重 1 ~ 4 g），可以确保血糖水平正常，肌糖原储存充足，从而提供足够的能量来满足即将进行的肌肉运动的需求。运动员还应该充分补充水分。

比赛期间　高碳水化合物的摄入与更好的成绩有关。在短时间（ < 45 min）比赛中，补充能量并不重要。在持续时间为 45 ~ 75 min 的比赛中，口腔中少量的碳水化合物（包括漱口水）是对大脑的有力刺激，可以提高对健康的感知并维持高强度的运动。在持续 1 ~ 2.5 h 的比赛中，每小时消耗 30 ~ 60 g 碳水化合物，而对于持续时间超过 2.5 ~ 3 h 的运动，每小时的消耗量可以达到 90 g。

在炎热的环境中，运动员应该每 15 min 喝 300 mL 含有 4% ~ 5% 碳水化合物的液体，每小时提供 48 ~ 60 g 的碳水化合物。相反，在寒冷的环境中，出汗是有限的，液体摄入量可以低至每 15 min 摄入 150 ml，碳水化合物浓度为 7% ~ 8%，每小时提供 42 ~ 48 g 碳水化合物。

赛后　在最初的 4 ~ 6 h 内，以每千克 1 ~ 1.2 g 的速度摄入碳水化合物，将恢复肌肉和肝脏中被消耗的糖原并增加其储存。蛋白质摄入（20 g）将修复肌肉组织，而液体（每千克体重损失 1.5 L）将为身体补充水分。

其他建议

一般的燃料供应　准备持续小于 90 min 的比赛时，每天的碳水化合物摄入量应该是 7 ~ 12 g/kg BW。对于持续时间超过 90 min 的连续或间歇性比赛，每天的摄入量应该是 10 ~ 12 g/kg BW，持续 36 ~ 48 h。

快速补充燃料　在两个需要能量的环节之间的小于 8 h 的恢复时间内，前 4 h 碳水化合物摄入量应为 1 ~ 1.2 g/kg BW。

图 6-4 运动员的营养策略

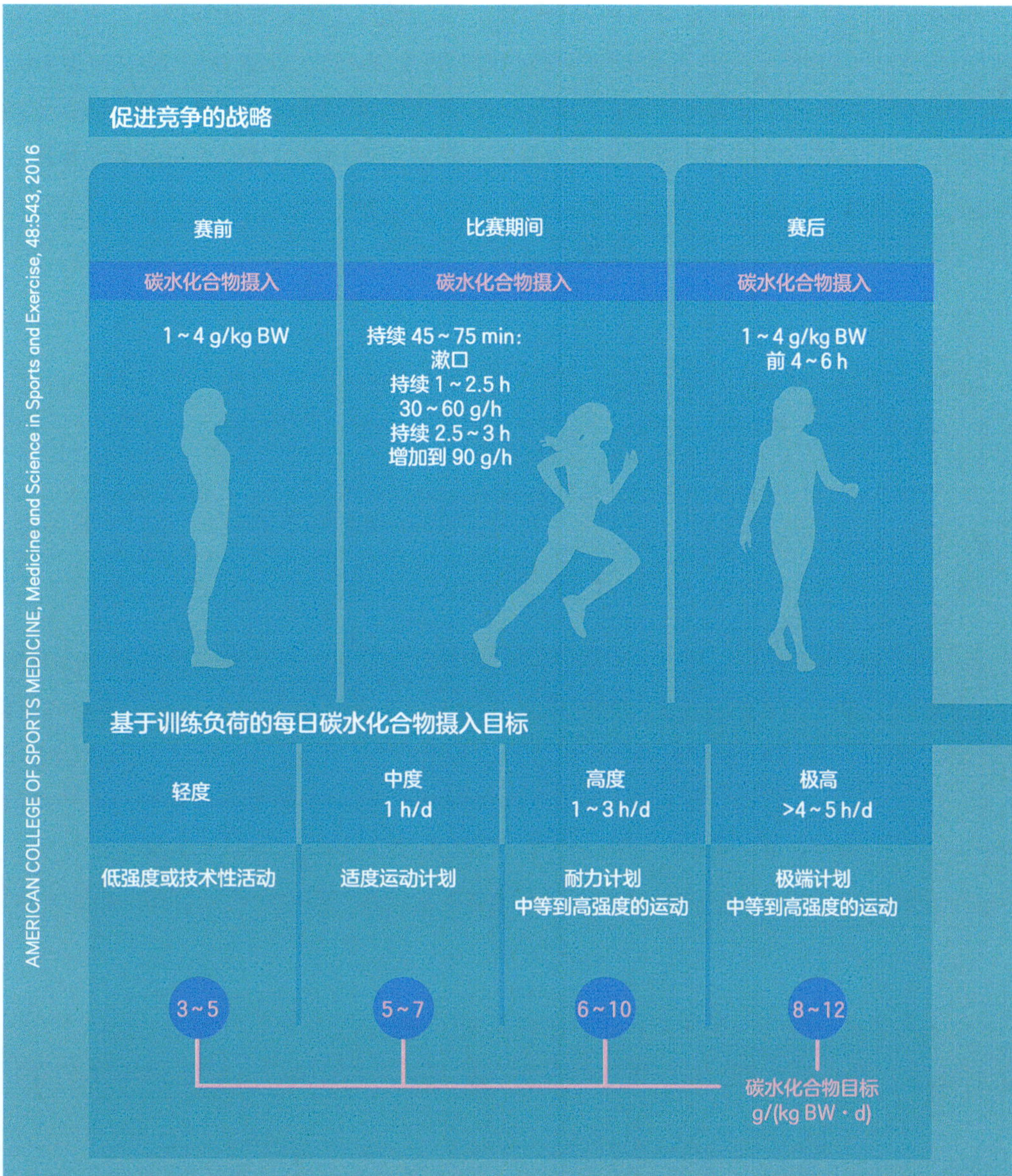

要点

- 运动后最好的全面恢复的方法是饮用含有足量碳水化合物、蛋白质和电解质的饮料，如一大碗早餐麦片和脱脂牛奶（600 ml 含有所需的 20 g 蛋白质）。
- 当传统食品和饮料难以消化时，运动食品和饮料是实现营养目标的实用选择。

概念 56 运动员的脱水和补液

运动员在比赛前应该保持足够的水分摄入，并在比赛期间以及比赛后补充水分，以弥补与运动相关的水分流失。证据表明，超过身体重量 2% 的水分流失会对耐力表现和认知功能产生负面影响，尤其是在炎热的环境下。而在较冷的环境下，3% ~ 5% 的身体重量损失会导致大多数运动活动中的表现下降。在长时间运动中出现过度出汗并且体内液体损失达到身体重量的 6% ~ 10%，会对体温调节和心血管功能造成严重挑战，从而影响心脏输出、皮肤和肌肉血流以及汗液产生。

赛前补水

在比赛前 4 h，运动员应饮用水或运动饮料，饮用量为每千克体重 5 ~ 7 mL。4 h 的时间足以实现最佳水分补充和尿液排出。

过度补水会扩大细胞内和细胞外液体的含量（如含甘油的水），这不仅达不到补水的作用，反而有可能导致比赛中频繁排尿。

比赛期间的补水（图 6-5 上）

运动员在比赛期间应定期饮水，以防止可能产生的脱水。液体补充的量和速度取决于运动员的出汗量和肌肉运动的持续时间。在持续时间少于 40 min 的比赛中不必喝水，马拉松运动员可以作为一个典型例子。这些运动员在比赛开始时，每小时饮用 0.4 ~ 0.8 L 的水。较高的数字代表在炎热环境下速度最快和身体最壮选手的液体需求量，而较低的数字代表在较冷环境下比赛速度较慢和身材较瘦选手所需的液体量。在肌肉运动持续时间最长达 4 h 的情况下，不必补充电解质，尤其是如果比赛前的饮食已经含有足够的盐分。

赛后补水（图 6-5 下）

在肌肉运动中流失的水分和盐分应在恢复期间得到补充。在出汗过多的情况下，运动员每减轻 1 千克体重可以喝 1.5 L 水，并加入 20 ~ 60 mmol/L 盐（1 L 水中 1/3 茶匙的量）。

补液程度可以通过尿液颜色进行评估，如图 6-5（下）所示。尿液颜色比正常颜色深表明脱水。

图 6-5 预防脱水

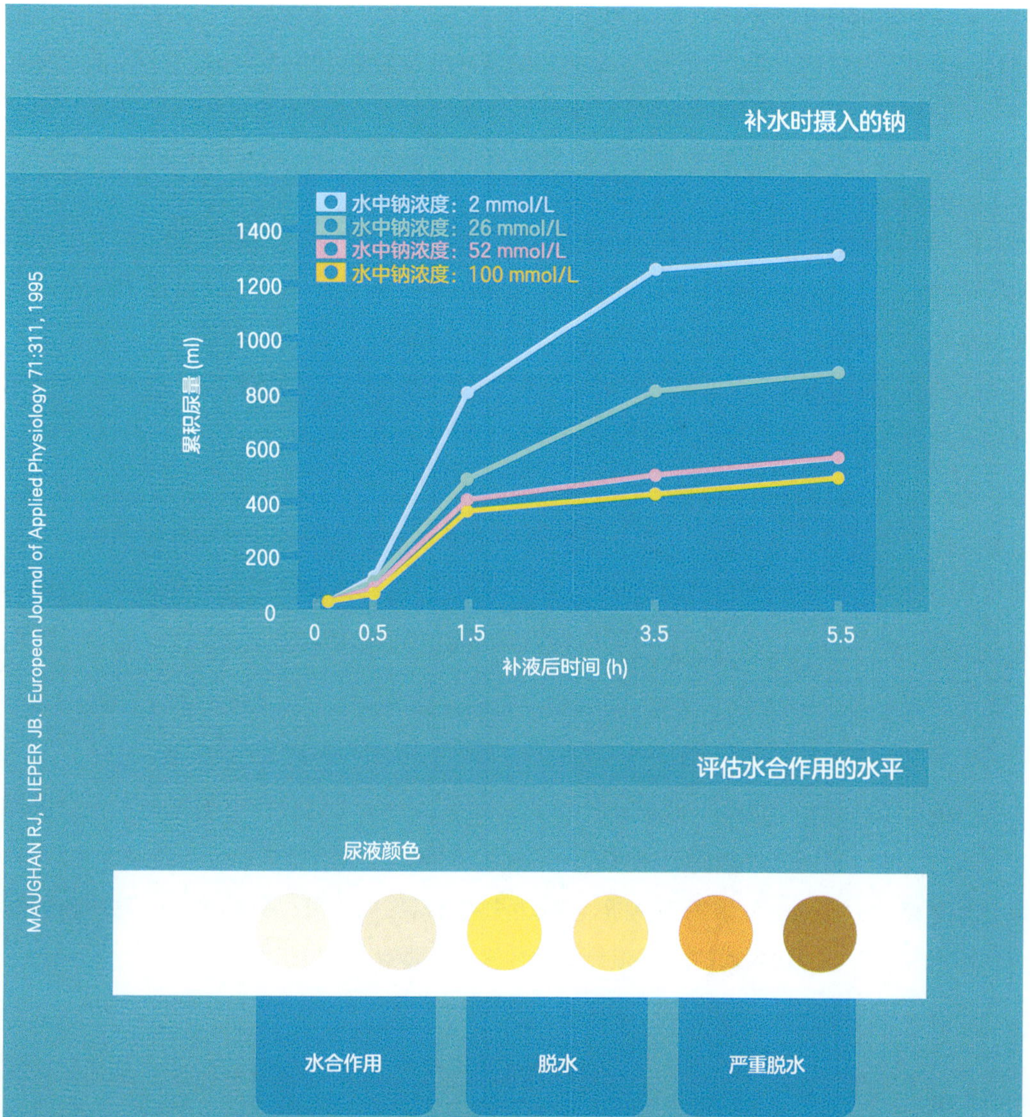

要点

- 在高温环境下，运动员应每 15 min饮用 300 ml 含 4%～5% 碳水化合物的液体，确保每小时摄入 48～60 g 碳水化合物。
- 在寒冷的环境中，出汗是有限的，液体摄入量可低至每 15 min 150 ml，碳水化合物浓度为 7%～8%，确保运动员每小时摄入 42～48 g 碳水化合物。

概念 57　膳食补充剂

竞技和休闲运动员最广泛使用的膳食补充剂是肌酸，因为它被认为具有潜在的成绩提高的作用。有证据表明，摄入含有多酚的樱桃汁以及甜菜汁形式的硝酸盐也是有益的。

肌酸（图 6-6）

肌酸是一种自然存在的营养物质，首先在肉类中被发现，衍生于希腊文“κρέας”，意为“肉”。骨骼肌含有大部分（约 60%）以磷酸肌酸形式存在的人体肌酸。磷酸肌酸在短期爆发性的肌肉活动中被用作 ATP 再合成的直接原料。图 6-6（上）显示了肌酸负荷对肌肉肌酸含量的影响。实验组在饮食中加入 20 g/d 的肌酸（4×5 g），持续 6 天，肌酸达到其储存容量后，每天摄入 2 g 肌酸，继续保持 30 天。长期而言，剂量低至 3 g/d 可能同样有效。补充肌酸时，水的摄入是至关重要的。

图 6-6（下）是基于对可靠研究进行的大数据分析，总结了肌酸补充对运动表现的影响。肌酸补充剂尤其对涉及短暂的、重复的高强度肌肉活动的运动项目产生有利影响，这些活动只能维持几秒钟，并以短暂的休息时间相隔。在这种高强度的肌肉活动中，能量供应以磷酸原系统为主，在补充肌肉肌酸的恢复过程中，磷酸肌酸的重新合成加速，以提高运动成绩。

水果中的多酚类物质

水果衍生的多酚类物质，如樱桃汁，具有抗氧化和抗炎特性以及镇痛作用，它可有效地减轻高强度运动后的肌肉酸痛感。一些证据表明，在运动前后连续 3 天或更长时间，每天补充超过 1000 mg 的多酚类物质，将加强肌肉损伤的恢复。总的来说，急性和慢性多酚补充剂似乎与运动表现的改善有关，而且没有不良反应。

硝酸盐

硝酸盐大量存在于甜菜根汁和绿叶蔬菜中，摄入后会代谢成一氧化氮，作为血管扩张剂作用于内皮细胞，增加血流量并降低收缩压，以这种方式在心血管健康方面发挥重要作用。摄入硝酸盐还能提高未受过训练或中等程度训练的人的运动表现，但对受过高度训练的人来说则不然。在运动前 1～2 h 急性补充约 300 mg 的多酚类物质，可能有促进运动的作用。此外，一些证据表明，补充参与体内一氧化氮内源性生产的氨基酸：瓜氨酸和精氨酸，可能有利于人体运动表现。

图 6-6　补充肌酸对运动表现的影响

SPRIET LL, & GIBALA MJ.
Journal of Sports Science, 22:127, 2004

补充肌酸

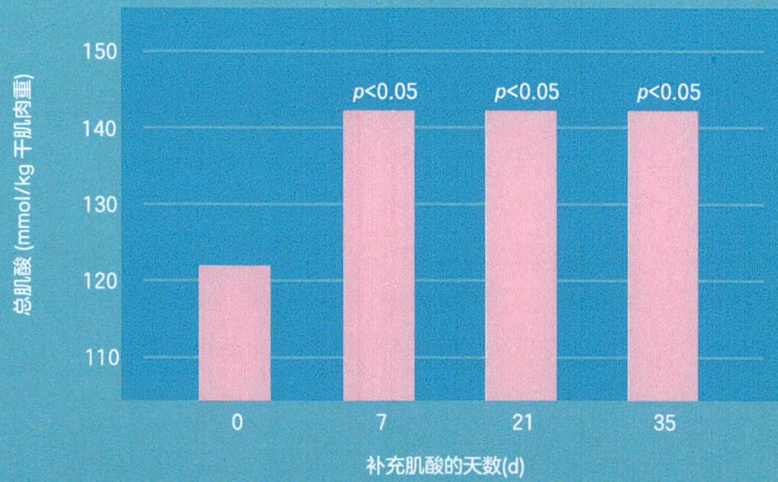

GUALAONO B, ROSCHEL H, LANCHA Jn AH,
ET AL. Amino Acids, 43:519, 2012

肌酸补充与运动表现

磷酸原系统 ≤ 30 s	糖酵解系统 30 ~ 150 s	氧化系统 ≥ 150 s
自行车测力计 ▲	自行车测力计 ▲	自行车测力计 ▲
等速力量 ▲	等速力量 —	等速力量 —
等渗力 ▲	等渗力 ▲	等渗力 —
跳跃 ▲	跳跃 —	跳跃 —
跑步 ▲	跑步 —	跑步 —
游泳 ▲	游泳 —	游泳 — ▼
速度滑冰 ▲	速度滑冰 —	速度滑冰 —

▲ = 提升　— = 没有影响　▼ = 损害

要点

- 肌酸负荷被认为是一种营养干预，就像碳水化合物负荷一样。肌酸不包括在《世界反兴奋剂条例》的违禁物质清单中。
- 补充肌酸有利于提升运动表现，特别是在团队运动中，如足球和篮球。肌酸主要提高短暂、重复的高强度运动表现。
- 结合抗阻训练，肌酸可以增加体重，减缓老年人肌少症。健康的人每天摄入 3 g 肌酸是稳妥的。

  使用大剂量肌酸的年轻运动员有肾损伤的风险。

概念 58 微量营养补充剂

我们认为，营养物质不仅包括含有热量的大量营养素，如碳水化合物、脂肪和蛋白质，还包括人体正常运作所需的微量营养素，如维生素、矿物质和水，缺乏这些营养素可能不利于身体健康和最佳运动表现。

维生素（图 6-7 上）

与运动表现有潜在联系的维生素一方面是水溶性维生素 C 和 B 族复合物，它们参与能量释放、血红蛋白合成、免疫功能、胶原蛋白的形成和维持；另一方面是脂溶性维生素 E，它具有抗氧化特性，可以潜在地减少氧化应激。研究表明，运动员需要更多的维生素，这可以通过增加热量摄入来满足与能量消耗的一致性。有证据表明，如图 6-7（上）所示，维生素缺乏会削弱运动表现，充足的维生素供应是最佳的维持运动表现的方式，而额外补充维生素不会提高运动表现，过量甚至可能带来有害的结果。

矿物质

矿物质像维生素一样对身体的正常功能起着重要作用。常量元素如钙（Ca）和磷（P），微量元素如铁（Fe）和电解质如钾（K^+）和钠（Na^+）都参与了细胞释放能量的过程。钙和铁是肌肉活动的关键微量元素。

钙是形成导致肌纤维收缩的横桥所不可缺少的。饮食中缺乏钙可能会损害储存钙的骨骼，并可能导致骨质疏松症。

铁是形成血红蛋白和肌红蛋白所必需的，它们在通过血液向组织输送氧气（作为血红蛋白）和在肌肉中储存氧气（作为肌红蛋白）方面发挥着关键作用。缺铁会降低 $\dot{V}O_2$ max 和耐力，但通过补充剂来丰富身体的铁储备对有氧能力没有影响。

抗氧化剂（图 6-7 下）

肌肉活动中能量消耗的增加伴随着游离氧自由基（活性氧）的增加，如图 6-7（下）所示，这些游离氧自由基在肌肉中的积累，在中等水平下可以提高力量的产生，而在高强度或长时间的运动中产生的高水平氧自由基，会引起氧化应激，导致细胞损伤、收缩力下降和疲劳。人们认为补充膳食抗氧化剂（维生素 C 和 E）可以减少自由基，并减轻运动引起的氧应激和肌肉疲劳。然而，新发现的证据否定了这种观点，并表明大剂量的抗氧化剂可能会抑制训练引起的肌肉适应，并对运动表现不利。

图 6-7　维生素供应和功能输出

FOGELHOM M. In: MAUGHAN RJ. (Ed.) Sports Nutrition, Blackwell Science, 2000

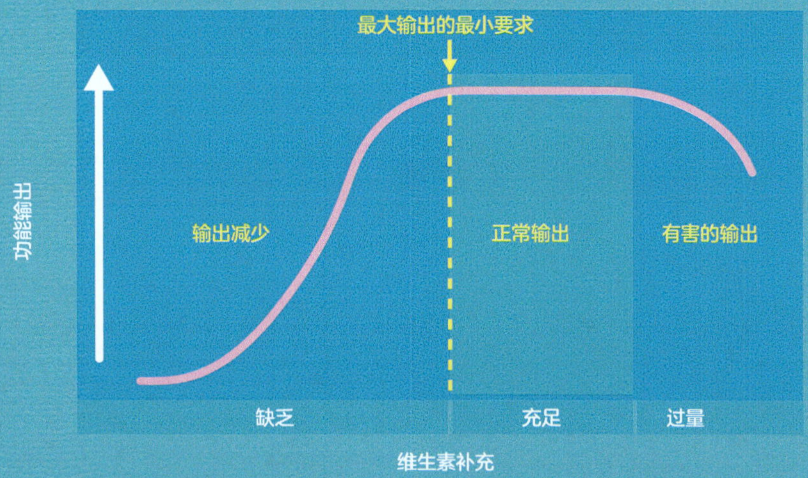

抗氧化剂的问题

QUINDRY JC, KAVAZIS AN, POWERS SK. In: MAUGHAN RJ. (Ed.) Sports Nutrition, Wiley Blackwell, 2014

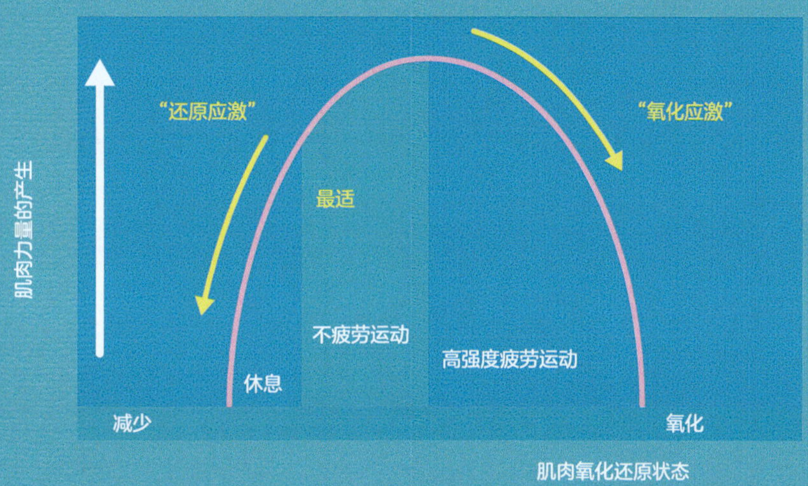

要点

- 为了获得最佳表现，运动员应该避免营养缺乏，饮食要全面。
- 补充维生素和矿物质不仅不能提高运动表现，还可能产生有害影响。
- 过量使用抗氧化补充剂会降低训练效果和运动成绩。

要理解的问题

第 6 章　运动营养学

• 为什么不是通过消化碳水化合物，而是简单地漱口，就能提高 2%～3% 的耐力？（见概念 52）

• 糖原储备对耐力表现有什么好处？（见概念 53）

• 如何解释马拉松运动员在慢缩型肌纤维中的糖原储存耗尽的情况下，仍能完成冲刺？（见概念 53）

• 可以采用哪些营养策略来确保充足的碳水化合物，并使运动员推迟疲劳和减缓成绩下降？（见概念 54）

• 使用碳水化合物作为燃料的优势是什么？最有效的赛前能量补充策略是什么？在比赛中是什么？赛后又是什么？（见概念 55）

● 对于赛事持续时间小于 90 min 的运动员，每天的碳水化合物摄入量应该是多少？如果持续时间超过 90 min 呢？（见概念 55）

● 在炎热的环境中，水分流失多少会影响到耐力表现？在凉爽的环境中呢？（见概念 56）

● 长时间的运动中过度出汗对生理有什么不利影响？（见概念 56）

● 赛前的最佳补水量是多少？比赛期间呢？赛后呢？（见概念 56）

● 营养补充剂，尤其是肌酸和硝酸盐，对运动表现的促进作用是什么？（见概念 57）

● 补充微量元素，特别是抗氧剂，对运动表现的促进作用是什么？（见概念 58）

第 7 章
兴奋剂 / 增强剂的问题

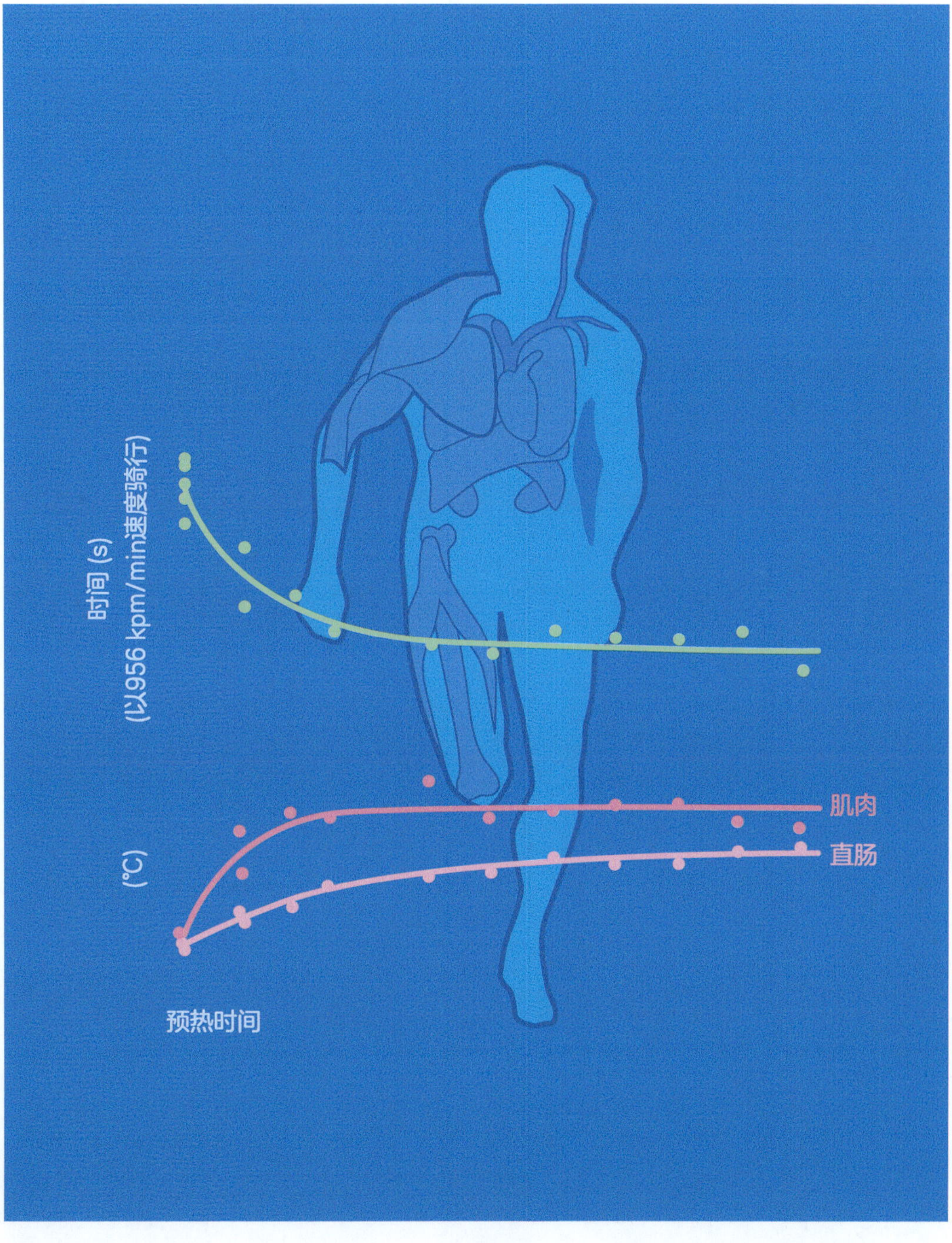

第 7 章　兴奋剂 / 增强剂的问题

基于现有证据，本章讨论了有可能提高运动成绩的多种强力物质。

概念 59　激素制剂

概念 60　脑兴奋剂

概念 61　缓冲剂

概念 62　血液兴奋剂

概念 63　强力物质应用实践

要理解的问题

在本章中，我们将重点讨论一些增强剂和干预措施的有效性的相关问题。首先一定要严格审查它们在提高运动成绩方面的可能作用，然后是它们对运动员的健康有什么影响。

肌酸和咖啡因这样的一些增强剂可能提高成绩，而其他如合成代谢类固醇、人类生长激素、安非他命和血液兴奋剂等也有可能提高成绩。但这些药物已被明令禁止，因为它们对运动员的健康极为有害，而且违反了体育精神。随着生物技术的发展，竞技体育中未来可能面临基因兴奋剂的威胁，这里指的是用基因改造的细胞来提高成绩。

由于运动员的心理因素，即一个人对好成绩的期望，可能会影响身体的反应。因此，在研究增强剂的功效时，必须控制安慰剂的可能效应，以确定干预措施的真正增效潜力。

运动员可能使用有利于提高成绩的物质和干预措施，以获得比竞争对手更多的优势。如果一种物质或干预措施符合以下基于科学证据的禁令（http://www.wada-ama.org），则被列入《世界反兴奋剂条例》的《禁用物质清单》:

- 它具有提高运动成绩的潜力
- 它给运动员带来了健康风险
- 它违背了体育精神

精英运动员服用兴奋剂的现象在全球并不罕见。最近在希腊古奥林匹克这个极具象征性的地方举行的“成为一名不使用兴奋剂的奥林匹克运动员”国际研讨会宣布了如何制止这一问题的决定（Pitsiladis et al., 2019）。

“务实的反兴奋剂理念是反兴奋剂的未来。应优先考虑使用最先进的方法进行禁止，以最不具干扰的方式检测兴奋剂，制裁系统性使用兴奋剂，防止无意中使用兴奋剂，以及积极支持所有那些希望以‘清白’的方式参赛的人。”

概念 59 激素制剂

运动员试图最大限度地提高他们的成绩而非法使用的最普遍的药物是雄激素合成代谢类固醇和人类生长激素等制剂，基因工程已经能够以生物合成的方式生产激素制剂，因而非法使用较为普遍。

雄激素——合成代谢类固醇

这些雄激素睾酮的合成衍生物是体内最强大的合成代谢激素，它通过增加肌肉纤维（包括 1 型和 2 型）的横截面积以及肌核的数量来增加肌肉质量。蛋白质合成的增加导致了力量的增强（5% ~ 20%）和体重减轻（2 ~ 5 kg）。类固醇的作用与剂量有关，即低剂量产生的效果非常有限，而像运动员通常需要使用大剂量（比医疗剂量高 5 ~ 20 倍）才能取得显著的增效效果。当类固醇的使用与抗阻运动结合时，其效果会进一步增强。还有一些证据表明，类固醇可能会加速肌肉组织的恢复和修复，但不影响耐力表现。

人类生长激素　由垂体前叶分泌，可刺激肌肉和骨骼的蛋白质合成。安慰剂对照研究的系统回顾和大数据分析，表明使用生长激素可引起身体成分和脂肪分解的显著变化，增强了游离脂肪酸的动员，但它既没有改善健康年轻人的肌肉力量，也没有提高运动能力。

对健康的危害（图 7-1）

合成代谢类固醇和生长激素被列入《世界反兴奋剂条例》的禁用物质清单，主要是由于伦理和健康的原因而被禁止使用。

伦理　服用这些激素的运动员行为不诚实，其目的是为了获得对其竞争对手的不公平优势，因此严重违反了体育精神。

健康　这些激素都有可能严重损害运动员的身体健康。图 7-1 显示了与长期滥用睾酮和人类生长激素相关的不良健康后果。

大剂量的睾酮带来的风险很大。一个值得注意的风险是促性腺激素的分泌受到抑制，这在男性中会导致睾丸萎缩和乳房变大，而在女性中则会导致月经紊乱和男性化，如面部毛发生长、声音变粗、乳房退缩和体型改变。在长期使用类固醇的人中，也有心脏病变和性格改变的报道，如产生攻击性行为。

使用人类生长激素的不良后果包括骨骼和内部器官的病理性增大，韧带和关节软化。

图 7-1　兴奋剂对健康的危害

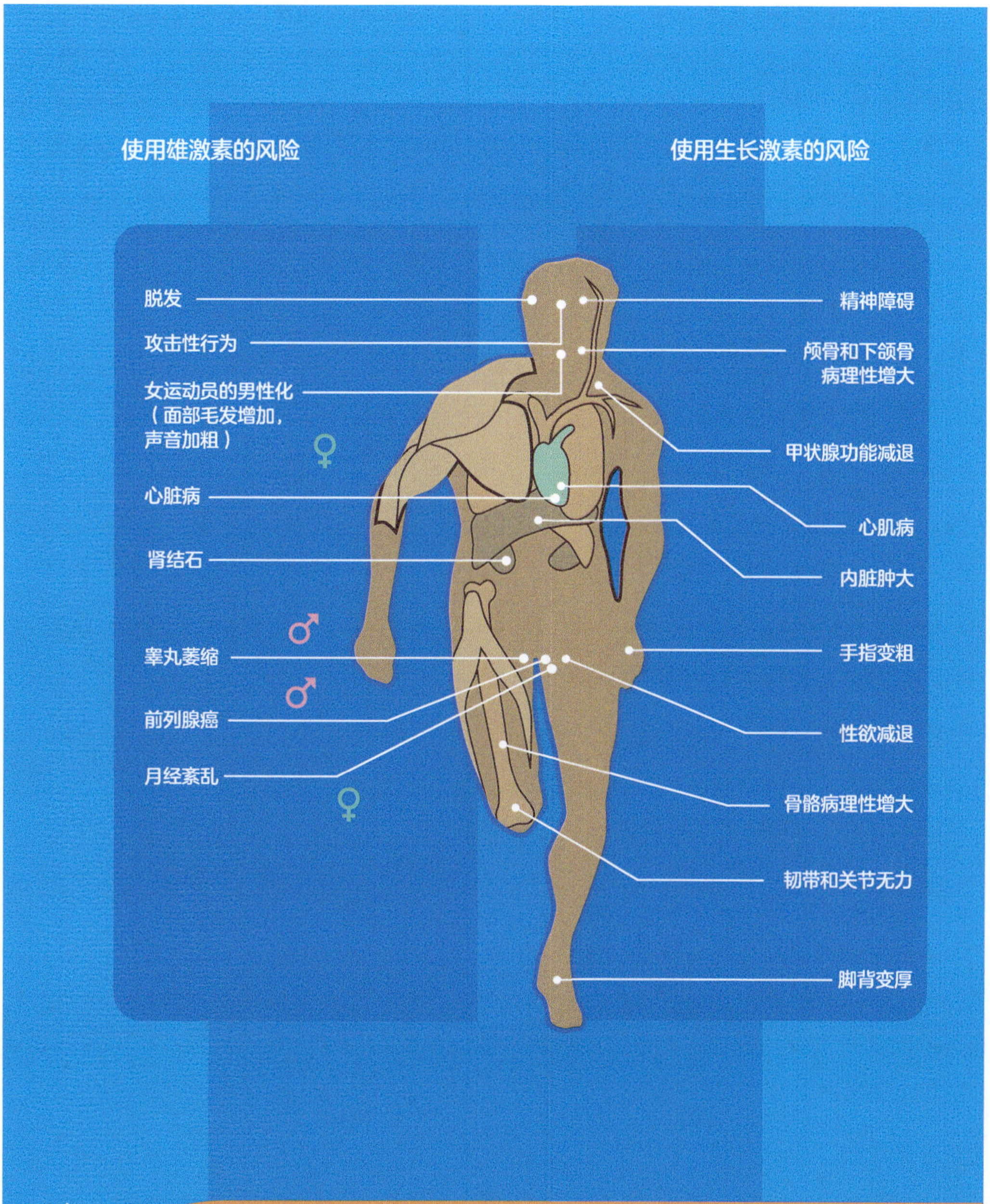

要点

- 为了制止体育运动中使用兴奋剂，应该优先使用最先进的方法来教育运动员有关禁用物质及其干预措施，以及如何安全使用合法增强剂来提高成绩。
- 兴奋剂检测呈阳性可能是因为使用了被合成代谢类固醇污染的非激素营养补充剂。
- 评估一种增效药物，应注意研究中是否同时使用了安慰剂和双盲研究设计。

概念 60　脑兴奋剂

在这里，我们考虑的是咖啡因、酒精和安非他命，一些运动员在比赛前服用这些药物，以期望提高他们的成绩。这些都是中枢神经系统的精神药物和强效兴奋剂，对运动表现有严重的影响，使人产生兴奋、清醒、自信的感觉，并减少运动中的疲劳感和痛苦。此外，它们是作用于外周交感神经系统的拟交感神经物质，导致血液中儿茶酚胺的激素激增，使心率和血压增加，从而使全身投入肌肉运动。

尽管其机制尚未完全阐明，但所有这些兴奋剂的作用机制似乎都是相似的。普遍的观点是，它们阻碍了神经递质（多巴胺、血清素、去甲肾上腺素）在突触中释放后的再吸收，使大脑的兴奋性和神经释放达到高潮。

咖啡因摄入量（图 7-2）

通过咖啡摄入的咖啡因对运动表现有促进作用。它能增强跑步、骑自行车和游泳的耐力，以及在短期高强度运动和团队运动中的表现。不同的研究表明，其改善幅度为 1.9% ~ 7%，取决于运动方式、药剂量和个人反应。

图 7-2（上）显示，在比赛前 2.5 h 摄入 6 mg/kg BW（体重）的运动员在 1500 m、500 m 及 1000 m 游泳时的成绩平均提高了 1.9%，显著高于对照。

图 7-2（下）描述了对不同咖啡因剂量的运动反应。在运动前 1h 摄入 3 mg/kg BW 的低剂量咖啡因与中剂量和高剂量咖啡因在提高耐力表现方面一样有效，这进一步证实了咖啡因是通过中枢神经系统起促进作用的假说。

酒精摄入量

高剂量酒精急剧摄入会导致行为改变，认知功能、神经驱动、力量产生和运动技能下降，所有这些都会对运动表现产生不利影响。此外，它还会损害糖原储存，从而对运动后的恢复产生负面影响，并通过抑制抗利尿激素的作用减缓补水过程，从而对体温调节产生负面影响。

安非他命

在用安慰剂检查心理因素的研究中，已经证明安非他命具有机能增进作用，是一种违禁物质。由于 $\dot{V}O_2$ max 不受影响，它们可以提高加速度、肌肉力量、乳酸的产生以及由于减少感知运动而提高耐力。此外，运动协调和认知能力的表现也得到改善。如果长时间大剂量服用，它们会对健康产生不良影响，如中暑和心血管疾病。另外，安非他命能延迟疲劳感，使运动员能够超出其生理极限。

图 7-2　咖啡因对运动表现的影响

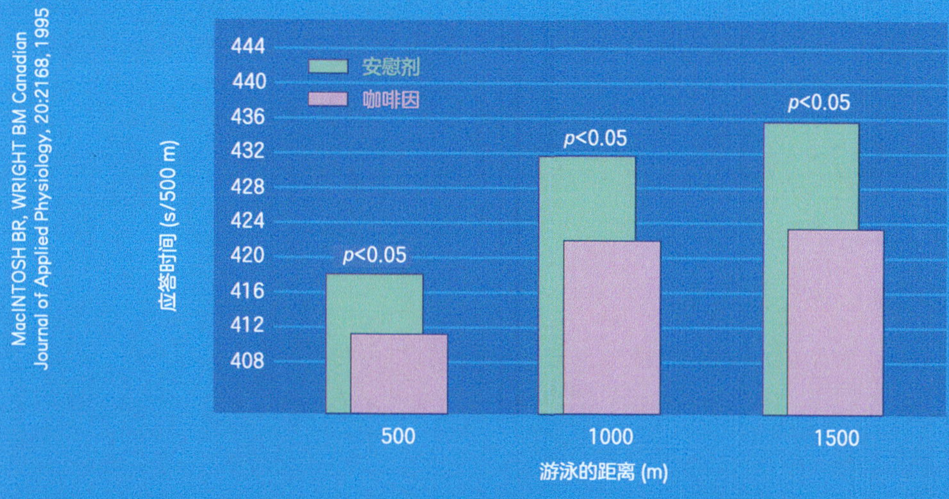

不同剂量咖啡因对运动的影响

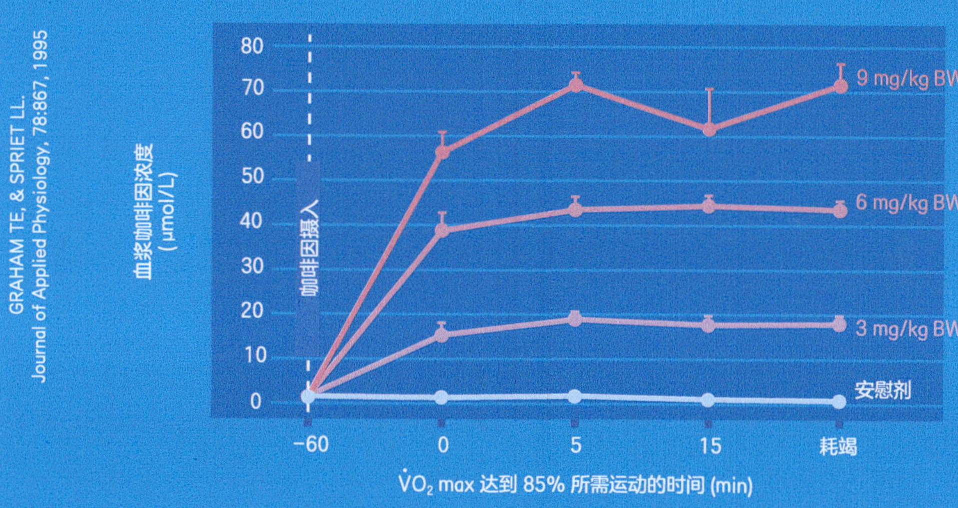

要点

- 在长时间运动前和 / 或运动期间摄入小剂量咖啡因 (高达约 3 mg / kg 体重，相当于 2 杯煮咖啡) 可产生促进人体机能的作用。
- 大量摄入咖啡因会产生副作用，比如易怒、震颤。
- 除了热量负荷 (7 kcal/g)，酒精还能抑制脂质氧化。
- 高剂量的酒精可能会对表现产生不利影响。
- 咖啡因和酒精是合法的补充剂，但是安非他命是违禁品。

概念 61　缓冲剂

高强度的运动会导致代谢性酸中毒，这是指由于游离乳酸的积累，肌肉和血液中的氢离子（H^+）浓度大幅增加。肌肉中的这种酸化会干扰代谢过程和收缩机制，影响力的产生、疲劳的发生和性能的呈现。具体而言：

- 它降低了磷酸果糖激酶的活性，磷酸果糖激酶是无氧糖酵解的关键酶，其活性降低会减缓无氧糖酵解过程。
- 它通过减少钙与肌钙蛋白的结合来干扰收缩机制。
- 它增加了对成绩的期望。

当肌肉中 H^+ 的积累超过清除速度时，细胞内 pH 可能下降到临界值 6.0。在这种 H^+ 浓度的急剧变化中，细胞内和细胞外的缓冲剂相互干扰，以维持酸碱平衡和内环境稳态。

细胞内的缓冲作用

β- 丙氨酸　是一种氨基酸，是肌肽的一部分，其功能是作为细胞内的缓冲剂，将 H^+ 从肌肉细胞质中清除到细胞外，然后进入血液中。一些研究表明，长期补充 β- 丙氨酸会导致肌肉肌肽含量增加，并增强持续 1 ~ 4 min 的高强度运动。

细胞外的缓冲作用（图 7–3）

碳酸氢盐　最直接和最强大的细胞外缓冲系统是碳酸氢钠（$NaHCO_3$），它在血液中会电离形成碳酸氢根离子（HCO_3^-）和钠离子（Na^+）。血液中的碳酸氢盐通过与 H^+ 结合形成碳酸（H_2CO_3），然后迅速解离成二氧化碳和水：

$$H^+ + HCO_3^- \longleftrightarrow H_2CO_3 \longleftrightarrow CO_2 + H_2O$$

补充缓冲剂对持续 1 ~ 5 min 的竭力运动效果最为显著，这时无氧糖酵解对总能量消耗的贡献很大，肌肉中乳酸盐的产生使 H^+ 达到峰值。此类运动项目包括跑步和游泳（短距离）、速滑、高山滑雪（下坡）和划船，以及需要短时间恢复的高强度肌肉运动。

碳酸氢钠对运动表现的改善来自于血液中碳酸氢盐浓度（HCO_3^-）的增加和与之相关的血液 pH 的下降，如图 7-3（上、下）所示。年轻男性在 5 次 1 min 的骑行训练（125% $\dot{V}O_2$ max）前 1 h，饮用 0.2 g/kg BW 的碳酸氢钠或安慰剂饮料，并在最后一次冲刺拼尽全力。结果显示性能提高了 42%，并且恢复得更快，这归功于更大的缓冲能力。

图 7-3　血液酸碱度对运动表现的影响

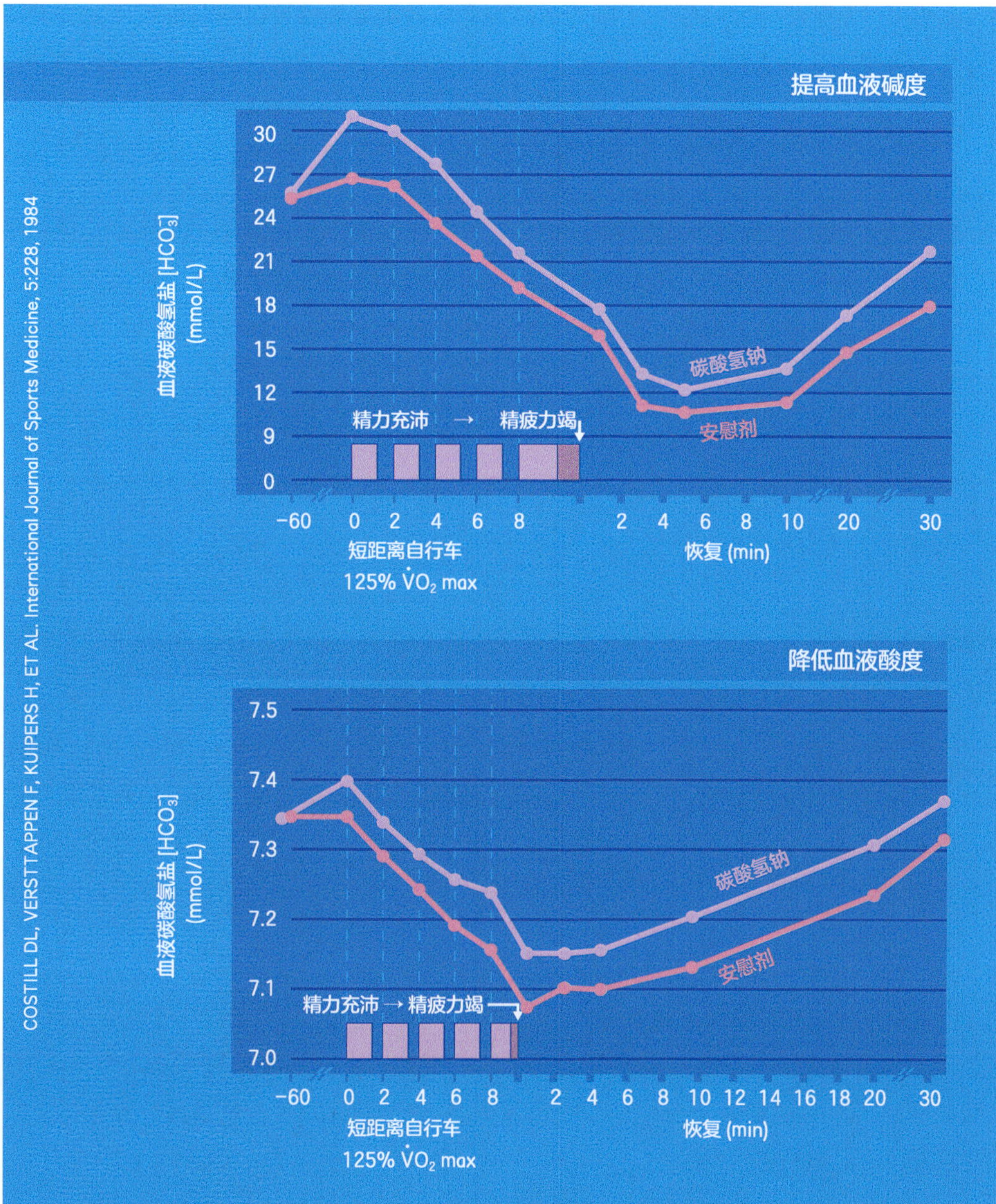

要点

- 碳酸氢钠负荷可被视为糖原负荷的补充。
- 每千克体重补充 0.3 g碳酸氢钠(即 70 kg 体重的运动员补充 21 g 碳酸氢钠) 足以增加血液碱度，提高成绩。
- 急性摄入碳酸氢盐可引起胃肠道症状，可通过在 5 天内每天给药 4 次来预防。

概念 62　血液兴奋剂

血液兴奋剂是指输注红细胞或刺激红细胞生成的激素来促进红细胞生成，试图提高血红蛋白浓度和血液携氧能力，从而提高有氧运动项目的运动成绩。使用血液兴奋剂是被禁止的。

再注入红细胞（图 7-4）

这一切都始于 20 世纪 70 年代初，当时瑞典生理学家埃克布洛姆（Ekblom）和同事在一项开创性的研究中证明了血液兴奋剂对 $\dot{V}O_2$ max 和有氧表现的影响。研究人员从三名耐力运动员身上抽取了 800 ~ 1200 ml 血液，将其冷藏，然后在 28 天后将其红细胞重新注入运动员体内。结果显示在图 7-4。

对 $\dot{V}O_2$ max 的影响　如图 7-4（上）所示，$\dot{V}O_2$ max 在抽血后立即降低了约 10%，即从 4.57 L/min 降至 4.09 L/min。2 周后才恢复到初始值，在第 28 天重新注入红细胞后，超过初始值 9%。$\dot{V}O_2$ max 的这种改善又持续了 2 周。

对有氧运动能力的影响　如图 7-4（下）所示，测试在跑步机上跑到精疲力竭的时间也有类似的发现。抽血后力竭时间立即下降了 30%，随后逐渐恢复到初始值，在第 28 天重新注入红细胞后超过了 23%，并将这种改善持续了 2 周。

所有这些 $\dot{V}O_2$ max 和运动表现的变化，都与相应的血液中血红蛋白含量的增加有关，而不是与血浆容量的增加有关，因为血浆容量的增加可以增加心输出量。后续研究与最初的研究结果相一致，建议通过冷冻血液并将储存期延长至 5 ~ 6 周，以最大限度减少红细胞的损失。

促红细胞生成素（erythropoietin，EPO）

促红细胞生成素是体育界滥用最严重的激素之一，其对运动员健康存在极大的威胁。这是一种由肾脏产生的激素，能刺激骨髓中红细胞的产生，从而提高血液的携氧能力。已明确证明皮下注射 EPO 可以增加血红蛋白浓度、血细胞比容、$\dot{V}O_2$ max、跑步机上的耗时以及耐力运动的实际表现。

健康风险

血液兴奋剂具有内在的严重健康风险。红细胞过多会增加血液黏度，损害心脏和大脑的血流，这是非常危险的，可能导致血栓形成、心肌梗死、卒中或肺栓塞，甚至死亡。

图 7-4 兴奋剂对运动表现的影响

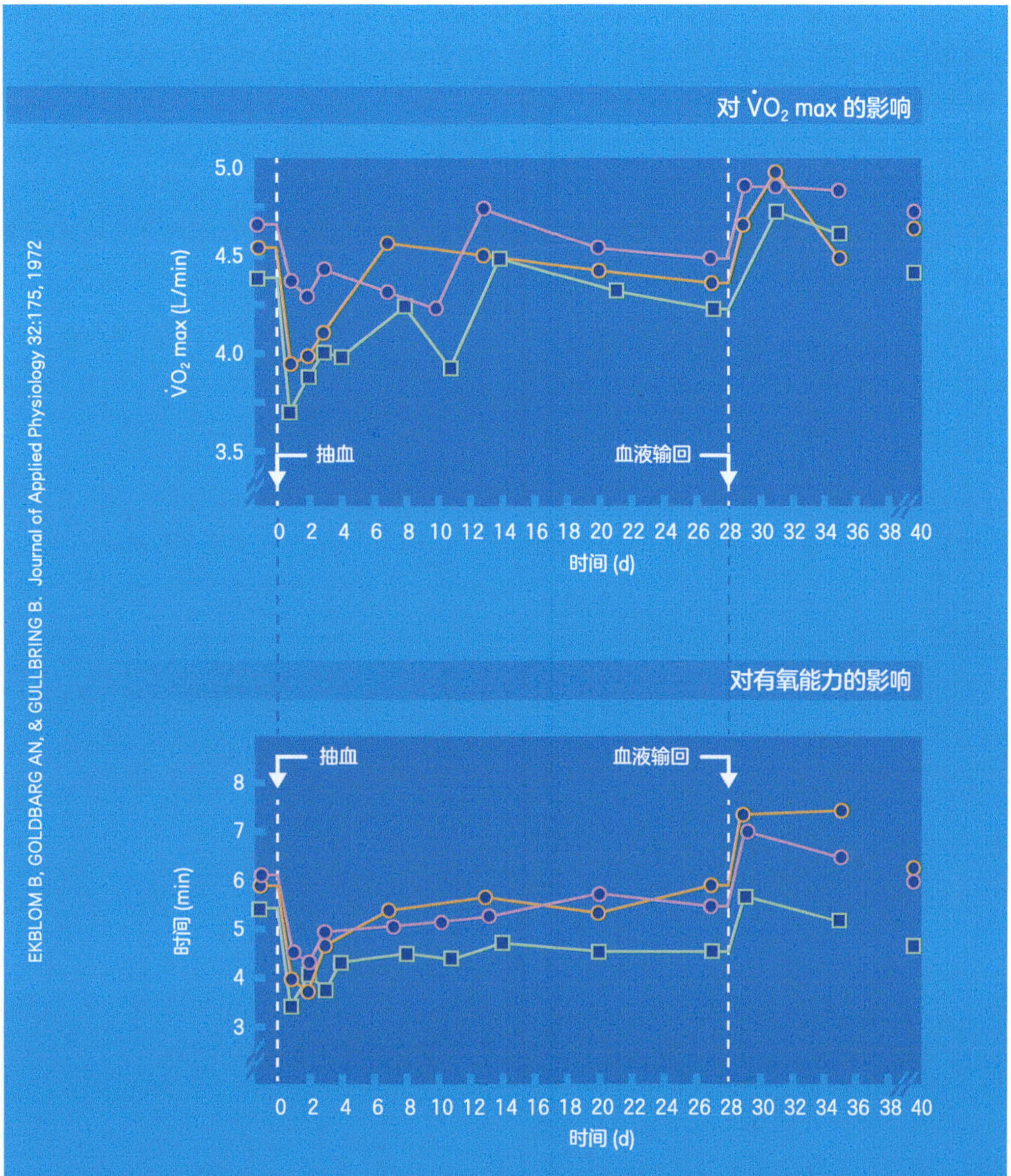

要点

- 使用血液兴奋剂的运动员可以在耐力赛事的竞争中获得不公平的优势，违背了公平竞争的精神。
- 血液兴奋剂与非常严重的健康风险有关，这对身体健康的坏处超过了任何潜在的好处。

概念 63　强力物质应用实践

有充分的证据表明，适当的热身和听音乐都可以被视为一种训练方式，可能会对表现产生有益的影响。

热身的效果（图 7–5）

热身是指在进行竞技运动或训练之前，由运动引起的体温升高。这种体温的预备性升高会带来一些生理上的好处，如加快神经冲动传导和肌肉收缩，在肌肉活动开始时降低缺氧，改善无氧阈值，在高体温下加快酶的反应，所有这些生理因素都与提高表现有关。

图 7-5 展示了一项经典研究的结果：（a）热身时间（图 7-5 上）对体温（测量直肠和股直肌）以及在 956 kpm/min 负荷下骑车的影响；（b）肌肉温度水平（图 7-5 下）对在 956 kpm/min 相同负荷下骑车时间的影响。

显然，热身对成绩产生有利的影响，前提是热身的强度和持续时间不降低比赛前的肌肉基质水平，即在短期比赛中使用高能量底物，而在长期比赛中使用肌糖原。因此，中等强度的热身（50% ~ 70% 的 $\dot{V}O_2$ max）持续 5 ~ 10 min，恢复时间≤ 5 min，可能是合适的。

我们可以区分专项性热身和一般热身。专项性热身采用与运动项目直接相关的动作，而一般热身可以是主动的或被动的。主动热身采用的是与运动项目间接相关的动作，而被动热身则是指除运动外使用各种方式来提高体温。专项性热身和一般热身对运动表现都有积极影响，但主动模式比被动模式更有效。

音乐的影响

越来越多的证据表明，使用音乐可以产生健身的效果。它能激活大脑的许多区域，包括听觉、运动和边缘区域，并影响心理、生理过程，产生许多有益的情绪和认知效果。例如，在长时间的运动中，音乐可以减少乳酸的产生、疲劳感和疲劳时间。

此外，音乐可能有助于减少应激反应，包括降低血浆应激激素和焦虑水平。快速、欢快的音乐似乎会激活中枢神经系统，提高心率、血压、体温、皮肤传导和肌张力，而缓慢、柔和的音乐会减少对交感神经的唤醒，并能加快剧烈运动后的恢复过程。

图 7-5 热身效果

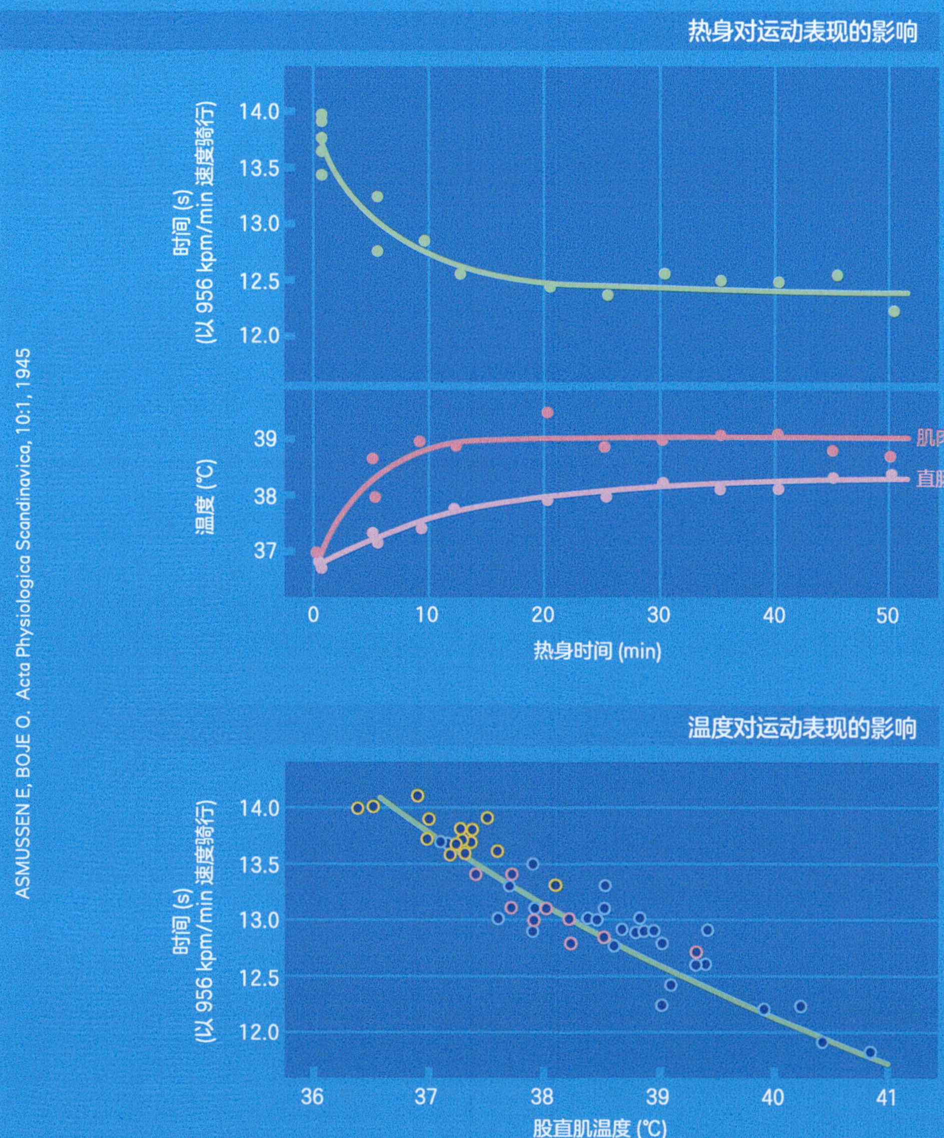

要点

- $\dot{V}O_2$ max 达到 50%～70% 仅需中等强度热身 5～10 min。
- 热身和比赛之间的间隔时间应控制在 5～10 min。
- 热身时拉伸，尤其是静态拉伸，拉伸时间超过 45 s，可能会对表现产生负面影响。快速、欢快的音乐对身体反应有刺激作用，而缓慢、柔和的音乐有镇静作用。

要理解的问题

第 7 章　兴奋剂 / 增强剂的问题

- 为什么运动员禁止使用能够最大限度提高他们表现的合成代谢类固醇和人类生长激素？（见概念 59）

- 睾酮的生理效应是什么？它对运动员的健康有哪些最致命的风险？（见概念 59）

- 大脑兴奋剂对身体的生理影响是什么？它们的作用机制是什么？（见概念 60）

- 咖啡因对运动表现有哪些促进作用？（见概念 60）

- 安非他命对人体有什么影响，为什么禁止运动员使用？（见概念 60）

• 在持续 1 ~ 5 min 的竭力运动中，肌肉中的氢离子达到峰值，补充缓冲剂可能对运动成绩有潜在的好处。碳酸氢钠(小苏打)就是这样一种缓冲剂。它在体内如何发挥作用？（见概念 61）

• 使用血液兴奋剂（无论是注入红细胞还是注射促红细胞生成素）有哪些固有的严重健康风险，超过了任何潜在的好处？（见概念 62）

• 热身运动有哪些生理上的好处？（见概念 63）

• 音乐对人体有哪些影响，这些影响是通过什么生理过程产生的？（见概念 63）

第 8 章
运动的神奇之处

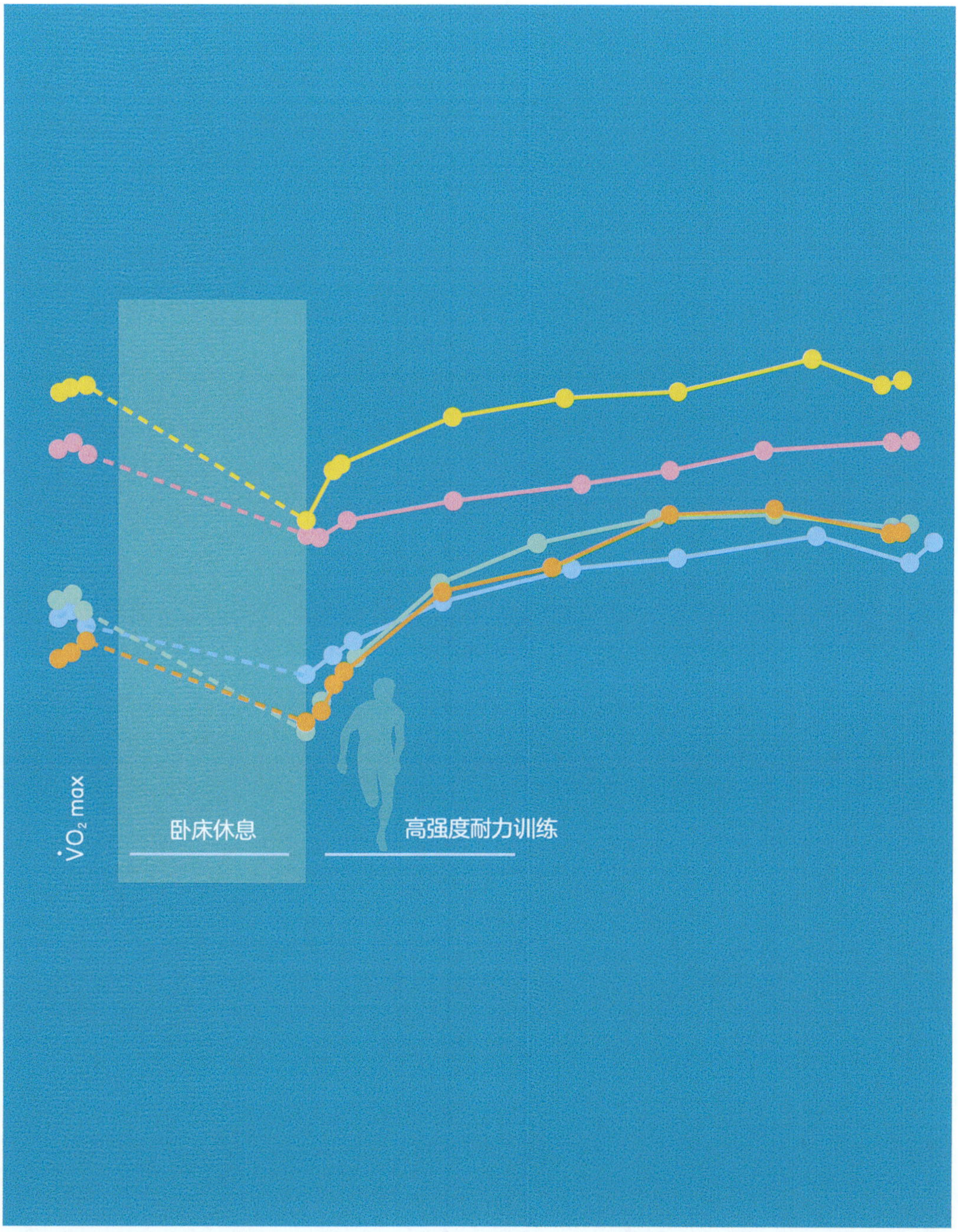

第 8 章　运动的神奇之处

本章强调越来越多的研究证据表明：体育运动对健康有诸多益处。

概念 64　运动不足的有害性
概念 65　运动对心脏的益处
概念 66　运动对大脑的益处
概念 67　运动对免疫功能的益处
概念 68　运动对控制体重的益处
概念 69　运动对儿童肥胖症的益处
概念 70　运动对生长发育的益处
概念 71　运动对抗衰老和长寿的益处
概念 72　运动对怀孕的益处
要理解的问题

如今，越来越多的令人信服的证据都建议儿童和青少年、青年和中老年定期参加体育活动，以全面改善大众健康。通过学习本章中的概念，你将对“为什么要运动”有一个深刻的理解，并能回答类似以下问题：

- 久坐不动的生活方式对健康功能和幸福感有哪些害处?
- 为降低心脏风险，每周消耗多少能量才是最佳水平?
- 心脏和大脑如何从有规律的体育锻炼中受益?
- 运动如何影响免疫功能，如何预防感染?
- 儿童怎么样才能适应有氧运动和力量运动?
- 哪些运动方式可以预防与年龄相关的生理功能退化，特别是肌肉减少和骨质疏松?
- 控制体重最有效的方法是什么?
- 什么样的运动才能使人更健康、更健壮?

概念 64　运动不足的有害性

尽管我们的身体生来就是好动的，但人们在工作、家庭、交通和休闲方面的活动时间正在急剧下降。据估计，在过去的半个世纪里，城市居民的每日能量消耗减少了约 800 kcal，这相当于每天步行约 15 千米。这表明，久坐行为在现代社会非常普遍，对健康和幸福感带来了有害的影响。大量的研究证据显示，缺乏体育锻炼会加速人体重要生理功能的衰退，不健康的风险增加，进而增加疾病发病率和病死率。

生理功能紊乱（图 8–1 上）

1968 年达拉斯（Dallas）对卧床休息和训练研究证明了与缺乏运动有关的生理功能障碍：5 名 20 岁的健康男子在完全卧床休息 3 周后，接受了 8 周的强化耐力训练。我们目前对身体活动的极端变化所产生的巨大生理影响的认识，大部分来自于这项开创性的研究。平均 $\dot{V}O_2$ max 在卧床休息后下降了 27%，随后通过训练增加了 45%，如图 8-1（上）所示。在运动中向肌肉输送氧气的心肺功能的这种变化，是由于卧床休息后心输出量下降了 26%，训练后增加了 40%。

重新审视达拉斯的研究　在一项长达 30 年的跟踪调查中，这些 20 岁的男子在 50 岁时再次接受测试，结果显示，这些男子在 20 岁时卧床休息 3 周对身体功能的影响比 30 年岁月带来的衰老更为明显！

不活动是一个风险因素（图 8–1 下）

20 世纪 50 年代，莫里斯（Morris）在伦敦进行的流行病学研究发现，从事连续坐着工作的公交车司机冠心病的发病率较高，是在双层公交车上不时上下楼梯的售票员的 2 倍。对久坐的邮递员也进行了类似的观察，他们的冠心病早期死亡率比活动的邮递员要高得多。

早期的发现得到了验证　莫里斯里程碑式的工作开创了一个研究缺乏体育活动的有害影响的新时代，早期的发现结果已经被许多其他研究重复出来，如图 8-1（下）所示。习惯性的业余时间体育运动，以能量消耗表示，与冠状动脉风险的降低有关。显然，每周消耗 1500 ~ 2500 kcal 能量的人的受益最大，每周消耗更少或更多能量的人反而没有这么大的受益。显然，体育活动有一个最佳剂量，超过这个剂量也就不那么有效了。

图 8-1 不运动影响有氧代谢功能

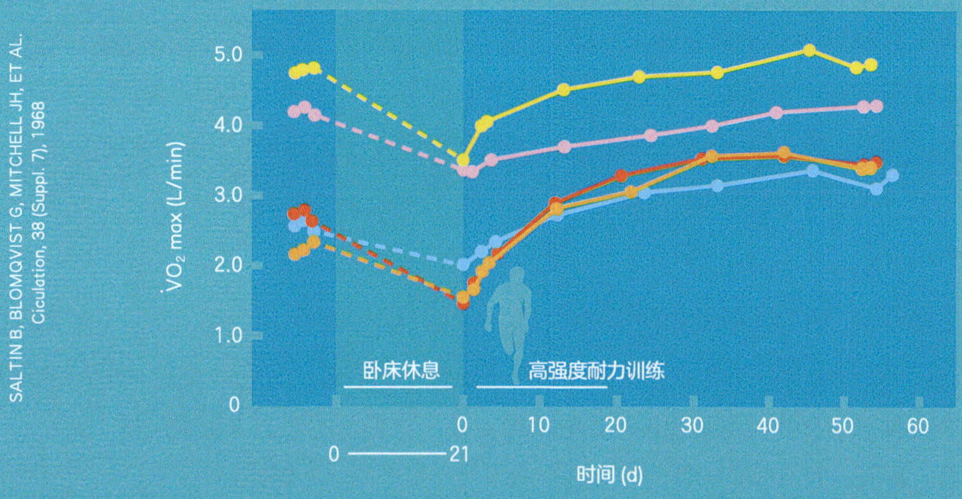

运动不足的风险

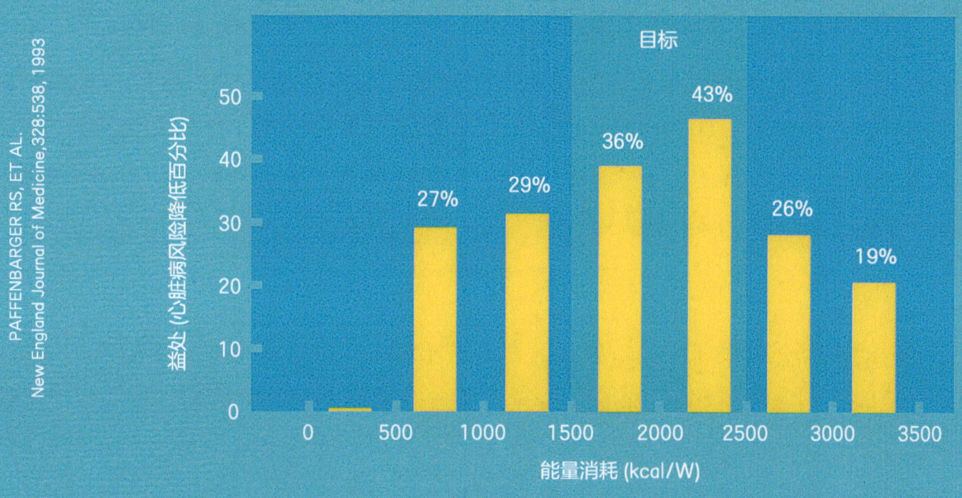

要点

- 现代生活方式导致的运动不足的现象普遍增加，对人类健康产生了灾难性的后果。
- 长时间不间断的久坐与全因死亡风险增加相关，而与体育活动水平无关。
- 体育活动有一个最佳“剂量”，如果超过这个“剂量”，就不能有效预防或减缓慢性疾病和不健康状况的发展。
- 卧床休息 3 周对最大摄氧量的降低比自然衰老 30 年还要大。

概念 65　运动对心脏的益处

有规律的运动为心脏提供了天然保障。拳头大小的心脏是一个强而有力的肌肉泵，将生命所需的氧气输送到大脑和全身。这个泵不知疲倦地工作，昼夜不停。在休息时，它以每分钟 70 次左右的频率搏动，每小时输送 300 多升以上的血液，并以足够的动量推动血液进入总长达 10 万 km 的人体血管。

定期的有氧运动对心脏有两个益处：一方面，它增强了心肌，丰富了心肌的灌注网络；另一方面，它减缓了脉搏和心率。因此，一个积极运动的人的心脏会成为一个更强大和更有效的泵，这是久坐的人的心脏不可比拟的。

运动员的心脏（图 8-2 上）

运动员心脏是指耐力运动员的体积较大且肌肉发达的心脏，它可以泵出巨量的血液，以支持极量运动下的高有氧代谢率。它的特点是具有独特的形态训练适应性，如左心室的壁厚、质量和内部尺寸，提供更大的心肌收缩力和更高的每搏量。

图 8-2（上）说明了长期训练的耐力运动员的心脏在运动中是如何适应耗氧量增加的，它与一般训练和未训练的人的心脏的差异很明显，在极量运动时，运动员的心输出量要高得多，这完全是由于更高的每搏量。

心动过缓　有氧训练对休息时的心率、次极量运动和运动后恢复都有很大的影响，而最大心率则不受影响，如图所示。休息时心脏跳动频率减慢的一个明显优势是，左心室有更多的时间来填充并产生更多的搏出量。训练引起的心率缓慢很可能是由于心脏的副交感神经活动增加和交感神经活动减弱。

过度运动会损害心脏吗？（图 8-2 下）

过度运动是否会削弱训练的益处，而对心脏不利？运动训练量与健康结果之间的剂量反应关系呈 U 型曲线，如图 8-2（下）所示。一旦个人进行的运动训练超过最佳运动剂量，对健康的益处可能会部分丧失。最近一项对 66 万名男性和女性（21 ~ 98 岁）进行的大数据分析发现，没有证据表明所推荐的最低 7.5 MET h/ 周的 10 倍以上的运动量会造成任何伤害。然而，这个问题仍有争议，需要更多的研究来支持或反驳这个“极限运动假说”。

图 8-2 运动对心脏的益处

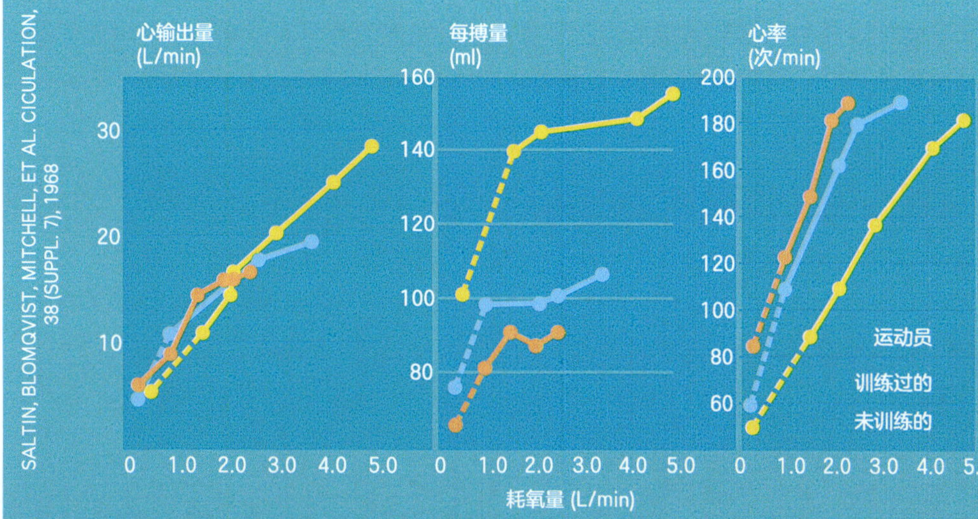

运动过度会伤害心脏吗？

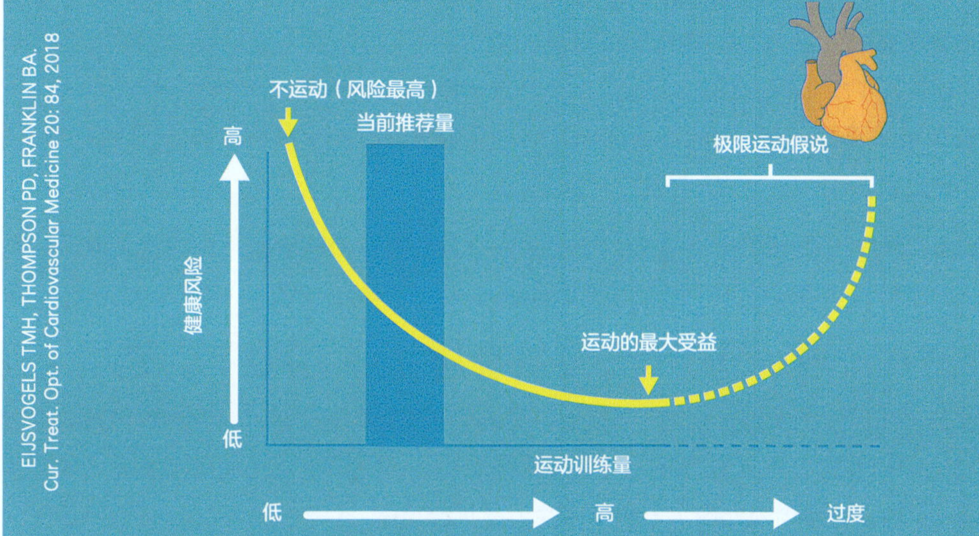

要点

- 久坐不动的人，在训练的前几周，通过每周大约每分钟 1 次的适度有氧训练，其静息心率会降低。
- 适度有氧训练 2 个月后，久坐不动的人每天可以减少大约 14 400 次心脏跳动，一个月大约减少 432 000 次，一年之后它将减少 5 000 000 多次！！！

概念 66　运动对大脑的益处

神经影像学和电生理学研究一致证明运动可以增强和改善认知功能。虽然运动对大脑结构和功能有益的确切机制还不完全清楚，但运动的一些益处可能直接作用于调控大脑本身的分子通路，而不是像过去人们普遍认为的那样运动仅对一般健康起作用。

短暂的快感（图 8–3 上）

一个人在长时间有氧运动后感受到的欣快感似乎与 β- 内啡肽的分泌有关，这种分泌与疼痛感知和快乐的情绪状况有关。显然，运动引起的刺激进入下丘脑，导致促肾上腺皮质激素释放激素（corticotropin-releasing-hormone，CRH）的分泌，CRH 反过来刺激垂体前叶分泌 β- 内啡肽。

认知功能（图 8–3 下）

运动对大脑功能的影响可能主要与细胞能量代谢和海马体中脑源性神经营养因子（brain-derived neurotrophic factor，BDNF）的产生有关，海马体对记忆和执行功能的认知表现至关重要。正如图 8-3（下）所示，运动过程中释放的 BDNF 很可能与海马体中的能量相关分子相互作用，以调节神经元兴奋性、突触可塑性和认知功能。此外，有氧运动训练时海马体体积会增大，其他生长因子，如胰岛素样生长因子 - 1（insulin-like growth factor-1，IGF-1）、血管内皮生长因子（vascular endothelial growth factor，VEGF），可能还有神经递质多巴胺，也随着运动而增加，这种现象可能有助于解释运动如何影响大脑网络的最佳功能。

此外，有氧运动诱导血管生成，增加脑血流量和大脑的氧含量，影响智力表现，而技能运动训练诱导突触生成，使突触数量增加。

大脑健康影响整个生命期

采用神经影像技术的研究已反复证明，认知能力在人的整个生命周期中都很重要。老年男性和女性在进行有氧运动时，可以观察到海马体（大脑中记忆形成的关键区域）体积的增大；而在儿童中观察到了运动能增强大脑执行功能（包括工作记忆和认知灵活性）；在成年期通过运动以及间歇性能量限制可以增强大脑功能，并且可能减少与年龄相关的认知衰退和退行性疾病。证据还表明，在大脑发育的关键时期进行运动可能会在以后生活中增强认知功能。

学业成绩　强有力的证据表明，与低健康水平的儿童相比，高健康水平的儿童表现出更强的皮质反应性和更高的学习成绩。此外，系统的综述研究提供的证据表明，体育活动对认知和学业成绩有积极影响。体育活动似乎会引起大脑形态和功能的变化，而且活跃的儿童具有强认知速度，但这需要进行更加严谨的研究来明确观察到的生物学基础效应。

图 8-3 运动对大脑的益处

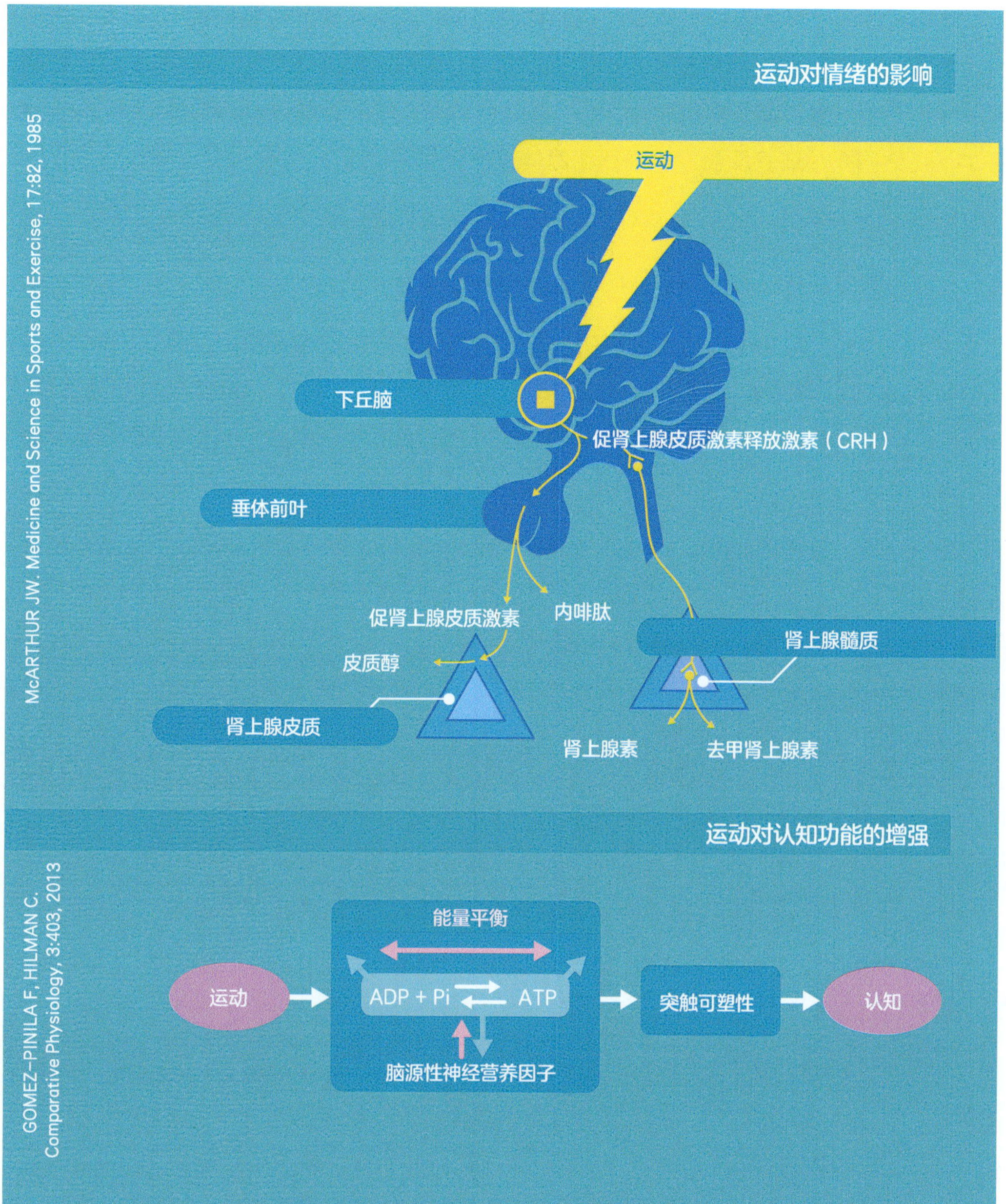

要点

- 人的一生当中，运动都能激活对大脑功能有益的分子机制。
- 有氧运动可以改善大脑结构和认知功能。
- 与不健康的孩子相比，健康的孩子拥有较好的认知能力和学业成绩。
- 成年后锻炼身体和间歇性能量限制可以增强大脑功能，并可能减少与年龄相关的认知衰退和退行性疾病。

概念 67 运动对免疫功能的益处

免疫系统的作用是保护身体免受病原体的侵害。当身体受到传染性抗原（病毒和细菌）的攻击时，免疫系统的循环细胞（如吞噬细胞、自然杀伤细胞、B 淋巴细胞和 T 淋巴细胞）被激活。吞噬细胞吞噬外来病原体，自然杀伤细胞消灭外来病原体，B 淋巴细胞产生抗体，而 T 淋巴细胞介导细胞反应，识别和清除体内的抗原。

运动可预防感染（图 8–4 上）

运动的强度和持续时间可以影响免疫功能和感染易感性。

适度的运动 与久坐不动的人相比，定期进行适度的运动与降低上呼吸道感染（upper repsiratory track infection，URTI）的风险有关。流行病学研究表明，URTI 风险的降低可能在 18%～67%，可以通过持续时间不超过 2 h 的中等强度的有氧运动（40%～60% $\dot{V}O_2$ max）来实现。

剧烈运动 过度的剧烈运动可能会损害免疫功能，使人更容易患 URTI。当运动时间长、强度大且不进食时，免疫功能的抑制最为明显。与普通人群相比，进行高强度耐力训练的运动员似乎更容易感冒，而且可能持续更长时间。

潜在的机制（图 8–4 下）

在适度和剧烈运动中，血液中的淋巴细胞和抗体浓度都会增加。在适度运动恢复期间，循环系统中的淋巴细胞数量恢复到运动前的水平，而在长时间（> 1.5 h）剧烈运动（> 70% $\dot{V}O_2$ max）后，淋巴细胞和自然杀伤细胞会从循环中消失，免疫功能暂时受损。

“开放窗口” 剧烈运动后，以免疫系统抵御病原体入侵的能力下降为特征的时期被称为“开放窗口”。在这个开放窗口可能持续长达 72 h，病毒和细菌可以获得立足点而增加感染的风险。

压力 身体和精神上的过度压力也会影响免疫功能。身体对压力情况的反应是所谓的战斗或逃跑反应；这是一个激活自主神经系统的过程，但也涉及下丘脑－垂体－肾上腺轴（hypothalamic-pituitary-adrenal，HPA），导致促肾上腺皮质激素释放激素（corticotropin-releasing hormone，CRH）和促肾上腺皮质激素（adrenocorticotropic hormone，ACTH）的分泌，最终导致皮质醇（活性压力激素）的释放。任何压力源（剧烈运动、极端环境、情绪影响）导致的循环高皮质醇水平都会引发免疫抑制，并增加感染的风险。

COVID-19，缺乏运动和 BMI 最近的证据强调，在受感染的成年人中，缺乏体育运动以及高 BMI 也与 COVID-19 严重程度有关。证据还表明，运动不耐受是 COVID-19 后遗症的一个潜在症状。

图 8-4　运动与免疫反应

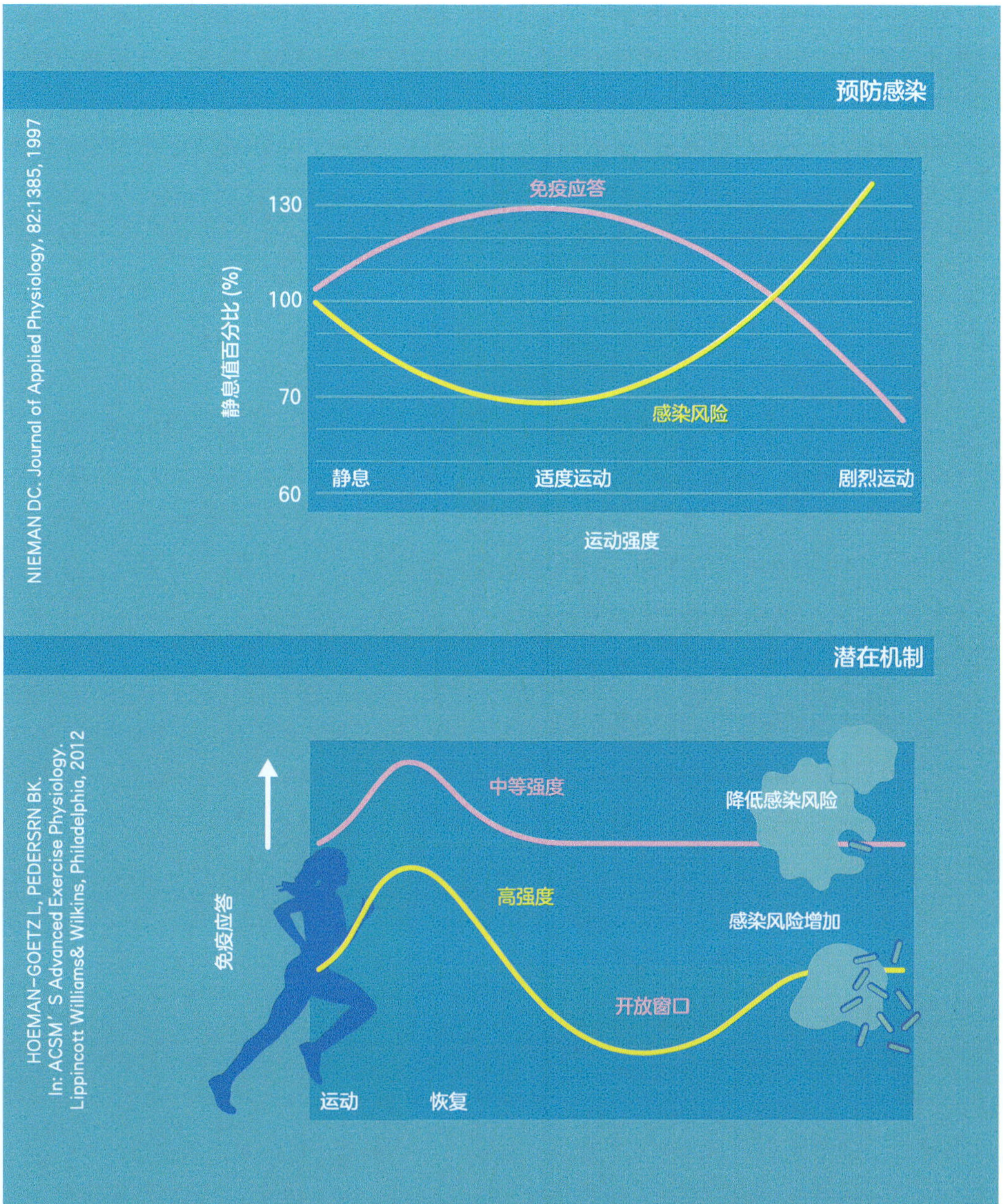

要点

- 经常进行中等强度有氧运动的人患感冒和流感的概率较低。
- 在寒冷环境中运动既不会抑制免疫功能，也不会增加感染的风险。
- 如果感冒的症状仅限于上呼吸道，仅表现为流鼻涕、鼻塞和轻度喉咙痛，那么在感冒时进行运动是没有风险的。
- 身体健康和热爱运动的成年人上呼吸道感染概率较低。

概念 68　运动对控制体重的益处

根据能量平衡方程，当热量摄入等于热量消耗时，体重保持不变。当热量消耗超过热量摄入时，体重就会下降。相反，当摄入热量超过热量消耗时，身体会将多余的热量转化为脂肪储存在脂肪组织中。例如，如果每天摄入的热量超过消耗的热量 100 kcal，那么每年就会增加大约 36 500 kcal 或 4.8 kg 的身体脂肪，因为 1 kg 的脂肪含有 7650 kcal 的热量。

身体成分（图 8-5 上）

身体成分是指它的两个组成部分，即脂肪量和无脂肪量，包括所有不属于脂肪的身体组织，即肌肉、骨骼、结缔组织、器官。大量的脂肪导致肥胖，这是一种与亚健康有关的状况。

身体质量指数（body mass index，BMI）是身体成分的一个方便和实用的表达方式，是一种被广泛使用的评估肥胖的标准。它是基于每单位身高的体重，即一个人的体重（kg）除以他身高（m）的平方。例如，一个体重 76 kg、身高 1.76 m 的人，其 BMI 为 24.5 kg/m^2 [$76 \div 1.76^2$]。根据身体质量指数，人们的 BMI 分类如下：

正常体重　　BMI 在 18.5 ~ 24.9 kg/m^2。

超重　　BMI 在 25.0 ~ 29.9 kg/m^2。

肥胖　　BMI 在 30.0 ~ 39.9 kg/m^2。

极端肥胖症　　BMI 为 40kg/m^2 或以上。

BMI < 18.5 kg/m^2 的人被认为是体重过轻，而超过 35 kg/m^2 与高死亡率相关，如图 8-5（上）所示。

运动对身体成分有什么作用？新的证据显示，与有氧运动训练相比，抗阻运动训练对超重和肥胖者的脂肪量减少有更大的影响，这可能是因为他们对这类训练所要求的运动的耐受性有限。

脂肪氧化（图 8-5 下）

脂肪以甘油三酯的形式储存在脂肪组织和肌纤维中，被分解为游离脂肪酸（free fatty acid，FFA），在休息和运动时作为能量。如图 8-5（下）所示，燃烧 FFA 的最佳运动强度范围为 55% ~ 72% $\dot{V}O_2$ max。因此，中等强度和较长时间（30 ~ 60 min）的有氧训练项目将有助于脂肪氧化和增加体脂消耗。然而，增加体脂的消耗也可以通过抗阻运动来实现，这将增加肌肉质量，从而增加静息代谢率和总能量消耗。此外，抗阻运动对日常生活体力活动也有影响，也会导致更大的总能量消耗。

总的来说，现有的证据表明，两种运动模式（即有氧运动和抗阻运动）与饮食相结合，是促进能量平衡和积极改变肌肉组成（即脂肪量和瘦肉量），以及促进身体健康的最有效方法。此外，一项对美国成年人的 20 年调查表明，与腹部肥胖有关的是缺乏运动，而不是热量摄入。

图 8-5 运动与体重控制

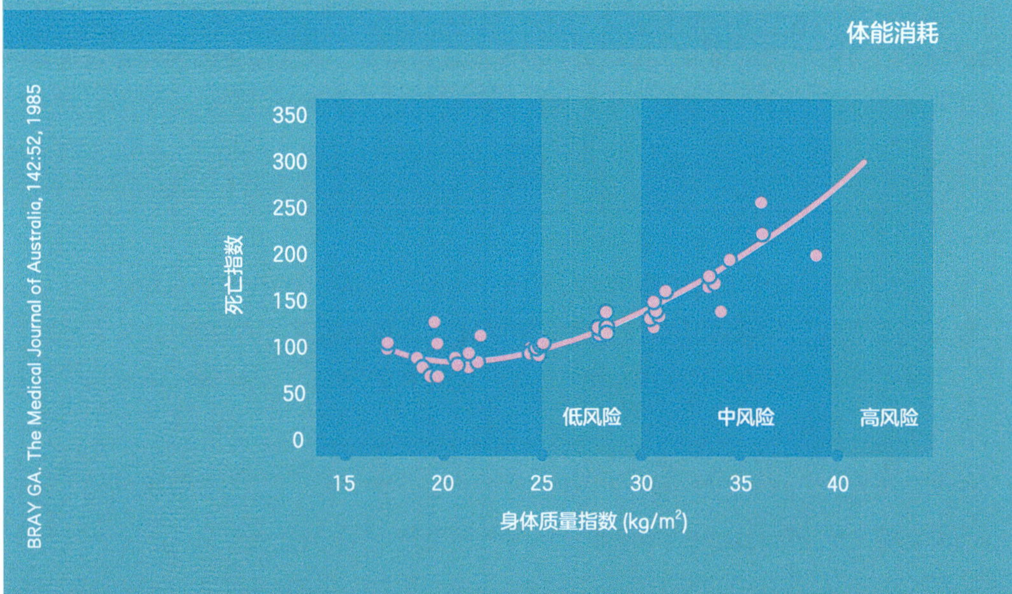

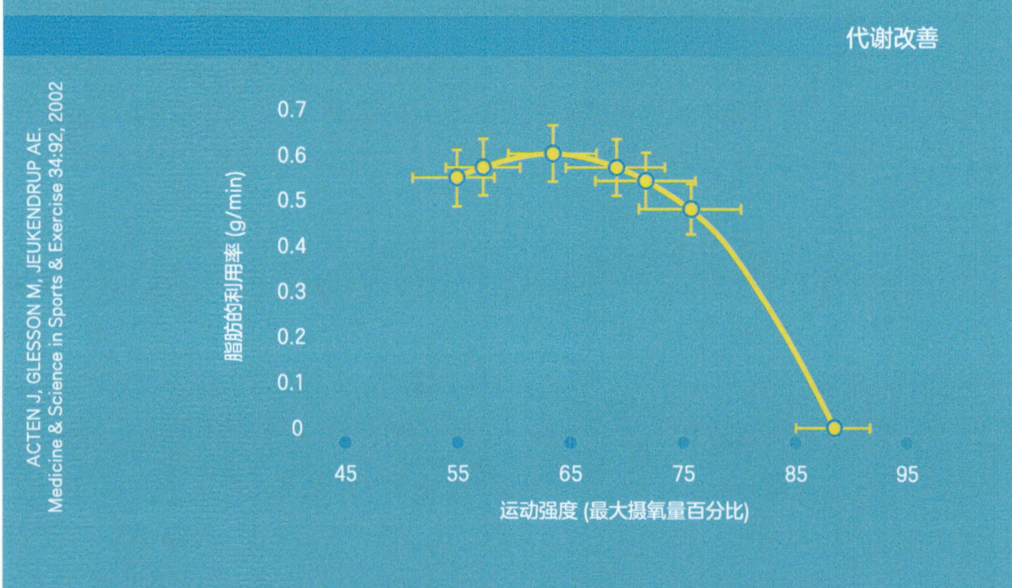

要点

- 适度抗阻和有氧运动训练结合饮食，是减脂和控制体重最有效的方法。
- 中等强度的运动 (每周150～250 min)，能量当量为 1200～2000 kcal，体重只会轻微减轻，而结合适度的饮食限制，则会产生显著的体重减轻效果。
- 体重减轻后，每周超过 250 min 的体力活动将有助于体重的维持。
- 每天走 10 000 步或更多可以减少体重。

概念 69　运动对儿童肥胖症的益处

儿童肥胖症危害极大，严重地影响儿童的身体健康、社会和情感健康。对他们个人体重状况的看法以及对他们体重超标的反应对他们的自尊和身体形象都有负面的影响。儿童肥胖症会引起焦虑和抑郁，扰乱他们的社会心理发展。患有肥胖症的儿童也更有可能出现血压升高、空腹血糖异常、血脂异常、呼吸问题（哮喘和睡眠呼吸暂停）和骨科疾病。

青少年的肥胖趋势（图 8–6 上）

身体质量指数（BMI）被广泛用于反映身体脂肪的含量。 BMI 并不直接反映身体脂肪，但它与更直接的体脂测量相关，如皮褶厚度和生物电阻抗。 BMI 的计算方法是体重（kg）除以身高（m）的平方（kg/m^2），而儿童肥胖的定义是 BMI 达到或超过同年龄和同性别儿童的 95%。

在世界范围内，儿童肥胖的流行率正在迅速上升。图 8-6（上）说明了大约每 5 年评估一次的美国儿童全国代表性样本中青少年的肥胖趋势。

2011 ~ 2014 年，在 2 ~ 19 岁的儿童和青少年中，肥胖症的患病率为 17.0%，在 2 ~ 5 岁的儿童中，肥胖症的患病率为 8.9%，在 6 ~ 11 岁的儿童中为 17.5%，在 12 ~ 19 岁的青少年中为 20.5%。在许多发达国家和发展中国家进行的一些调查中，也反复报告了类似的趋势。

青少年的体育活动趋势（图 8–6 下）

可靠的流行病学研究表明，将儿童肥胖症的流行主要归因于生活方式的改变，即身体活动和饮食行为改变了能量摄入和能量消耗的平衡。适度到剧烈的体育活动（moderate-to-vigorous physical activity，MVPA）似乎是儿童肥胖的一个强有力的改善因素，较高的 MVPA 与较低的 BMI 和腰围有关。

体育活动随着时间的推移而减少，在青春期前到青春期的年龄段达到高峰，然后在儿童和青少年时期迅速下降。图 8-6（下）表明，加速度计检测到的 MVPA 在 6 ~ 8 岁时最高，在 9 ~ 11 岁时突然下降，然后在 12 ~ 17 岁时开始趋于平稳。全球推荐每天至少 60 min 的 MVPA，以促进儿童拥有一个健康的体重和身体组成。

遗传性　遗传因素也可能在观察到的身体成分和脂肪的个体差异中发挥重要作用，因为一些双胞胎、家庭和收养研究报告了肥胖症的遗传度估计为 40% ~ 70%。

图 8-6 运动与青少年健康

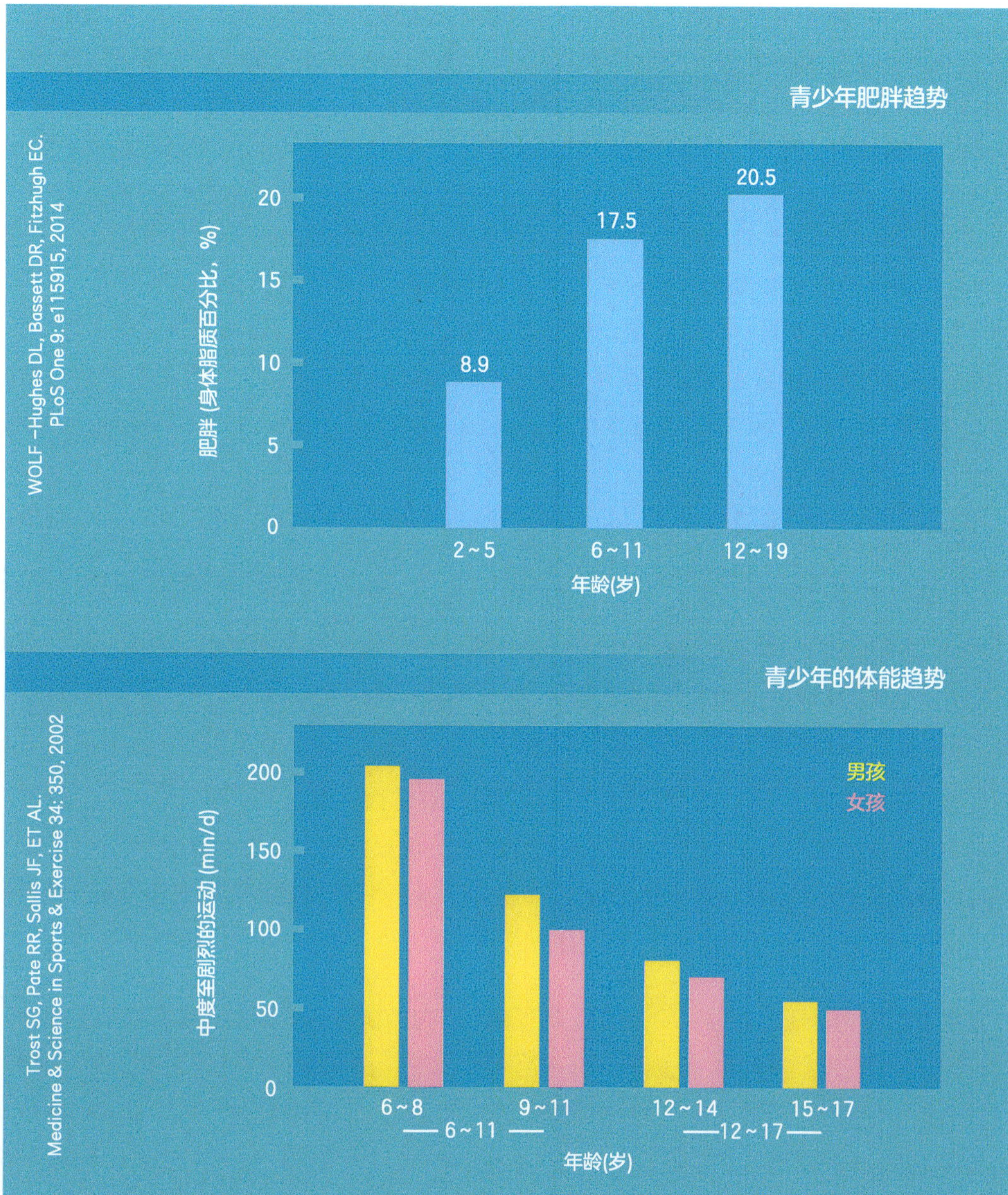

要点

- 在儿童期就培养健康的生活方式，即体育活动和饮食，可以防止儿童肥胖。
- 限制看电视，可能会促进更多的热量消耗，从而避免体重的增加。
- 父母肥胖的儿童患上肥胖症的风险增加。
- 肥胖的儿童成年后也可能肥胖。

概念 70 运动对生长发育的益处

在这个概念中，我们探讨了运动训练如何影响年轻人的身体结构（生长）和功能（发育），这有助于他 / 她成为一个全面发展的人。儿童和青少年在生理上更容易适应耐力和强化运动，这些运动会对新陈代谢和心血管产生长期影响，而儿童时期的运动缺乏则会导致许多不良后果。

心肺适能（图 8–7 上）

运动训练能改变心血管和肺部系统的形态和功能，从而改善儿童和青少年的心肺适能。它通过增加血容量、总血红蛋白和每搏量来改善他们的氧气运输系统。图 8-7（上）描述了高体能的青春期前和青春期早期男孩与低体能的男孩相比，有着更高的每搏量。较高的每搏量主要反映了形态上的变化（如较大的固有左心室腔大小和心肌收缩力），这有助于提高心肺功能。

有氧能力的可训练性（图 8–7 下）

儿童和青少年都适应有氧训练，他们在 $\dot{V}O_2$ max（5% ~ 15%）方面的提高与成人（15% ~ 20%）相当。然而，在生长最快的青春期，训练似乎对有氧能力没有额外的影响。基于同卵双胞胎训练研究的数据（图 8-7 下）清楚地表明，在青春期前和青春期后进行训练，$\dot{V}O_2$ max 都有显著增加，但在青春期未见。

有几项研究探讨了儿童和青少年有氧能力的可训练性，得出了不同的结论：一些研究显示几乎没有改善，而一项对 23 项研究的大数据分析报告称，青春期青少年的 $\dot{V}O_2$ max 存在有限的改善（4.8%）。需要注意的是，对这些发现的解释并没有看到遗传因素的调控。

强度、力量和运动技能

从出生到青春期，男孩和女孩的肌肉力量、肌肉能量和运动技能动作都在稳步提高，这归因于肌肉质量增加、神经成熟（即神经纤维的完全髓鞘化，加速了冲动的传递）和骨骼成熟（骨化）。肌肉质量的增加主要归因于肌肉肥大，男孩在 18 ~ 25 岁达到峰值，女孩在 16 ~ 18 岁达到峰值，而青春期男孩的肌肉质量急剧增加，与同期激素（睾酮）变化有关。定期的运动训练对神经肌肉性能的所有组成部分都有积极影响。

儿童的抗阻训练

7 岁以上的儿童也可以从抗阻训练中受益，只要遵循指导原则和保障措施，如适当的运动技巧、循序渐进的运动进展、负荷监测。

图 8-7　运动对生长发育的益处

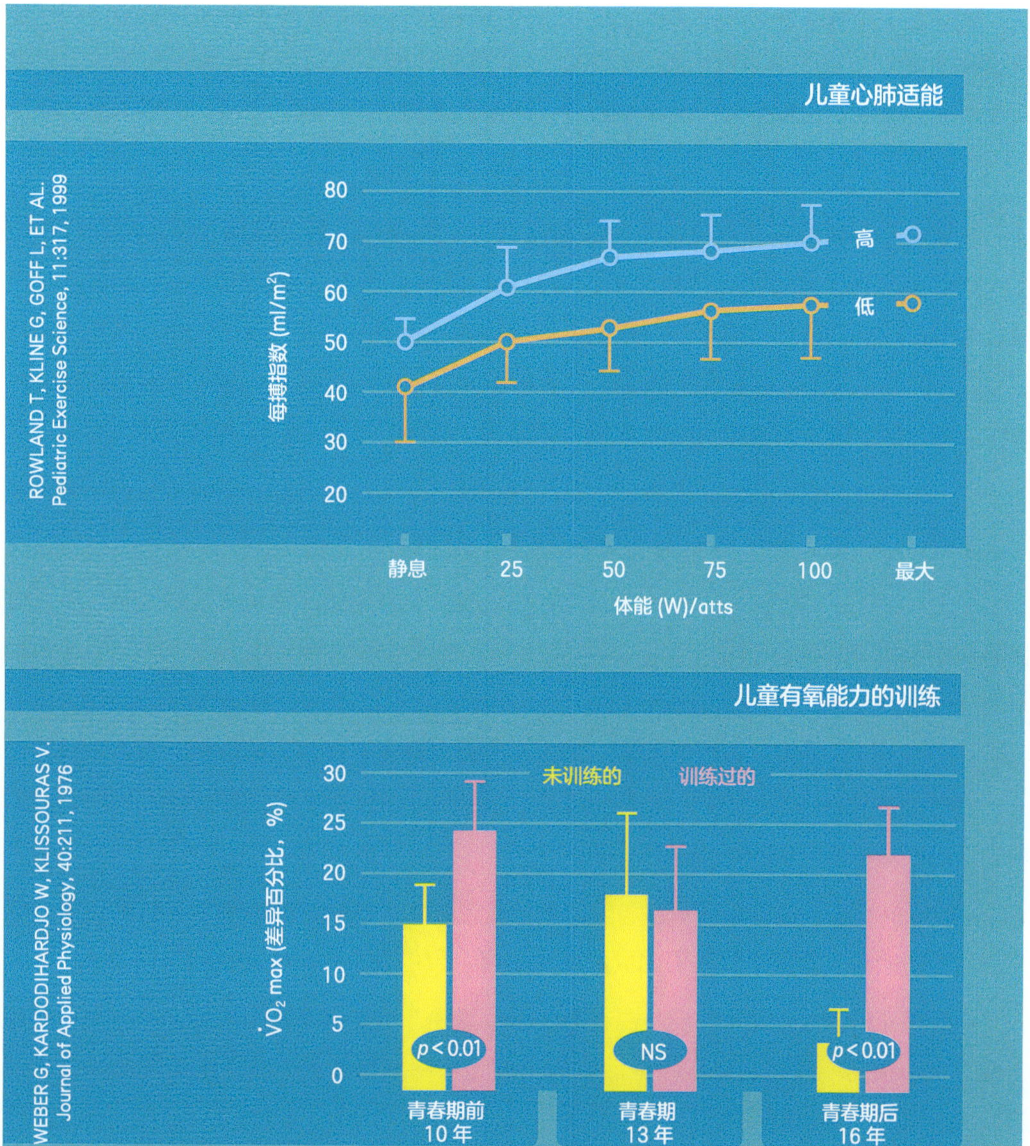

要点

- 儿童的剧烈运动不会对他 / 她的生长发育产生不利影响。
- 儿童在运动时的心率高于成人，以补偿其较低的每搏量。
- 虽然儿童的最大摄氧量（kg/min）可能与成人相似，但儿童无法保持跑步速度，因为其跑步能力低于成人。
- 心动缓慢是有氧训练最容易导致的结果，这发生在最大有氧能力改善之前。

概念 71　运动对抗衰老和长寿的益处

衰老是一个以生理功能下降、行动能力下降和工作能力急剧下降为特征的过程。经常锻炼的老年人衰老的更慢，寿命更长，功能更为全面。与久坐不动的人相比，定期锻炼能使他们更适应日常生活，减少心血管压力和肌肉疲劳。

健康的生活

衰老是不可避免的，运动不能阻止衰老过程。然而，大量的证据表明，运动可以产生无数的益处来延缓衰老，从而提高心肺功能、代谢和神经肌肉的健康，以及预防许多慢性疾病，最终提高生活质量和健康。下面总结了定期锻炼对老年人的一些主要影响。

- 有氧能力　经过有氧训练的老年人有更高的运输和利用氧气的能力，在剧烈运动时心脏收缩力和每博输出量更高，在亚极量的肌肉工作中，心血管和新陈代谢压力更小。
- 肌肉力量　经过抗阻训练的老年人在肌纤维大小和肌肉力量方面的增长与年轻和中年人相似。这种适应性大大改善了老年人日常生活的能力。
- 身体成分　中等强度的有氧训练能有效地减少全身脂肪，特别是内脏脂肪，但它对游离脂肪量没有影响。相反，中等或高强度的抗阻运动训练既能减少脂肪又能增强肌肉组织的含量。
- 肌少症　它的特点是肌肉质量、运动单位和蛋白质合成能力的丧失，所有这些都会导致肌肉力量减少，且减少量可高达 60%。本体感觉控制也会变差，导致跌倒的概率增加。抗阻运动训练是治疗肌少症的最佳解药。
- 骨质疏松症　这是另一个与年龄有关的骨量损失，这种疾病会增加骨折的风险。负重活动和钙的摄入是两个最重要的成骨刺激因素，可以减少骨质疏松性骨折的发生。
- 降低冠状动脉风险　它反映在心率变异性增加，迷走神经张力增加，弹性大动脉硬化减少，内皮功能改善，血压降低，血液中的葡萄糖、胰岛素和血脂水平降低（甘油三酯减少，高密度脂蛋白浓度增加）。
- 芝麻素　最近的研究强调，芝麻素（一个运动诱导蛋白家族）具有提升线粒体生物生成和氧化的能力，并且能够防止肌肉在荒废和老化过程中萎缩。

寿命（图 8-8）

经常进行体育活动可以通过前面概述的生理过程保持身体机能，减少慢性疾病，从而延长平均预期寿命。图 8-8 描述的结果与研究文献列出的几项研究结果一致，包括达拉斯库珀诊所（Cooper Clinic in Dallas）的前瞻性随机试验，该试验对 55 137 名成年人进行了为期 15 年的随访调查发现，运动可以降低死亡率并延长 3 年的预期寿命。

图 8-8 运动可延长寿命

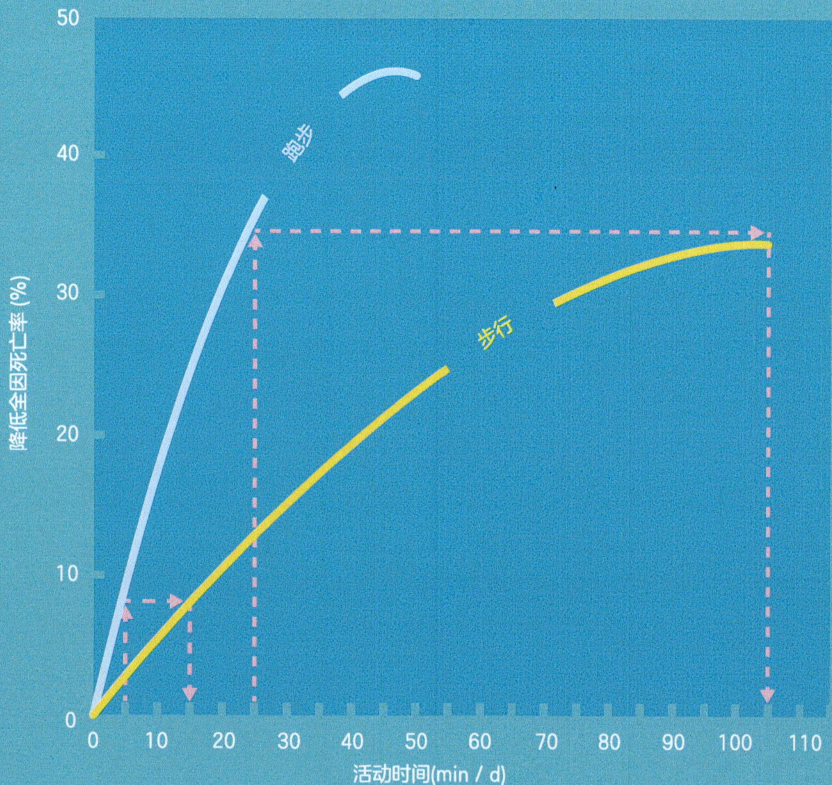

WEN CP, WAI JPM, TSAI MK, & CHEN HC. Cardiology, 64:482, 2014

延长寿命的运动

跑步可延长预期寿命，是步行的 3~4 倍。

运动可降低早逝的风险：

每天 5 min 的跑步或 15 min 的步行可减少 10%

每天 25 min 的跑步，或每天 105 min 的步行来可降低 35%

独立生活和最低的过早死亡风险，有氧能力和握力的最低水平分别为：

17.5 ml O_2 · kg/min 或 5 MET

男性 > 30 kg，女性 > 24 kg

要点

- 有规律的体育活动对老年人健康至关重要。
- 身体状况严重受损或功能受限的人应该在他们的能力和条件允许的情况下尽可能多地进行身体活动。
- 有规律的运动对于健康的衰老和长寿至关重要，它主要包括两种方式：有氧运动和强化运动。
- 快走是最适合老年人的有氧运动，它能增强心肺功能。

概念 72 运动对怀孕的益处

美国妇产科医师协会（The American College of Obstetricians and Gynecologists，2020 年）根据越来越多的证据，否定了运动可能对怀孕有害的观点，并建议“应鼓励无并发症的妇女在怀孕前、怀孕期间和怀孕后进行有氧和力量调节训练”。

生理变化（图 8–9 上）

如图 8-9 所示，氧气运输系统会影响孕妇的多种生理变化过程。由于心率和每搏量的增加，导致心输出量升高，血容量也随之增加，同时由于血压降低，外周阻力也会减少。由于呼吸容量增加，肺容量甚至会增加到 50%。这些变化显然会在休息和运动时为母亲和胎儿提供足够的氧气。

怀孕期间运动的好处

系统回顾和大数据分析研究已经证明怀孕期间运动具有诸多好处。除了改善和保持心肺功能外，妇女参加有氧运动还能够防止体重过度增加、促进分娩和更快地从分娩中恢复、降低妊娠糖尿病、妊娠高血压疾病、早产、剖腹产和较低的新生儿出生体重等益处。此外，有氧运动似乎可以改善怀孕期间和怀孕后的情绪状态，加强肌肉锻炼可以预防孕妇因为体重增加和重力点的转移形成的渐进性前凸所导致的下背部疼痛。

怀孕期间的运动计划

孕妇如果没有医学上的原因要避免运动，那么在整个怀孕期间应该从事个性化的有氧运动项目，理想情况是：

频率 每周 3～4 天（最多是每天）。

持续时间 每次 15～30 min（每周最多 150 min）。

强度 RPE（博格评分）显示，BMI < 25 kg/m^2 时为中等强度，对于 BMI > 25 kg/m^2 时为轻度强度。

类型 步行、骑自行车、跳舞。

进展 从每天 15 min 开始，在怀孕前 3 个月逐渐增加。

环境 避免在炎热潮湿的环境中运动，并保持充足的水分。

预防先兆子痫（图 8–9 下）

定期的体育活动似乎可以保护孕妇免受先兆子痫的风险。先兆子痫是一种妊娠期特有的疾病，以高血压、蛋白尿和手脚肿胀为特征，并可能导致产妇多器官衰竭和死亡。图 8-9（下）说明了最近对流行病学研究的系统回顾和大数据分析的结果，发现怀孕前或怀孕早期的体育活动与先兆子痫的风险之间存在非线性的剂量反应关系。每天体育活动每增加 1 h，先兆子痫的风险就会降低 28%。

图 8-9　运动对怀孕的益处

AMERICAN COLLEGE OF OBSTETRICIANS AND GYNECOLOGISTS. Obstetrics & Gynecology, 135:e178, 2020

正常妊娠时的心血管变化

	早期妊娠	孕中期	晚期妊娠	分娩第一阶段	分娩第二阶段	产后初期	产后 3~6 个月
心输出量	↑ 5%~10%	↑↑ 35%~45%		↑ 30%	↑↑ 50%	↑↑↑立即增加60%~80%，然后在1h内迅速减少	回到怀孕前的数值
心率	↑ 3%~5%	↑ 10%~15%	↑ 10%~15%	在子宫收缩期间：↑ 40%~50%		在妊娠晚期仍处于高位	回到怀孕前的数值
血压	↓ 10%	↓ 5%	↑ 5%	在子宫收缩期间 ↑SBP 15%~25% ↑DBP 10%~15%		↓48 h 内SBP降低 9%~10%，可能在 3~6天由于液体转移而再次增加	回到怀孕前的数值
血浆量	↑	↑↑ 40%~50%		↑	↑↑	↑↑↑ 增加 500 ml，因为自体输血	回到怀孕前的数值

*缩写词 SBP－象征性血压；DBP－舒张压

锻炼预防先兆子痫

AUNE D, SAUGSTAD OD, HENRIKSEN T, & TONSTAD S.. Epidemiology. 25:331, 2014

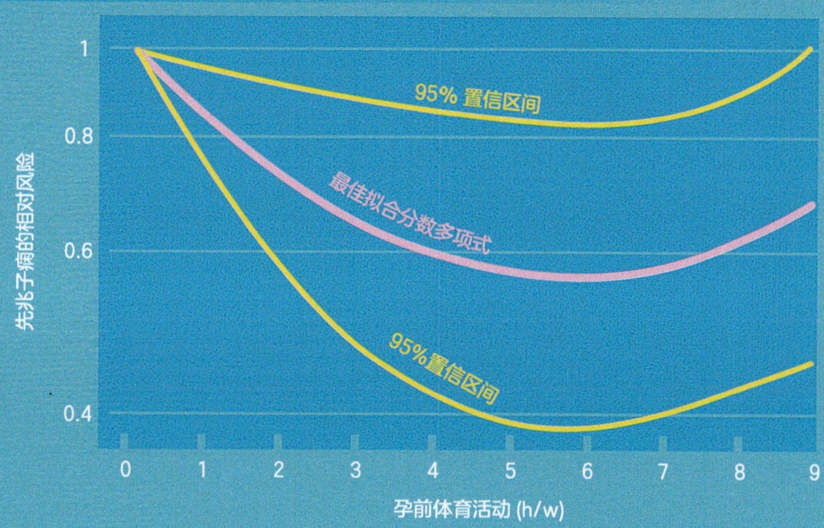

要点

- 孕妇的锻炼应该得到医生的许可。
- 孕妇应该选择一种舒适的、令人愉快的锻炼方式。
- 在怀孕期间监测运动强度时，感觉运动强度评分可能比心率更合适。
- 精英女性运动员在怀孕期间仍可以继续运动，但关于如何在不损害母体和胎儿的情况下最大限度地提高成绩的证据很少。

要理解的问题

第 8 章　运动的神奇之处

• 由于现代生活方式，运动不足的现象普遍增加，这与生理功能失调有关，并对人类健康造成灾难性后果。证据是什么？（见概念 64）

• 运动的人的心脏会成为一个更有力和更高效的泵，因此，比起久坐的人的心脏来说，运动的人的心脏 24 h 承受的压力要小得多。证据是什么？（见概念 65）

• 运动过度会伤害心脏吗？（见概念 65）

• 如何解释一个人在长时间的运动中所感受到的快感？（见概念 66）

• 定期运动有利于人类一生的大脑健康。证据是什么？（见概念 66）

• 与低体能儿童相比，高体能儿童在认知能力方面的表现如何？（见概念 66）

• 定期运动对免疫功能和对感染的易感性有什么影响？运动的强度是否重要？（见概念 67）

- 身体对压力情况的反应是什么？（见概念 67）

- 对于减少脂肪和控制体重来说，最有效的运动方式是什么？（见概念 68）

- 儿童肥胖症的有害影响是什么？如何预防？遗传是否起作用？（见概念 69）

- 高体能的孩子和低体能的孩子在有氧能力，特别是氧气运输系统方面有何不同？（见概念 70）

- 定期运动（包括有氧运动和强化运动）对衰老和长寿有什么好处？证据是什么？（见概念 71）

- 怀孕期间运动有什么好处？（见概念 72）

第 9 章
健身运动指南

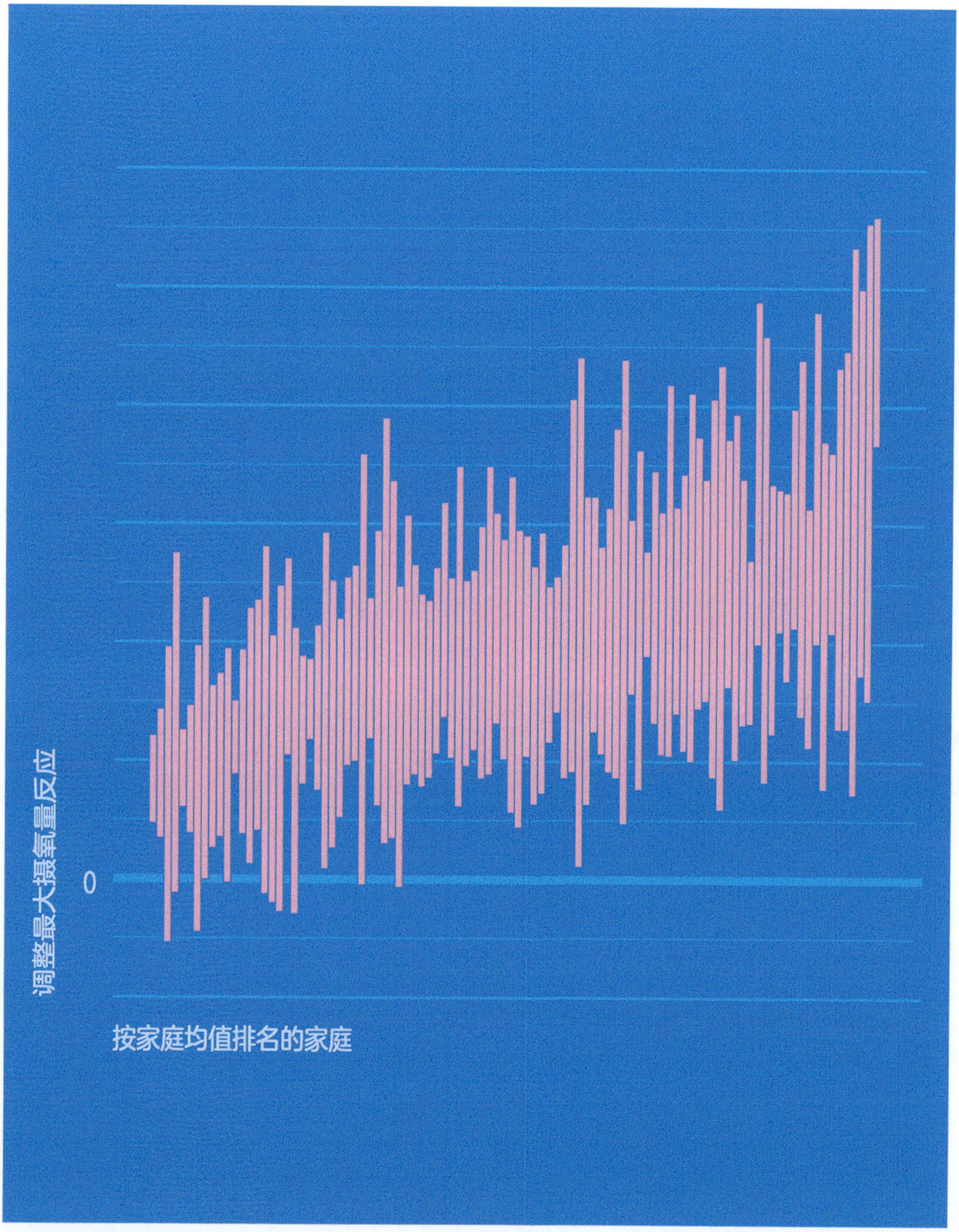

第 9 章　健身运动指南

本章为健康人群提供身体活动指南。

概念 73　运动功能减退的行为

概念 74　个性化运动

概念 75　运动前健康检查

概念 76　运动的方式和运动量

概念 77　身体活动的量化

概念 78　运动未动，计划先行

概念 79　改善心肺适能

概念 80　改善肌肉适能

概念 81　改善神经功能和柔韧性

要理解的问题

本章的重点是运动刺激的性质，它决定了身体的适应程度，从而决定了健康结果。运动越多，利用的能量就越多，产生的益处基本上反映了运动引起的新陈代谢过程。

理解本章的概念，将使读者能够根据自己个人的需要，制定一个适当和有效的锻炼计划。此外，还可以了解到影响运动效果的多种因素，并深刻理解以下实际问题：

- 并非所有人对相同的运动量都能做出相同的反应，存在低反应者和高反应者。
- 体质较差的人可以通过各种运动强度来提高体能；而体质较好的人只有在剧烈运动中才会带来更好的效果。
- 通过各种类型和数量的体育活动以促进身体健康。
- 至少需要一定程度的运动强度才能充分挑战身体，使之足以促进身体健康。
- 健康是运动剂量的函数，即进行特定种类的运动的强度、持续时间和频率。
- 不仅可以通过连续运动，还可以通过间歇性的运动以及其他形式的运动促进身体健康。
- 运动强度取决于个人最大有氧能力。对一个人来说是轻度强度的运动，对另一个人来说可能是中度或剧烈强度的运动。
- 监测运动强度是制定运动指南的基础，可以用各种简单而可靠的方法实现。
- 一个合理的锻炼计划应基于研究证据并个性化，包括有氧运动、抗阻运动、神经运动和柔韧性运动。
- 一旦一个人摆脱了不运动的枷锁，运动就会以一种愉快的形式成为一种生活方式。

概念 73　运动功能减退的行为

积极的体育活动对人类健康和福祉是无可辩驳的。然而全球有很高比例的人过着久坐不动的生活，运动行为减退的决定因素是什么？是什么让人们不运动？

不活动的遗传性（图 9-1 上）

最近的几项遗传学研究调查了人类和动物模型中与体育活动相关的遗传因素。人类研究中的双胞胎是一个强大的模型，它是基于同卵双胞胎和异卵双胞胎之间的表型相似性的比较。同卵双胞胎的核 DNA 完全相同，而异卵双胞胎只共享 50% 的 DNA 序列变异。基于这种双胞胎的对内比较，我们得出了遗传度的估计值，它告诉我们任何表型的个体差异（如是否参与体育活动）有多大比例可以归因于基因。遗传度越接近统一，遗传影响越强。

对积极参加体育活动的遗传度已经进行了广泛的研究。图 9-1（上）显示了两项大规模双胞胎研究的结果。显然，遗传对活动水平的影响因年龄而异，在儿童期较低（< 20%），在青春期增加（约 35%），在成年后达到中等甚至非常高的值（48% ~ 85%）。这意味着儿童的体力活动水平主要受双胞胎共有的环境因素（如家庭、学校、同伴）的影响，而在成年人中，主要是归因于遗传倾向，较少受独特或共有的环境因素影响。

行为改变（图 9-1 下）

我们如何使缺乏运动的人改变他们的态度，从事有规律的体育活动？尽管所有人都有可能改变运动行为，但儿童显然比成年人更容易受到父母和同伴的影响。从青春期开始，在体育活动参与方面观察到的高遗传性对成年人来说意味着有一种不运动的动力。

最盛行的理解和促进运动行为改变的方法是跨理论模型，它认为生活方式的改变发生在不同的阶段，如图 9-1（下）所示。久坐不动的人被归类于最初的预想阶段。那些正在考虑变得活跃的人则处于沉思阶段。那些已经获得了一些锻炼器材并准备采取行动的人处于准备阶段。那些开始锻炼的人，即使不经常，也处于行动阶段。定期锻炼至少 6 个月的人达到了最后的维持阶段。一旦达到维持阶段，运动行为就已经融入了一个人的生活，成为一种生活方式。

运动药剂 / 仿制药

有人提出这样的问题：运动药剂 / 仿制药是否能够复制运动对人类机体的广泛影响，从而改善不运动的现象。这样的期许似乎是不可能的（Hawley et al., 2021）。

图 9-1 为什么“不运动”？

体育活动的遗传性

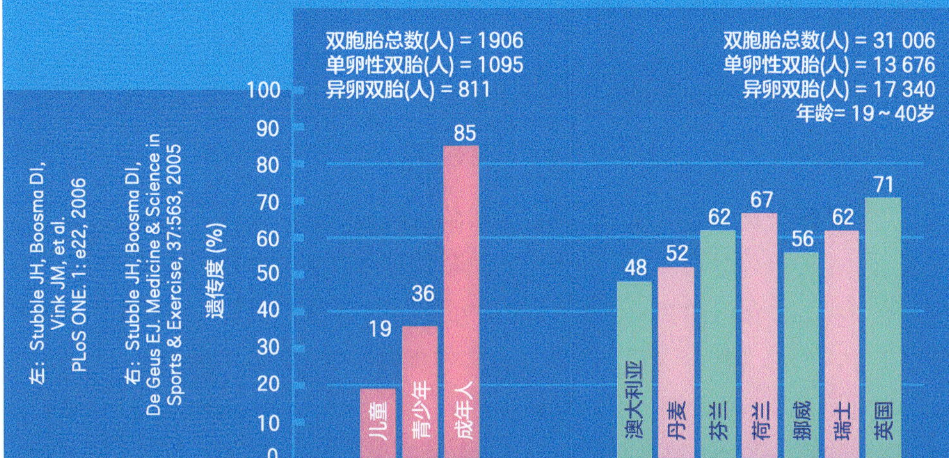

运动行为改变

PROCHASKA JO. Health Psychology, 13:47, 1994

运动行为改变的阶段性	
维持阶段	定期运动 ＞ 6 个月
行动阶段	定期运动 ＜ 6 个月
准备阶段	计划在未来 30 天内定期运动
沉思阶段	计划在未来 6 个月内定期参加运动
预想前期	在未来的 6 个月里没有定期活动的计划

要点

- 运动与较高水平的生活满意度和幸福感相关，这似乎是由影响运动行为和健康的遗传因素介导的。
- 社会心理因素可能会让一些人比其他人更喜欢锻炼。
- 遗传因素导致高或低水平的体力活动。然而，相关的基因并没有被确定，具体的机制也没有被完全阐述。

概念 74 个性化运动

"在我看来，只有当身体运动具有一定强度的时候，才会被称为锻炼。但是，由于强度是相对的，同样的运动对一个人来说可能是锻炼，对其他人来说则不是"。

《伽林论健康》A 篇（*Galen's Hygiene A'*）（87），公元 1 世纪

体育活动与锻炼（图 9-2 上）

最新的科学研究揭示了个性化运动对改善健康和体质的重要性。2000 年前，有史以来最有影响力的医生——哲学家伽林（Galen）以他的洞察力为个性化运动指南打下了基础。

今天，在制订锻炼计划时，我们应该区分身体运动和锻炼。我们认为任何导致能量消耗超过静止水平的身体运动都是体育活动，而任何旨在改善或维持健康和体能的有计划、重复和有目的的身体活动都是锻炼。此外，我们还要考虑到最初的健康水平，将运动强度相对于个人的最大能力进行分类，并将其表示为一个人的最大摄氧量百分比（% $\dot{V}O_2$ max）。它也可以表示为一个人的心率储备的百分比（% HRR），或作为一个人认为自己在运动的强度指数（感知消耗率 =RPE）。例如，如图 9-2（上）所示，以每小时 6.5 km 的速度快走，消耗 5 MET，对于一个有氧能力为 14 MET 的高度健康的人来说，可能属于轻度强度，但对于一个有氧能力为 10 MET 的人来说，则属于中度强度，而对于一个只有 6 MET 有氧能力的低健康水平的人来说，则属于高度强度。

反应的可变性（图 9-2 下）

在适当的运动剂量和方式下，$\dot{V}O_2$ max 的平均增幅为 15% ~ 20%。然而，有些人很少或没有增加，而另一些人的 $\dot{V}O_2$ max 的增加可能高达 50%。

HERITAGE 家族研究（HERITAGE family study）是人体生理学领域的一个里程碑，720 个家庭（父亲、母亲和他们的三个或更多的孩子）进行了为期 20 周的有氧训练，证明了 $\dot{V}O_2$ max 训练反应的广泛变异性，并将其部分归因于遗传倾向，遗传度估计为 47%。从图 9-2（下）中的数据可以看出，有氧训练的高反应者和低反应者往往聚集在同一个家庭。每个柱子代表一个家庭，柱子内的点代表家庭成员的数值。

这项 HERITAGE 研究极大地改变了我们对运动训练生理反应的个体差异的看法，并为基因组因素和个性化运动在调整生活方式中的重要性提供了新的视角。

可训练性 最近的一些证据表明，个人心肺功能对运动训练的无反应是通过增加运动剂量来消除，主要是作为氧气运输级联中血液学适应的功能。换句话说，考虑到高强度间歇训练的研究成果，似乎在某种程度上，几乎所有人的 $\dot{V}O_2$ max 都是可以训练的。

图 9-2 个性化运动

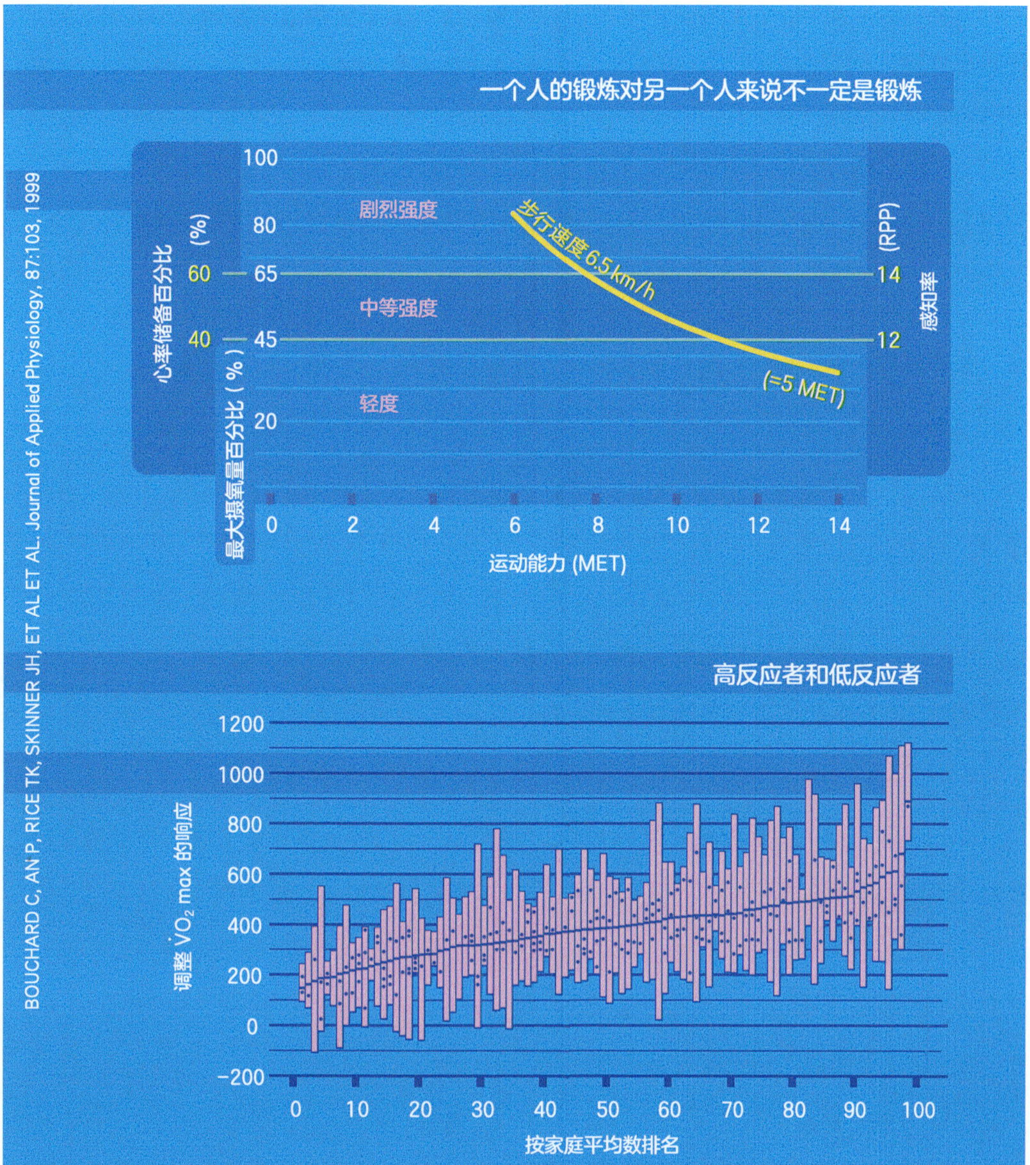

要点

- 个人的初始健康水平决定了他的训练计划，以及对训练的适应和提高的程度。
- 一个人的基因组成在某种程度上预先决定了他对训练计划的适应程度。
- 一些人在有氧训练中表现出显著的改善（反应者），而另一些人在同一项目中改善效果不显著（无反应者）。

概念 75　运动前健康检查

为了预防疾病，每个人都应该定期进行体检，特别是那些希望开始锻炼但是有心血管、代谢或肾脏疾病风险的人，在开始中等强度或高强度的锻炼项目之前，应该进行全面的体检和诊断性运动测试。

为了消除采纳积极生活方式的不必要和未经证明的障碍，美国运动医学学会（American College of Sports Medicine, ACSM）建议，如果无症状者有意参加低到中等强度的运动项目，无须进行医学评估，可以随着身体状况的改善逐步增加运动强度。并且基于三个因素提出了一种新的以证据为基础的锻炼参与健康筛查：（1）个人目前的身体活动水平；（2）是否有体征或症状和 / 或已知的心血管、代谢或肾脏疾病；（3）期望的运动强度。

新的 ACSM 指南

风险因素分析一直是以 ACSM 运动前健康筛查建议为基础，但新指南认为风险因素评估"阻碍了人们采用和维持的定期锻炼计划"，不应再被纳入筛查过程。新出现的证据表明：

- 许多与运动相关的风险可以通过采取渐进式运动训练方案来减轻。
- 参加体育活动项目的风险总体较低。
- 最近《ACSM 的运动测试和运动处方指南》（第九版）建议：
- 所有的人在开始体育活动项目之前，至少应该通过自我报告病史或填写健康风险评估问卷来进行筛查。随访的需要和程度取决于对这些自我指导方法的回答。
- 应鼓励有两个或更多心血管风险因素的中度风险者在开始进行高强度的运动项目之前咨询他们的医生。
- 仅建议对高危人群进行常规心肺负荷测试。

自我指导的筛查

对于那些计划要比现在更加积极地参与身体活动的人，图 9-3 所示的体能准备问卷（PAR-Q）是一种自我指导的健康检查方法，非常有用。

说明　请阅读问卷开头的简介，并按照说明回答 7 个问题。如果你的年龄是 15 ~ 69 岁，PAR-Q 将告诉你是否应该在开始运动之前向医生咨询。如果你的年龄超过 69 岁，而且还不习惯剧烈运动，请向你的医生咨询。

图 9-3 体能准备问卷

CANADA'S PHYSICAL ACTIVITY GUIDE TO HEALTHIER ACTIVE LIVING, 2002

Physical Activity Readiness
Questionnaire - PAR-Q
(revised 2002)

PAR-Q & YOU

(A Questionnaire for People Aged 15 to 69)

Regular physical activity is fun and healthy, and increasingly more people are starting to become more active every day. Being more active is very safe for most people. However, some people should check with their doctor before they start becoming much more physically active.

If you are planning to become much more physically active than you are now, start by answering the seven questions in the box below. If you are between the ages of 15 and 69, the PAR-Q will tell you if you should check with your doctor before you start. If you are over 69 years of age, and you are not used to being very active, check with your doctor.

Common sense is your best guide when you answer these questions. Please read the questions carefully and answer each one honestly: check YES or NO.

YES	NO		
☐	☐	1.	**Has your doctor ever said that you have a heart condition and that you should only do physical activity recommended by a doctor?**
☐	☐	2.	**Do you feel pain in your chest when you do physical activity?**
☐	☐	3.	**In the past month, have you had chest pain when you were not doing physical activity?**
☐	☐	4.	**Do you lose your balance because of dizziness or do you ever lose consciousness?**
☐	☐	5.	**Do you have a bone or joint problem (for example, back, knee or hip) that could be made worse by a change in your physical activity?**
☐	☐	6.	**Is your doctor currently prescribing drugs (for example, water pills) for your blood pressure or heart condition?**
☐	☐	7.	**Do you know of any other reason why you should not do physical activity?**

If you answered

YES to one or more questions

Talk with your doctor by phone or in person BEFORE you start becoming much more physically active or BEFORE you have a fitness appraisal. Tell your doctor about the PAR-Q and which questions you answered YES.

- You may be able to do any activity you want — as long as you start slowly and build up gradually. Or, you may need to restrict your activities to those which are safe for you. Talk with your doctor about the kinds of activities you wish to participate in and follow his/her advice.
- Find out which community programs are safe and helpful for you.

NO to all questions

If you answered NO honestly to all PAR-Q questions, you can be reasonably sure that you can:

- start becoming much more physically active – begin slowly and build up gradually. This is the safest and easiest way to go.
- take part in a fitness appraisal – this is an excellent way to determine your basic fitness so that you can plan the best way for you to live actively. It is also highly recommended that you have your blood pressure evaluated. If your reading is over 144/94, talk with your doctor before you start becoming much more physically active.

DELAY BECOMING MUCH MORE ACTIVE:

- if you are not feeling well because of a temporary illness such as a cold or a fever – wait until you feel better; or
- if you are or may be pregnant – talk to your doctor before you start becoming more active.

PLEASE NOTE: If your health changes so that you then answer YES to any of the above questions, tell your fitness or health professional. Ask whether you should change your physical activity plan.

Informed Use of the PAR-Q: The Canadian Society for Exercise Physiology, Health Canada, and their agents assume no liability for persons who undertake physical activity, and if in doubt after completing this questionnaire, consult your doctor prior to physical activity.

No changes permitted. You are encouraged to photocopy the PAR-Q but only if you use the entire form.

NOTE: If the PAR-Q is being given to a person before he or she participates in a physical activity program or a fitness appraisal, this section may be used for legal or administrative purposes.

"I have read, understood and completed this questionnaire. Any questions I had were answered to my full satisfaction."

NAME ______________________

SIGNATURE ______________________ DATE ______________________

SIGNATURE OF PARENT
or GUARDIAN (for participants under the age of majority) ______________________ WITNESS ______________________

Note: This physical activity clearance is valid for a maximum of 12 months from the date it is completed and becomes invalid if your condition changes so that you would answer YES to any of the seven questions.

CSEP SCPE © Canadian Society for Exercise Physiology　Supported by: Health Canada　Santé Canada

continued on other side...

***注：译文见附录 1**

要点

体育锻炼的好处远远超过可能出现的不良后果，如受伤和突发心脏病。运动对久坐无症状的个体是安全的，前提是：

(a) 通过体能准备问卷 (PAR-Q) 确定他们对运动的准备程度。

(b) 坚持运动强度和持续时间的循序渐进。

(c) 认识警告信号或症状 （如胸痛、心律失常、呼吸短促）。

概念 76　运动的方式和运动量

所有与运动有关的健康结果都是运动剂量的函数，其特点是运动强度、持续时间、频率和类型，即做某一特定类型运动的难度、时间和频率。在这些变量中，对于改善心肺功能和肌肉适能来说，最值得关注的是运动强度。

运动强度的分类（图 9-4 下）

评估运动强度是运动处方的基础，因为运动强度与能量代谢之间存在显著的线性关系。一项运动所需的能量越高，其强度就越大，而一个人感觉到的运动强度取决于他的最大有氧能力。

因此，直接测量 $\dot{V}O_2$ max 是评估有氧运动强度和个体化运动计划最准确的方法。然而，由于实验室测量 $\dot{V}O_2$ max 并不总是可行的，运动强度可以根据各种间接方法来完成，如图 9-4（下）所示。

最大心率百分比（% HR max）

最大心率最好是在极量运动后测量，但也可以根据年龄的回归方程来估计，因为它随着年龄的增长而下降。以下是最常用的方法：

福克斯方程（Fox equation）：最大心率 = 220 – 年龄

田中方程（Tanaka equation）：最大心率 = 208 –（0.7× 年龄）

心率储备（heart rate reserve，HRR）（图 9-4 下）

HRR，也称为卡氏方程（Karvonen equation），与摄氧量显著相关，比监测运动强度更准确。HRR 是最大心率（HR max）和静息心率（HR rest）之间的差值。

因此，一个 20 岁的年轻人的最大心率，用田中方程计算将是 208 –（0.7×20）=194 次 /min，如果他的静息心率（HR rest）是 70，我们计算出他的 HRR 是 124 次 /min。

HRR = HR max – HR rest = 194 – 70 =124 次 /min

用 HRR 来设置训练心率（THR），作为最大心率的一个百分比，将静息心率与 HRR 的百分比相加，即：

THR % = HR rest + % HRR

因此，图 9-4（下）所示的 THR 将从每分钟 145 次的低点到 157 次的高点，分别对应提高心肺适能强度的 60% 和 70%。

感知疲劳率（rate of perceived exertion，RPE）

RPE 是一种非常有用的方法，也被称为博格量表（Borg scale），即锻炼者主观地对锻炼的难度进行评分，使用 6 ~ 20 的数值量表，其中 12 ~ 13 的评分对应中等强度，14 ~ 17 的评分对应剧烈强度。

图 9-4　运动强度的评价

心率区域训练法

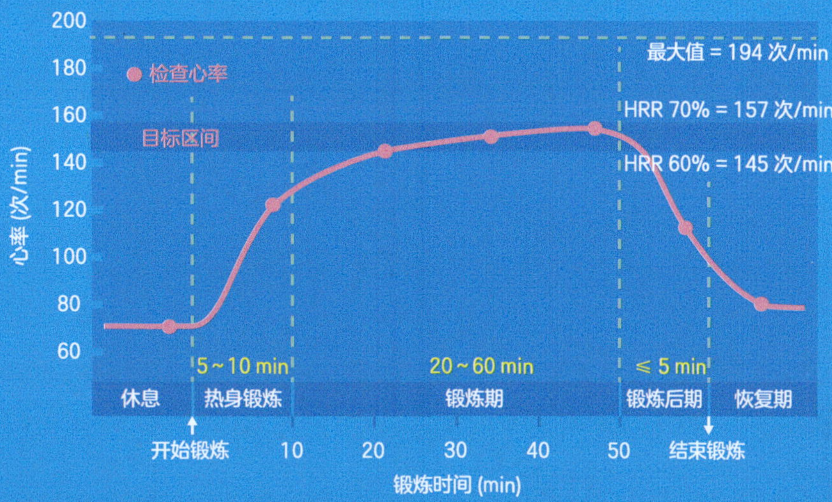

有氧运动的相对强度

运动强度	最大心率百分比	最大心率储备百分比	自觉劳累率	最大摄氧量*
	% HR	% HRR	6~20 scale	% $\dot{V}O_2$ max
非常轻微	< 57	< 30	≤ 9	< 37
轻度	57 ~ < 64	30 ~ < 40	9 ~ 11	37 ~ < 46
中强度	64 ~ < 76	40 ~ < 60	12 ~ 13	46 ~ < 64
高强度	76 ~ < 99	60 ~ < 90	14 ~ 17	64 ~ < 91
接近极限	≥ 96	≥ 90	≥ 18	≥ 91

* $\dot{V}O_2$ max 的平均数为 35 ml/(kg · min) 或 10 METs

ACSM Guidelines of Exercise Testing and Prescription. Philadelphia: Lippincott Williams & Wilkins, 2018

要点

- 谈话测试　边走边说话的能力，可能是估计运动强度的一个非常简单的方法。在中等强度下，你可以说话，但在高强度下，你不能在不停顿呼吸的情况下大声说出超过一串单词。
- 情感效价　运动产生的内在愉悦/不愉悦感（即情感效价）与生理指标相关，可作为有氧运动强度的近似估计。

概念 77　身体活动的量化

估算运动强度是制定个体化运动指南的基础。然而，在大多数流行病学研究中，对健康 / 健身结果的评估是基于运动量，而不是运动强度，也就是说，考虑的标准是总的能量消耗，而不是能量的使用速率，在这种情况下，测量单位为千卡（kcal）的总和。

代谢当量（metabolic equivalent，MET）（图 9-5 上）

除了 kcal 外，表示一项特定体育活动的能量消耗的一个非常有用的指标是代谢当量（MET），反映了一个人静息时的能量消耗。

1 MET = 3.5 ml/（kg · min）或 1 kcal/（kg · h）

图 9-5（上）列出了体育活动的能量消耗简表，用间接量热法评估，并以代谢当量（MET）表示。

运动量　是运动量化的最重要指标。它量化了运动总量（即强度、频率和持续时间的乘积），并以 METs×min/d 或 w 表示。因此，一个人在 5 天以 4 METs 慢跑 30 min 的运动量为 600 MET/（min · w）（4×30×5）。

大量的研究证据表明，每周 500 ~ 1000 MET-min 的活动量对健康有很大的益处，而高于这个范围的活动量甚至有更大的益处。低于这个范围的活动量似乎也有一些益处。

绝对强度　　体育活动的绝对强度分类如下：

轻度强度　　1. 1 ~ 2.9 METs

中等强度　　3.0 ~ 5.9 METs

剧烈强度　　≥ 6.0 METs

步数：多少步才够？（图 9-5 下）

统计我们每天走的步数是评估我们身体活动情况的一个有用的指标。智能手机、计步器和其他可穿戴设备，特别是那些戴在手腕或手指上的含有加速度计的设备，已经被开发出来并被广泛用于以每天的步数来估算身体活动量。

每天 10 000 步的目标经常被引用，但新出现的证据表明，步数与身体活跃度存在一种剂量—效益关系，如图 9-5（下）所示，每天达到 5000 ~ 7499 步与低度活跃的生活方式有关，而更满足中度—剧烈运动则建议需要每天超过 7500 步。

每日步数也被认为是评估身体活动与慢性疾病之间关系的可行指标。如概念 82 所示，每天走更多的步数与全因死亡的风险逐渐降低有关，而每天步数的阈值对年轻人和老年人是不同的。

图 9-5 运动强度的量化

健身的能量消耗

PAFFENBARGER RS, ET AL. New England Journal of Medicine, 328:538, 1993

活动	MET	活动	MET	活动	MET
箭术	4.3	羽毛球	5.7~7.0	篮球	6.0~9.3
骑自行车（轻度）	6.8	骑自行车（中度）	8.0	骑自行车（剧烈）	>10.0
高尔夫球	4.8	手球	12.0	冰上曲棍球	8.0~10.0
骑马活动	5.8~7.3	壁球	7.0~10.0	登山	5.0~8.0
跑步（中度）	6.0	跑步（剧烈）	9.8~14.5	跑步（极限）	19.0~23.0
滑旱冰	7.0	滑板运动	5.0~6.0	足球	7.0~10.0
自由游泳	5.8~9.8	仰泳	4.8~9.5	蛙泳	5.3~10.3
乒乓球	4.0	单人乒乓球	7.3~8.0	双人乒乓球	4.3~6.0
排球	3.0~4.0	竞技排球	8.0	沙滩排球	6.0
缓慢步行	3.0	快走	5.00	竞走	7.0~8.3

每天走多少步才够

TUDOR LOCKE C, CRAIG CL, THYFAULT JP, SPENCE, JC. Applied Physiology, Nutrition &Metabolism, 38: 100, 2013

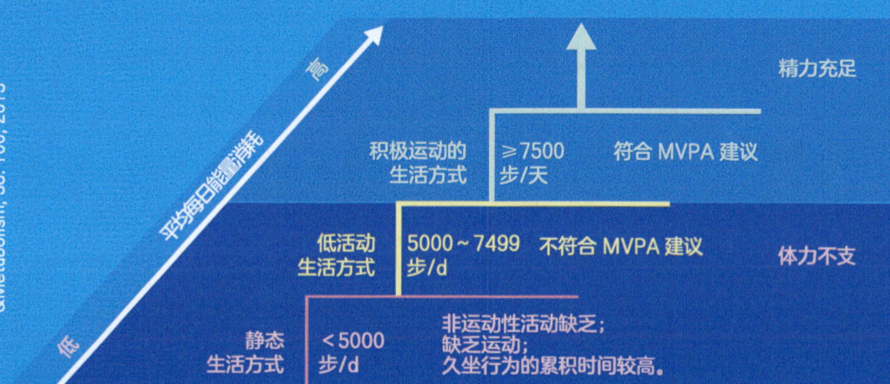

要点

- 就绝对值而言，运动强度是能量消耗的函数。需要的能量越多，强度就越大。
- 相对而言，运动强度是个人最大有氧能力的函数 。对这个人来说是轻度运动，对另一个人来说可能是中等或剧烈强度。
- > 100步/min的快走提供了中等强度体力活动的启发式阈值。
- 20 min 的中等强度活动大致相当于 10 min 的剧烈活动。

概念 78　运动未动，计划先行

在这个概念中，我们着重于锻炼计划的框架，即如何制订锻炼计划，使那些希望改变久坐不动的生活方式的人能够从体育活动中获益，促进他们的身体健康，提高生活质量。

锻炼计划（图 9-6）

一个合理的锻炼计划应该是基于个性化的、合理的研究证据，包括有氧运动、抗阻运动、神经运动和柔韧性运动，同时应该包括热身和冷却阶段，让身体逐渐适应生理运动过渡。图 9-6 展示了一个将运动要素（强度、持续时间、频率）放在一起的概括性方案，尽管它专门指有氧运动，但它同样适用于抗阻运动和其他运动方式。很明显，即使是轻微的日常体育活动也能带来好处，中等强度的活动会带来相对多的好处，而高强度的运动则会带来更多的好处。然而，剧烈的日常体育活动可能与肌肉骨骼损伤和心脏并发症的风险相关。图 9-6（下）显示了个性化运动方案的重要性，因为同样的运动对一个人来说可能是温和的，但对另一个人来说可能是中度或剧烈的。

有氧运动　有氧运动构成了运动计划的核心，因为它与心肺适能，或 $\dot{V}O_2$ max 有关，是健康益处的主要贡献者。有氧运动训练以慢跑为例，它能增加能量代谢，加速呼吸和心率，它提高了氧气运输和氧气利用的能力，以及心肺耐力性能。有氧运动的效果和训练适应的程度主要取决于运动量和运动方式。

抗阻运动　以举重为例，上半身、躯干和下半身的主要肌肉群被激活以克服阻力。它可以改善肌肉体能，即力量、速度、功率、耐力和健康相关的益处，而改善的程度将取决于运动训练刺激的特点，与有氧运动的方式相同。

神经运动　神经运动包括本体感觉训练和运动技能，如协调、敏捷和平衡。太极拳的多面神经运动活动就是一个例子，它对老年人尤其有益，因为它能改善平衡并减少跌倒的风险。

柔韧性运动　静态拉伸运动和本体感觉神经肌肉促进运动可以改善关节活动性（灵活性），优化运动效率。有证据表明增加柔韧性可以降低肌肉过度使用造成的损伤发生率。

热身　热身是运动前的一个过渡性准备阶段，它可以提高体温，这对生理有很多好处，如在运动开始时避免缺氧，有利于无氧阈值的转变和提高运动成绩。通过热身加快限速酶反应的观点已被驳斥。每天走更多的步数与死亡风险逐渐降低有关。

图 9-6　运动计划的制定

运动量与健身

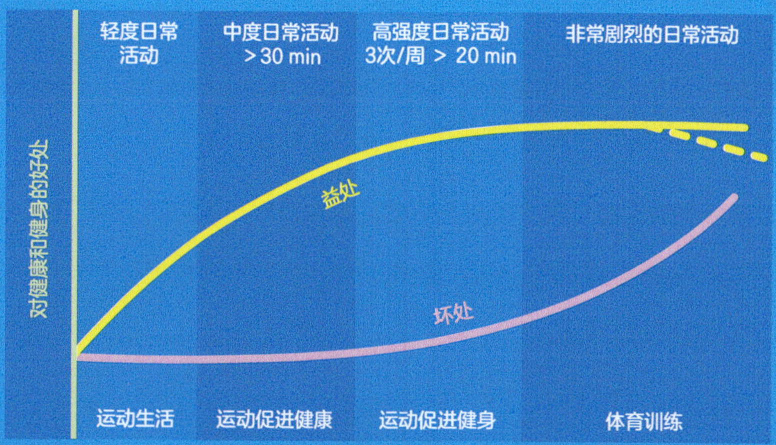

心率 (次/min) 与健身

年龄 (岁)	轻度日常活动 <64% HRmax	中度的日常活动 64%～76% HRmax	高强度日常活动 >76% HRmax	HRmax
15	<126	126～150	>150	197
20	<124	124～147	>147	194
25	<122	122～145	>145	190
30	<120	120～142	>142	187
35	<117	117～139	>139	183
40	<115	115～137	>137	180
45	<113	113～134	>134	177
50	<111	111～132	>132	173
55	<109	109～129	>129	170
60	<107	107～127	>127	167
65	<105	105～124	>124	163
70	<102	102～122	>122	160
75	<100	100～119	>119	157
80	<98	98～117	>117	153
85	<96	96～114	>114	150
95	<92	92～109	>109	143

要点

- “少即多” 较短时间 (≤5 min) 和较低强度 (40%～60%) 的热身对短期运动表现更有利。
- “越多越好” 长时间 (5～10 min)、高强度 (60%～70%) 的热身运动更适合长期运动。
- 冷却　短时间 (≤5 min) 的冷却可以让身体从运动引起的生理紊乱中恢复正常。

概念 79　改善心肺适能

众多研究已经检验了运动训练对心肺功能的益处。这里的重点是运动刺激的性质如何影响有氧能力的改善，这是心肺适能的核心。

初始体能与运动强度的相互作用（图 9-7）

根据对研究文献的全面回顾，图 9-7（上）展示了一个人是如何通过有氧运动训练提高其心肺功能的。显然，初始体能状况和运动强度之间存在相互作用。特别是：

- 体能较差，$\dot{V}O_2$ max 较低的人在所有运动中的改善更大。
- 身体素质较高的人需要进行剧烈的运动，以大幅提高他们的心肺功能。
- 无论体能水平如何，所有人在剧烈的运动强度下，心肺功能都有较大的改善。

改善所需的最低强度（图中未显示）也可能因个人 $\dot{V}O_2$ max 而异。一般来说，初始体能水平越高，所需的最小强度就越大。

更新指南（图 9-7 下）

图 9-7（下）是根据对现有文献的深入系统回顾和总结，提出的关于改善健康成人心肺功能的指南。它们规定了运动量，即为了有效地进行某种特定的运动，应该做多大强度、多长时间，以及多频繁。此外，它们还包括运动量，以 MET × min/w 来表示，以便量化运动总量。此外，建议通过调整运动时间、频率和 / 或强度来逐步增加运动量，直到达到预期的运动目标。

运动训练模式　身体会适应不习惯的运动量的挑战。一些证据表明，每天连续进行一次不同的运动模式，或多次不连续地进行≥ 10 min 的运动，以积累每天所需的时间，对健康有益。甚至，采用所谓的“周末战士”模式，即在周末进行大量的体育活动。

久坐行为　长期的活动几乎不涉及运动或体力活动，其能量消耗为 1 ~ 1.5 METs，是否会减轻有氧运动训练的益处？对 100 多万名男性和女性的数据进行了统一的大数据分析发现，高水平的中等强度体育活动（即每天 60 ~ 75 min）似乎可以消除与久坐时间有关的死亡风险的增加。然而，这种高活动量会减弱，但并不能消除与高活动量不相关的风险增加。因此，经常休息，如坐着、看电视和使用电脑，应该纳入到积极的生活方式中。

图 9-7 初始体能与运动强度

SWAIN DP. Preventive Cardiology, 8:55, 20

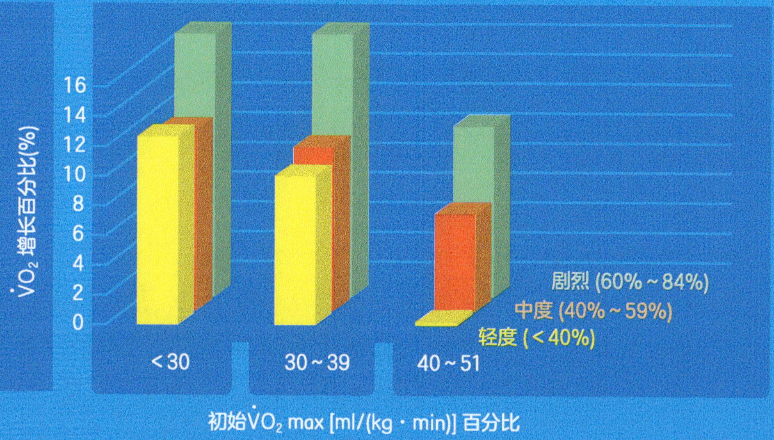

有氧运动的更新指南

ACSM GUIDELINES OF EXERCISE TESTING AND PRESCRIPTION. PLILADELPHIA: LIPPINCOTT WILLIAMS & WILKINS, 2018

频率	每周进行≥ 5 天 的适度运动，或 每周剧烈运动≥ 3 天 或 两者的结合 ≥ 每周3 ~ 5 天	A A B
强度	对大多数成年人来说是中度和/或剧烈的强度。 对身体条件不佳的人来说是轻至中等强度。	A
时间	每天 30 ~ 60 min (每周150 min) 的适度运动，或 每天 20 ~ 60 min (每周 75 min) 剧烈运动，或 对大多数成年人来说是两者的结合。 每天 20 min 对久坐的人有益	A B
类别	涉及主要肌肉群的有氧运动	A
量	每周 ≥500 ~ 1000 MET，或 ≥ 7000步/d	C B

证据来自：

A = 设计良好的随机对照试验，数据丰富
B = 设计良好但数据有限的随机对照试验
C = 非随机试验，或观察性研究

要点

- 一些运动对健康有好处，并且越多越好，运动越多身体越健康。
- 在相同的运动强度下，低体能的个体比高体能的个体在心肺体能方面获得更多的改善。
- 每日的有氧运动可以是间断的，可以从持续 10 min 或更长的时间中累积。
- 提高心肺体能的有氧运动应辅以增强肌肉和骨骼健康的抗阻运动。

概念 80　改善肌肉适能

与心肺适能一样，肌肉适能也被认为是整体健康和幸福的重要因素。肌肉适能由力量、耐力和功率等功能参数组成，其中力量是指肌肉施力的能力，耐力是指维持等长收缩或进行多次重复的能力，而肌肉功率是指在单位时间内完成的工作。较高的肌肉适能水平与肌肉和骨骼质量的增加有关，使得患肌肉骨骼疾病和功能限制的风险较低，活力增加，疲劳减少。

更新的指南（图 9-8）

图 9-8 总结了为成年人制订个性化抗阻运动计划的指南，其目标是改善他们的肌肉适能。这些指南是在现有科学证据的基础上，经专家一致同意，采用普遍接受的证据评级系统而制订的，如图底所示。肌肉适能的改善带来了各个组成部分的改善，这主要取决于抗阻运动的剂量，即频率、强度、时间和类型，以及运动的方式，即重复次数、组数、模式和进度。

抗阻运动的类型　动态练习是通过全范围的运动，适当的呼吸技巧，使用自由重量，堆叠重量的机器或 / 和阻力带进行的。

休息间隔的时间　为了促进抗阻训练的预期适应性，刺激肌肉肥大和相关的力量增加，两次训练之间需要超过 48 h 的休息时间。

训练的顺序　作为一般规则。

- 大肌肉群的训练应先于小肌肉群的练习。
- 多关节训练应在单关节训练之前进行。
- 低强度训练应在高强度训练之前进行。

肌肉力量与成年人　所有年龄段的人都应提倡肌肉适能的三个要素。例如，肌肉力量的发展对运动员来说是最重要的，但老年人（ ≥ 65 岁）也可能从中受益，因为随着年龄的增长，力量的下降与意外跌倒和导致骨折的相关性更大。三组 8 ~ 12 次的轻度至中度强度［单次最大限度（1-RM）］的 20% ~ 50%）的锻炼有效地增加了老年人的力量和功率，改善了老年人的平衡能力。

儿童的抗阻训练　儿童应谨慎避免高抗阻训练，运动强度不应超过 1-RM 的 80%（每组重复 8 ~ 15 次），以避免干扰正常的骺板生长。儿童的力量训练可以增加运动单元的激活和募集，促进身体协调和技能发挥，但不应以促进肌肉肥大为目的，一般来说，只要遵循准则，抗阻训练对儿童的功能成熟是安全有益的。

图 9-8 抗阻运动的循证指南

ACSM Guidelines of Exercise Testing and Prescription. Philadelphia: Lippincott Williams & Wilkins, 2018

项目	内容	证据
频率	每个主要肌肉群每周训练 3～5 d	A
强度	60%～70% 的 1-RM (中等到高等强度) 新手-强度	A
	≥ 80% 的 1-RM (高等到极高的强度) 的经验-力量	A
	为老年人提供 40%～50% 的 1-RM (轻到非常轻的强度)	A
	耐力低于 1-RM 的 50% (轻到中等强度)	A
	老年人 1-RM 的 20%～50% 动力	B
时间	训练的具体时间尚未确定	A
类型	涉及每个主要肌肉群的抗阻运动	A
	可以使用各种运动设备和 / 或体重	A
重复次数	重复 8～12 次，增强力量	A
	重复 10～15 次增强力量	A
	重复 15～20 次以提高肌肉耐力	A
套餐	2～4 套适合大多数成年人-力量和力量	A
	一套适合年长和新手-力量和力量	A
	≤ 2组-用于肌肉耐力	A
模式	每组休息 2～3 min	B
	任何单个肌肉群在两次训练之间休息 ≥ 48 h	A
发展	阻力和/或每组重复和/或频率的逐渐进展	A

证据来自：

A = 设计良好的随机对照试验，数据丰富

B = 设计良好但数据有限的随机对照试验

C = 非随机试验，或观察性研究

要点

- 如果一个人可以举 10 kg的重量并在胸部按压 8 次，运动负荷的相对强度则为 70% 1-RM。
- 新手每周可以做 2～3 d的抗阻训练，60%～70% 1-RM负荷，每组 1～3 组重复 8～12 次，组间休息 2～3 min。
- 有经验的运动者每周可以做 3～5 d 的抗阻训练，80% 1-RM负荷，每组 2～4 组，重复 8～12 次，每组之间休息 2～3 min。

概念 81　改善神经功能和柔韧性

一个综合的健身计划除了要提高心肺适能和肌肉适能外，还要提高柔韧性和神经运动功能。柔韧性训练的作用是增加主要肌肉 / 肌腱单元的活动范围，并对姿势稳定性和平衡产生影响，而神经运动练习的目的是改善运动技能，包括平衡、协调、步态、敏捷、运动控制和本体感觉。柔韧性和神经运动锻炼似乎对减少与跌倒有关的伤害和骨折的风险最为有效，而且在老年人中尤其重要，因为老年人跌倒的发生率很高，以及由此产生的疾病、残疾和生活质量下降。

柔韧性训练（图 9–9 上）

柔韧性练习主要是拉伸练习，旨在增加肩腰部、胸部、颈部、躯干、下背部、臀部、后腿和前腿以及脚踝的主要肌肉 / 肌腱单位的活动范围。图 9-9（上）显示了柔韧性训练的推荐剂量，包括频率、强度、时间、类型、数量和模式。这些建议是在现有科学证据的基础上，经专家一致同意，使用普遍接受的证据评级系统提出的，如表格底部所示。

静态拉伸是最常用的提高柔韧性的技术，可以是被动的，保持拉伸的姿势，也可以是主动的，使用主动肌。本体感觉神经肌肉易化法（proprioceptive neuromuscular facilitation，PNF）似乎也很有效，但它需要一个合作伙伴。动态拉伸较少使用。

神经运动训练（图 9–9 中）

神经运动训练是指结合了运动技能的多模式系统，显示出可以改善老年人的本体感觉、运动控制、平衡、柔韧性和生活质量，而关于中青年的益处的数据却很少。

关于最有效的剂量（即频率、时间和类型）的证据在图 9-9 的下部列出。神经运动活动的最佳量和最佳模式尚不清楚。

多模式平衡训练（图 9–9 下）

保持平衡需要激活本体感觉，眼睛、肌肉和关节检测到身体的不平衡变化并通知大脑，大脑刺激肌肉产生力量以保持平衡。随着年龄的增长，肌肉变得更弱，关节松动，肌肉和大脑的沟通变得迟缓，增加了跌倒的风险。

多模式平衡训练能增加体感、视觉和前庭神经信息，是提高老年人平衡控制能力和自信心的有效途径。最近的一项研究表明，老年人在经过 6 周的多模式自控平衡训练后，单腿站立时间（一种平衡测试）在睁眼时提高了 32%，闭眼时提高了 206%。证据显示，太极拳是一种锻炼身心的形式，它在提高平衡能力的同时，能使身体恢复活力。

图 9-9 柔韧性和神经兴奋性运动

ACSM Guidelines of Exercise Testing and Prescription. Philadelphia: Lippincott Williams & Wilkins, 2018

柔韧性运动

频率	每周 2~3 d 的关节活动度，每天锻炼获益最大	B
强度	伸展到感到紧绷或轻微不适的程度	A
时间	大多数成年人静态拉伸 10~30 s 老年人静态拉伸 30~60 s 在 PNF 拉伸中，以 20%~75% 的最大自主收缩进行 3~6 s 的收缩，然后进行 10~30 s 的辅助拉伸	C C B
类型	任何类型：静态拉伸 (主动或被动)，动态、弹道或 PNF，针对每个主要的肌肉肌腱单位	B
数量	每次柔韧性练习的总拉伸时间为 60 s	B
模式	每项柔韧性训练重复 2~4 次 柔韧性运动在肌肉活动开时最有效	B A

神经兴奋性运动

频率	每周 2~3 d 的关节活动度，每天锻炼获益最大	B
时间	大多数成年人静态拉伸 10~30 s	B
类型	涉及运动技能 (如平衡、敏捷性、协调和步态)、本体感觉运动训练和多方面活动 (如太极和瑜伽)的训练。	B

证据来自：

A = 设计良好的随机对照试验，数据丰富
B = 设计良好但数据有限的随机对照试验
C = 非随机试验，或观察性研究

HAFSTROM A, MALSTROM E-M, TERDEN T.H. Journal of Gerontology & Geriatric Medicine, 2:1, 2016

多模式平衡训练

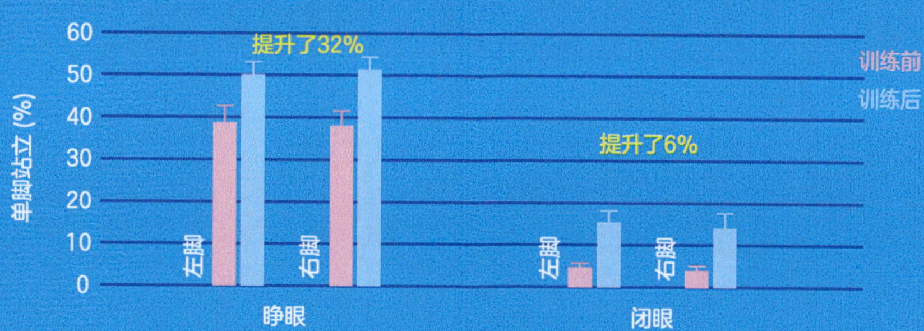

要点

如何提高姿势的稳定性和平衡性？可以从以下的方式开始练习：

- 屈膝运动——两脚分开，重复 10 次。
- 抬高脚后跟和小腿——抬高脚后跟，保持 10 s，重复 5~10 次。
- 单脚站立——将一条腿抬高至离地 25 cm，保持 20~30 s，另一条腿重复，3~4 次。
- 头部运动——转过头，看向肩膀，左、右共旋转 10 次。
- 旋转跳跃——双脚与肩分开，向左跳四分之一圈 (900)，向后，然后向右，重复5 次。

要理解的问题

第9章　健身运动指南

• 如何改变运动不足的人的态度，并参与定期的体育活动？（见概念 73）

• 运动是一种活跃的动力吗？（见概念 73）

• 如何解释对同样的训练计划有些人可以极大提高运动表现，而有些人的改善却微乎其微呢？这种反应的变异性对个性化的锻炼有什么影响？（见概念 74）

• 对于那些计划比现在更积极锻炼的人来说，运动前的健康检查是否有必要？（见概念 75）

• 在制定有氧运动指南时，需要考虑的最重要的变量是什么，如何估计？（见概念 76）

● 量化运动总量的最重要指标是什么，如何表达？（见概念 77）

● 制订锻炼计划的要点是什么，如何使那些希望改变久坐不动的生活方式的人从体育活动中获得益处？（见概念 78）

● 健康的成年人如何能提高他们的心肺适能？有什么证据？（见概念 79）

● 健康的成年人如何提高他们的肌肉适能？有什么证据？（见概念 80）

● 健康的成年人如何能改善他们的柔韧性和神经运动功能？有什么证据？（见概念 81）

第 10 章
运动是良医

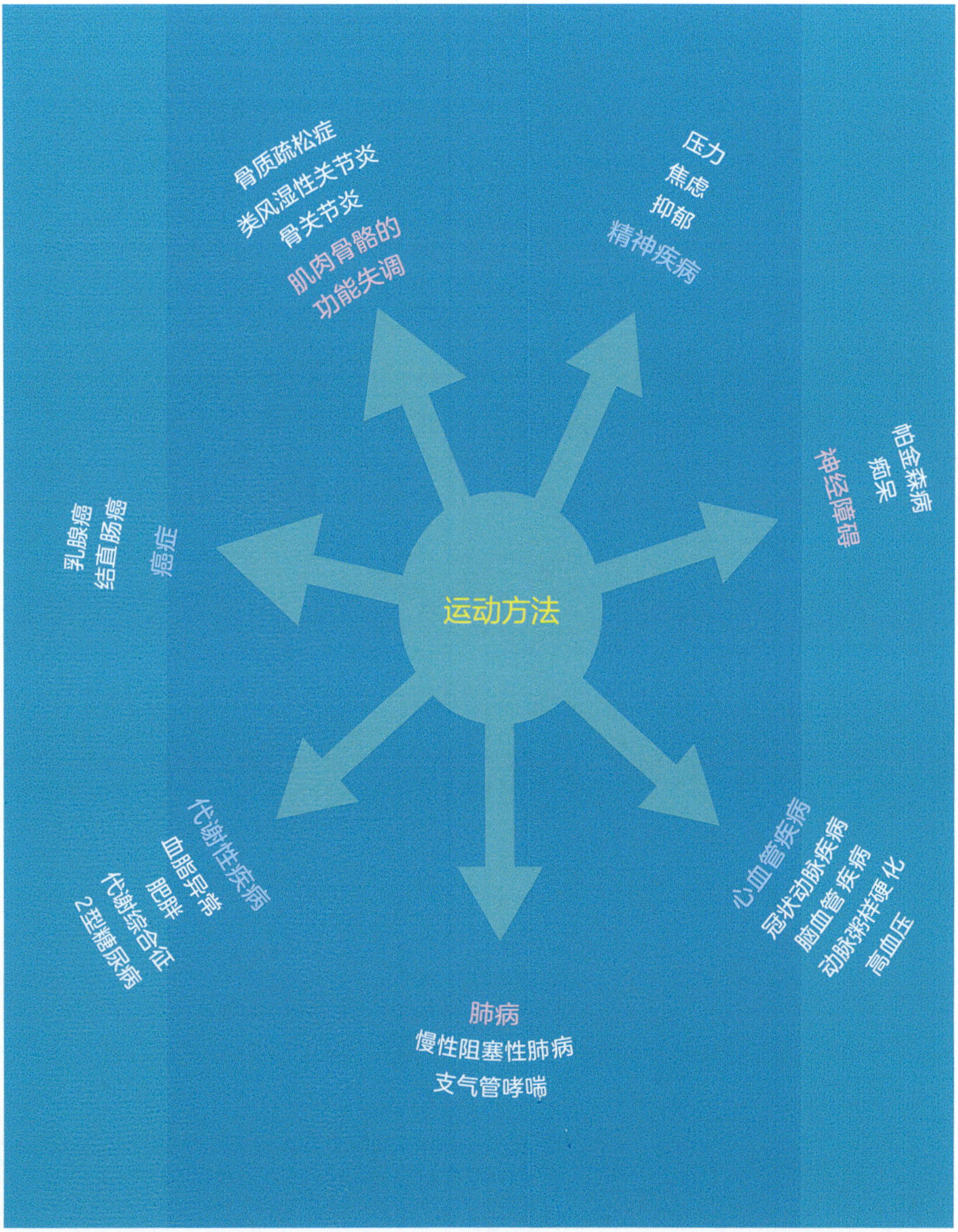

骨质疏松症
类风湿性关节炎
骨关节炎
肌肉骨骼的
功能失调
压力
焦虑
抑郁
精神疾病
帕金森病
痴呆
神经障碍
乳腺癌
结直肠癌
癌症
运动方法
代谢性疾病
血脂异常
肥胖
代谢综合征
2型糖尿病
心血管疾病
冠状动脉疾病
脑血管疾病
动脉粥样硬化
高血压
肺病
慢性阻塞性肺病
支气管哮喘

第 10 章　运动是良医

本章提供的越来越多的研究证据表明，体育运动对多种慢性病有较好的预防作用。

概念 82　运动与全因死亡率

概念 83　运动与心血管疾病

概念 84　运动与高血压

概念 85　运动与肺部疾病

概念 86　运动与代谢疾病

概念 87　运动与 2 型糖尿病

概念 88　运动与精神疾病

概念 89　运动与神经系统疾病

概念 90　运动与肌肉骨骼疾病

概念 91　运动与癌症

要理解的问题

在本章中，我们将考虑运动预防和治疗疾病的价值，这一点至少在 2500 年前就已经被认识到了。希波克拉底（Hippocrates，公元前 460 ～ 前 370 年）被公认为医学之父，他在其《养生之道》（*Regimen*）一书中写道：

“单靠食物不能保持健康，还必须进行锻炼。

食物和运动，虽然拥有相反的属性，但却能共同产生健康……

有必要区分各种运动的力量，

以适应个人的体质，

以适应个人的年龄，

以适应一年中季节、风向的变化，

以适应居住的地理位置，

以及当时的气候条件。”

如今，Pedersen 和 Saltin（2015）的一篇综述中列出了大量证据，将运动视为 26 种不同慢性病的治疗方法，并指出：

“在医学界，传统的做法是采用已知最有效、副作用或风险最小的循证治疗方法。

证据表明，在某些情况下，运动疗法与医学治疗一样有效，

在特殊情况下运动疗法甚至更有效。

现在积累的知识已经非常广泛，必须加以实施。”

在最近的另一篇开创性评论中，Booth 等（2017）认为，缺乏运动是 35 种慢性病和不健康状况的实际诱因，并提供了强有力的证据。

“父母为他们的后代提供基因和环境，

这两者都可能会导致缺乏运动。

缺乏体育运动具有遗传倾向，

可产生病理生理学反应。

而病理生理学反应又与危险因素相互作用，

形成慢性疾病，增高死亡率。”

在接下来的概念中，我们强调了运动在预防和治疗心血管疾病、高血压、肺部疾病、代谢疾病、2 型糖尿病、精神疾病、神经系统疾病、肌肉骨骼疾病、某些癌症，以及降低全因死亡率方面的作用。

概念 82 运动与全因死亡率

大量的研究证据表明，体能和身体活动水平与健康状况有关。此外，低体能和低活动量都是一些慢性疾病和全因死亡率的风险因素。事实上，它们似乎呈负相关，是全因死亡率的预测指标，超过了高血压、高脂血症、吸烟和糖尿病等既定的风险指标。

健康水平与死亡率

男性和女性的体能越低，死亡率越高。图 10-1（上）所示，低体能者的死亡率是正常人的 3 倍。即使是适度的健身也能提供相当大的好处，并大大减少导致死亡的功能恶化。降低死亡风险的体能水平阈值似乎是 5 MET 左右，而在 10 MET 左右会出现一个渐近值。

身体活动与死亡率

图 10-1（下）说明了闲暇时间体育活动与全因死亡率的危险比关系。它纳入了最新的证据，基于包括系统回顾、大数据分析或汇总分析在内的综合评估，共研究了多达 390 万名参与者。

从这一生存曲线中可以看出，中度 – 剧烈运动（moderate-vigorous physical activity，MVPA）与全因死亡率之间存在着剂量 – 反应方式的负相关关系。此外，还观察到一个陡峭的早期斜率，大约 70% 的生存益处来自于 8.25 MET h/w 的中等强度运动（MVPA），相当于每周快走 150 min。体育活动量的增加似乎并没有增加死亡的风险。

很明显，更健康或更活跃与死亡率的大幅降低有关。然而，运动对健康和长寿的益处是否通过一个人的体能水平来调解，这一点一直存在争议。新的证据表明，体能和体育活动是独立的死亡风险，体能水平比体育活动更能预测死亡率，正如图 10-1（下）右上方所示，其中心血管疾病死亡的相对风险以百分位数表示。可以看出，体能最差或最不活跃的人（第 25 百分位）的风险远高于较高百分位的人。在最高百分位数上的人，体能的相对风险降低几乎是运动人的 2 倍，这仅仅意味着不运动与体能低有明显的不同。

每日步数与全因死亡率

一项对 15 个国际队 47 471 名成人样本的大数据分析发现，每天多走几步与全因死亡的风险逐渐降低有关，老年人（年龄≥ 60 岁）的风险稳定在每天 6000 ~ 8000 步，年轻人（年龄 ＜60 岁）的风险稳定在每天 8000 ~ 10 000 步。

图 10-1 死亡率的影响因素

BLAIR SN, KOHL HW, BARLOW CE, ET AL
Journal of the American Medical Association,
273:1093, 1995

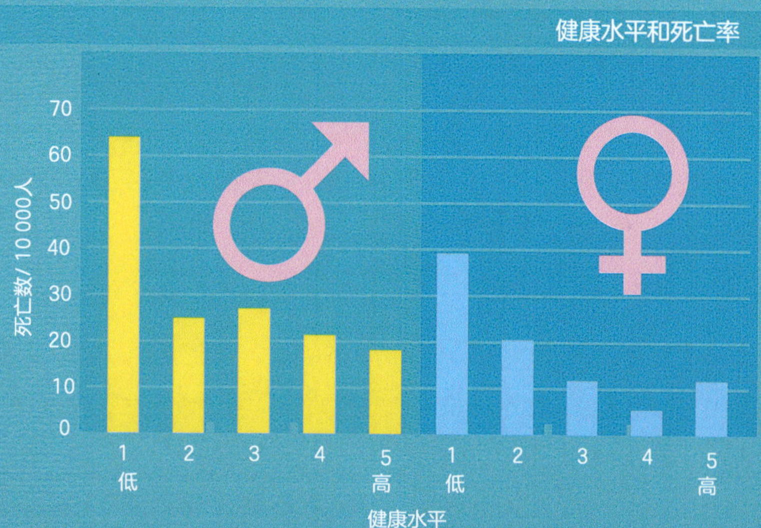

KRAUS WE, POWELL KE, HASKELL WL ET AL.
Medicine & Science in Sports & Exercise,
51:1270, 2019

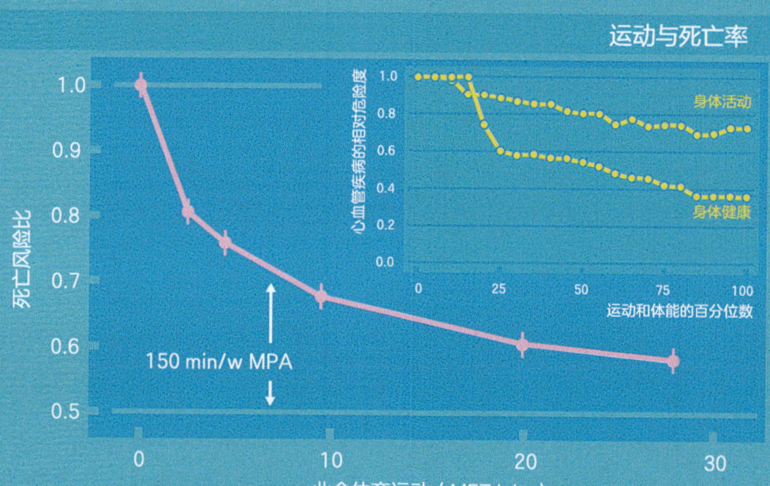

要点

- 老年人身体活动会降低死亡率。
- 增加久坐不动的人或最不健康的人的身体活动量，会带来较大的健康益处。
- 降低死亡率的最大潜力在于使不健康的人变得健康，久坐的人变得活跃。
- 1 MET 的运动能力增加与约 12% 的死亡率降低相关。

概念 83 运动与心血管疾病

心血管疾病（cardiovascular disease，CVD）是全世界最常见的死亡病因，其主要特点是向心肌或大脑供血能力下降。在前一种情况下，我们指的是冠状动脉疾病（coronary artery disease，CAD），这是由于冠状动脉狭窄造成的，而在后一种情况下，指的是脑血管疾病或卒中，主要由脑动脉阻塞引起。

动脉粥样硬化

动脉变窄，即动脉粥样硬化，涉及动脉壁的渐进性变化、内皮细胞的破坏和脂肪物质（斑块）的积累。血液中的“坏胆固醇”引发的动脉炎症会导致某些斑块破裂，形成血凝块（血栓），阻塞动脉从而导致心脏病发作和卒中。

生活方式

强有力的证据表明，良好的生活方式（不吸烟、避免肥胖、定期运动和控制脂类的健康饮食模式）与较低的炎症水平和较低的慢性心血管疾病风险有关。

血脂异常（图 10-2 上）

血脂异常指的是较高水平的血清脂质和脂蛋白，这被认为是心血管疾病的主要风险因素之一。如图 10-2(上)所示，运动一方面降低了与动脉粥样硬化发展相关的血液总胆固醇，另一方面降低了低密度脂蛋白胆固醇（low-density lipoprotein cholesterol，LDL-C）或“坏胆固醇”，这种胆固醇会沉积在动脉壁上，并且运动可能增加高密度脂蛋白胆固醇（high-density lipoprotein cholesterol，HDL-C）或“好胆固醇”，这种胆固醇被视为一种清洁剂，可以从动脉壁上清除胆固醇并将其输送到肝脏进行代谢。

体育活动的心脏保护（图 10-2 下）

20 世纪 50 年代，莫里斯（Morris）对公共汽车司机和邮递员进行的流行病学研究发现，不活动的人患心血管疾病的风险是其他人的 2 ~ 3 倍。这些开创性的研究启发了体育活动流行病学这一新领域的发展。迄今为止，许多针对心血管疾病的研究、系统回顾和大数据分析已经证实，经常参加体育运动的人患心血管疾病的可能性比不参加运动的人要小。体育锻炼可使心血管疾病的风险降低 20% ~ 40%。图 10-2（下）显示了休闲体育活动每周消耗的热量与患心血管疾病的相对风险之间的关系，这是基于主要流行病学研究的大数据分析结果。数据点的大小对应于研究的规模。曲线的趋势表明，进行一定程度的体育活动总比不进行要好，而且更多的体育活动可以进一步降低心血管疾病的风险。

图 10-2　运动的心血管疾病

SATTELMAIR J, PERTMAN J, DING EL,ET AL.
Circulation.124:789, 2011

有氧运动的心肌保护作用

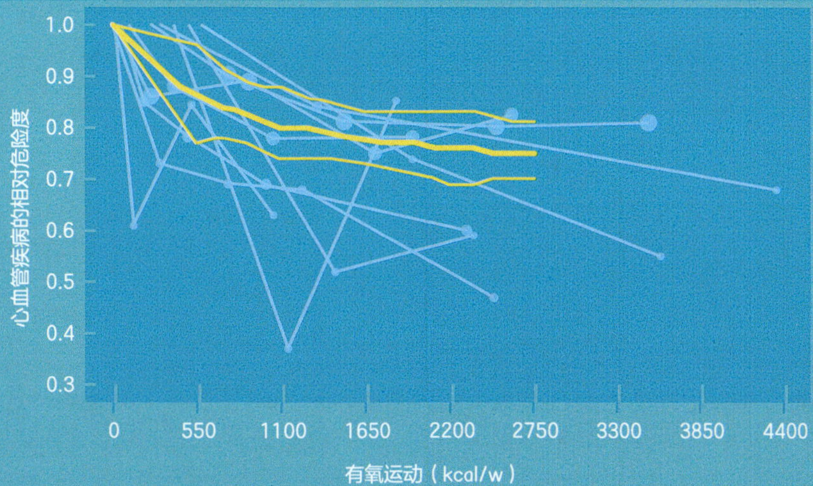

McLEOD JC, STOKES T, PHILLIPS SM.
Frontiers in Physiology, 10:645, 2019

抗阻运动的心肌保护作用

抗阻练习："工具箱中的另一个工具"？

Tanasescu et al, 2002

举重训练	≥ 30 min/w	心血管疾病风险↓ 23%
健步走	≥ 30 min/d	心血管疾病风险↓ 18%
跑步（10 km/h）	≥ 1 h/w	心血管疾病风险↓ 42

危险因素	AET	RET
心血管疾病风险	↓	↓
血压	↔	↓
高密度脂蛋白	↑	↑
低密度脂蛋白	↓	↓
胆固醇	↓	↓
甘油三酯	↓	↓

血脂是心血管疾病的主要危险因素，抗阻运动 (RET) 可以与有氧运动 (AET) 同样有效地影响血脂

要点

- 体力活动可预防心血管疾病。
- 心血管疾病风险与体力活动呈负相关。体力活动越多，益处越大。
- 与其他已知的心血管疾病危险因素相比，运动能力是更有力的死亡率预测指标。

概念 84　运动与高血压

慢性静息血压升高（高血压）是心血管疾病的一个主要风险因素。血压是血液对动脉壁施加的力量，在每个心脏收缩周期中变化，在心室收缩期最高［收缩压，（SBP）］，在心室舒张期最低［舒张压，（DBP）］。无论是在休息还是在运动时，血压高低取决于心脏排出的血量和血液流动的总外周阻力。高血压会对心脏造成持续的压力，导致病理性心室肥大，这可能会导致心脏泵血能力下降，最终引发心血管疾病（CVD）。

心血管疾病的危险因素

图 10-3（上）所示，高血压、吸烟、血清胆固醇、肥胖和缺乏运动或低体能是心血管疾病最重要的可改变的危险因素。在各种研究中，与不运动相关的心血管疾病的相对风险为 1.5 ~ 2.4，中位数约为 1.9，这意味着不运动的人发生心血管疾病的概率是爱运动人的 2 倍。

剂量 – 反应关系　几项大数据分析获得的有力证据表明，在血压正常的成年人中，体育活动与高血压发病之间存在着负相关关系。图 10-3（上）上方说明了这种剂量 – 反应关系，可以看到体育活动每增加 10 MET h/w，发生高血压（HTN）的风险就降低 6%。

体育锻炼是高血压的良药

美国心脏病学会和美国心脏协会的一个工作小组在最近的系统回顾和大数据分析中，研究了 594 129 名≥ 18 岁的成年人的体育活动在预防和治疗高血压中的作用，并发现：

- 体育活动可以降低成年人正常血压、高血压前期和高血压时期的血压。
- 成年人高血压的降幅约为高血压前期的 2 倍，比正常血压高出约为 4 倍。

据估计，在患有高血压的成年人中，这种血压的降低可使冠心病的风险降低 4% ~ 22%，脑卒中的风险降低 6% ~ 41%。已经提出了几种机制来解释运动的降压作用，包括神经体液、血管和结构的适应性。儿茶酚胺的减少、总外周阻力和胰岛素敏感性的改善，也被认为对高血压有影响。

抗高血压运动疗法　有氧和动态抗阻这两种运动训练模式在降低正常人正常血压、高血压前期和高血压的血压方面同样有效。这种适应很可能是由动脉硬化和内皮功能的改善介导的。

运动后低血压　急性运动后会降低静息血压（4 ~ 15 mmHg），这有利于成年人高血压的降低。

图 10-3 抗高血压运动疗法

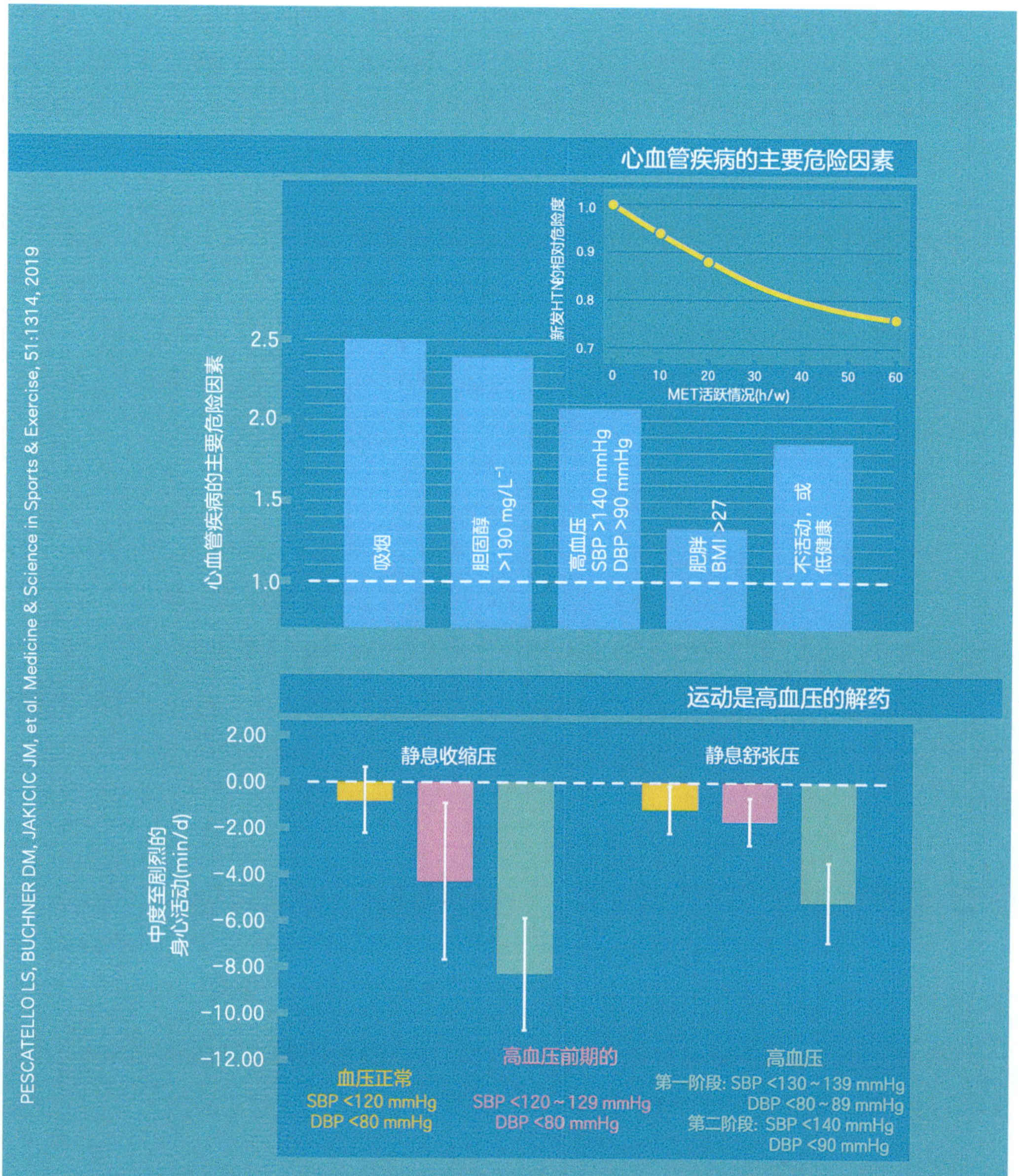

要点

- 热爱运动和健康的人患高血压的风险较低。
- 高血压患者可以从运动训练中获益，因为它可以使静息和亚极量运动时的血压再次降低。
- 运动配方应包括两种模式的中等强度训练：有氧（40%～60% HRR）和抗阻（60%～80% 1-RM）运动。

概念 85　运动与肺部疾病

慢性肺部疾病，如慢性阻塞性肺部疾病和哮喘，是导致生活质量下降、发病率和死亡率高的重要原因。患有这些疾病的患者会进行多方面的个性化肺部康复治疗，其中运动是最根本的措施。

慢性阻塞性肺病（chronic obstructive pulmonary disease，COPD）

慢性阻塞性肺病是一种几乎不可逆的疾病，其特点是气流受限，主要归因于支气管壁增厚（支气管炎）或肺泡和支气管扩张的弹性回缩力减少（肺气肿）。当第 1 秒用力呼气容积（FEV1）与用力肺活量（FVC）的比值在使用支气管扩张剂后小于 0.70 时，可确定为慢性阻塞性肺病。慢性阻塞性肺病患者会出现明显的呼吸困难，工作能力下降，无法进行正常的日常活动，并伴有焦虑、抑郁和社会孤立等心理问题。

运动是 COPD 死亡率和住院率的预测因子

几项前瞻性的纵向研究表明，低水平的体育活动可以预测 COPD 患者的全因死亡率，以及因 COPD 恶化而首次住院的概率。图 10-4 显示了根据每日身体活动的 1/4 的生存曲线。显然，体育活动水平与死亡率或住院率之间存在着线性的剂量 – 反应关系。

潜在的机制　运动并不能改善 COPD 患者的肺功能，如 FEV1 或血气，但可以通过对肌肉和心脏的影响增强心肺功能，并改善结果。这意味着健康的肌肉会比不健康的肌肉更能避免并发症并忍受 COPD 的恶化，从而预防残疾和早逝。此外，COPD 患者的肌肉力量下降，这诱发了周围肌肉功能障碍和肌肉力量下降，以及运动耐受力下降。这种肌肉力量的下降可能归因于线粒体密度的降低和慢性炎症，两者都与身体运动不足有关，并在 COPD 患者中得到证实。收缩骨骼肌释放的抗炎症肌细胞因子似乎对这些患者产生有益的影响，这可能通过在肌肉和身体其他部分之间进行“交流”来发挥作用。

训练的方式　系统回顾和随机对照试验发现，抗阻训练与耐力训练具有相同的有益效果，两种模式都应纳入 COPD 康复的个体化计划中。

哮喘

哮喘是一种慢性炎症性呼吸道疾病，其特点是支气管痉挛的发作，由各种刺激物如烟草烟雾、空气污染，以及运动引起。随机对照研究表明，中等至高强度的有氧训练可以减轻呼吸道炎症和运动性呼吸困难，对哮喘患者的心肺功能、发病率和生活质量有积极影响，但对肺功能指标无影响。

图 10-4 运动与肺部疾病

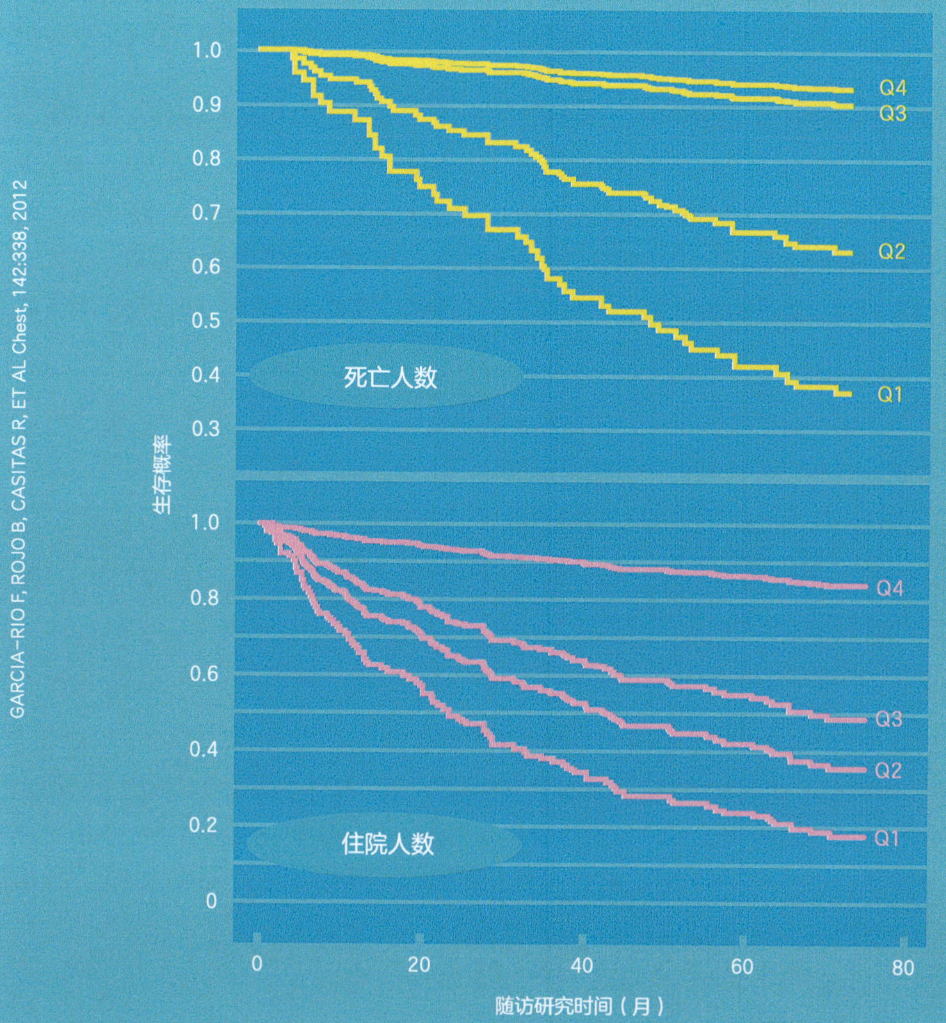

要点

- 缺乏运动更有可能是慢性阻塞性肺病加重的原因而不是后果。
- 针对吸气肌的特定训练可能会增加这些肌肉的耐力，但不会降低患者对呼吸困难的感觉或改善健康。
- 如果患者在训练结束时出现缺氧或氧饱和度下降，或在运动时出现低氧饱和度($SaO_2 < 90\%$)和休息时呼吸困难，应给予氧气。
- 6 min步行实验是一种广泛使用并经过验证的测量慢性阻塞性肺病患者身体健康的测试 (American Thoracic Society，2002)。

概念 86 运动与代谢疾病

血脂异常、肥胖症和代谢综合征被认为是代谢性疾病，因为当它们超过正常值时就与代谢过程的损害有关。所有这些都是心血管疾病的主要可改变的原因，而运动训练对它们的恢复具有积极影响。

血脂异常

血脂异常是指血脂和脂蛋白浓度的异常，如图 10-5（上）所示可以看出，正常值是：低密度脂蛋白胆固醇（LDL-C）< 100 mg/dl，总胆固醇 < 200 mg/dl，高密度脂蛋白胆固醇（HDL-C）≥ 60 mg/dl，以及甘油三酯 < 150 mg/dl。LDL-C 被认为是“坏”胆固醇，因为它将胆固醇沉积在动脉壁上，而 HDL-C 作为清道夫，从动脉壁上清除胆固醇并将其运送到肝脏进行代谢，因此它被认为是一种“好”胆固醇。血脂和脂蛋白超过最佳浓度被认为是心血管疾病（CVD）的主要风险因素。

运动的影响　除了药物治疗，饮食和运动等生活方式的调整在血脂异常患者的管理中发挥着重要作用。系统回顾和随机对照试验的大量证据表明，相对于未来的心血管疾病风险，运动干预对血脂状况有良好的影响。运动有可能提高 HDL-C，并降低总胆固醇、LDL-C 和甘油三酯。图 10-5 显示，运动能力越高（以 MET 表示），总胆固醇、身体质量指数和高血压就越低，死亡的相对风险也越低。

肥胖症

身体质量指数(BMI)被作为身体脂肪过剩的标准；BMI ≥ 30 kg/m^2 的人被定性为肥胖，而 BMI ≥ 40 kg/m^2 的人被视为极度肥胖。图 10-5（下）表明，肥胖与较低的运动能力和较高的相对死亡风险有关。此外，肥胖与大量的慢性疾病相关，包括心血管疾病、糖尿病和肌肉骨骼问题。科克伦（Cochrane）的综述和观察性研究提供了充分的证据，证明体育活动有助于预防体重增加和肥胖，并维持健康的体重。此外，体育活动与体重增加成反比，主要通过能量消耗和诱导脂肪分解发挥其作用。

代谢综合征

代谢综合征的特点是有一系列代谢风险因素，即：腹部肥胖（男性腰围 > 102 cm，女性腰围 > 88 cm）、血脂异常（男性高密度脂蛋白 < 40 mg/dl，女性 < 60 mg/dl，甘油三酯 ≥ 150 mg/dl）、胰岛素抵抗 / 血糖（≥ 150 mg/dl），以及高血压（收缩压≥ 130 mmHg 或舒张压≥ 85 mmHg）。这些构成代谢综合征的所有因素都会因规律运动而有所改善，如图 10-5（下）所示的高血压就是一个例子。

图 10-5 运动对代谢疾病的预防作用

GARCIA-RIO F, ROJO B, CASITAS R, ET AL Chest, 142:338, 2012

运动强度的影响

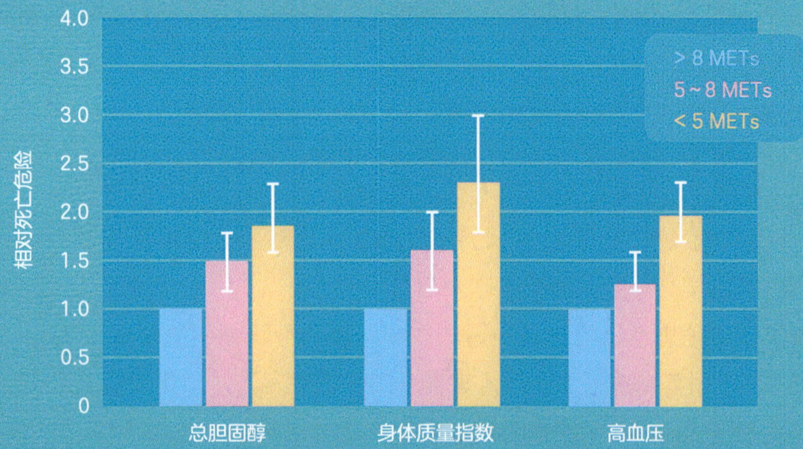

脂类和脂蛋白的分类

低密度脂蛋白胆固醇 (mg/dl)	总胆固醇 (mg/dl)	高密度脂蛋白胆固醇 (mg/dl)	低密度脂蛋白甘油三酸酯 (mg/dl)
<100 最佳	<200 最佳	<40 低	<150 正常
100～129 接近最佳	200～239 临界的	≥60 高	150～199 临界
130～159 临界	240 过高		200～249 过高
160～189 过高			≥500 超高

要点

- 据估计，血液中高密度脂蛋白浓度每增加 1 mg/dl，冠心病的患病风险在男性中降低 2%，在女性中降低 3%。
- 据估计，有氧能力每增加 1-MET，生存率就会提高 12%。
- 抗阻和有氧训练均可作为血脂异常、肥胖或代谢综合征患者的有效治疗方法。
- 训练增加的肌肉可以更好地燃烧脂肪，而不是糖原。

概念 87　运动与 2 型糖尿病

糖尿病是一种以血糖升高（高血糖）为特征的代谢性疾病，是由于胰腺分泌的胰岛素不足（1 型）和/或胰岛素抵抗，即胰岛素不能促进葡萄糖从血液运送到细胞（2 型）。

2 型糖尿病的发病率

1 型糖尿病主要发生在年轻人中，而 2 型糖尿病则发生在中老年中，占糖尿病患者的 90% ~ 95%。据估计，80% 的 2 型糖尿病患者超重，60% ~ 80% 患有高血压，40% ~ 50% 患有高脂血症。定期运动可以降低这些导致过早死亡的糖尿病相关共患病的患病率。今天，运动被认为是治疗 2 型糖尿病的基石，辅以饮食和药物治疗。

2 型糖尿病患者的运动窗口

运动在血糖控制中起着至关重要的作用。对于 2 型糖尿病患者，由于胰岛素抵抗，肌肉中胰岛素介导的血糖吸收在休息时受到损害。然而，肌肉收缩可以减轻胰岛素抵抗，改善胰岛素敏感性，增加膜的通透性和将葡萄糖运输到肌纤维的能力，很可能是通过增加 GLUT4 葡萄糖转运体的数量来调节的。也有人认为，葡萄糖向肌肉运输的增加可能是由于训练引起的肌肉毛细血管网扩大和血流增加所致（图 10-6）。

运动强度

什么样的运动强度能更有效地提高胰岛素敏感性，从而最大限度地降低高血糖的风险？图 10-6 显示，相对于高强度（70% $\dot{V}O_2$ max），低强度（35% $\dot{V}O_2$ max）的有氧运动在 2 型糖尿病患者口服降糖药物的情况下，可在运动后 24 h 内将高血糖发生率降低 50%。图 10-6 上方曲线表示运动后 24 h 内的平均血糖浓度，而垂直虚线表示午餐（中午 12:30）、晚餐（下午 6:30）和早餐（上午 7:30）的时间。下方柱形图显示了不同条件下高血糖的发生率。

运动疗法

系统评价和大数据分析发现，2 型糖尿病患者对有氧运动和抗阻运动训练的适应程度相同，并能改善心肺适能和肌肉适能。此外，有研究表明，高强度间歇训练能有效改善 2 型糖尿病患者的胰岛素敏感性，促进代谢健康。

禁忌证

普遍认为，对于 2 型糖尿病患者来说，不运动会比运动带来更大的风险，但应考虑一些预防措施，如通过调整饮食监测血糖，并调整药物。对于高血压患者，抗阻训练应使用轻重量和低收缩速度，避免瓦尔萨尔瓦动作（Valsalva manouver）。

图 10-6 2 型糖尿病与运动

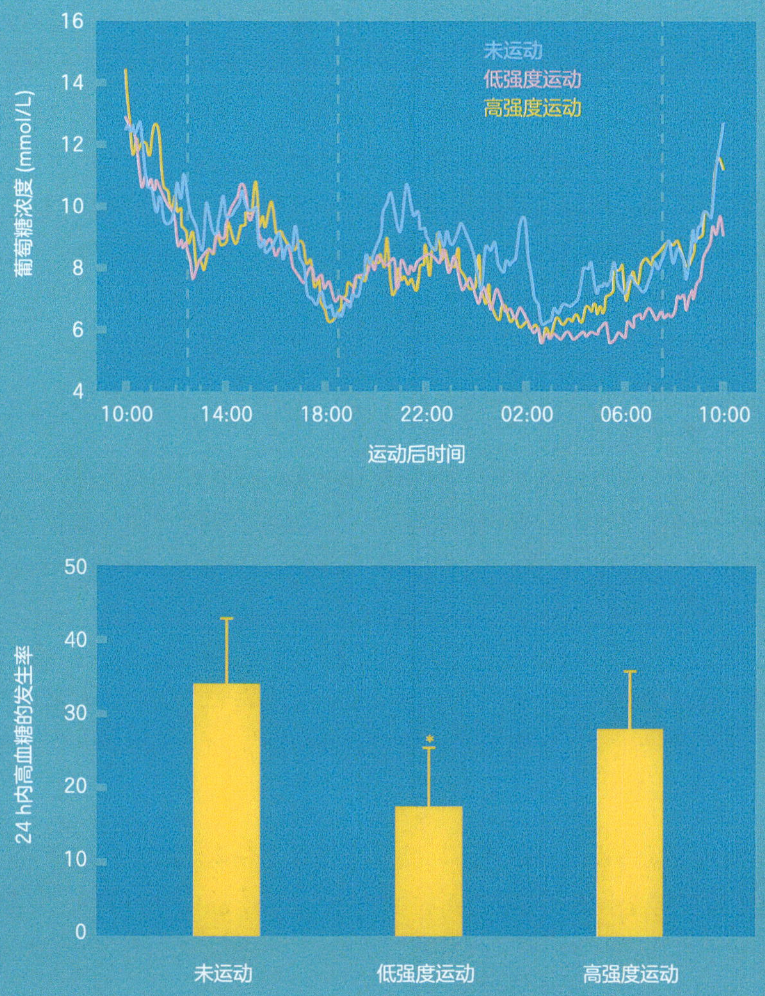

MYERS J, PRAKASH M, FROELICHER V, ET AL. New England Journal of Medicine, 346:793, 2002

要点

- 2 型糖尿病患者开始适度运动和控制血糖的最佳时间约为餐后30 min。
- 运动可以导致持续 2～72 h的全身胰岛素作用的急性改善。
- 运动对维持 2 型糖尿病患者的健康至关重要。
- 每日每增加 2000 步（最多 10 000 步），糖尿病的风险降低 5.5%。

概念 88　运动与精神疾病

抑郁症、焦虑症和压力是常见的精神疾病，其特点是具有躯体、认知和情感症状，是日常功能严重受限并影响生活质量和幸福感的主要原因。运动可以诱发一系列的生物事件，从而带来许多健康益处，并发挥保护心理健康的作用，从而改善这些精神疾病。

抑郁症

抑郁症的显著特征是精神抑郁（一种感到悲伤和不快乐的情绪状态）及临床综合征，这需要依据诊断标准，如精神运动迟缓、精力丧失、无价值感和思维能力减弱。现有的证据强烈支持运动是一种基于证据的抑郁症治疗方法。前瞻性研究和随机临床试验的大数据分析表明，运动与减轻抑郁症状和降低抑郁风险有关。此外，运动对抑郁症状的改善程度与药物治疗和心理治疗相当，尽管单纯的运动对严重的抑郁症没有那么有效。然而，中等强度的运动似乎比轻微强度的运动更有效，如图 10-7 所示。

焦虑

焦虑是对感知到的威胁的一种适应性反应，如果它变得严重，就会发展成一种适应不良的焦虑障碍，在患有慢性疾病的个体中很常见。在减轻焦虑方面，运动是药物和认知行为疗法的一种替代治疗方法。一项对 40 项研究的大数据分析发现，体育训练可以减少慢性病患者的焦虑症状，包括心血管疾病、精神障碍、癌症和慢性阻塞性肺病。

压力

当机体内稳态受到威胁或感觉受到威胁时，压力就会产生，压力是由神经内分泌激素介导的。它的最佳活动对幸福感、成功表现和社会互动至关重要，但它的过度活动和功能失调可能导致一系列行为和身体病理状况。

可能的机制　压力反应开始于下丘脑分泌促肾上腺皮质激素释放激素，该激素传导到垂体前叶，诱导促肾上腺皮质激素释放，进而到达肾上腺皮质，将皮质醇释放到血液中。运动后，皮质醇升高，约 2 h 后才会消失。然而，在慢性心理压力下，皮质醇并没有被灭活，从而导致严重抑郁等有害影响发作。

坚持锻炼　为了获得运动对心理健康的益处，对于抑郁、焦虑和压力大的人来说，必须长期坚持运动训练，并使运动成为一种生活方式。锻炼身体最强烈的动机似乎是情感反应，即人们在锻炼过程中体验到的愉悦感。有研究表明，当运动强度超过乳酸阈值时，运动的乐趣大多会降低。研究表明，瑜伽对包括焦虑和抑郁在内的各种心理症状都可以有效干预。

图 10-7 运动对抑郁的影响

要点

- 运动训练有很大的抗抑郁和抗焦虑作用，可以防止精神压力带来的有害后果。
- 身体活动的抗抑郁效果可以在每天步行 30 min并持续 10 d后看到。
- 运动训练应该是任何抑郁、焦虑或压力管理项目的一个组成部分。
- 愉快的运动是精神疾病患者采用和维持运动计划的核心。

概念 89　运动与神经系统疾病

痴呆和帕金森病会损害大脑的认知功能。这两种疾病都是由于脑组织的疾病或损伤引起的神经退行性疾病。它们在老年人中更为普遍，但不是衰老的必然结果。锻炼可以降低这些神经系统疾病患者的发病风险，并可能改善其功能。

痴呆

痴呆（图 10-8）的认知障碍被归因于脑血管的动脉粥样硬化和代谢危险因素。根据对照试验和科克拉内（Cochrane）总结的大数据分析发现运动可以预防痴呆，并可能提高痴呆患者进行日常生活活动的能力。此外，一些前瞻性研究显示，运动对已经患上痴呆的人的认知功能有积极作用。

潜在机制　运动对痴呆症的影响似乎是通过海马体和脑源性神经生长因子（BDNF）介导的。在一项随机对照研究中，120 名老年人被分配到步行训练组或拉伸对照组。在持续 1 年的干预后，发现运动组的海马体体积增大，对照组的海马体体积缩小，而尾状核和丘脑的体积不受影响（图 10-8）。此外，研究发现海马体体积的增加与血清中 BDNF 水平的提高有关，BDNF 是齿状回神经的中介物。此外，研究人员还注意到，对照组的海马体体积下降，但干预前进行较好的锻炼在一定程度上减弱了这种下降，这表明锻炼可以减缓海马体体积损失。锻炼对治疗痴呆症的积极作用也可能是由于其有据可查的抗炎作用。

帕金森病

这是一种神经退行性疾病，以运动障碍为特征，症状包括静息性震颤、肌肉僵硬、运动迟缓、运动不精确、姿势不稳定，主要好发于中老年人。随着病情恶化，自主神经系统也可能受到影响，患者可能表现出认知障碍的非运动症状，甚至是痴呆。来自系统回顾、随机对照试验、前瞻性队列研究、纵向研究和大数据分析的有力证据表明，运动训练的积极影响，不仅可以预防该疾病的运动和非运动症状，而且还有治疗价值。运动训练的模式可包括传统类型的有氧运动和抗阻运动，以及神经运动活动（如跳舞、太极拳和瑜伽），旨在改善运动技能、平衡、协调、步态、运动控制和本体感觉。

潜在机制　多种生物学机制被认为是运动对帕金森病有益影响的潜在介质。这些机制包括减少炎症和氧化应激、上调 BDNF 活性、神经发生和线粒体功能增强。

图 10-8 运动与海马体体积增大

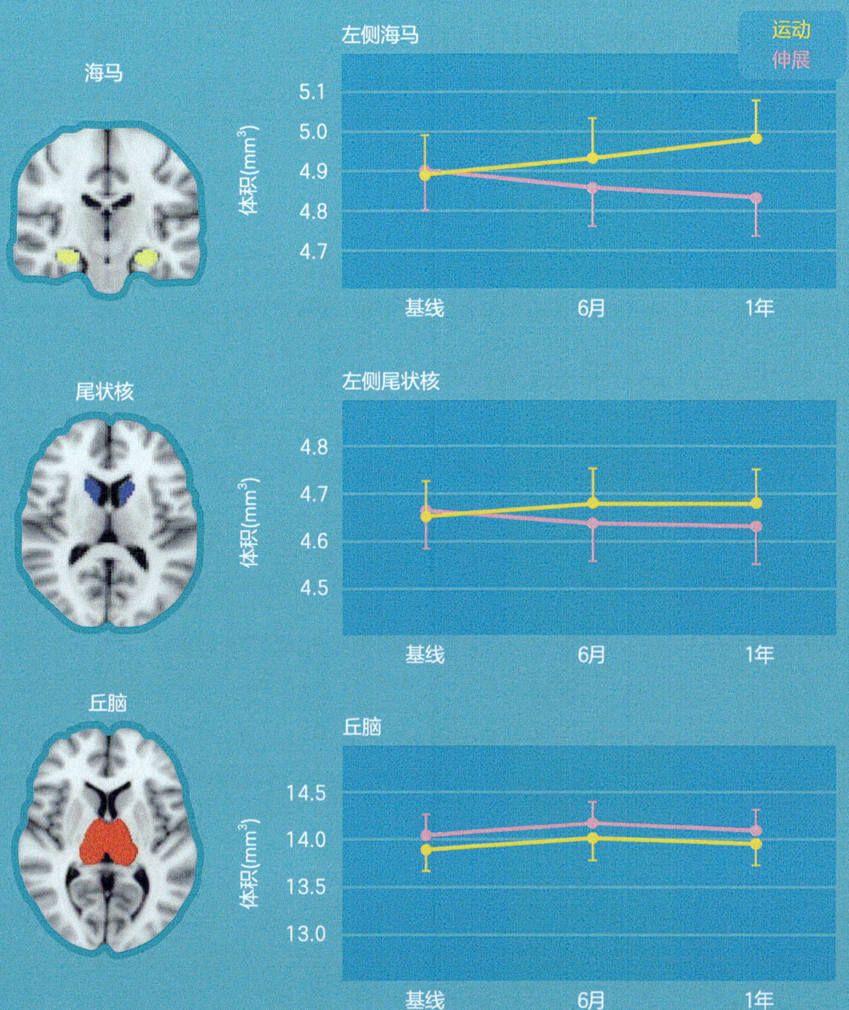

ERICKSON KI, VOSS MW, PRAKASH RS, ET AL. Proceedings National Academy of Science, 108:3017, 2011

要点

- 定期运动训练可以减缓痴呆的认知障碍和改善帕金森病的认知缺陷和运动功能障碍。
- 除了有氧和抗阻训练外，神经运动活动如舞蹈、太极和瑜伽可能对帕金森病有积极的影响。
- 在跑步机上行走是帕金森病有氧训练的有效模式，安全性好，还能监测患者运动强度，刺激步速。

概念 90 运动与肌肉骨骼疾病

随着年龄的增长，肌肉、骨骼和关节因磨损而不断恶化，最终可能发展为肌肉骨骼疾病，如骨关节炎、类风湿性关节炎和骨质疏松症。这些疾病的常见症状是持续性疼痛、虚弱和关节僵硬、残疾及日常活动受限。有充分的证据表明，运动可以减轻疼痛，防止功能衰退，并改善心理健康和生活质量。

骨关节炎

骨关节炎是一种退行性的关节疾病。在 65 岁及以上的人群中，髋关节或膝关节的患病率为 70%，但它也发生在年轻人身上，因为他们的关节可能承受了过大的压力或遭受了关节损伤。骨关节炎的发病机制是以关节软骨的丧失、骨质硬化、滑膜炎和半月板变形为主要特征。疼痛和肌肉功能受损导致患者的身体活动受限。

运动的影响　系统回顾和随机对照试验一致发现，对于下肢骨关节炎患者来说，有氧运动和抗阻运动训练都与减轻疼痛、预防功能衰退及改善健康相关的生活质量有关。此外，运动训练对膝关节和髋关节骨性关节炎的效果似乎与非甾体抗炎药以及关节内注射皮质类固醇相当。

类风湿性关节炎

类风湿性关节炎是一种慢性全身性炎症疾病，主要表现为肌肉炎症，关节肿胀、疼痛、损伤，导致活动受限、肌肉萎缩、体能下降。运动似乎可以刺激抗炎肌素的产生，影响炎症性类风湿性关节炎。运动方式和强度应该是个性化的，并且应该考虑到患者的独处情况。

骨质疏松症

骨质疏松症是一种以低骨密度（bone mineral density，BMD）、骨微结构改变、骨强度降低为特征的骨骼疾病，并与较高的骨折风险有关。大量追踪研究检验了运动训练对骨骼健康的影响，并发现了令人信服的证据，即负重的有氧运动和抗阻运动可以在生长过程中促进骨量达到峰值，并减缓随着年龄增长的骨量损失速度。图 10-9（上）显示了 35 ~ 45 岁的年轻女性经过 18 个月的渐进式高强度训练后，下肢骨骼部位的 BMD 变化百分比。例如，观察到股骨颈处的 BMD 平均增加了 1.6%。

肌肉骨骼健康和功能独立

图 10-9（下）说明了现有的证据，即干预措施可以增强人一生中的肌肉骨骼健康，并在延迟或消除肌肉骨骼疾病引起的残疾发生方面具有巨大潜力，从而确保功能独立，提高体弱老人的整体生活质量。

图 10-9　运动与肌肉骨骼疾病

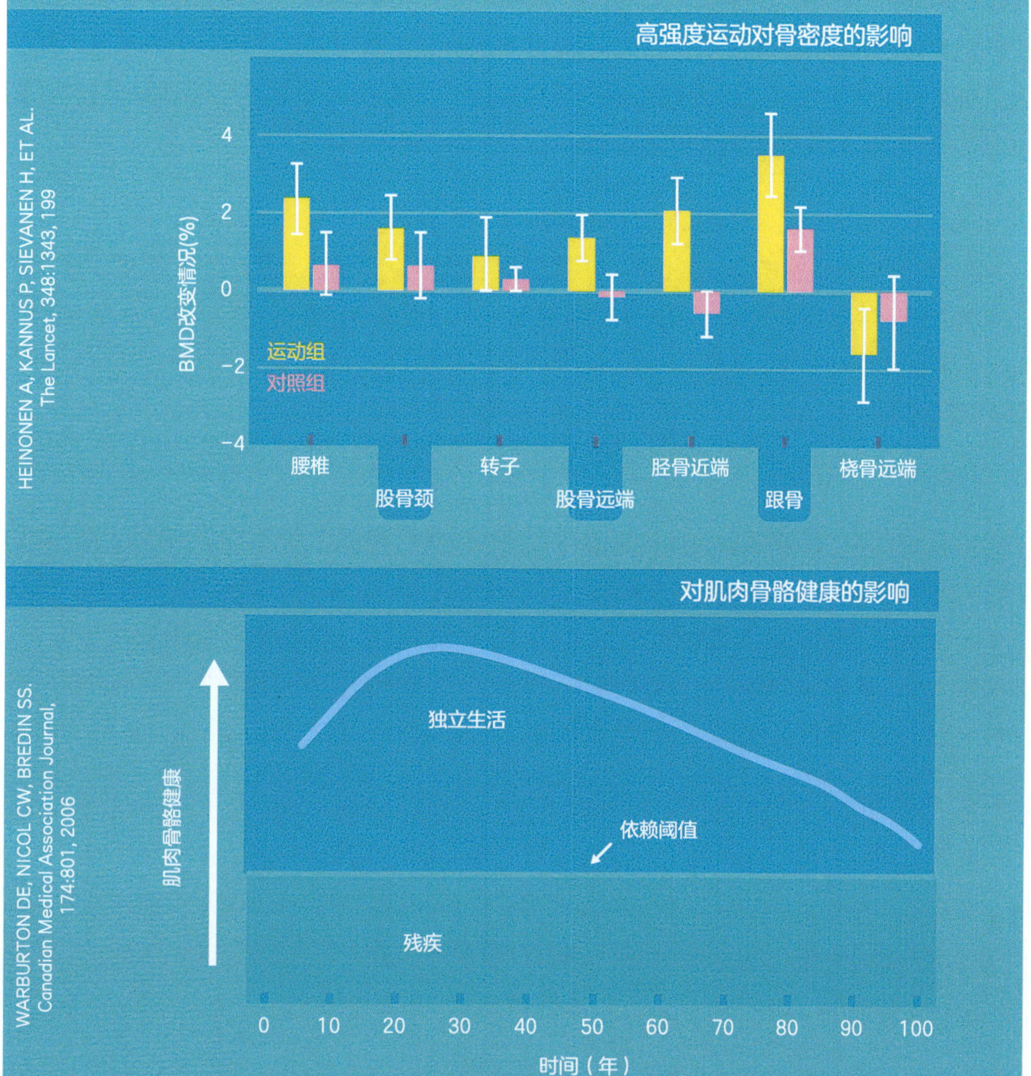

要点

- 通过运动减轻骨关节炎关节疼痛的效果似乎与镇痛药相当。
- 患有下肢骨关节炎的人，进行适度强度的日常锻炼，也会获得一些与健康和关节炎相关的益处。
- 有证据表明，每天多达 10 000 步的活动可以带来益处，并且不会加速骨关节炎的进展。
- 小跳可以提供足够的压力，是对抗骨质疏松症的有效骨负荷运动。

概念 91　运动与癌症

癌症的特点是细胞不受控制地生长，形成肿瘤，侵入并破坏周围的正常组织，最终导致发病和死亡。癌症发生的过程是由 DNA 的损伤开始的，DNA 是遗传密码的基础。遗传、环境和生活方式因素及其相互作用影响着一个人的 DNA 受损的风险。大量流行病学研究的系统回顾和大数据分析提供了强有力的证据，表明积极锻炼的生活方式可以预防一些常见癌症的发生。体育锻炼水平与乳腺癌、结肠癌、前列腺癌的风险降低和生存率提高有关。其他癌症的风险也可能被降低，尽管证据有限。

乳腺癌

图 10-10（上）展示了一组 20 ~ 79 岁女性乳腺癌幸存者的大样本研究结果。进行中等强度体育锻炼（2.8 ~ 7.9 MET h/w）的女性与从事轻度体育锻炼（< 2.8 MET h/w）的女性相比，乳腺癌的死亡风险降低了 35% ~ 49%。对于高强度的体育锻炼（≥ 8 MET h/w）尚未观察到额外的益处。

结肠癌

在癌症诊断之前或之后进行体育活动与降低结肠癌幸存者的死亡风险有关。图 10-10（下）是基于对超过 120 000 名女护士的队列研究，说明了这种关联。可以看出，进行 21 MET h/w 锻炼的女性与进行 < 2 MET h/w 组的女性相比，结肠癌风险降低了 50%。应该注意的是，图 10-10 中的每一栏都反映了基于多变量分析的相对风险值，这些变量包括年龄、家族史、身体质量指数、吸烟和饮食。

前列腺癌

数项大数据分析显示，在前列腺癌幸存者中，诊断后的体育活动量与癌症死亡率之间呈负相关。在最近一项针对被诊断为非转移性前列腺癌的男性的大型追踪研究中，那些在诊断后进行更多锻炼的人死于前列腺癌的风险降低了 31%。

潜在的机制

好几个机制被认为可能有助于运动的人抑制癌变和降低癌症风险。这些都是基于长期运动的生物适应性，包括增强胰岛素敏感性和降低血浆浓度，提高胰岛素样生长因子（insulin-like growth factors，IGF）的水平，减少内脏脂肪和调节体重，增强促炎症途径和免疫功能。有证据还表明，肌动素在调节运动对癌症生长的某些保护作用方面具有潜在的作用，如肌动素白细胞介素 -6（interleukin-6, IL-6）介导抗炎作用，抑止肿瘤的发展。

图 10-10 运动与癌症预防

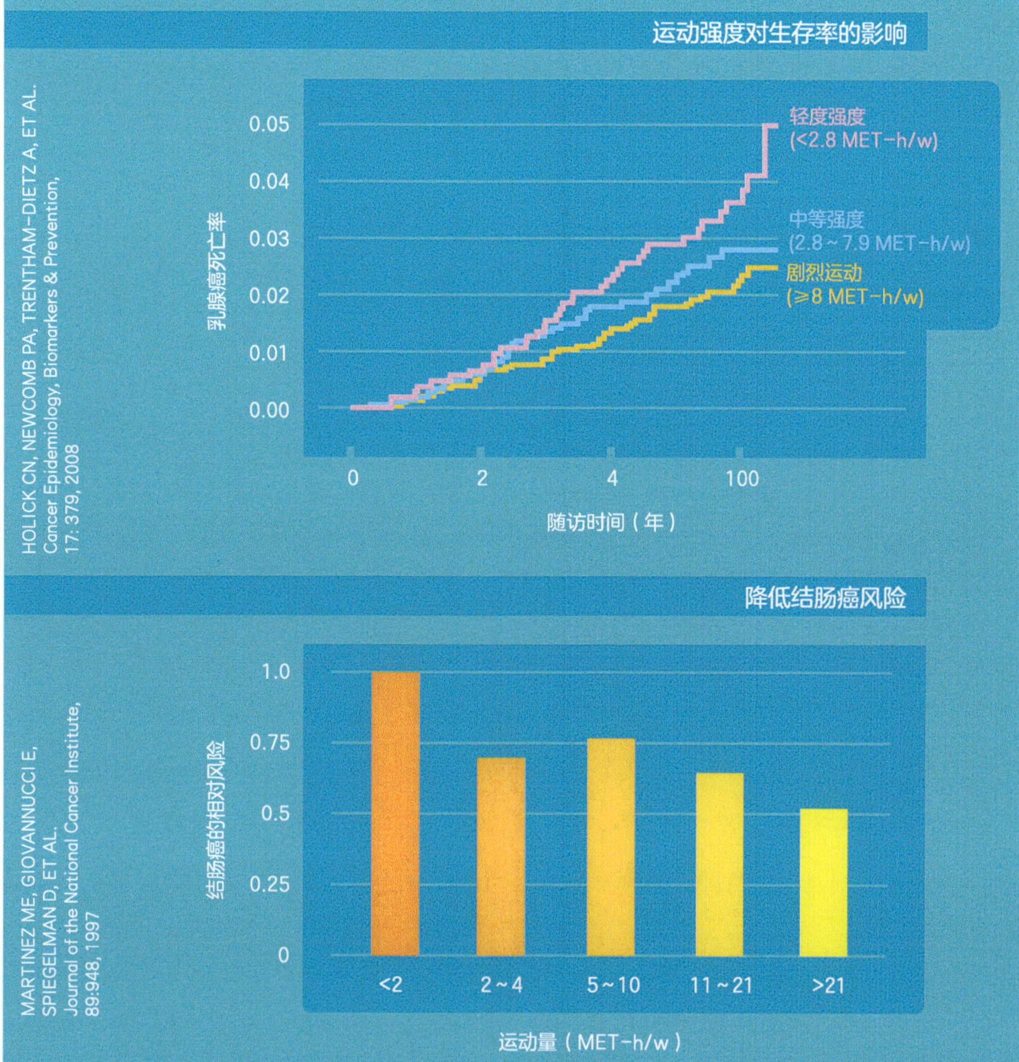

要点

- 每周增加 5 MET-h 的中等强度运动，乳腺癌死亡风险将降低 15 %。
- 经常进行剧烈体育活动的人患结肠癌和前列腺癌的风险较低。
- 保持运动和健康饮食可以大大降低人们一生中患癌症或死于癌症的风险。

要理解的问题

第10章　运动是良医

- 体能越低，男性和女性的死亡率越高。证据是什么？（见概念82）

- 活动量少是几种慢性病和全因死亡率的一个风险因素。证据是什么？（见概念82）

- 体能和活动是独立的死亡风险，体能水平比活动更能预测死亡率。证据是什么？（见概念82）

- 经常参加体育锻炼的人比不参加体育锻炼的人患心血管疾病的可能性小。证据是什么？（见概念83）

- 定期运动对高血压有什么影响？其潜在机制是什么？运动的方式是否重要？（见概念84）

- 运动对慢性阻塞性肺病患者的影响是什么？潜在的机制是什么？（见概念85）

- 运动训练对改善代谢紊乱显著的积极影响，改善血脂异常、肥胖症和代谢综合征的证据是什么？（见概念 86）

- 运动对 2 型糖尿病患者的血糖控制起着至关重要的作用。最有效的运动强度是什么？其机制是什么？（见概念 87）

- 愉悦的运动是精神疾病患者采用和维持运动计划的核心，改善抑郁症、焦虑症或压力的证据是什么？（见概念 88）

- 运动可以降低神经系统疾病患者的发病风险并可能改善其功能。痴呆和帕金森病可能的改善机制是什么？（见概念 89）

- 随着年龄的增长，肌肉、骨骼和关节因磨损而不断恶化，最终会发展成肌肉骨骼疾病。运动尤其对骨关节炎、类风湿性关节炎和骨质疏松症有什么影响？（见概念 90）

- 积极锻炼身体的生活方式可以预防某些常见癌症的发生。在活跃人群中抑制致癌率并提高乳腺癌，结肠癌和前列腺癌生存率的证据是什么？（见概念 91）

第 11 章
运动测试

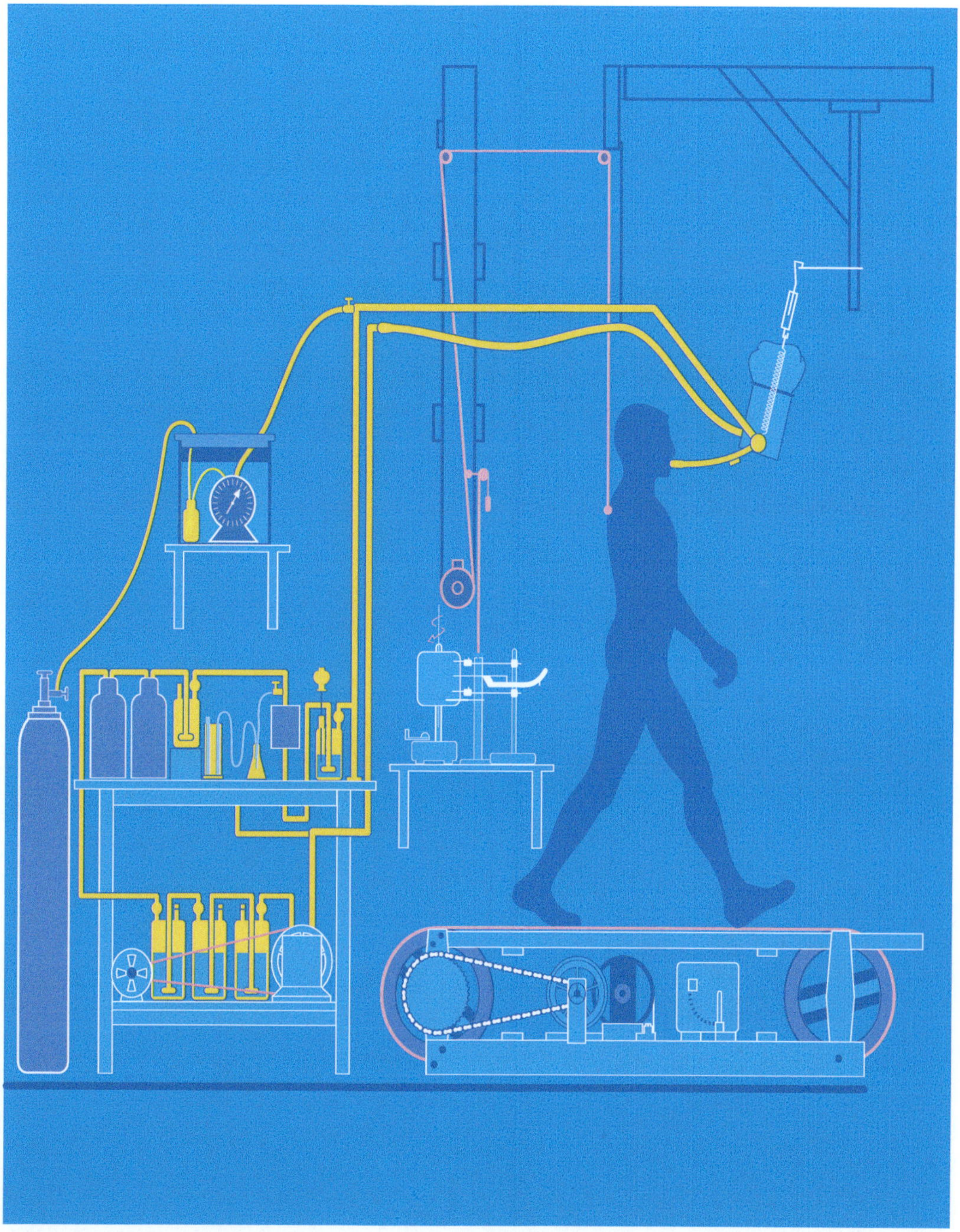

第 11 章　运动测试

本章重点介绍与运动相关的生理学测试，用于评估运动的优点和缺点，及检测运动计划的进展。

概念 92　能量消耗的评估

概念 93　心肺适能：极量测试

概念 94　心肺适能：亚极量测试

概念 95　心肺适能：现场测试

概念 96　耐力表现的评估

概念 97　最大无氧功率的评估

概念 98　肌肉适能的评估

概念 99　柔韧性的评估

概念 100　身体成分的评估

要理解的问题

关于把运动测试作为末尾章节的目的是:

评估和评价一个人的身体素质。

制订并监测一个人的运动计划。

认识自己的运动潜力和局限性,

从而知道如何做和期望值。

身体素质的评估和评价

心肺适能、肌肉适能、柔韧性和身体成分都是身体素质的组成部分。心肺适能可以在实验室的极量运动耐力测试中直接评估，也可以在亚极量或极量运动现场测试中间接评估。

了解一个人的心肺适能水平是非常重要的，因为一方面它关系到他/她的表现能力和对发病率和死亡率的易感性；另一方面，它允许个性化的运动方案，并定期监测有氧运动方案的效果。

个人的结果也可与标准数据进行评估和比较。肌肉适能由力量、体能和耐力等功能参数共同组成，对它们的评估可以作为设计个性化运动方案的基础，并对其有效性提供反馈。

柔韧性有助于更有效地完成日常工作任务，更成功地进行体育活动，可将受伤和肌肉骨骼问题的风险性降到最低，柔韧性可以用直接或间接的方法来评估。

最佳的身体成分对于预防疾病、保持健康、健身和巅峰运动表现至关重要。它可以通过密度测量或现场测试来评估。

锻炼计划的方案和监测

从体能测试中获得的个体数值对于制订运动计划，明确运动方式、强度、频率、持续时间和运动量以及监测运动效果至关重要。

运动潜力和局限性

体能状况和运动训练所带来的益处，个体差异很大。这种差异性主要是由于先天的易感性，它意味着即使人体适应运动项目的机制和生理原则对每个人来说都是一样的，但预期的益处却可能不一样。有些人表现出很少或基本没有改善，而另一些人可能表现出明显的增强。因此，运动测试可以作为运动指南的工具，揭示该做什么和期望什么。

然而，无论一个人的潜力和局限性如何，都应该记住，运动的过程可能比所带来的健康结果更重要，对于积极运动的生活方式，运动首先必须是令人愉快的。

概念 92 能量消耗的评估

人体所有生理过程（包括肌肉活动）所需能量的测试，是基于线粒体内能量燃烧过程中消耗的 O_2、产生的 CO_2 和释放的能量之间的基本关系。碳水化合物（糖原）燃烧的这种关系可由以下公式定义。

糖原

$$C_6H_{12}O_6 + 6O_2 \rightarrow 6CO_2 + 6H_2O + 32ATP$$

$$162\ g + 134.4\ L \rightarrow 34.4\ L + 90\ g + 680.4\ kcal$$

从这个方程可以看出，当 1 个分子的糖原（162 g）在线粒体中燃烧时，会消耗 134.4 L 的氧气，产生相同数量的 CO_2，并释放 680.4 kcal 的能量。此外，CO_2 会与 H_2 结合形成 90 g 的水。

热当量

氧气的热当量取决于所代谢的燃料，碳水化合物的热当量约为 5.1 kcal（680.4÷134.4），脂肪为 4.7 kcal，蛋白质为 4.4 kcal。了解底物的热当量也很必要，1g 碳水化合物的热当量为 4.2 kcal（680.4÷162），1g 脂肪的热当量为 9.5 kcal，1g 蛋白质的热当量为 4.4 kcal。请注意，脂肪的热量是其他两种燃料的 2 倍多。

呼吸气体交换率（respiratory exchange ratio，RER）

碳水化合物和脂肪被活动肌肉的线粒体作为燃料使用，而 RER 告诉我们何时使用哪种。RER 是 CO_2 的产生与氧气的消耗之比，在脂肪和碳水化合物的氧化过程中有所不同。当碳水化合物是唯一的燃料时，RER 等于 1.0（134.4÷134.4），当只有脂肪被氧化时，RER 等于 0.7。RER 只是反映了稳态运动时活动组织中的气体代谢交换，范围在 0.7～1.00，取决于所利用的底物类型。很明显，通过计算 RER，我们可以将全身的氧气消耗转换成以 kcal 为单位的能量消耗，从而了解运动的强度和性质。

间接测热法

全身耗氧量是指吸入的氧气量和呼出的氧气量之差，它是在稳态有氧运动中通过直接测热法在呼出气体的基础上确定的，即呼出空气的体积及 O_2 和 CO_2 的组成占比。在运动过程中，用所谓的道格拉斯袋（Douglasbag）收集排出的气体体积，然后用气体测量仪测量，同时用肖兰德或霍尔丹（Scholander or Haldane）化学分析仪分析样本中氧气和 CO_2 的浓度。

这种传统的技术是最准确的，为人体生理学领域的发展奠定了基础，如今已被电子人体测量系统远远超越，如图 11-1 所示，现在能够在实验室中快速和重复测量氧气。此外，便携式遥测系统也已被开发出来，用于测量竞技过程中的耗氧量。

图 11-1　行走时氧气摄入量的测量（跑步机上）

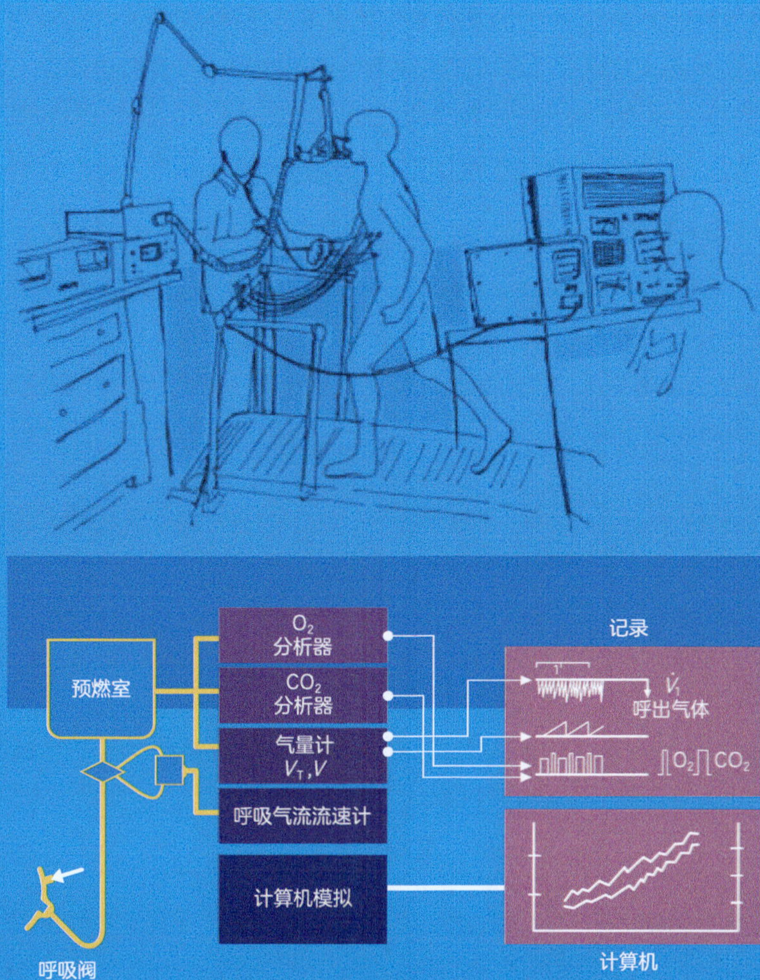

AINSWORTH BE, HASKELL WL, HERMANN S, ET AL. Medicine & Science in Sports & Exercise, 43:1575, 2011

要点

- 碳水化合物在厌氧或有氧的情况下都可以代谢，而脂肪和蛋白质只能在有氧的情况下代谢。
- 脂肪氧化产生的能量为每氧分子 5.6 个 ATP 分子，而碳水化合物氧化产生的能量为 6.3 个 ATP 分子。
- 身体在体育活动中消耗的氧气量与能量消耗成正比。
- 便携式遥测系统广泛用于估计运动活动中的能量消耗，并且可以与计算机连接，监测运动训练。

概念 93 心肺适能：极量测试

心肺适能也被称为有氧适能，是指人体以中等至剧烈的强度进行动态、长时间的大肌肉群运动的能力，主要与心脏、肺部和血液向工作肌肉输送氧气的能力有关。因此，唯一最重要的心肺适能的全球标准是最大摄氧量（$\dot{V}O_2$ max），其评估方法是在实验室的极量运动耐力测试中直接评估，或在亚极量或极量运动现场测试中间接评估。对 $\dot{V}O_2$ max 的直接评估是本概念的重点，而其间接评估将在后续的两个概念中讨论。了解一个人的心肺适能水平至关重要，因为一方面它关系到他 / 她的表现能力和对发病率和死亡率的易感性；另一方面，它可以使运动方案个性化并定期监测有氧运动计划的效果。

$\dot{V}O_2$ max 的直接评估

$\dot{V}O_2$ max 在实验室通过开放式呼吸装置的肺活量仪直接测量，采用分级运动测试方案，即负荷逐步增加，直到受试者达到无法维持功率输出的程度。$\dot{V}O_2$ 的平稳期被用作达到最大 $\dot{V}O_2$ max 的主要标准，但如果没有观察到平稳期，则使用以下辅助标准的组合来确认运动者已付出极量运动：

- 血乳酸浓度≥ 8 mmol/L
- 呼吸交换率（RER）≥ 1.15
- 感知疲劳率（RPE）≥ 17
- 心率≤最大心率－ 10 次 /min，根据年龄估计。

$\dot{V}O_2$ 峰值　在极量运动期间达到的最高 $\dot{V}O_2$，当未观察到 $\dot{V}O_2$ 的平稳时，称为 $\dot{V}O_2$ 峰值，可被认为是有氧适能的有效指标。

极量运动测试方案

图 11-2（上）阐述了一些最广泛使用的极量运动测试方案。它们是连续进行的（如 Astrand、Bruce），或间歇进行的（如 Naughton）。它们都有一个共同的特点，即通过改变负荷或速度逐步增加运动的强度，但它们在应用模式上有所不同。负荷可以 2 ~ 3 个 METs 的速度递增，每一步的持续时间可以是 2 min 或 3 min，总的测试时间对于身体健康的人来说可以是 8 ~ 12 min，对于体质较差的人来说可以稍微长一些，这样氧气运输系统才能最大限度地负荷。例如，为训练有素的人制定的 Astrand 跑步机方案，要求热身 5 min，然后以每小时 8 ~ 13 km 的速度在平地上跑 3 min，此后保持恒定的速度，同时每 2 min 将坡度增加 2.5%，直到锻炼者无法继续。

如图 11-2（下）所示，无论程序差异如何，所有测试如果进行得当，均可获得几乎相同的 $\dot{V}O_2$ max。

图 11-2　极量运动的测试

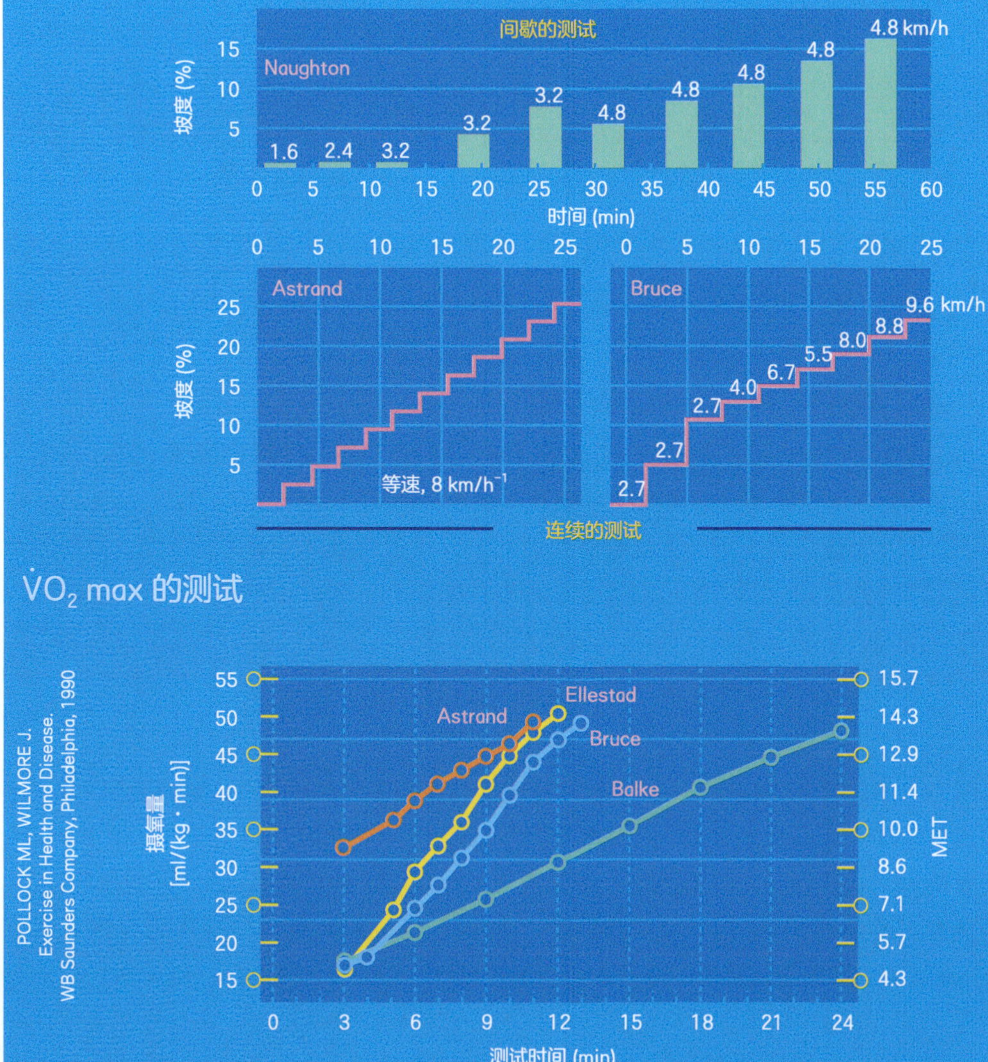

要点

- 运动测试的方案将取决于被测试者的年龄、健康状况和健身状况。
- 选择测试运动员的测功仪应考虑他 / 她特定运动的特定生理需求和运动模式。
- 所有方案中，在进入下一个阶段之前，每个阶段都应达到稳定的心率状态 (±5 次/min)。

概念 94 心肺适能：亚极量测试

心肺适能水平可以通过亚极量测试来估计，只要它们既满足有效性、可靠性和客观性的科学标准，又切实可行。最广泛使用的亚极量测试是基于跑步机、自行车测力计或台阶测试来测量心率。心率对工作输出的响应被作为有氧适能的标准，因为它在氧运输系统中起着核心作用，而且工作负荷、摄氧量和心率之间存在三方线性关系。

预测假设

在亚极量测试时，根据心率（HR）测量值估计 $\dot{V}O_2$ max，假定以下预设条件是正确的：

- 氧气摄取量随着工作强度的增加而线性增加，直至极量运动。
- 心率随着工作强度的增加而线性增加，直至极量运动。
- 氧气摄取量和心率在相同的工作强度下达到峰值。
- 氧气摄取量和心率之间呈线性关系。
- 最大心率随着年龄的增长而逐渐下降。

关于前 2 个假设，线性关系在引起心率 120～170 次 /min 的强度下是成立的。关于第 3 个假设，心率达到最高点的时间略早于氧气摄取的时间，因此实际的 $\dot{V}O_2$ max 可能被低估了。第 4 个假设对于亚最大极限是合理的，但在最高强度时偏离了线性。最后一个假设在实际测量最大心率时是正确的，但在根据传统公式（最大心率 =220– 年龄）估计时，可能有相当大的误差（±5%～15%），在使用最近修订的公式［最大心率 =208–（0.7× 年龄）］时，这种误差可能会有所限制。

Astrand-Rhyming 列线图

图 11-3 所示的 Astrand-Rhyming 列线图，是最广泛用于预测亚最大心率测量下 $\dot{V}O_2$ max 的图表。它的构建是基于观察：在 50% $\dot{V}O_2$ max 时，年轻男性平均心率为 128 次 /min，年轻女性为 138 次 /min。需要进行一次亚最大工作负荷，持续约 6 min，可以在自行车、台阶测试或跑步机上完成，并应引发 125～170 次 /min 的心率。然后用列线图来估算 $\dot{V}O_2$ max。对于每种测试模式，将获得的心率与自行车每分钟功率（kg · m/min）、台阶测试负荷（kg）或跑步机每分钟呼氧量（$\dot{V}O$ L/min）绘制在连线图上，交点处即为估计的 $\dot{V}O_2$ max 值，如果被测者年龄小于或大于 25 岁，则需要乘以一个年龄校正系数（见插图）。因此，所预测的 $\dot{V}O_2$ max 值对运动员来说低估了运动员约 5% 的实际值，低估了训练有素者约 10%，低估了未受训练者约 15%。

身体工作能力（physical working capacity，PWC 170）

PWC170 反映了心肺健康水平，正如 $\dot{V}O_2$ max。它是一种在自行车式动脉压负荷下逐渐增加的亚最大负荷测试，表示工作负荷——心率关系的线被外推到 170 次 /min 心率，而不是最大心率。

图 11-3 Astrand-Rhyming 计算表

ASTRAND PO, RHYMING I. A. Journal of Applied Physiology, 7:218, 1954

年龄	校正系数	HRmax	校正系数
15	1.10	210	1.12
25	1.00	200	1.00
35	0.87	190	0.93
40	0.83	180	0.83
45	0.78	170	0.75
50	0.75	160	0.69
55	0.71	150	0.64
60	0.68		
65	0.65		

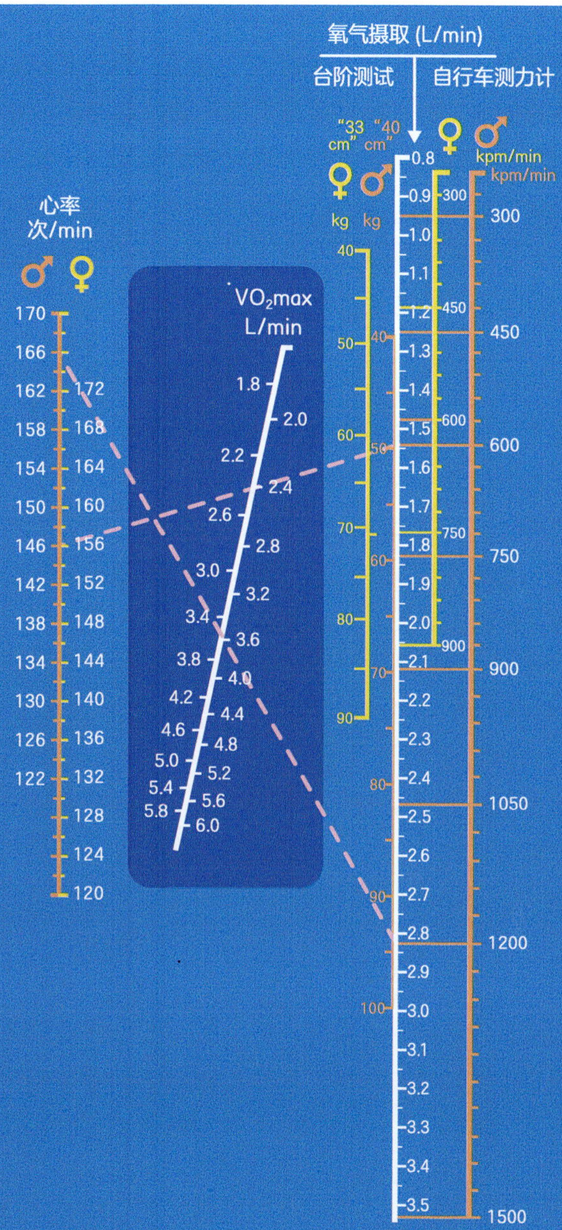

要点

- 亚最大心率受到几个因素的影响，这些因素可能会影响摄氧量-心率斜率，从而影响对VO_2max 的评估。
- 影响心率的因素有：环境温度、测试前进食、测试前运动、脱水和情绪状态。
- 在所有的亚极量测试中，应仔细注意在每个工作负荷下达到心率稳定状态(±5 次/min)。
- 心率可通过桡侧触诊评估，将食指和中指置于桡动脉附近，桡动脉位于靠近腕关节的拇指侧。

概念 95　心肺适能：现场测试

心肺适能的现场测试使用步行、跑步、定时或定速的踏步等自然活动，需要最大的努力和足够的时间来最大限度地使用氧气运输系统。目前已经设计了许多这样的测试，其优点是简单，而且可以在同一时间以较低的成本进行自然活动来测试大人群。一个健全的心肺适能的现场测试应该首先满足有效性、可靠性和客观性的科学标准。本概念的重点是两项这样的测试，即预定距离的库珀有氧 2400 m 测试（Cooper aerobic test，2400 m）和预定速度的莱格 20 m 往返跑测试（Leger，20 m）。这两项测试都严重依赖有氧能量来源，并且与 $\dot{V}O_2$ max 相关性良好。

库珀有氧 2400 m 测试

图 11-4 显示了心肺适能的标准，该标准基于库珀设计的 2400 m 有氧测试，并应用于超过 6 万名 20 ~ 79 岁的男性和女性（数据来自得克萨斯州达拉斯库珀研究所）。这是一个在 400 m 跑道上进行的跑步 / 步行测试，或用里程表测量的平坦区域。根据跑步速度（m/min）和跑步耗氧量［ml/（kg · min）］之间的线性关系，使用以下公式，可以从测试中的表现获得一个人的 $\dot{V}O_2$ max［ml/（kg · min）］的合理估计值：

$$\dot{V}O_2\ \text{max} = [(0.2 \times \text{速度 m/min}) + 3.5]$$

3.5［O_2 ml/（kg · min）］代表 1 MET（静止代谢当量）。

例如，如果一名 20 岁的男子在 10 min 内完成了 2400 m 的测试，那么他的心肺功能被认为是优秀的。这相当于 $\dot{V}O_2$ max 为 51.5 ml/（kg · min），根据上述公式计算，即：［（0.2×240）+ 3.5］。

莱格 20 m 往返跑测试

一项系统回顾和大数据分析显示，这是一项有效和可靠的跑步测试，用于评估成人和儿童的心肺适能。该测试包括 1 min 的连续增速跑步，从 8.5 km/h 开始，每分钟增加 0.5 km/h。参赛者必须在相距 20 m 的两条线之间赛跑，同时与预先录制的音频信号保持同步。该测试的特点是：

- 模拟了用于评估 $\dot{V}O_2$ max 最大分级运动测试的标准。
- 音频节奏作为一种激励因素，在整个测试中分配能量，最大限度地发挥自己的极限。
- 测试可以在室内进行，从而控制环境条件。

图 11-4 库珀有氧测试 2400 m（以分钟记）

ACSM' s Guidelines for Exercise Testing and Prescription. Philadelphia (PA): Lippincott Williams & Wilkins; 2018

男	百分位数	20-29	30-39	40-49	50-59	60-69	70-79
卓越	99	8:29	8:49	9:10	9:34	10:09	10:28
	95	9:17	9:33	9:51	10:37	11:26	11:58
优秀	90	9:34	10:01	10:28	11:10	12:20	13:24
	85	10:00	10:24	10:48	11:45	12:53	13:58
	80	10:09	10:46	11:15	12:08	13:23	14:34
良好	75	10:43	11:06	11:40	12:36	13:52	15:14
	70	10:59	11:22	11:58	12:53	14:16	15:54
	65	11:10	11:33	12:11	13:20	14:34	16:19
	60	11:29	11:54	12:24	13:35	15:04	16:43
一般	55	11:41	11:58	12:53	13:58	15:23	17:12
	50	11:58	12:24	13:12	14:23	15:56	17:38
	45	12:20	12:50	13:24	14:34	16:21	18:11
	40	12:38	12:58	13:50	15:06	16:46	18:38
较差	35	12:53	13:24	14:11	15:26	17:11	19:24
	30	13:15	13:44	14:34	15:58	17:41	19:43
	25	13:36	14:05	14:53	16:28	18:33	20:36
	20	14:00	14:34	15:24	16:58	19:10	21:47
极差	15	14:34	15:13	15:58	17:38	20:19	22:52
	10	15:30	15:57	16:46	18:37	21:51	24:49
	5	17:04	17:25	18:48	20:38	24:03	27:58
	1	20:58	20:58	22:22	25:00	29:47	32:46

女	百分位数	20-29	30-39	40-49	50-59	60-69	70-79 年龄（years）
优秀	99	9:30	9:58	10:09	11:20	12:24	12:24
	95	10:28	11:00	11:33	12:53	14:05	14:21
好	90	11:10	11:33	12:11	13:40	14:53	16:40
	85	11:33	11:58	12:53	14:24	15:45	16:46
	80	11:58	12:24	13:23	14:34	16:33	17:51
良好	75	12:24	12:53	13:45	15:13	16:46	18:21
	70	12:51	13:24	13:58	15:43	17:30	18:37
	65	12:53	13:47	14:34	16:13	17:38	18:37
	60	13:24	14:08	14:53	16:35	18:27	19:36
一般	55	13:48	14:28	15:13	16:46	18:37	19:43
	50	14:04	14:34	15:34	17:19	19:04	20:02
	45	14:34	15:14	15:58	17:38	19:35	20:52
	40	14:50	15:43	16:31	18:18	20:16	21:31
较差	35	15:14	15:58	16:46	18:37	20:52	22:07
	30	15:46	16:42	17:29	19:10	21:36	22:46
	25	16:21	16:56	18:05	19:43	22:21	23:20
	20	16:46	17:38	18:37	20:44	22:52	24:06
极差	15	17:38	18:37	19:35	21:38	23:37	25:49
	10	18:33	19:43	20:52	22:52	24:48	26:51
	5	20:03	21:34	22:22	24:46	26:19	30:00
	1	23:58	24:56	25:49	29:09	30:12	36:13

要点

- 在进行最大现场测试之前，应填写体力活动准备问卷（见概念 61）。
- 如果跑步者在跑步过程中感到胸痛、呼吸困难、头晕或腿部不适/疼痛，或者他想停止跑步，应终止最大现场的跑步测试。
- 在最大现场跑步测试后，应进行至少 5 min的低强度运动来冷却恢复。

概念 96　耐力表现的评估

这一概念主要用于评估耐力项目（如跑步、自行车、游泳和越野滑雪）运动表现的实验室测试。这种测试中最普遍的是测量无氧阈值，而另外两项测试——临界功率和峰值跑步速度也得到了很好的应用并被证明是有效的。

无氧阈值

无氧阈值（图 11-5）被定义为“突破点”，在增量运动中，血液中的乳酸开始突然积累并超过静息值，它也被称为乳酸阈值，是有氧和无氧能量系统之间的联系，反映了向无氧糖酵解的转变。它发生在中等强度的运动中，可以持续很长时间，因为没有乳酸积累，不易导致疲劳。

这一测定需要运动员在适合他 / 她的运动测力计上运动，每隔 1 ~ 3 min 逐步增加运动速率，同时采集血液样本。图 11-5（上）显示了血液中乳酸浓度的数值（2 mmol/L、2.5 mmol/L、3.0 mmol/L 和 4.0 mmol/L），这些数值被认为用来反映血液中乳酸突然上升的突破点，即无氧阈值。图 11-5（上）说明了无氧阈值是如何受运动员训练状态的影响的。它以 $\dot{V}O_2$ max 的百分比来表示，运动员越是训练有素，它的百分比就越高。

通气阈值

这是一种广泛的估计无氧阈值的无创方法，在增量运动期间目测的通气突然增加被认为反映了乳酸阈值的“突破点”。尽管这种方法很吸引人，但它在估计无氧阈值方面的实验误差似乎相当大（12% ~ 17%）。

临界功率

为了确定临界功率，运动员在适合他 / 她运动的测力计上进行 5 ~ 7 次的计时运动试验，直到疲劳，并进行数天的测试。例如，在跑步机上进行测试，跑步速度在 *Y* 轴上绘制，耐力时间在 *X* 轴上绘制，直到耐力极限。临界功率是指在这一速度－时间曲线中，表现速度趋于平稳的点，反映了运动员的运动耐受力，并预测他 / 她在持续 20 min 以上的活动中的耐力表现。正如预期的那样，临界功率与无氧阈值和 $\dot{V}O_2$ max 高度相关。

最高跑步速度

这项测试测量的是可以保持 5 s 以上的最高跑步速度，是在跑步机或跑道上进行的，每 30 s 提高一次，直到疲劳为止，这似乎是耐力表现的一个很好的预测指标。

图 11-5　无氧阈值

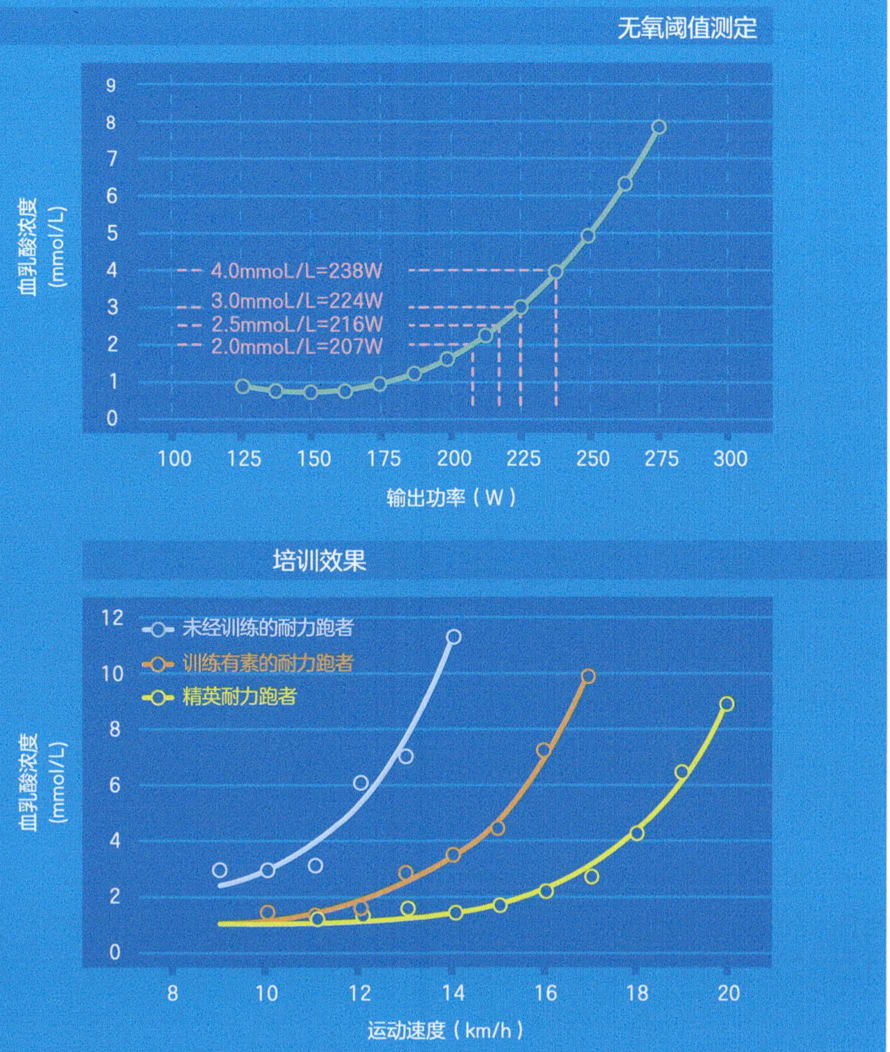

TOKMAKIDIS SP, LEGER LA, PILIANIDIS TC. European Journal of Applied Physiology 77:333, 1998

要点

- 无氧阈值在一个未经训练的人中含量较低（50% ～ 60%），而一个训练有素的人接近 70%，一个高强度训练的运动员甚至可能超过 80%。
- 无氧阈值是在长时间耐力比赛中能够维持的最高速度的主要决定因素。
- 在两名最大摄氧量相同的长跑运动员中，无氧阈值越高的运动员可能表现越好。然而，其他因素，如节省体力也可能起作用。

概念 97　最大无氧功率的评估

ATP-PC 系统在超短爆发期间产生 ATP 的最大能力（即持续 1 ~ 10 s 的竭力运动），反映了最大的无氧功率。在体育赛事中持续 30 ~ 60 s 的较长时间的高强度活动取决于最大无氧能力，这主要影响无氧糖酵解来合成 ATP，乳酸是这个过程的副产物。评估无氧功率和能力最常用的实验室测试是温盖特无氧测试（Wingate anaerobic test），而玛格丽亚无乳酸功率测试（Margaria alactacid power test）可用于评估无氧功率的无乳酸成分。

温盖特无氧功率和能力测试

这是一个在循环测力计上进行的 30 s 极量运动的测试，旨在确定峰值无氧功率、无氧能力，同时还计算了疲劳指数。受试者需要在 30 s 内尽可能快地踩踏板。测试开始时受试者在飞轮上无阻力地踩踏板。在受试者达到全踏板速度后（几秒钟内），阻力增加到预定负荷（75g/kg），估计超过受试者的 $\dot{V}O_2$ max 20% ~ 60%。受试者继续尽可能快地踩踏，同时每 5 s 记录一次踩踏速度。得出三个无氧性能指标：前 5 s 内的无氧功率峰值、反映无氧能力的 30 s 内的平均无氧功率，以及疲劳指数，用百分比表示，定义为峰值功率和最低 5 s 输出功率之差除以峰值功率。

一个典型的功率曲线如图 11-6（上）所示。在前 5 s 内达到功率的峰值，随后功率的产生逐渐下降，最低的功率输出记录在测试的最后 5 s。表中给出了不同能量需求的运动项目中精英运动员的无氧功率、无氧能力和疲劳指数的典型值。该测试作为一种有效和可靠的检测手段被广泛应用。其中峰值功率和平均功率部分的可信度系数在 0.90 ~ 0.98。

玛格丽亚无乳酸无氧功率测试

该测试需要一座楼梯（每级台阶 175 mm），在第 8 级和第 12 级台阶上放置一个开关垫，并连接到一个灵敏的（0.01 s）时间记录器上。受试者以两步一跨的方式尽可能快地爬上楼梯，将受试者的体重（W）与第 1 级和第 2 级开关垫之间的垂直距离（D）相乘，并乘以因子 9.8（代表重力常数，单位为 m/s），最后再将乘积除以 1 级和 2 级开关垫之间的时间（T），计算出无乳酸无氧功率输出（P）：

$$P = W \times D \times 9.8 / T$$

该测试高度可靠，是预测短跑项目成功与否的良好指标。

图 11-6 温盖特无氧测试

INBAR O,BAR-OR O, SKINNER JS. The Wingate anaerobic test. Champaign, IL: human Kinetic; 1996

精英运动员无氧功率测定

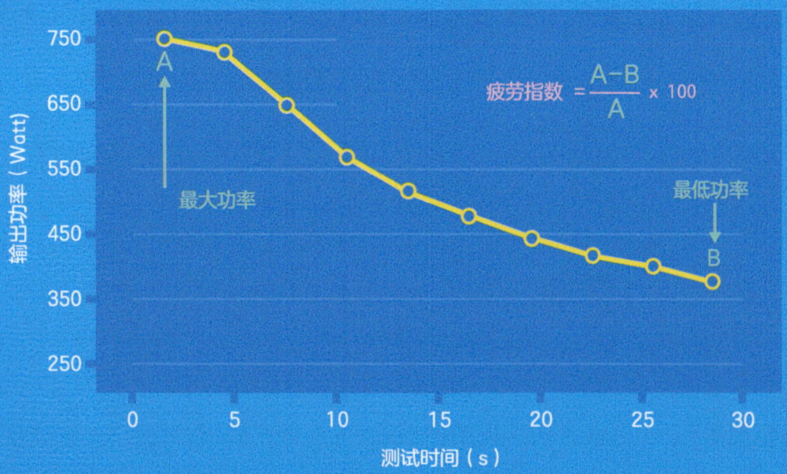

精英运动员的无氧能力

精英运动员	无氧功率 (Watt · kg^{-1})	无氧能力 (Watt · kg^{-1})	疲劳指数 (%)
举重	12.6 ± 1.0	9.3 ± 1.3	45 ± 8.5
体操运动员	12.3 ± 0.7	9.1 ± 0.7	47 ± 3.5
摔跤选手	12.0 ± 0.9	9.3 ± 0.9	43 ± 5.2
跑步运动员10 km	11.9 ± 0.6	9.3 ± 0.8	33 ± 7.2
马拉松运动员	11.2 ± 1.1	8.8 ± 0.6	26 ± 8.7

要点

- 在评估团队运动员的无氧表现方面，已经开发了许多有效和可靠的特定运动无氧测试，此类测试可以在参考文献中大多数运动的选定研究中找到。
- Ergojump Bosco力量测试也很常用，其生理优势在于它能利用每次跳跃时储存在肌肉中的弹性能量。
- 传统上使用的跳跃力量测试在评估个人的肌肉力量方面可能很有价值，但由于它们的即时持续时间，它们不会最大限度地增加无氧过程的负担。

概念 98 肌肉适能的评估

肌肉适能由力量、功率和耐力等功能参数共同组成，其中力量是指肌肉施力的能力，肌肉功率是指快速施力的能力，而耐力是指维持等长收缩或进行多次重复的能力。评估肌肉适能的这些功能部分可以作为设计个性化运动方案的基础，并为其有效性提供反馈。

评估肌肉力量

肌肉力量的评估是通过以下的肌肉动作模式来完成，如图 11-7（上）所示：

- 静态模式　使用等长测力仪，测试握力、腿部和背部力量的强度，并以最大随意收缩（maximum voluntary contraction, MVC）表示，单位为 kg 或 N。

- 动态模式　使用具有恒定阻力的自由重量，或具有可变阻力的运动器械，并以单次最大限度（1-RM）表示，这是在整个运动范围内所能移动的最大阻力，是动态肌肉力量的有效和可靠指标。图 11-7（下）显示了如何从多次重复测试中确定 1-RM。1-RM 的倍数在 4 ~ 8 的范围内，也可以对参与测试的肌肉群的力量进行准确的测量。该表提供了与年龄和性别有关的上半身肌肉力量的标准，表示为被推的重量除以体重的比率，单位均为 kg。这些标准是从 6108 人的大样本中获得，并从平杠铃卧推（胸推）中进行 1-RM 测试。

- 等速模式　使用等速测力仪对所有三种类型的肌肉力量（等长、向心、离心），以及肌肉耐力进行高度准确和可靠的评估。等速测力仪可以随时测量肌肉在 0° /s ~ 300° /s 的恒定速度下产生的扭矩、功和功率。

评估肌肉力量

反向垂直跳跃是评估肌肉力量最常用的现场测试方法，被测试者通过屈膝和屈髋并向后挥动手臂，然后迅速爆发性的、尽可能高的向上跳跃。该测试高度有效和可靠，特别是当使用接触垫自动测量跳跃高度时。跳跃高度可以用以下公式转换为功率：

峰值功率（W）=51.9× 跳高（cm）+ 48.9× 体重（kg）–2.007

肌肉耐力评估

肌肉群的耐力可以通过长时间保持 1-RM 的特定百分比来评估，或者使用俯卧撑、引体向上或卷腹等传统的现场测试来评估，尽管最近的证据发现，卷腹与腹部耐力和腰痛有一定的关系，就像曾经认为的那样。

图 11-7　肌肉力量评估

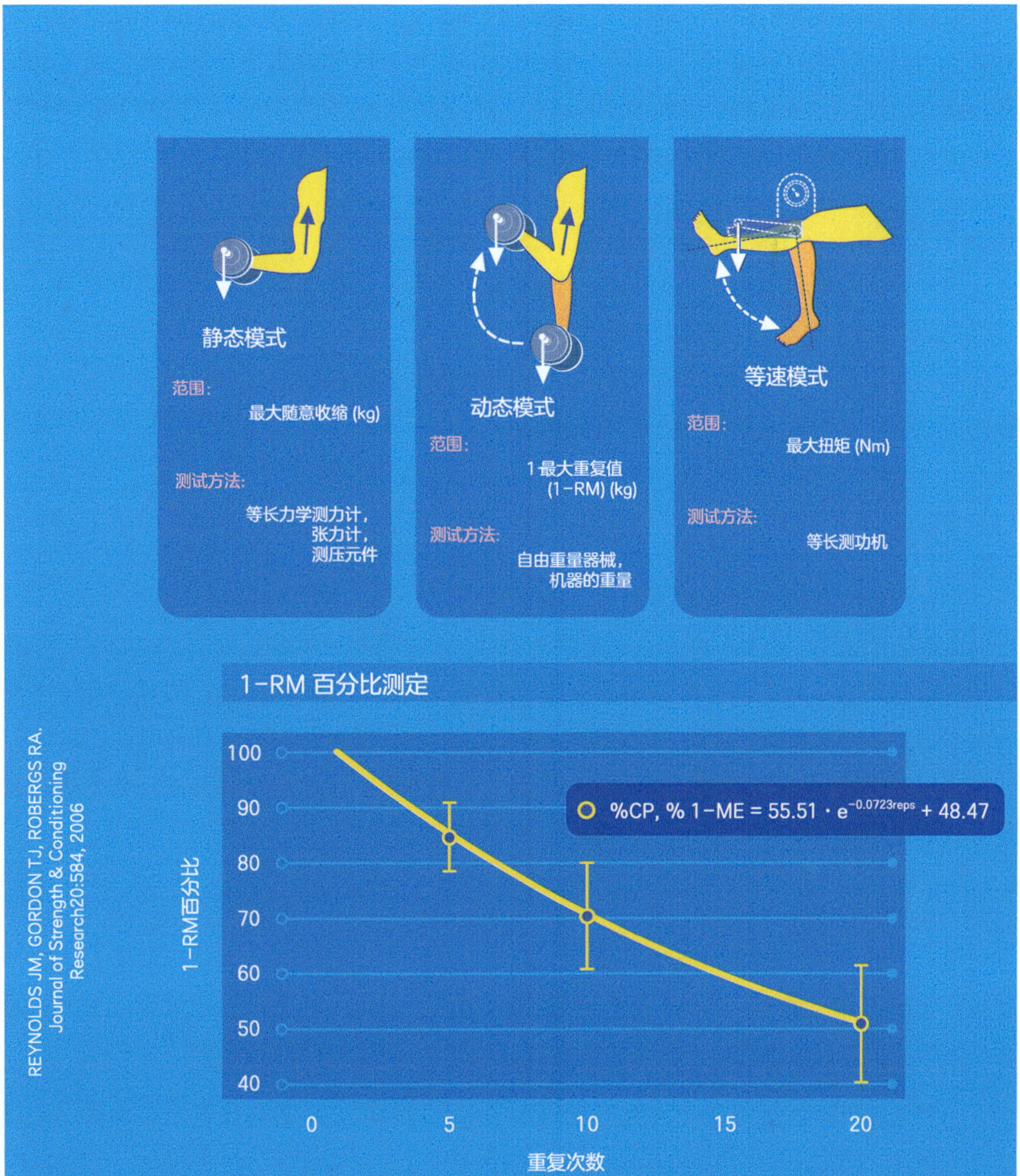

要点

- 1-RM 通常在 4 次试验内确定，试验之间的休息时间为 3 ～ 5 min。初始重量应为容量的 50% ～ 70%，增量范围应为 2.5 ～ 20 kg。
- 在 1-RM 中，也可以从 2-RM 到 10-RM 的疲劳重复次数来估计。将举起的重量除以相应的 1-RM百分比（以小数为单位），如下表所示：

重复次数	2	3	4	5	6	7	8	9	10
1-RM百分比	95	93	90	87	85	83	80	77	75

概念 99　柔韧性的评估

柔韧性是指通过完整的运动范围（range of motion，ROM）移动一个关节的能力。它与肌肉力量的经济性和最佳的运动自由度有关，可以更有效地执行日常任务，更成功地进行体育活动，并尽量减少受伤和肌肉骨骼问题的可能性。柔韧性具有高度的关节特性，即一个人可能在一个或多个关节有最佳的柔韧性，但在其他关节却没有。

影响因素

关节的形态因素和肌肉－肌腱单元的伸展性对关节的硬度和柔韧性有重要影响，而对肌肉的弹性似乎仅有短暂的影响。有资料显示，不运动、年龄和性别都会影响柔韧性。不运动的人的柔韧性往往比运动的人低。此外，老年人的柔韧性往往比年轻人低，因为肌肉僵硬程度会随着年龄的增长而逐渐增加。此外，女性通常比男性柔韧性更好，这主要是由于她们的骨盆结构更大，而且女性激素似乎会影响结缔组织构成。

直接方法

没有任何一种测试可以用来评估全身的柔韧性，因为柔韧性具有高度的关节特性。用简单的万能角度仪和数字角度仪可以获得关节 ROM 的精确测量，而可穿戴的电子角度仪在日常和体育活动中的实时测量具有高度的有效性和可靠性。此外，测试已被用于评估大多数关节的准确和可靠的 ROM 测量，使用的是重力依赖性角度仪，即雷顿（Leighton）弯曲仪和倾斜角度仪。此外，智能手机的应用程序正在被开发，将其有效性与公认的直接方法进行比较，可能为 ROM 评估提供一种创新的方法。

间接方法

最常用的测量柔韧性的间接方法（图 11-8）是坐—伸测试。它已经包括在大多数与健康有关的体能测试中，以评估腰部和腿部肌肉的伸展性。然而，一些研究表明，该测试作为腿筋长度的间接测量方法可能是可以接受的，但它与腰部柔韧性的关系不大。

测试程序　该测试是按照加拿大运动生理学会的程序进行的，包括坐在地板上，双膝完全伸展，双脚分开（约 15 cm），脚底平放在箱子上。手掌朝下，两手相叠，手臂伸展，试图慢慢向前伸直，尽可能伸远，并保持该姿势 1～2 s，同时记录距离。邻表按年龄和性别列出了以 cm 为单位的标准数据。

图 11-8 柔韧性评估

	15~19	20~29	30~39	40~49	50~59	60~69
优秀	≥39	≥40	≥38	≥35	≥35	≥33
好	34~38	34~39	33~37	29~34	28~34	25~32
良好	29~33	30~33	28~32	24~28	24~27	20~24
一般	24~28	25~29	23~27	18~23	16~23	15~19
有待改进	≤23	≥24	≥22	≥17	≥15	≥14

年龄	15~19	20~29	30~39	40~49	50~59	60~69
优秀	≥43	≥41	≥41	≥38	≥39	≥35
好	38~42	37~40	36~40	34~37	33~38	31~34
良好	34~37	33~36	32~35	30~33	30~32	27~30
一般	29~33	28~32	27~31	25~29	25~29	23~26
有待改进	≥28	≥27	≥26	≥24	≥24	≥22

CANADIAN SOCIETY FOR EXERCISE PHYSIOLOGY. Physical activity training for Health: Resource manual, Ottawa, 2013

要点

- 运动减退行为使人灵活性降低。
- 椅子坐姿伸展测试似乎是传统地板坐姿伸展测试的替代方法，作为衡量老年人腿筋柔韧性的指标。
- 背部划痕测试似乎具有可接受的结构有效性，用于评估老年人的肩部柔韧性。

概念 100 身体成分的评估

最佳的身体成分对于预防疾病、健康、健身和最佳运动表现来说都是最重要的。尽管一个人的体型和体质在很大程度上受遗传控制，但他 / 她的身体成分，即脂肪量和肌肉量，可以通过适当的饮食和训练得到很大的改善。这一概念为评估身体成分的方法提供了宝贵的见解，可以有效地用于实现个性化的训练目标。

密度测量

密度测量是基于阿基米德原理（Archimedes' principle），即“当一个物体浸入水中时，它受到的浮力等于该物体排出的水的重量”。根据这个原理，人体的密度等于其质量除以其体积，虽然人体质量反映了其重量，但人体体积需要通过浸泡在水中的重量损失来计算。因此，静压或水下称重可以将身体的两个组成部分分开，即密度较小的脂肪块和密度较大的非脂肪块。该方法是最准确的，被认为是评估身体成分的黄金标准。

另一种基于相同原理的同样精确的方法是体积描记法（plethysmograpy），即通过空气而不是水的位移来计算身体体积。知道了身体密度，我们现在可以用下面这样的标准公式来估计相对体脂。

$$体脂百分比 = (495 / 身体密度) - 450$$

然而，另一种基于技术进步的方法在评估身体成分方面已获得了优势，那就是双能 X 射线吸收法（dual-energy X-ray absorptiometry，DEXA），它除了估计脂肪和不含脂肪的质量外，还可以估计骨密度和骨矿物质含量。

野外技术

与上述实验室方法相关的（0.70 ~ 0.90）最常用的野外技术（图 11-9），是生物电阻抗分析和皮褶厚度测量。

生物电阻抗分析 基于水的良好导电性，脂肪组织含有少量的水（14% ~ 22%），而瘦肉组织含有大量的水（ > 90%）。因此，脂肪为电流提供了阻抗，分析仪测量该电流的电阻。对一个人体内的水合水平做一些假设，就可以比较准确地计算出脂肪含量。

皮肤皱褶测量 是基于皮下脂肪量与身体脂肪总量成正比的假设，可以用一个适当的公式从皮肤皱褶的总和来估计身体密度。例如，测量以下 3 个部位（胸部、肱三头肌、肩胛下）的公式通常用于男性。

$$身体密度 = 1.1125025 - 0.0013125（3 个皮褶之和）+ 0.0000055（3 个皮褶之和）^2 - 0.0002（年龄）$$

使用这种适合于性别和年龄的通用皮褶方程可以准确预测体脂率。图 11-9 列出的标准是基于库珀有氧健身研究院（Cooper Aerobics Institute）对大量成人样本的测试。

图 11-9 脂肪百分比评估（按年龄和性别划分）

ACSM' s Guidelines for Exercise Testing and Prescription. Philadelphia (PA): Lippincott Williams & Wilkins; 2018

男性

	20~29	30~39	40~49	50~59	60~69	70~79
优秀	7.9	12.4	15.0	17.0	18.1	17.6
	9.1	13.7	16.4	18.3	19.2	19.0
	10.5	14.9	17.5	19.4	20.2	20.1
良好	11.5	15.9	18.5	20.2	21.0	21.0
	12.6	16.8	19.3	21.0	21.7	21.6
	13.8	17.7	20.1	21.7	22.4	22.3
	14.8	18.4	20.8	22.3	23.0	22.9
一般	15.8	19.2	21.4	23.0	23.6	23.7
	16.6	20.0	22.1	23.6	24.2	24.1
	17.5	20.7	22.8	24.2	24.9	24.7
	18.6	21.6	23.5	24.9	25.6	25.3
较差	19.7	22.4	24.2	25.6	26.4	25.8
	20.7	23.2	24.9	26.3	27.0	26.5
	22.0	24.1	25.7	27.1	27.9	27.1
	23.3	25.1	26.6	28.1	28.8	28.4

年龄：20~29　30~39　40~49　50~59　60~69　70~79

女性

	20~29	30~39	40~49	50~59	60~69	70~79
优秀	15.1	15.5	16.8	19.1	20.2	18.3
	16.1	16.5	18.3	20.8	22.0	21.2
	16.8	17.5	19.5	22.3	23.3	22.5
良好	17.6	18.3	20.6	23.6	24.6	23.7
	18.4	19.2	21.7	24.8	25.7	24.8
	19.0	20.1	22.7	25.8	26.7	25.7
	19.8	21.0	23.7	26.7	27.5	26.5
一般	20.6	22.0	24.6	27.6	28.3	27.6
	21.5	22.8	25.5	28.4	29.2	28.2
	22.2	23.7	26.4	29.3	30.1	28.9
	23.4	24.8	27.5	30.1	30.8	30.5
较差	24.2	25.8	28.4	30.8	31.5	31.0
	25.5	26.9	29.5	31.8	32.6	31.9
	26.7	28.1	30.7	32.9	33.3	32.9
	28.2	29.6	31.9	33.9	34.4	34.0

要点

- 皮肤皱褶测量是估计肥胖和肌肉发达的一种可接受且方便的技术，测量误差在 ±3.5% 以内。
- 在进行可靠和客观的皮褶测量时，需要高水平的专业知识和对标准程序一丝不苟的执行。
- 将有氧运动与抗阻训练相结合，是在不改变体重的情况下改善身体成分的有效方法。

要理解的问题

第11章 运动测试

- 如何评估运动中的能量消耗？我们如何知道能量来自哪种底物？（见概念92）

- 氧气、碳水化合物、脂肪和蛋白质的热量是多少？其作用是什么？（见概念92）

- 什么是心肺适能？如何在实验室中直接评估它？其效用是什么？（见概念93）

- 心肺适能（$\dot{V}O_2$ max）可以通过亚极量运动时的心率测量来估计，并做一些假设。这些假设是什么，它们的有效性如何？（见概念94）

- 心肺适能（$\dot{V}O_2$ max）也可以通过现场测试来估计，这些测试需要极量运动和充足的时间来使氧气运输系统达到最大限度的负荷。在这方面，库珀有氧测试2400 m和莱格20 m往返跑测试的可接受性如何？（见概念95）

• 在两名具有相同 $\dot{V}O_2$ max 的长跑运动员中，无氧阈值较高的人是否可能有更好的表现？无氧阈值是如何定义和确定的？（见概念 96）

• 如何定义最大无氧功率和最大无氧能力？在这种情况下，温盖特无氧测试和玛格丽亚无乳酸功率测试的可接受性如何？（见概念 97）

• 肌肉适能总体上由力量、功率和耐力等功能参数组成，如何评估这些参数？（见概念 98）

• 身体柔韧性在功能上的重要性是什么？如何直接用精密仪器进行评估，或用间接方法进行评估？（见概念 99）

• 最佳的身体成分对于预防疾病、健康、健身和最佳运动表现至关重要。什么被认为是黄金标准，什么是最常用的现场评估技术？（见概念 100）

词汇表

乙酰胆碱（Acetycholine） 概念 16，30

神经冲动时从突触小泡释放到突触间隙中的一种神经递质，是收缩过程开始的信号。

乙酰辅酶 A（Acetyl coenzyme A） 概念 1

将两种不同的能量产生机制联系在一起的化合物，通过参与三羧酸循环（又称为克雷布斯循环或柠檬酸循环）进行碳水化合物和脂肪的氧化，实现无氧和有氧能量代谢。

酸中毒（Acidosis） 概念 5

细胞内环境和血液中的游离氢离子浓度增加，导致 pH 下降、酸碱平衡紊乱和疲劳。

适应环境（Acclimatization） 概念 47，48

当一个人暴露在热、冷或高海拔等自然环境压力下时，身体的长期生理适应过程。

肌动蛋白（Actin） 概念 15

一种结构蛋白，与肌球蛋白共同作用产生肌肉动作。

动作电位（Action potential） 概念 15，30

神经元膜的快速和短暂的去极化和复极化。神经元的功能和传递信息的一种方式。

适应（Adaptation） 概念 32

在身体的各种细胞和组织中引起的功能和 / 或结构的变化，通常是训练的结果，以提高其满足运动要求的能力。

腺苷二磷酸（ADP，Adenosine diphosphate） 概念 1

一种高能磷酸盐化合物，与无机磷酸盐结合形成 ATP。

腺苷三磷酸酶（ATPase，Adenosine triphosphatase） 概念 1

负责裂解 ATP 的最后一个磷酸基的酶，从而释放出大量的能量。

三磷酸腺苷（ATP，Adenosine triphosphate） 概念 1

一种细胞工作时释放能量的高能磷酸化合物。它被认为是生物体能量交易的“货币”。

有氧 - 无氧乳酸训练（Aerobic-anaerobic lactic training） 概念 33

以无氧阈值和最大摄氧量为界的训练过程。训练强度最低时，血液乳酸浓度为 4 mmol/L，训练强度最高时为 10 mmol/L。年轻人相应的心率分别是 180 次 /min 和 200 次 /min。

有氧能力（Aerobic capacity） 概念 11，33，79

是最大摄氧量、耐力和心肺功能的同义词。其提高取决于运动方式和个人的基因型。

有氧运动（Aerobic exercise） 概念 78

以慢跑为例，有氧运动能增加能量代谢，加速呼吸和心率，它能提高氧气运输和氧气利用系统的能力，以及心肺耐力。

有氧代谢（Aerobic metabolism） 概念 1，2

在有氧的情况下释放 ATP 的过程，发生在线粒体中，也称为细胞呼吸。

有氧训练（Aerobic training） 概念 33

训练是以有氧和无氧阈值来划分的。训练强度最低时，血液乳酸浓度为 2 mmol/L，训练强度最高时为 4mmol/L，年轻人相应的心率分别是 130 次 /min 和 180 次 /min。

衰老（Aging） 概念 71

与功能衰退有关的过程。与久坐不动的人相比，有规律的锻炼可以使老年人适应日常生活活动，维持次最大肌肉运动，减少心血管压力和肌肉疲劳。

酒精摄入（Alcohol intake） 概念 60

大剂量的急性酒精摄入会导致行为改变，以及认知功能、神经驱动力、力的产生和运动技能的下降，都会对运动表现产生不利影响。

碱中毒（Alkalosis） 概念 61

由于血液中氢氧根离子（OH^-）浓度增加而导致动脉 pH 升高。

全因死亡率（All-cause mortality） 概念 82

低体能和低体力活动与几种慢性病和全因死亡率呈负相关，是全因死亡率的预测指标，其表现胜过高血压、高脂血症、吸烟和糖尿病等既定风险指标。

全或无反应（All or none response） 概念 21

即对一个运动单元的刺激是否导致该运动单元中所有肌肉收缩的反应过程。

海拔（Altitude） 概念 48

在高海拔地区，空气中的氧气较稀薄，从肺部到血液并输送到组织的氧气较少，从而导致有氧性能的损害。

海拔 / 缺氧训练（Altitude/hypoxic training） 概念 48

在海拔 2000 ~ 2500 m 生活一段时间，再在接近海平面的低海拔地区进行训练，是最有效的海拔训练方案之一，可以提供最佳的血液学适应性。

α- 肌动蛋白 3 基因（Alpha-actin 3 gene） 概念 43

这一基因对快速肌肉纤维的功能至关重要。短跑运动员和力量型运动员拥有这种基因的可能性是其他运动的运动员的 3 倍。

安非他命（Amphetamines） 概念 60

一种具有抗疲劳作用的违禁药，可以增加肌肉力量与乳酸盐的产生，以及由于感知疲劳减少而导致的耐力减弱。安非他命可以延缓疲劳，使运动员超越他们的生理极限，这严重影响了运动员的健康。

氨基酸（Amino acid） 概念 6

构成蛋白质的基本单位，由活细胞合成或膳食产品中含有的蛋白质成分降解而成。在长时间的运动中，一些氨基酸在肝脏中通过糖异生作用转化为葡萄糖并进入氧化过程。

合成代谢类固醇（Anabolic steroid） 概念 59

身体内最重要的一种类固醇激素，它通过向肌肉添加更多细胞核来促进肌肉蛋白质合成，从而促进肌肉生长。此外，无论是否伴随抗阻训练，使用类固醇类物质均可增加肌肉体积、力量和肌肉耐力，但不会提高有氧耐力。

无氧 - 低乳酸训练（Anaerobic-alactic training） 概念 33

这种训练方式涉及间歇训练，在非常短的高强度运动（<10 s）中穿插较长时间的休息（约

4 min)，这就不会产生乳酸，磷酸肌酸完全得到了补充。

无氧运动（Anaerobic exercise） 概念 1

运动需氧量大于供氧量。

无氧糖酵解（Anaerobic glycolysis） 概念 1

将葡萄糖分解为丙酮酸，然后转化为乳酸的代谢途径。这种情况发生在氧气供应不足的高强度运动中。

无氧 - 乳酸训练（Anaerobic - lactic training） 概念 33

这种训练方式以最大摄氧量和最大血乳酸浓度为界限。它包括重复的超极限速度和短暂的恢复（30 ~ 60 s），使血液乳酸和心率达到最大值。

无氧代谢（Anaerobic metabolism） 概念 2，3

一个在没有氧气的情况下释放能量的过程。它可能不产生乳酸、产生乳酸或两者兼而有之，在超过最大负荷的运动中被募集的过程。

无氧阈值（Anaerobic threshold） 概念 96

也称乳酸阈，在增量运动中，血乳酸开始突然而系统地超过静息值的“临界点”。是有氧和无氧能量系统之间的联系，反映了向糖酵解的转变。它是对耐力表现的评价。

雄性合成性类固醇（Androgenic-anabolic steroids） 概念 59

雄性激素睾丸素的合成衍生物，是体内最强大的合成性激素，通过增加肌肉纤维的横截面积以及肌核的数量来提高肌肉质量。

血管生成（Angiogenesis） 概念 41，66

新血管和毛细血管网络的发育，导致组织血流和氧合的增加，并影响功能。

血管紧张素转换酶基因（*ACE*，Angiotensin converting enzyme gene） 概念 38

它的 II 变异体被认为是优势因素，主要存在于耐力运动员中，而 DD 变异体则存在于短跑运动员中。

抗利尿激素（ADH，Antidiuretic hormone） 概念 31

控制体内持水量的一种激素。当运动强度高于 60% $\dot{V}O_2$ max 时，下丘脑产生并储存在脑下垂体后腺中的 ADH 被分泌到血液中。然后，它作用于肾脏，增加水的渗透性和肾小管对其的再吸收，减少体内水分的流失。

抗氧化剂（Antioxidants） 概念 58

膳食中补充抗氧化剂（维生素 C 和 E）被认为可以减少自由基，减轻运动引起的氧应激和肌肉疲劳。然而，有证据表明高剂量的抗氧化剂可能会抑制训练诱导的肌肉适应，并对运动表现不利。

动脉 - 静脉氧差 [Arterial-venous oxygen difference, or（a-v）O_2 diff.] 概念 35

组织中动脉血和静脉血氧含量的差异，是氧消耗的结果。随着有氧训练的增加而变大，反映血液流动和氧气提取的增加。

动脉气压感受器（Arterial baroreceptor） 概念 28

位于颈动脉和主动脉弓内，对动脉血压变化敏感。

动脉血压（Arterial blood pressure） 概念 28

收缩压随着运动强度的增加而升高，而舒张压由于外周阻力下降而降低。由于心输出量增加，平均压力略有增加。

动脉粥样硬化（Atherosclerosis） 概念 83

动脉变窄，涉及动脉壁的渐进性变化、内皮细胞的破坏和脂肪物质（斑块）的积累。

运动员的心脏（Athlete’s heart） 概念 35，65

指耐力运动员的大而有力的心脏，可以在最大的努力下泵出大量的血液来支持高速率的有氧代谢。

其特点是具有独特的形态训练适应性，如左心室的壁厚、质量和内部尺寸，允许更大的心肌收缩力和更高的冲程量。

哮喘（Asthma） 概念 85

一种以支气管痉挛发作为特征的气道慢性炎症性疾病，中等和高强度的有氧训练可以减轻气道炎症和劳累性呼吸困难。

Astrand-Rhyming 列线图（Astrand-Rhyming nomogram） 概念 94

基于耗氧量和心率之间的线性关系，用于估计最大有氧功率的次极限测试。该测试在自行车测力计、台阶测试或跑步机上进行，时间约为 6 min，心率应在 125 ~ 170 次 /min。然后用列线图来估计 $\dot{V}O_2$ max。

自生抑制（Autogenic inhibition） 概念 38

由高尔基腱器官监控的抑制反射机制，防止肌肉施加超过骨骼和结缔组织所能承受的力量。

自主神经控制（Autonomic control） 概念 30

自主神经系统的内控作用，不自主地控制内部环境。

脑源性神经营养因子（BDNF，Brain-derived neurotrophic factor） 概念 66

运动对大脑长期益处的关键媒介。最有可能的是，在运动过程中来自肌梭和高尔基腱器官的输入信号触发了海马体中 BDNF 的释放，海马体是与高级认知功能相关的大脑区域。

大脑兴奋剂（Brain stimulant） 概念 60

如咖啡因、酒精和安非他命，这些都是禁止使用的中枢神经系统的精神药物和强效兴奋剂，能深刻地影响人类行为，使人产生欣快感、清醒感、自信心、运动时减轻疲劳和疼痛的感觉。

β- 丙氨酸（Beta-alanine） 概念 61

一种氨基酸，是肌肽的一部分，为一种细胞内缓冲液，将 H^+ 从肌肉细胞质转移到细胞外空间，然后进入血液。长期补充可以提高持续 1 ~ 4 min 的高强度表现。

β- 内啡肽（Beta-endorphin） 概念 66

一个人在长时间的有氧运动后感到的快感似乎与 β- 内啡肽的分泌有关，它参与疼痛的感知和快乐的情绪。显然，运动诱导的刺激进入下丘脑，引起皮质兴奋素的分泌，皮质兴奋素反过来又刺激垂体前叶分泌 β- 内啡肽。

β 氧化（Beta-oxidation） 概念 6

游离脂肪酸分解形成乙酰辅酶 A 的过程。

碳酸氢盐（Bicarbonate） 概念 61

最直接和最强大的细胞外缓冲系统是碳酸氢钠（$NaHCO_3$，即小苏打），在血液中立即电离形成碳酸氢根离子（HCO_3^-）和钠离子（Na^+）。血液中的碳酸氢根通过与 H^+ 结合形成碳酸（H_2CO_3），然后迅速解离成 CO_2 和水。这类补充剂对于持续 1 ~ 5 min 的全力以赴的运动，可能会带来潜在的好处。

碳酸氢根离子（Bicarbonate ion） 概念 61

在活动组织中产生的 CO_2，大部分是以碳酸氢根离子（HCO_3^-）的形式被输送到肺部，在防止运动中血液酸化方面发挥着重要作用。

生物能量学（Bioenergetics） 第 1 章序言

研究细胞内产生 ATP 的代谢过程的科学。

血液兴奋剂（Blood doping） 概念 62

指注入红细胞或促红细胞生成素，以提高血红蛋白浓度和血液的携氧能力，从而提高有氧运动中的运动员成绩。血液兴奋剂是被严格禁止的。

血脂蛋白（Blood lipoprotein） 概念 86

负责在血液中运输胆固醇的蛋白质。有低密度脂蛋白（LDL）和高密度脂蛋白（HDL）两种形式。

低密度脂蛋白负责将胆固醇沉积在动脉壁上，而高密度脂蛋白负责将其移除并转运到肝脏进行代谢。有氧训练可以减少低密度脂蛋白，增加高密度脂蛋白。

身体成分（Blood lipoprotein） 概念 68，100

指脂肪组织、肌肉和骨骼的相对数量。一个最佳的身体组成对于预防疾病、健康、健身和达到最佳运动表现是最重要的。密度测定法是最准确的分析技术，被认为是评估身体组成的黄金标准。现场技术（生物电阻抗和皮褶厚度）与密度测量有良好的相关性，并已得到广泛应用。

身体质量指数（BMI，Body mass index） 概念 68

是一种方便和有用的身体成分表达方式，也是一种广泛用于估计肥胖的标准。基于单位身高的体重，即一个人的体重（kg）除以其身高（m）的平方。

玻尔效应（Bohr effect） 概念 27

氧解离曲线向右移动，由于运动期间血液温度和 H^+ 浓度的增加，使得更多的氧气被输送到活动组织中。

心动过缓（Bradycardia） 概念 65

静止状态下心脏的跳动频率减慢的现象。尽管心动过缓是心脏对有氧训练的一种正常和理想的适应，但它也可能是异常心律失常的结果。训练引起的心动过缓很可能是由于内在心率的降低。

缓冲剂（Buffering agent） 概念 61

当肌肉中 H^+ 的积累超过清除速度时，细胞内 pH 可能下降到 6.0 的临界值。在这种 H^+ 浓度的突变中，细胞内和细胞外的缓冲液相互作用，以维持内部环境的酸碱平衡和稳态。

咖啡因（Caffeine） 概念 60

一种使中枢神经系统的兴奋剂。摄入咖啡因可以提高精神警觉性，降低对耐力的感知，提升情绪和延迟疲劳的发生，从而对运动表现有好处。

钙（Ca^{2+}，Calcium） 概念 16

钙在肌肉纤维的收缩和代谢活动中起着至关重要的调节作用，通过激活横桥来启动肌肉收缩。

热当量（Caloric equivalent） 概念 92

O_2 的热当量取决于所代谢的燃料，对于每升 O_2，代谢的碳水化合物为 5.0 kcal，脂肪为 4.7 kcal，蛋白质为 4.4 kcal。了解基质的热当量也是有用的，即代谢后的 1g 碳水化合物为 4.2 kcal，1g 脂肪为 9.5 kcal，1g 蛋白质为 4.4 kcal。

卡路里（cal，Calorie） 概念 92

能量消耗的衡量单位，等于将 1.0 g 水的温度从 15 ℃提高到 16 ℃所需的热量。1 kcal（kcal），相当于 1000 cal，常用来表示人体的能量消耗。

量热法（Calorimetry） 概念 92

测量身体内产生的热量的方法。可以直接或间接进行。直接测量是以肺部热量计同时测量产热、氧气消耗和 CO_2 生产。间接测量是根据排出的气体，即呼出空气量的体积及 O_2 和 CO_2 的组成占比。

癌症（Cancer） 概念 91

癌症的主要特征是细胞生长不受控制而形成肿瘤，侵入并破坏周围的正常组织，并最终导致发病和死亡。体力活动的水平与乳腺癌、结肠癌和前列腺癌的风险降低和生存率提高有关。

毛细血管（Capillaries） 概念 11，36

围绕每个肌肉纤维的微细血管，是血液和组织之间气体交换的场所。

碳水化合物（Carbohydrate） 概念 5

由碳、氢和氧形成的化合物，以糖原的形式储存在肌肉（约 450g）和肝脏（约 50g）中，只有 15 g 作为血糖。在体内的总能量储备约为 2000 kcal，因为 1g 葡萄糖或糖原的能量约相当于 4 kcal。

碳水化合物供应（Carbohydrate availability） 概念 52

碳水化合物在训练和比赛中为肌肉、大脑和中枢神经系统提供关键的燃料。其优势在于可以通过无氧和氧化途径来利用，还在于它能在每一体积的氧气中提供比脂肪更多的 ATP。

碳水化合物：不仅仅是一种供能物质（Carbohydrate: more than a store） 概念 52

碳水化合物供应不足会损害运动表现。但新的证据表明，用有限的碳水化合物进行训练也可能会加强对肌肉的训练刺激和代谢适应。

碳水化合物漱口现象（Carbohydrate mouth rinse phenomenon） 概念 32，52

有力的证据显示，简单地用碳水化合物溶液漱口可以提高 2% ~ 3% 的耐力表现。这种现象归因于大脑奖励中心的激活，特别是纹状体内的多巴胺通路。

心输出量（Cardiac output） 概念 28，35

心脏每分钟泵出的血液量等于心率和每搏出量的乘积，并以每 6 L 血液利用 1 L 氧气的速度线性增加。

心肺适能（Cardiorespiratory fitness） 概念 79，93，94，95

循环系统和呼吸系统在持续的中度至剧烈的体育活动中供应氧气的能力。以证据为基础的指南规定了运动的剂量，即为了有效地进行某种有氧运动，应该用多大的强度、多长时间、什么样的频率等。

心血管疾病（CVD，Cardiovascular disease） 概念 83

全世界最常见的死亡原因，主要特征是向心肌或大脑供血的能力降低。经常运动的人比不运动的人更不容易患上心血管疾病。

心血管系统（Cardiovascular system） 概念 27

心血管系统的主要功能是为组织提供新陈代谢所必需的氧气和营养物质，并从组织中排出其代谢产物。

儿茶酚胺（Catecholamine） 概念 31

包括肾上腺素和去甲肾上腺素在内的有机化合物，由肾上腺髓质释放并协同作用，使身体做好战斗或逃逸反应的准备。

细胞呼吸（Cellular respiration） 概念 27

细胞中利用氧气和产生 CO_2 的过程。

中枢性疲劳（Central fatigue） 概念 23

由运动引起的，由肌肉传感器（肌梭和游离神经末梢）参与的运动皮层放电或反射抑制减少。

中枢调控模型（Central governor model） 概念 23

根据这一模型，当肌肉没有充分疲劳时，大脑就会命令运动停止，以保持体内平衡，并保护重要器官免受损害。

儿童肥胖症（Childhood obesity） 概念 69

一种严重的健康负担，会深刻影响儿童的身体、社会和情感健康。在全球范围内，建议每天至少 60 min 的中到大强度身体活动，以促进儿童时期的健康体重和身体成分。

胆固醇（Cholesterol） 概念 86

一种脂质，是类固醇激素的前体，被认为是心脏病和高血压的主要风险因素之一。有氧训练对降低血液中的总胆固醇有深远的影响。

慢性适应（Chronic adaptation） 概念 33，34，36

在一段较长的时间内反复运动的生理变化（心肺、神经肌肉、代谢）。

慢性阻塞性肺病（COPD，Chronic obstructive pulmonary disease） 概念 85

一种几乎不可逆的疾病，其特征是气流受限，主要原因是支气管壁增厚（支气管炎）或弹性反冲减少，以及肺泡和细支气管肿大（肺气肿）。体育活动水平与 COPD 患者的死亡率或入院率之间存在线性剂量反应关系。

认知功能（Cognitive function） 概念 66

神经影像学和电生理学研究提供了一致的证据，证明运动可以增强和改善认知功能。运动对大脑功能的影响可能主要与细胞能量代谢和海马体中脑源性神经营养因子（BDNF）的产生有关，海马区对记忆和执行功能的认知表现至关重要。

向心作用（Concentric action） 概念 17

当细丝向肌小节中心拉动时，肌肉会缩短的现象。

向心训练（Concentric training） 概念 37

一种强化肌肉的方法，力量和速度取决于锻炼的目的。因此，采用大负荷来提高肌肉力量，采用高速度来提高肌肉速度，采用中等负荷和速度的组合来提高肌肉力量。

传导（Conduction） 概念 28

当身体与固体物体接触时，热量损失的一种机制。它也可以指神经冲动的传递。

对流（Convection） 概念 28

通过受热分子的循环将热量传递到皮肤。

库珀有氧测试（Cooper's aerobic test） 概念 95

一种广泛使用的心肺功能的运动测试，在很大程度上依赖于有氧能量来源，并与 $\dot{V}O_2$ max 有良好的相关性。

皮质醇（Cortisol） 概念 67

一种活跃的应激激素。任何压力源（剧烈运动、极端环境、情绪影响）导致的循环高皮质醇水平，会导致免疫抑制并增加感染的风险。

冠状动脉疾病（CAD，Coronary artery disease） 概念 83

由于冠状动脉狭窄，向心肌供应充足血液的能力下降而产生的疾病。

肌酸（Creatine） 概念 57

骨骼肌中以磷酸肌酸形式存在的一种物质。饮食中补充一水肌酸（Cr H_2O）可以增加肌肉中磷酸肌酸的含量，磷酸肌酸在短暂的高强度运动中可以迅速产生 ATP。因此，补充肌酸可以提高涉及高功率输出活动和 5 ~ 30 s 的运动表现。

临界功率（Critical power） 概念 96

在不疲劳的情况下保持的亚最大功率输出。它对应于速度 – 时间曲线中运动速度表现平缓的点，是有氧能力的预测指标。正如预期的那样，临界功率与无氧阈值和 $\dot{V}O_2$ max 高度相关。

临界温度理论（Critical temperature theory） 概念 29

根据该理论，当核心温度达到 41℃的临界温度时，长时间运动的表现就会受到限制。

横桥（Cross-bridge） 概念 15

肌球蛋白的球状头部，当被激活时，倾斜并将细丝拖向肌小节中心，导致肌肉收缩。

燃料利用的交叉点（Crossover of fuel utilization） 概念 7

相当于约 35% $\dot{V}O_2$ max 的运动强度，在此强度下，来自碳水化合物的能量增加，而来自脂肪的能量减少。

冷冻疗法（Cryotherapy） 概念 26

全身冷冻疗法可以减少疼痛，限制炎症反应，并加速运动后肌肉结构完整性和功能的恢复。

细胞质（Cytoplasm） 概念 15

细胞中围绕细胞核的物质。也称为肌肉细胞的肌质。

脱水（Dehydration） 概念 56

在运动过程中以出汗的形式流失的水分与运动消耗有关。水分流失超过体重的 2% 会影响耐力表现和认知功能，特别是在炎热的环境中。

专项练习（Deliberate practice） 概念 43

刻意练习对专业训练的确很重要，但并不像人们所认为的那样重要。遗传倾向对个体差异的影响似乎是无处不在的。

停训（Detraining） 概念 40

指的是长期停止训练而失去适应能力。肌肉纤维萎缩，蛋白质松弛，体积变小，但保持了之前抗阻训练中获得的高数量的肌核，与减量不同。

糖尿病（Diabetes） 概念 87

一种以血糖升高（高血糖）为特征的代谢性疾病，由于胰腺分泌的胰岛素不足（1 型）和 / 或胰岛素抵抗引起，即胰岛素无法促进葡萄糖从血液运送到细胞中（2 型）。运动在血糖控制中起着至关重要的作用。

扩散（Diffusion） 概念 27

肺和血液之间（肺扩散）以及全身毛细血管和肌肉细胞之间（组织扩散）的氧气和 CO_2 的交换，扩散速率受这些代谢气体的现有分压差影响。

多巴胺（Dopamine） 概念 60

一种随着运动而增加的神经递质，在解释运动如何影响大脑网络的最佳功能方面起补充作用。

兴奋剂（Doping） 第 7 章前言

是指符合以下三个标准的物质或行为：(a) 有可能提高运动成绩；(b) 有可能损害运动员的健康；(c) 违反体育精神。

双盲研究设计（Double-blind research design） 第 7 章序言

一种实验设计，研究者和受试者都不知道治疗的情况，以避免结果受到所有参与者的期望的影响。

血脂异常（Dyslipidemia） 概念 83，86

指血脂和脂蛋白的异常，被认为是心血管疾病的主要风险因素之一。运动可以降低与动脉粥样硬化相关的血液总胆固醇，并降低低密度脂蛋白胆固醇（或“坏胆固醇”），而可能增加“好胆固醇”。

早期运动专业化（Early sport specialization） 概念 49

参加各种运动并在进入青春期后才进行专业化的儿童，往往比那些早期专业化的儿童受伤更少，坚持运动的时间更长。

离心动作（Early sport specialization） 概念 17

当细丝被拉离肌小节中心时，肌肉被被迫拉长所发生的动作。

离心训练（Eccentric training） 概念 37

在离心训练中，肌肉被迫拉长，抵消力量大于最大等长并且远超同心收缩。由于纤维蛋白的重塑，与向心训练相比，高速离心训练的强度增益是最大的。

能耗的经济性（Economy of effort） 概念 9

能耗的经济性是指执行一项任务的能量成本，通过测量在执行特定任务的稳定状态下的耗氧量来评估。一个具有较高能耗经济性的人所消耗的能量较少，具有较高的耐力。

弹性元件（Elastic element） 概念 17

弹性元件主要指围绕肌肉的结缔组织鞘，它们与纤维平行并且串联排列。平行元件像橡胶一样抵抗纤维的拉伸，并有助于力量的发挥。串联的元件储存弹性能量，用于优化性能。

电子传输链（Electron transport chain） 概念 1

线粒体中的一系列化学反应，将氢离子（含有营养物质中的势能）转化为 ATP 和水。

精英长跑运动员（Elite long-distance runners） 概念 42

精英长跑运动员的特点是具有较高的 $\dot{V}O_2$ max、无氧阈值和跑步经济性。同时他们在比赛中利用高 % $\dot{V}O_2$ max。

精英短跑运动员（Elite short-distance runner） 概念 42

精英短距离跑者的特点是具有明显的代谢和机械因素。拥有更大比例的快缩型肌纤维，同时他们能够调动无氧来源的磷酸原和糖酵解系统来提供所需能量，而他们的踝关节力学和足部的比例有利于增加跑步的速度。

舒张末期容积（End-diastolic volume） 概念 28

在舒张末期即射血之前，左心室剩余的血液容积。

终板电位（End-plate potential） 概念 16

钠（Na^+）对细胞膜的去极化，发出肌肉收缩的信号，并开始传导过程。

内啡肽（Endorphin） 概念 66

由脑垂体产生的一种神经肽，与疼痛感知和愉悦的情绪状况有关。显然，有氧运动导致促肾上腺皮质激素释放激素（CRH）的分泌，CRH 反过来又刺激垂体前叶分泌内啡肽。

耐力（Endurance） 概念 33，34

抵御疲劳的能力。需要将心肺耐力和肌肉耐力区分开来，心肺耐力与身体长时间工作的耐受力有关，而肌肉耐力则与一块或一组肌肉的长时间工作有关。

能量平衡方程（Energy balance equation） 概念 68

表示热量摄入和消耗及体重的关系。当热量摄入等于热量消耗时，体重保持不变。当热量消耗超过热量摄入时，体重就会下降。相反，当食物热量超过每日热量消耗时，身体会将多余的热量转化为脂肪储存在脂肪组织中。

能量系统（Energy system） 概念 1、2、3

产生 ATP 的一系列化学反应和途径。需要提供能量以满足即时需求（磷酸原系统）、短期需求（糖酵解系统）和长期需求（氧化系统）。

酶（Enzymes） 概念 1

能催化化学反应并控制大多数代谢途径速率。

表观遗传学（Epigenetics） 概念 44

指 DNA 的一种化学修饰，不影响 DNA 序列（遗传密码），只影响基因表达，由 DNA 甲基化和组蛋白修饰等过程产生。表观遗传学因素可能会促进生理、代谢、认知、情感和行为的改变，帮助有天赋的训练有素的运动员将成绩提高到极限。

肾上腺素（Epinephrine） 概念 53

由肾上腺髓质合成的一种激素，作为神经递质作用于整个身体。

增强剂（Ergogenics） 第 7 章序言

指有可能提高肌肉工作或运动技能的物质。

测力计（Ergometer） 概念 48

一种测量运动速率和运动量的仪器。用于评估运动员时，由于训练适应的特殊性，选择的测力计应模拟运动员特定运动的生理需求和运动模式。

运动生理学（Ergophysiology） 序言

研究任何类型的运动对人体结构和功能的直接和长期影响，旨在改善人类健康、福祉、健身和表现。涵盖了人类所有运动，包括竞技体育运动和健身锻炼的科学。

呼吸功效测定（Ergospirometry） 概念 92

一种同时测量耗氧量和做功的单一电子系统，通常在摆线仪或跑步机上进行，能够在实验室中快

速和重复测量氧气 。便携式遥测系统已被开发出来，用于测量竞技过程中的耗氧量。

促红细胞生成素（EPO，Erythropoietin） 概念 62

一种由肾脏产生的激素，能刺激骨髓中红细胞的产生，从而提高血液的携氧能力，提高耐力赛的成绩。是体育运动中最被滥用的激素之一，因为它对运动员健康构成了严重的安全隐患，因而是被严格禁止的。

蒸发（Evaporation） 概念 29

在高温环境下长时间运动时，热量损失的主要途径是通过水（汗水）转化为水蒸气的形式。

运动后过量耗氧（EPOC，Excess postexercise oxygen consumption） 概念 10

运动后过量耗氧既反映了肌肉努力的无氧代谢，也反映了运动停止后呼吸、心血管、热量、激素和离子适应的能量需求增加，否定了氧债的旧概念。

兴奋 - 收缩耦联（Excitation-contraction coupling） 概念 16

肌肉收缩时在分子水平上发生的化学和机械事件。

兴奋 - 突触后电位（EPSP，Excitatory-postsynaptic potential） 概念 21

产生动作电位的必要条件。较小的运动单元的表面积较小，会产生较大的 EPSP，较快地实现动作电位。

运动（Exercise） 概念 74

是指任何有计划的、重复的、有目的的身体活动，用于改善或保持健康和 / 或身体素质，包括竞技运动和健身锻炼。

运动性高热（Exercise hyperthermia） 概念 47

在运动中因脱水而引起的现象，可导致心输出量减少，肌肉、皮肤和大脑的血流量减少，最终导致疲劳。

运动剂量（Exercise dose） 概念 60

反映运动的强度、持续时间和频率。

运动模式（Exercise mode） 概念 32

指根据超负荷、渐进性和特殊性的生理原则来指导运动。

运动处方（Exercise prescription） 概念 74

运动应该是个性化的，应考虑一个人运动的有氧能力，以及运动的剂量和方式。

运动测试（Exercise testing） 第 11 章引言

包括在实验室和现场以极量或亚极量强度进行的各种生理测试，以便：(a) 评估和评价一个人的身体素质；(b) 制订并监测一个人的运动计划；(c) 意识到自己的运动潜力和局限性，从而知道如何运动及其期望值。

运动量（Exercise volume） 概念 77

运动量化的最重要指标。量化了运动总量（即强度、频率和持续时间的乘积），并以 METs×min / d 或 min /w 表示。一个人以每周 5 天，以 4 METs 慢跑 30 min，其运动量则是每周 600 MET min(4×30×5)。

过量运动假说（Extreme exercise hypothesis） 概念 65

过度运动可能会削弱训练的益处，而对心脏不利？最近的证据认为这不大可能，但这个问题仍有争议，需要更多的研究来支持或反对这个“过量运动假说”。

快缩型肌纤维（Fast muscle fiber） 概念 20

快缩型肌纤维存在两种亚型：IIa 型和 IIx 型。这两种亚型的快缩型肌纤维都以无氧能力为主，对疲劳的抵抗力较差。这种肌纤维速度更快，力量更强，更适合于短暂而有力的运动。

脂肪（Fat） 概念 6

一类有机化合物。脂肪以甘油三酯的形式储存在肌肉细胞（约 500 g）和脂肪细胞（约 14 000 g）中，而少量脂肪（0.4 g）以自由脂肪酸的形式存在于血浆中，几乎可以忽略不计。1 g 脂肪含约 9 kcal 的能量。

脂肪氧化（Fat oxidation） 概念 68

脂肪被氧化分解的过程。脂肪以甘油三酯的形式储存在脂肪组织和肌纤维中，被分解为游离脂肪酸（FFA），在休息和运动时作为能量。燃烧 FFA 的最佳运动强度范围为 55% ~ 72% $\dot{V}O_2$ max 。

疲劳（Fatigue） 概念 5，23

肌肉表现的降低归因于细胞内的酸中毒，这是乳酸盐分解的结果。乳酸产生后，立即被分解为氢离子（H^+）和乳酸根离子。氢离子的积累导致 pH 下降，从而破坏了酸碱平衡。有中枢和外周两种可能的疲劳机制。

女性运动员（Female athlete） 概念 50

在所有体育项目中，女性运动员的实力都不及男性运动员。$\dot{V}O_2$ max 似乎是耐力表现的主要生理限制因素。$\dot{V}O_2$ max 的这种性别差异主要是由于女性的携氧能力较低，这可归因于她们的总血红蛋白较低，以及由于她们的心脏较小和血容量较少，限制了她们的每搏输出量。

女性运动员三联综合征（Female athlete triad） 概念 50

指低能量可用性、月经功能障碍和低骨密度之间的相互关系。

纤维增生（Fiber hyperplasia） 概念 38，39

通过增加新的肌小节来增加肌纤维的数量的过程。

纤维肥大（Fiber hypertrophy） 概念 38，39

通过增加新的肌小节来增加现有肌纤维的大小的过程。

纤维转化（Fiber transformation） 概念 38

在人类中，IIx 型肌纤维可以转化为 IIa 型，也可能是 I 型转化为 II 型。

战斗或逃逸（Fight-or-flight） 概念 30，31

指身体对压力情况（剧烈运动、极端环境、情绪影响）的选择性反应，导致皮质醇的释放，皮质醇是活跃的压力激素，导致免疫力下降。

柔韧性（Flexibility） 概念 78，81，99

指通过完整的运动范围（ROM）活动一个关节的能力。它与肌肉力量的经济性和最佳的运动自由度有关。静态拉伸和本体感觉神经肌肉促进是改善关节活动度和优化运动效率的灵活性练习。用简单的角度仪就可以精确测量关节活动度。

游离脂肪酸（Free fatty acid） 概念 6

身体能量来源的脂肪成分。

菲克方程（Fick equation） 概念 11，28

表示新陈代谢和心血管功能之间的联系，说明耗氧量等于心输出量乘以动脉—静脉氧差。

体能（Fitness） 概念 79、80、81

身体在工作和休闲活动中高效和充满活力的能力。它包括心肺功能、肌肉功能、神经运动功能和柔韧性。

水果中的多酚类物质（Fruit-derived polyphenol） 概念 57

以樱桃汁为例，具有抗氧化和抗炎特性以及镇痛作用，可有效地减轻高强度运动后的肌肉酸痛感。补充多酚类物质与性能的提高有关，尚没有研究表明有不良的副作用。

燃料利用（Fuel utilization） 概念 52

肌糖原是肌肉高强度运动时的主要燃料来源，蛋白质实际上起不到燃料的作用。

运动的燃料策略（Fuelling strategies for competition） 概念 55

赛前的燃料确保血糖水平的正常和肌糖原储存的充分补充策略。在比赛中摄入更多的碳水化合物与更好的成绩相关，在比赛后将恢复肌肉和肝脏中被消耗的糖原并增加其储存。

一般适应综合征（General adaptation syndrome） 概念 31

对压力事件的反应表现，其特点是有三个阶段：（a）涉及皮质醇分泌的报警反应；（b）进行修复的抵抗；（c）修复不充分并导致生病的疲惫。

基因与表现（Genes & performance） 概念 43，49

迄今没有确切的证据表明某个基因的 DNA 序列变异与人类运动表现之间的可靠联系。例如，与速度和力量表现有关的 *ACTN3 RR* 基因可能只占短跑成绩中个体间变异的 2% ~ 3%，世界上哪怕只有一个人拥有与耐力有关的 23 种已知多态性的"完美的多基因谱 "也是极不可能的。

糖异生（Gluconeogenesis） 概念 5

在肝脏中由蛋白质、脂肪或乳酸合成葡萄糖的过程。

葡萄糖（Glucose） 概念 1

一种通过血液传输的单糖，是组织中碳水化合物代谢的主要形式。

葡萄糖调节（Glucose regulation） 概念 31

一些激素，如肾上腺分泌的肾上腺素、去甲肾上腺素和皮质醇，以及胰腺分泌的胰高血糖素对运动起反应，并协同作用以维持血糖浓度。同样由胰腺分泌的胰岛素的作用是减少血液中循环的葡萄糖数量，而将其留给大脑使用。

糖原（Glycogen） 概念 1，6

在肌肉（约 450 g）和肝脏（约 50 g）中以碳水化合物形式储存。因为 1 g 糖原的能量当量约为 4 kcal，所以糖原的总能量储备约为 2000 kcal，可以通过训练增加。

糖原负荷（Glycogen loading） 概念 54

通过将剧烈运动与适当的饮食相结合，优化身体的糖原储存。

糖原恢复（Glycogen restoration） 概念 8

在肌肉中的糖原储备耗尽后立即开始，5 h 后达到 50%，24 h 后完成的过程。

疏导糖原（Glycogen sparing） 概念 7

在长时间的运动中，增加脂肪参与能量的产生，而避免使用糖原。这归因于脂肪酶的激活，脂肪酶是负责分解脂肪的酶。

肌糖原超量恢复（Glycogen supercompensation） 概念 54

发生在剧烈运动和随后的饮食处理耗尽肌糖原之后的生理过程。是肌糖原负荷的基础。

糖化作用（Glycogenesis） 概念 1

葡萄糖转化为糖原的过程。

糖原分解（Glycogenolysis） 概念 6

糖原在肝脏中被激活的过程，糖原转化为葡萄糖，葡萄糖在血流中运输，然后进入肌肉，以作为肌肉能量的来源。

糖酵解（Glycolysis） 概念 5

细胞内的一种代谢途径，葡萄糖在此途径中被降解为丙酮酸或乳酸。

糖酵解酶（Glycolytic enzymes） 概念 1

在糖酵解中催化化学反应的酶。

糖酵解系统（Glycolytic system） 概念 1

细胞的糖酵解过程分解葡萄糖产生能量的系统。主要是发生在持续 1 min 以内的高强度肌肉运动中。

高尔基腱器官（Golgi tendon organ） 概念 25

位于肌腱中并与肌肉串联的感觉感受器，可监测张力。

生长和发育（Growth & development） 概念 70

年轻人在生理上适应耐力和强化运动，对生长和发育产生新陈代谢、心血管和持久的影响，而儿童时期的不运动则会引发成年后的许多不良健康后果。

健康（Health） 第 10 章序言

是人类的一种生存状况，包括身体、精神和社会因素。积极的健康与无疾病和享受生活的能力有关，消极的健康与发病率和死亡率有关。

心脏（Heart） 概念 65

定期的有氧运动在两个方面对心脏有益：它加强了心肌，丰富了心肌的灌注网络，并减缓了脉搏，维持心动正常。因此，一个活跃的心脏会成为一个更强大和更有效的泵，比久坐不动的人的心脏承受的压力要小得多。

心率（Heart rate） 概念 28，35

心脏跳动的频率，随着运动强度的增加而线性增加。在低强度下（＜100 次 /min），心率的增加是由于迷走神经对心脏的冲动暂停，而在更高的强度下是由于副交感神经暂停和交感神经的激活。

心率储备（HRR，Heart rate reserve） 概念 76

一般以卡沃宁方程（Karvonen equation）表示，是最大心率和静息心率之间的差值，是监测运动强度的最实用的首选指标。

心率变异性（HRV，Heart rate variability） 概念 30

指心跳之间的时间，反映了副交感神经系统和交感神经系统之间的自律性平衡。

热适应（Heat acclimation） 概念 29，47

在高温的实验条件下定期进行短暂的运动时身体的生理适应，导致对热负荷的更大耐受性。

热痉挛（Heat cramp） 概念 25，47

在高温下运动时出汗过多和钠流失有关的生理反应，由于神经肌肉接头过度兴奋造成。

热衰竭（Heat exhaustion） 概念 25，47

由液体和电解质的过度流失带来的生理反应，导致血容量减少，从而影响到肌肉和皮肤的血流量。

中暑（Heatstroke） 概念 47

高温下由体温调节机制失效引起的体温过高，核心温度可能升高到可能致命的水平（＞41℃）。

血红蛋白（Hemoglobin） 概念 11

红细胞中含铁的蛋白质，可结合氧气并将其输送到组织。

遗传度（Heritability） 概念 43

在某一性状中观察到的个体间的差异中可归因于遗传的比例。遗传度越高，遗传影响越强。

不运动的遗传度（Heritability of inactivity） 概念 73

在儿童期很低（＜20%），在青春期增加（约 35%），在成年后达到中等至非常高的数值（48%～85%）。一般认为儿童的身体活动水平主要受共同环境因素的影响，而在成年人中，主要是由于遗传倾向，而较少受独特或共同环境因素的影响。

可遗传的多基因性状（Heritable polygenic trait） 概念 43

几乎所有的功能能力、形态特征、肌肉组成、运动属性，以及与运动表现有关的行为特征的个体差异大多是可遗传的。

高能磷酸盐（High-energy phosphate） 概念 1

包括磷酸肌酸和 ATP，它们在细胞质中被分解，通过单一化学反应产生能量。

高强度间歇训练（HIIT，High intensity interval training） 概念 34

短暂的、间歇性的剧烈活动，中间穿插休息或低强度的运动。可以刺激生理重塑，与传统的耐力训练相当，尽管总的运动量和时间投入较少。

海马体（Hippocampus） 概念 66

与较高认知功能有关的脑区。核磁共振图像已经证明有氧训练可以增强记忆功能、认知活力和海马体的体积。

稳态（Homeostasis） 概念 30

维持恒定的内部环境。

激素类药物（Hormonal agent） 概念 59

运动员为了最大限度地提高成绩，使用最普遍的违禁药物是雄性同化类固醇和人类生长激素等激素类药物，基因工程使它们能生物合成并广泛使用。

激素（Hormone） 概念 31

由内分泌腺释放的化学信使，在血液中流动以发挥其作用。靶细胞对反应较为缓慢，但效果持久。

人类生长激素（Human growth hormone） 概念 59

由脑垂体前叶分泌的一种激素，可刺激肌肉和骨骼中的蛋白质合成。

水合状态（Hydration） 概念 56

运动员在比赛前必须补充的水分，并在比赛期间和比赛后补充足够的液体，以补偿与运动有关的液体流失。

高血压（Hypertension） 概念 84

即静止血压的长期升高，使心脏的慢性负荷增加，造成病理性心室肥大，可能导致心脏的泵血能力下降，最终导致心血管疾病（CVD，Cardiovascular disease）。定期的体育活动可以降低正常血压、高血压前期和成年人高血压的血压。有氧和抗阻运动这两种运动训练模式同样有效。

运动能力衰退（Hypokinetic behavior） 概念 73

在成年人的体育活动参与中，有一种不运动的趋势与遗传高度相关。并且，儿童显然比成人更容易受到父母和同伴的共同环境影响。

免疫功能（Immune function） 概念 67

当身体受到病毒和细菌的攻击时，能保护身体免受病原体侵袭的功能。根据运动的强度和持续时间，可以对免疫功能和对感染的敏感性产生积极或消极的影响。

个性化原则（Individuality principle） 概念 32，74

适应性再反应的个体差异的生理学训练原则：有些人是高反应者，而另一些人是低反应者，可能与他们的基因有关。

胰岛素（Insulin） 概念 3

由胰腺的 β 细胞释放的一种激素，促进葡萄糖进入细胞。它也是一种有效的脂肪酶抑制剂，当减少时（如在长时间的运动中）它能激活脂肪分解。

间歇训练（Interval training） 概念 34

一种非常有效的开发能量系统的方法，反复进行高到中等强度的运动训练，并在恢复期间交替进行休息或降低强度的运动。根据所训练的能量系统的不同，运动—恢复时间也不同。

等速测力计（Isokinetic dynamometer） 概念 98

等速测力计可对所有三种类型的肌肉力量（等速、同心、离心）以及肌肉力量和肌肉耐力提供高度准确和可靠的评估。可以很容易地测量在 0° /s ~ 300° /s 的恒定速度下肌肉动作产生的扭矩、功和功率。

等长动作（Isometric action） 概念 17

也被称为静态动作。发生在横桥被激活时，如外力太大而细丝无法克服阻力时，肌肉则无法运动。

等长训练（Isometric training） 概念 37

一种强化肌肉的训练方法，肌肉动作的速度为零，因此肌肉长度和关节角度没有变化。

克雷布斯循环（Krebs cycle） 概念 1

线粒体中的一种代谢途径，其中氢分子通过一连串循环的化学反应从碳水化合物、脂肪和氨基酸的营养物质转移到 NAD（nicotinamide adenine dinucleotide）。

乳酸（Lactic acid） 概念 1、4、5

一种小分子化合物。当氧气供应不足时，在糖酵解途径中产生丙酮酸，如在非常高的强度下运动。产生后立即被分解为氢离子（H^+）和乳酸根离子。

乳酸穿梭（Lactate shuttle） 概念 5

乳酸在肌肉、血液和器官之间的持续流动。主要作用是为慢缩型肌纤维和心脏提供能量。

莱格有氧测试（Leger aerobic test） 概念 95

一种有效和可靠的最大场地跑步测试，用于估计成人和儿童的心肺功能。被测者需要在相隔 20 m 的两条线之间跑步，同时与预先录制的音频信号保持同步，因此它模拟了用于评估 $\dot{V}O_2$ max 的最大分级运动测试。

轻度体力活动（Light-intensity physical activity） 概念 77

导致心脏和呼吸频率小幅上升的活动，其能量消耗在 1.5 ~ 3 METs。

线性周期化（Linear periodization） 概念 45

指的是将训练周期分为小周期、中周期和大周期，因此训练期从高量 / 低强度开始，逐渐发展到低量 / 高强度。

脂肪酶（Lipase） 概念 7

将甘油三酯分解为游离脂肪酸和甘油的酶。

脂肪分解（Lipolysis） 概念 7

将脂肪组织中的甘油三酯分解为游离脂肪酸和甘油的过程，以用于肌肉能量的产生。

脂蛋白（Lipoprotein） 概念 83

一种参与血液中脂质（胆固醇和甘油三酯）运输的蛋白质。已确定了低密度脂蛋白（LDL）和高密度脂蛋白（HDL）。低密度脂蛋白负责将胆固醇沉积在动脉壁上，而高密度脂蛋白负责将其从动脉壁上清除，并将其运送到肝脏进行代谢。有氧训练减少了第一种，增加了第二种。

玛格丽亚无乳酸无氧功率测试（Margaria anaerobic power test） 概念 97

一种无氧无乳酸功率测试，受试者尽可能快地跑上一段台阶。这是高度可靠的，也是预测短跑项目成功与否的一个很好的指标。

精英运动员（Master athlete） 概念 51

精英运动员的耐力表现有时会下降，这是由于减少了 $\dot{V}O_2$ max，这是由较低的氧气容纳能力（最大行程量 + 最大心率）和氧气吸收能力（a-v O_2 差）引起的。后者最可能归因于毛细血管密度和线粒体容积的减少。然而，精英运动员似乎有更多的活跃的运动单位和可兴奋的肌肉量。

最大无氧功率（Maximal anaerobic power） 概念 2

反映 ATP-PC 系统在持续 1 ~ 10 s 的超短距离全力以赴的竞争中产生 ATP 的最大能力。

最大主动收缩力（MVC，Maximum voluntary contraction） 概念 98

用等长测力计的静态模式来评估，用于握力、腿力和背力测试。以千克或牛顿为单位。

极量运动测试（Maximal exercise test） 概念 93，95

在实验室或现场用于评估 $\dot{V}O_2$ max。在实验室里，采取的方案是连续的或间歇的，有一个共同的特点，即通过改变负荷或速度来逐步增加运动强度，但它们在应用模式上有所不同。在现场，使用自然活动，如步行、跑步和踏步，以预定的距离、预定的持续时间或预定的速度，需要最大的努力和足够的时间来最大限度地消耗氧气运输系统。

最大心率（HR max，Maximal heart rate） 概念 76

最大心率 =220 – 年龄（福克斯方程）和最大心率 =208 –（0.7× 年龄）（田中方程）。最好是在极量运动后测量，但也可以根据年龄的回归方程（Fox equation）来估计，因为它随着年龄的增长而下降。

最大摄氧量（$\dot{V}O_2$ max，Maximal oxygen uptake） 概念 11，12，13，14，93

在递增负荷运动中，身体消耗氧气的最大速度。最大摄氧量是最大心输出量和最大动静脉氧差的一个函数，被认为是心肺耐力和有氧能力的金标准，也叫最大有氧功率，可以直接或间接评估。

肌肉的机械特性（Mechanical properties of muscle） 概念 19

肌肉力的产生与初始肌肉长度、肌肉缩短的速度和肌肉的设计有关。

髓部（Medulla） 概念 28

心血管控制中心。

心理表现（Mental performance） 概念 66

运动引起的神经元网络和大脑含氧量的改变，对心理和学习成绩有好处。

机械效率（Mechanical efficiency） 概念 9

身体能量经济性的指标，表示为做功输出与做功所消耗的能量的比率。

代谢性酸中毒（Metabolic acidosis） 概念 61

在剧烈运动中，由于离体乳酸的积累，肌肉和血液中的氢离子（H^+）浓度大量增加。肌肉中的这种酸化干扰了新陈代谢过程和收缩机制，对力量的产生、疲劳的发生和表现的减弱有很大的影响。

代谢适应（Metabolic adaptation） 概念 36

指摄氧量、肌红蛋白、线粒体和氧化酶、毛细血管、慢缩型速肌纤维、肌糖原等的反应，这些都对增加有氧能力和进行长时间、高强度肌肉活动的能力有决定性的贡献。它们的发生是有氧训练的结果。

代谢当量（MET，Metabolic equivalent） 概念 8，77

一种表达身体活动强度的生理测量方法。一个 MET 是一个人在坐着休息时消耗的能量当量，等于每千克体重每分钟 3.5 ml 的耗氧量，或每千克体重每小时消耗 1 kcal 热量。

代谢性疾病（Metabolic disease） 概念 86

血脂异常、肥胖和代谢综合征等都被认为是代谢性疾病，当它们超过正常值时就与代谢过程的损害有关。所有这些都是引发心血管疾病的主要原因，而运动训练对改善这些疾病有很大的积极影响。

新陈代谢的灵活性（Metabolic flexibility） 概念 7

身体根据能量需求在脂肪和碳水化合物的利用之间轻松转换的能力。

代谢综合征（Metabolic syndrome） 概念 86

指血脂状况、糖耐量受损、腹部肥胖和高血压等症状。经常性的体育活动可以减少其发展的风险。

微量营养素补充剂（Micronutrient supplement） 概念 58

身体正常运作所需的如维生素、矿物质，其缺乏可能不利于健康和最佳运动表现。

线粒体（Mitochondrion） 概念 1，36

一种细胞器，负责在氧气存在下从碳水化合物、脂肪和蛋白质的营养物质中释放大量能量。它富含三羧酸循环、电子运输链和 β 氧化的酶，被称为细胞的动力工厂。

线粒体氧化酶（Mitochondrial oxydative enzyme） 概念 36

线粒体中催化氧化反应的酶。

中等强度的体力活动（Moderate-intensity physical activity） 概念 77

导致心脏和呼吸频率显著增加的活动，其能量成本在 3 ~ 6 METs。

运动皮层（Motor cortex） 概念 30

大脑皮层中含有大型运动神经元的部分，负责对运动的控制。

运动神经元（Motor neuron） 概念 30

负责向肌肉纤维传递神经冲动的神经元。

运动单位（Motor unit） 概念 21

为运动神经元及其所支配的所有肌肉纤维，构成肌肉活动的神经控制的功能单位。它的功能服从于“全或无”的规律。

肌肉动作（Muscle action） 概念 17

肌肉收缩的同义词。有三种类型的肌肉动作：等长、向心和离心。

肌肉适应（Muscle adaptation） 概念 38，39

肌肉组织对特定训练的可塑性表现为三种不同的适应机制，即纤维肥大、纤维增生和纤维转化。

肌肉化学感受器（Muscle chemoreceptor） 概念 28

对乳酸和钾等代谢物的增加敏感，向延髓发送感觉冲动，以微调对特定运动的心血管反应。

肌肉收缩（Muscle contraction） 概念 16

激活肌动蛋白复合物而产生力量的过程。

肌肉痉挛（Muscle cramps） 概念 25

肌肉用力时或紧随其后发生的骨骼肌的疼痛、不自主和痉挛性收缩。

肌肉损伤（Muscle damage） 概念 26

最常发生在涉及离心动作的剧烈运动后。一些肌蛋白丝不能克服过度拉伸而断裂，削弱了肌肉。

肌肉设计（Muscle design） 概念 19

肌肉中纤维的排列和方向，对力量和速度的发展起着至关重要的作用。

肌肉疲劳（Muscle fatigue） 概念 4，22

根据肌肉活动的性质，暂时无法维持一定的功率输出或力量。还有人用一种中枢和外周机制来解释其原因。

肌肉纤维类型（Muscle fiber type） 概念 20

肌肉纤维根据其生化和收缩特性一般被分为 2 个不同类别，即慢缩型肌纤维和快缩型肌纤维。慢缩型肌纤维，也称为 I 型或氧化型，以有氧供能为主，抗疲劳，更适合于耐力。快缩型肌纤维的 2 种亚型，IIa 型和 IIx 型，都以无氧供能系统为主，更适合于短暂的、强有力的运动。

肌糖原（Muscle glycogen） 概念 53

运动员在训练强度为 65% ~ 85% $\dot{V}O_2$ max、持续时间超过 80 min 的运动或赛事时，其耐力直接取决于肌肉的糖原储备。

肌糖原和疲劳（Muscle glycogen and fatigue） 概念 53

肌肉中的低糖原储存与疲劳有关，表现为工作速度降低、技能受损和对努力的感知增加，所有这些都会导致运动表现的恶化。

肌糖原负荷（Muscle glycogen loading） 概念 54

指确保充足的碳水化合物的营养策略，使运动员延迟疲劳和减弱机能下降。

肌糖原重新合成（Muscle glycogen re-synthesis） 概念 53

在肌肉中的糖原储备耗尽后立即开始的生化过程。5 h 后达到 50%，24 h 后完成。当有足够的葡萄糖时，这一过程可以更快地实现。

肌肉的机械特性（Muscle mechanical property） 概念 16

肌肉的一种固有的能力，可以根据收缩系统移动的速度来调整它所产生的力量（力－速度关系），以及它的初始收缩长度（长度－力的关系）。

肌肉机械感受器（Muscle mechanoreceptor） 概念 28

对肌肉纤维的拉伸敏感。

肌肉记忆（Muscle memory） 概念 40

以前受过力量训练的肌肉在经过一段时间的停训后，能迅速适应重新训练。可归因于肌核数量的增加，这些肌核在停训期间不会丢失。

肌肉再生（Muscle regenaration） 概念 26

肌肉从损伤中恢复并再生的过程。卫星细胞是肌源性干细胞，被肌肉拉伸和损伤激活，增殖并融合到受损区域，刺激蛋白质合成并产生新纤维。

肌肉强化运动（Muscle strengthening exercise） 概念 60

一种可以提高肌肉体能的运动方式，以举重为例，肌肉被激活以克服阻力。

肌肉酸痛（Muscle soreness） 概念 24

最常发生在剧烈的离心运动后，表现为僵硬、压痛和疼痛。它可以在运动后立即感觉到（急性肌肉酸痛）或 1～2 天后才感觉到（延迟性肌肉酸痛）。

肌肉纺锤体（Muscle spindle） 概念 25、30

位于肌肉中并与肌肉纤维平行的感觉感受器，可监测拉伸情况。

肌肉的智慧（Muscle wisdom） 概念 23

肌肉可以激活其传感器以保护自己不被耗尽的事实所暗示。

肌肉耐力（Muscular endurance） 概念 80，98

维持等长收缩的能力或进行多次重复的能力，被认为是肌肉适能的一个功能组成部分。它的评估方法是在较长的时间内保持 1-RM 的特定百分比，或者使用传统的俯卧撑、引体向上等实地测试。

肌肉适能（Muscular fitness） 概念 80，98

由力量、耐力和功率等功能参数组成，与肌肉和骨骼质量的增加、较低的肌肉骨骼疾病和功能限制风险有关。基于证据的指南规定了改善其不同功能成分的抗阻运动的剂量，并以不同的模式进行评估。

肌力（Muscular power） 概念 80，98

肌肉在单位时间内所做的功，通常用对抗运动立定跳远来评估，这是一种高度有效和可靠的实地测试，特别是当使用接触垫自动测量跳跃高度时。跳跃高度可以用一个方程式换算成瓦特。

肌肉力量（Muscular strength） 概念 18，98

一块肌肉或一组肌肉所产生的最大力量，受肌肉作用的类型和力学原理、所涉及的肌肉质量和成分，以及个人的年龄和性别的影响。可以通过静态、动态和等速运动模式来进行评估。

肌肉骨骼疾病（Musculoskeletal disorder） 概念 90

肌肉、骨骼和关节随着年龄的增长，由于磨损而不断恶化，最终会发展为肌肉骨骼疾病，如骨关节炎、类风湿性关节炎和骨质疏松症。定期锻炼可以减少疼痛，防止功能衰退，提高生活质量。

音乐（Music） 概念 63

音乐能产生有益人体健康的效应，能激活大脑的许多区域，包括听觉、运动和边缘区域，并影响心理生理过程，产生许多有益的情绪和认知效果。例如，在长时间的运动中，音乐可以减少乳酸的产生、延缓疲劳发生。

肌纤维（Myofibril） 概念 15

贯穿肌纤维长度的线状结构，包含粗丝和细丝。

肌丝（Myofilament） 概念 15

肌球蛋白或粗丝和肌动蛋白或细丝的统称。

肌红蛋白（Myoglobin） 概念 27，36

一种氧气储备方式，只有在细胞内 PO_2 非常低的情况下才会被释放到线粒体，如运动开始时和最大运动时发生的时候。在慢缩型肌纤维中的高浓度使其呈现红色。

肌动素（Myokines） 概念 27，36

是骨骼肌在运动时释放的一种肽，介导肌肉和其他器官之间的交流，对认知、脂质和葡萄糖代谢、白色脂肪的棕色化、骨形成、内皮细胞功能、肥大、皮肤结构和肿瘤生长等产生影响。

肌球蛋白（Myosin） 概念 15

一种收缩性蛋白，含有与肌动蛋白结合产生肌肉作用的横桥。

肌球蛋白横桥（Myosin cross-bridge） 概念 15

肌球蛋白的球状头部，横桥在激活时会发生倾斜并将肌动蛋白拖向肌小节的中心。

神经适应（Neural adaptations） 概念 38

特定训练改变了神经系统的行为，并诱发了一些神经适应，如增加运动单元的募集和释放，增加运动单位的同步性，增加神经肌肉接头的大小，最大限度减少激动剂和拮抗剂对肌肉的共激活，减弱自体抑制，减少对高尔基腱器官的抑制性冲动，使肌肉达到更高的力量水平。

神经系统疾病（Neurological diseases） 概念 89

常见的有痴呆和帕金森病，会损害大脑的认知功能。这两种疾病都是由于脑组织的疾病或损伤引起的退行性疾病；在老年人中更为普遍，但不是衰老的必然结果。锻炼可以降低这些神经系统疾病患者的发病风险，并可能改善其功能。

神经运动锻炼（Neuromotor exercise） 概念 78，81

神经运动锻炼包含本体感觉训练和运动技能，如协调、敏捷和平衡。例如，太极拳的多面性神经运动活动，对老年人尤其有益，因为它可以改善平衡并减少跌倒的风险。

神经肌肉接头（Neuromuscular junction） 概念 16

运动神经元和肌肉纤维相接的部位，肌丝之间相互作用和肌肉收缩过程的开始。

神经递质（Neurotransmitters） 概念 31

由神经系统发送的突触信号，用于传递信息。作用迅速，但效果短暂。

硝酸盐（Nitrate） 概念 57

硝酸盐大量存在于甜菜根汁和绿叶蔬菜中，摄入后会代谢成一氧化氮，作为血管扩张剂作用于内皮细胞，增加血流量并降低收缩压，以这种方式在心血管健康方面发挥重要作用，它还可能提高技能。

去甲肾上腺素（Norepinephrine） 概念 30

一种由肾上腺髓质合成的激素，作为神经递质贯穿全身。

营养和运动表现（Nutrition and athletic performance） 概念 52

在持续时间较长或间歇性剧烈活动的体育项目（如团队运动）中，成绩受摄入营养影响，可以通过注意运动员在比赛前、比赛中和比赛后进食的类型和数量来优化。

肥胖（Obesity） 概念 68

身体脂肪量过大。男性体脂超过 25%，女性体脂超过 35% 被认为是肥胖。BMI 值为 35 kg/m^2 与高死亡率有关。

奥林匹克运动员（Olympic athletes） 概念 43

遗传倾向、表观遗传影响和环境因素都有助于成为一名奥林匹克运动员。

最大力量（1-RM，One-repetition maximum） 概念 98

在整个运动范围内移动的最大阻力，是动态肌肉力量的有效和可靠指标。

氧化磷酸化（Oxidative phosphorylation） 概念 1

在线粒体中发生，氧成为电子和 H^+ 的最终受体，释放出大量的 ATP。

最佳效率（Optimum efficiency） 概念 9

在任何类型的有节奏的运动中，身体以其智慧自动选择需要最少能量的速度。这种内在的节奏可以随时被意志改变，但不可避免地要以牺牲能量成本为代价。

骨关节炎（Osteoarthritis） 概念 90

骨关节炎是一种退行性的关节疾病。在 65 岁及以上的人群中，髋关节或膝关节的患病率为 70%，但它也发生在年轻人身上。有氧和抗阻运动训练与减少疼痛和预防功能衰退有关。

骨质疏松症（Osteoporosis） 概念 71，90

一种以骨矿物质密度低、骨的微结构变化、骨强度降低为特征的骨骼疾病，与较高的骨折风险有关。负重活动和钙的摄入是两个最重要的成骨刺激因素，并提供对骨质疏松性骨折的抵抗力。

过度训练综合征（Overtraining syndrome） 概念 46

过度的艰苦训练和不切实际的超负荷训练可能会导致过度训练综合征，其特征是运动成绩突然恶化、慢性疲劳和适应过程的崩溃。

氧化酶（Oxidative enzyme） 概念 1

琥珀酸脱氢酶、柠檬酸合成酶和异柠檬酸脱氢酶等关键酶的总称，是线粒体中有氧过程的催化剂。

氧化磷酸化过程（Oxidative phoshorylation） 概念 1

发生在线粒体中的一个生化过程，氧气是电子和 H^+ 的最终受体。

氧化系统（Oxidative system） 概念 1

在有氧的情况下产生大量 ATP。在持续时间较长的耐力型的运动中占主导地位。

氧债（Oxygen debt） 概念 10

“运动后过量氧耗”（EPOC，Excess postexercise oxygen consumption）的误称，归因于磷酸肌酸的再合成、乳酸葡萄糖的再合成以及体温的升高、儿茶酚胺、离子适应、心脏和呼吸频率。

缺氧（Oxygen deficit） 概念 10

在运动开始的过渡阶段摄氧量的滞后。既可归因于心肺功能调整的迟缓，也可归因于多酶有氧过程。

氧气运输系统（Oxygen transport system） 概念 11

将氧气从大气中运送到肌肉组织的相关系统，涉及肺、心脏中氧气与血红蛋白的结合。

氧气利用系统（Oxygen utilization system） 概念 11

肌肉细胞对氧气的摄取，包括毛细血管对活动组织的血液灌注和线粒体中氧气的燃烧。

氧合血红蛋白（O_2Hb，Oxyhemoglobin） 概念 27

与氧气结合的血红蛋白（Hb）；1g Hb 可以结合 1.34 ml 的 O_2 。在完全饱和状态下（100%），100 ml 的血液携带 20 ml 的 O_2，因为通常的血液 Hb 浓度是 15%。

氧合血红蛋白解离曲线（Oxyhemoglobin dissociation curve） 概念 27

描述不同的 PO_2 值下血红蛋白与氧气的饱和量。

超负荷原则（Overload principle） 概念 32，40

一个生理学原则，超负荷是指身体承受的压力逐渐超过它原有的水平，以引起进一步的适应。超负荷原则的内在含义是渐进的概念，这意味着负荷的增加应该是渐进的，通常每周不应超过 10%。

超重（Overweight） 概念 68

一个人的体重超过了正常值，反映在身体质量指数（BMI）为 25.0～29.9 kg/m^2。

运动训练模式（Patterns of exercise training） 概念 79

每天连续进行一次不同的运动模式，或多次不连续地进行≥ 10 min 的运动，如积累每天所需的时间，对健康有益。甚至，采用所谓的“周末战士”模式，即在周末积累大量的体育活动。

摄氧量峰值（Peak oxygen uptake） 概念 11

自主疲劳迫使人在达到真正的最大 $\dot{V}O_2$ max 之前的 $\dot{V}O_2$。

最高跑步速度（Peak running velocity） 概念 96

可以保持 5 s 以上的最高跑步速度。如在跑步机或跑道上进行，每 30 s 增加一次速度，直到疲劳为止，是耐力表现的一个很好的预测指标。

训练周期化（Periodization） 概念 45。

通过操纵训练刺激（即模式、量和强度）的方式来完成预期的生理适应的是一个系统化的过程，可预防生理适应不良，并在竞技比赛中达到最佳运动表现。

外周疲劳（Peripheral fatigue） 概念 23

运动引起的肌肉本身的改变。

周边阻力（Peripheral resistance） 概念 28

在运动中减少，反映了活动组织的血管扩张。

过氧化物酶体增殖物激活剂受体 γ 协同激活剂（PCG-1a，Peroxisome proliferator-activator receptor γ coactivator） 概念 34

不同训练刺激的共同信号分子，被认为是参与有氧肌肉表型发展的“主开关”。

个性化运动（Personalized exercise） 概念 74

人们认识到，所有的人对运动训练的反应不尽相同，有些人的反应能力强，而另一些人则由于其遗传倾向而反应能力弱。

磷酸原系统（Phosphagen system） 概念 1

当出现急需立即使用能量时，它能迅速提供能量的系统。

磷酸肌酸（Phosphocreatine） 概念 1

在骨骼肌中发现的一种富含能量的化合物，用于从 ADP 重新合成 ATP。

身体活动（Physical activity） 概念 51，74

由肌肉产生的任何身体运动，使能量消耗超静息水平。

体能准备问卷（PAR-Q，Physical activity readiness questionnaire） 概念 75

一种自我指导的健康检查方法，有助于确定 15～69 岁的人的准备度，这些人计划更多地进行身体活动。

身体活动不足（Physical inactivity） 概念 64

与久坐不动的生活有关，加速了人体重要生理功能的衰退，引起一些不健康的状况和风险因素，导致发病率和死亡率增加。

身体工作能力（PWC 170，Physical working capacity） 概念 94

心肺适能水平的反映，正如 $\dot{V}O_2$ max。是一种在自行车式动脉压负荷下逐渐增加的亚最大负荷测试，表示工作负荷——心率关系的曲线被外推到 170 次 /min 心率，而不是最大心率。

训练的生理学原则（Physiologic principles of training） 概念 32

训练生理学有 4 个原则：特异性、超负荷、可逆性和个体性，适用于所有形式的运动训练。

安慰剂（Placebo） 第 7 章序言

与被测试物质相似的惰性物质，用于实验研究，以避免对结果产生任何心理影响。

运动皮层的可塑性（Plasticity of motor cortex） 概念 41

大脑这一区域的适应性，如技能训练或遗传倾向引起的突触生成和运动图谱重组。

负重训练（Plyometrics） 概念 37

这是一种向心—离心训练的组合，在拉伸阶段，能量储存在肌肉的平行弹性和收缩部分，在收缩过程中得到恢复。它导致了更大的运动单元的募集和力量的提高，如跳箱。

极化训练（Polarized training） 概念 34

一种耐力训练的最佳模式，其中 10%～15% 的有氧训练是高强度的，其余的是大运动量的。

运动前的健康检查（Pre-exercise health screening） 概念 75

为了预防疾病，每个人都应该定期进行体检；特别是那些希望开始锻炼但是有心血管、代谢或肾脏疾病风险的人，在开始中等强度或高强度的锻炼项目之前，应该进行全面的体检和诊断性运动测试。

怀孕（Pregnancy） 概念 72

越来越多的证据否定了在怀孕期间运动可能有害的谣言，建议鼓励无并发症的妇女在怀孕前、怀孕期间和怀孕后从事有氧和力量训练。

主要危险因素（Primary risk factor） 概念 84

与冠状动脉疾病直接相关的因素有吸烟、高血压、高血脂、糖尿病、肥胖，最重要的是缺乏运动。

蛋白质（Protein） 概念 6

一类含氮化合物，由氨基酸组成。在长时间运动中，肌糖原含量低时，在肝脏中经糖异生转化为葡萄糖并进入氧化过程。

蛋白质的合成（Proteinosynthesis） 概念 39

肌肉蛋白质处于不断变化的状态。会根据身体承受的负荷不断被分解和形成。氨基酸的供应、抗阻训练和胰岛素浓度的增加可以刺激蛋白质合成提高 400%。卫星细胞在蛋白质合成中起着核心作用。

肺部扩散（Pulmonary diffusion） 概念 35

它在休息和次极量运动时没有变化，但在最大运动时增加。肺功能可能会限制耐力运动员的表现，因为肺部毛细血管的运输时间减少，导致动脉低氧血症，即一定体积的血液中的氧饱和度和含量降低。

肺部通气（Pulmonary ventilation） 概念 27

在肺部进行的外部环境和身体之间的气体交换，产生氧气交换，并从血液中清除 CO_2。

精神病（Psychiatric disorders） 概念 88

抑郁症、焦虑症和压力是常见的精神疾病，其特点是具有躯体、认知和情感症状，是日常功能严重受限并影响生活质量和幸福感的主要原因。运动可以带来一系列的生物反应，从而带来许多健康益处，并发挥保护心理健康的作用，改善这些精神疾病。

辐射（Radiation） 概念 28

通过电磁波在人体皮肤和环境之间传递热量，不需要接触。

主观疲劳量表（RPE，Rate of perceived exertion） 概念 76

RPE 是一种非常有用的方法，也被称为博格量表（Borg scale），即锻炼者主观地对锻炼的难度进行评分，使用 6～20 的数量表，其中 12～13 的评分对应中等强度，14～17 的评分对应剧烈强度。

再水合（Rehydration） 概念 56

水分的补充。运动员在比赛前应该保持足够的水分摄入，并在比赛期间以及比赛后补充水分，以弥补与运动相关的水分流失。

放松（Relaxation） 概念 16

神经刺激停止后，肌质网主动地将 Ca^{2+} 从肌质中清除的过程。

呼吸（Respiration） 概念 27

指的是我们吸进氧气，呼出 CO_2，氧气从肺部输送到红细胞（外呼吸），并被输送到线粒体，用于电子传递链中接受 H^+ 并释放 ATP（内呼吸）。

反复运动效应（Repeated bout effect） 概念 24

离心运动可以保护肌肉不受损伤，并在随后的相同或更大强度的离心运动中避免酸痛。

最大力量（1RM，Repetition maximum） 概念 32

只可举起一次的最大重量。% 1-RM 用于强化计划中的肌肉负荷。

抗阻运动（Resistance exercise） 概念 78，80

以举重为例，主要肌肉群被激活以克服阻力。其目的是通过诱导运动神经和肌肉的适应性来改善肌肉的体能，即力量、速度、功率、耐力和与健康有关的益处。

儿童的抗阻训练（Resistance exercise for children） 概念 80

可以增加运动单元的激活和募集，促进协调和技能，而不促进肌肉肥大。一般来说，只要遵循准则，它对儿童的功能成熟是安全和有益的。

呼吸交换率（RER，Respiratory exchange ratio） 概念 92

CO_2 的产生与氧气的消耗之比，在稳定状态下反映了所利用的燃料的类型。因此，当 1 g 碳水化合物在线粒体中燃烧时，消耗 828 ml 的氧气，产生相同数量的 CO_2，RER 为 1.00。当只使用脂肪或蛋白质时，RER 分别为 0.71 和 0.85。

重训练（Retraining） 概念 40

如果肌纤维被重新训练，由于先前存在大量的肌核，而且没有募集新的肌核，纤维就会肥大。在重训练期间纤维质量不仅得到了恢复，而且恢复的速度比新形成的纤维更快。

可逆性原则（Reversibility principle） 概念 32

一个生理学原则，指的是训练引起的适应的暂时性。当训练停止时，适应能力迅速下降并逐渐消失。

类风湿性关节炎（Rheumatoid arthritis） 概念 90

类风湿性关节炎是一种慢性全身性炎症疾病，主要表现为肌肉炎症，关节肿胀、疼痛、损伤，导致活动受限、肌肉萎缩、体能下降。运动似乎可以刺激抗炎肌素的产生，影响炎症性类风湿关节炎。

肌膜（Sarcolemma） 概念 15

围绕每条肌肉纤维的细胞膜，为纤维提供保护屏障，并调节各种功能物质进出纤维的通道。

肌小节（Sarcomere） 概念 15

肌肉的基本功能单位。

肌少症（Sarcopenia） 概念 71

肌少症的特点是肌肉质量、运动单位和蛋白质合成能力的丧失，所有这些都会导致肌肉力量减少，并且减少量可多达 60%。本体感觉控制也会减少，导致跌倒的概率增加。抗阻运动训练是治疗肌少症的最佳解药。

肌质（Sarcoplasm） 概念 15

种明胶状物质，含有肌原纤维、蛋白质、燃料和各种细胞器，如与特定细胞功能有关的线粒体。

肌质网（Sarcoplasmic reticulum） 概念 15

在肌纤维内发现的一种结构，作为钙的储存场所，促进了动作电位沿肌纤维的快速传递。

卫星细胞（Satellite cell） 概念 15

休眠的成肌细胞，即未分化的细胞，与肌纤维直接接触，位于肌膜和基底膜之间。在肌肉形成中起着核心作。

久坐行为（Sedentary behavior） 概念 79

任何以极低的能量消耗（约 1.5 METs）为特征的行为，都被称为久坐行为。它与死亡风险的增加有关。有人认为应当注意的是经常性的不活动，如坐着、看电视和使用电脑，应该被纳入积极的生活方式中。

大小原则（Size principle） 概念 21

它决定了运动单位的有序募集。因此，具有较小运动神经元的 I 型运动单元首先被募集。然后，随着运动强度的增加，具有较大运动神经元的 IIa 型运动单元被募集。

训练技巧（Skill training） 概念 41

与力量和耐力等其他形式的训练相比，训炼技巧的特点主要是大脑皮层的适应能力。

肌丝滑动学说（Sliding filament theory） 概念 16

这一学说解释了肌肉的活动，即通过交联桥的激活，细丝（肌动蛋白）滑过粗丝（肌凝蛋白）的肌肉活动。

慢缩型肌纤维（Slow muscle fiber） 概念 20

富含线粒体、毛细血管和肌红蛋白的肌纤维类型，显示出高氧化能力和低糖酵解能力。也称为 I 型或氧化型肌纤维。

特异性原则（Specificity principle） 概念 32

指参与某一特定运动的肌肉，为实现该运动提供 ATP 的主要能量系统。

稳态（Steady state） 概念 10

运动开始几分钟后，摄氧量稳定在一个稳定的范围，运动的能量需求由摄氧量来满足。

步数计算（Step counting） 概念 77

每天达到 5000 ~ 7499 步与低度活跃的生活方式有关，而满足中度—剧烈运动则建议则需要每天超过 7500 步。

卒中（Stroke） 概念 83

由于脑动脉阻塞导致向大脑供应血液的能力下降而引发的疾病。

每搏量（Stroke volume） 概念 28，35

左心室每次跳动时喷射出的血液量。在心率较低的情况下，左心室有较长的时间来填充血液，因此在训练后每搏量会增加。

极量测试（Submaximal exercise test） 概念 94

心肺适能水平可以通过亚极量测试来估计，只要它们既满足有效性、可靠性和客观性的科学标准，又切实可行。最广泛使用的亚极量测试是基于对跑步机、自行车测力计或台阶上测量心率。心率对工作输出的响应被用作有氧适能的标准，因为它在氧运输系统中起着核心作用，而且工作负荷、摄氧量和心率之间存在三方线性关系。

突触发生（Synaptogenesis） 概念 41，66

神经元之间的连接（突触数量）的增加，在技能学习的后期发生。

减量训练（Tappering） 概念 46

在重大比赛前的短时间内（4 ~ 28 天），暂时性地逐步减少训练强度和训练量，以取得提高运动成绩的效果。

心跳过速（Tachycardia） 概念 28

静止时的心率高于每分钟 100 次，归因于交感神经的刺激。

睾酮（Testosterone） 概念 38

是体内最重要的合成代谢激素，通过在肌肉中增加更多的细胞核来促进肌肉蛋白的合成。

体温感受器（Thermoreceptor） 概念 29

位于全身，特别是皮肤和中枢神经系统，向下丘脑传递信号，下丘脑像恒温器一样刺激：（a）调节皮肤动脉血管，使其血管扩张，增加血流量，促进热量流失；（b）打开汗腺，促进汗液分泌，进一步蒸发热量以维持体温稳定。

体温调节（Thermoregulation） 概念 29

随着核心温度的升高，下丘脑像恒温器一样运作，刺激汗腺，导致蒸发性热损失增加。此外，由血管扩张引起的皮肤血流的增加，促进了热量向环境的散发。

口渴机制（Thirst mechanism） 概念 56

水的补充基本上是以口渴的主观感觉来调节的，由血浆渗透压的增加和血浆容量的减少引发。

换气量（Tidal volume） 概念 26

一次呼吸中吸入或呼出的空气量。

肌联蛋白（Titin） 概念 15，26

从 Z 线延伸到 M 线一种蛋白质，在肌肉的离心动作中起着类似弹簧的作用，产生更多的力量并防止过度拉伸。

太极拳（Tai chi） 概念 81

一种古老的中国运动；基于缓慢、平滑的动作来锻炼身心的运动方式。有证据表明，它能使人精神振奋，增加平衡能力，缓解肌肉疼痛，降低焦虑，减少与年龄有关的认知能力下降，以及患心脏病的风险。

训练周期（Training cycles） 概念 45

为了更好地控制机体的负荷的周期性训练，每个阶段又被分为小周期、中周期和大周期。

训练周期化（Training periodization） 概念 45

一个系统化的过程，通过操纵训练刺激（即模式、量和强度）的方式来完成预期的生理适应、预防生理适应不良，并在竞赛季中达到最佳运动表现。

训练期（Training period） 概念 45

大多数运动项目的训练计划是全年规划的，包括三个阶段，即准备期、比赛期和暂时的过渡期。

转运时间（Transit time） 概念 27

休息时红细胞在肺部毛细血管中的转运时间为 0.75 s，而在剧烈运动时可大幅缩短至 0.35 s，这可能导致动脉缺氧并限制耐力运动员的表现。

原肌球蛋白（Tropomyosin） 概念 15

在静止状态下覆盖肌动蛋白的活性部位，以防止肌动蛋白横桥被激活的蛋白质。

肌球蛋白（Troposin） 概念 15

与钙结合的蛋白质，通过移动肌球蛋白的位置来揭开肌动蛋白的活性部位，从而启动运动。

双胞胎模型（Twin model） 概念 43

定量遗传学中一种非常有效的方法，它根据同卵双胞胎和异卵双胞胎之间的对内相似性的比较来估计基因和环境的作用在表型形成中的相对比例。

训练周期化（Undulating periodization） 概念 45

更频繁的、每天、每周或每两周一次的训练强度和训练量的周期性变化，提供更频繁的刺激变化和恢复期。

肌纤维的可变性（Variability of muscle fiber） 概念 22

在不同项目的运动员之间以及同一运动员的肌肉之间观察到的肌纤维分布的差异。

通气（Ventilation） 概念 27

主要是氧气和 CO_2 进出肺部的空气运动。

通气阈值（Ventilatory threshold） 概念 96

这是一种广泛的估计无氧阈值的无创方法，在增量运动期间目测的通气量突然增加被认为反映了乳酸阈值的“突破点”。

剧烈强度的身体活动（Vigorous-intensity physical activity） 概念 77

导致生理过程大幅提升的体育活动，并且其能量代谢为 6.0 MET 或更多 METs。

瑜伽（Yoga） 概念 88

一种古老的心身干预，专注于呼吸、力量和灵活性。调查研究表明，练习瑜伽可以提供许多身体和心理健康的好处。

年轻的运动员（Young athlete） 概念 49

儿童的有氧能力和高能磷酸盐（ATP 和 PCr）的静息储存与成人相似，但他们的无氧能力和运动经济性比成人低。儿童肝糖原分解能力和肌糖原含量也较低，因此他们在运动中更多地依赖脂肪氧化作为燃料。此外，年轻运动员训练的生理原理和适应机制与成人运动员很相似。

热身（Warm up） 概念 63，78

指在进行竞技运动或训练之前，适当运动会使体温适当升高。这种体温的预备性升高会带来一些生理上的好处，与提高成绩有关。

体重控制（Weight control） 概念 68

当热量摄入等于热量消耗时，体重保持不变。似乎最有效地确保能量负平衡和控制体重的方法是将运动与饮食控制相结合。

温盖特无氧测试（Wingate anaerobic test） 概念 97

这是一个在自行车测力计上进行的 30 s 极量运动测试。可得出三个无氧性能指标：前 5 s 内的无氧功率峰值，30 s 内的平均无氧功率，以及疲劳指数，都用百分比表示，定义为峰值功率和最低 5 s 输出功率之差再除以峰值功率。

文献选编

正确认识运动生理学

ASTRAND P-O. Influence of Scandinavian Scientists in exercise physiology. Scandinavian Journal of Medicine & Science in Sports, 1:3-9, 1991

BENEDICT FG, CATHCART EP. Muscular work: A metabolic study with special reference to the efficiency of the human body as machine. Carnegie Institute of Washington, Publication, 187, 1913

BOUCHARD C. Genomics: a Paradigm Shift is Needed: a commentary. British Journal of Sports Medicine, 49, 1492-1496, 2015

CANNON WB. The Wisdom of The Body.WW Norton & Company Inc. New York, 1932

GABRIEL BM, ZIERATH JR. The Limits of Exercise Physiology: From Performance to Health. Cell Metabolism, 25:1000, 2017

HAWLEY JA, HARGREAVES M, JOYNER MJ, ZIERATH JR. Integrative biology of exercise. Cell 159:738, 2014 SEGUIN A, LAVOISIER A. Premier memoire sur la transpiration des animaux. In: Oeuvres de Lavoisier, Vol.II, Paris: Imprimerie Imperiale, 1862-93, pp.704-714

SEGAL SS. Exercise Physiology and Sports Science, In Boron & Boulpaep (eds.) Medical Physiology, 3rd ed. Elsevier, 2017.

TIPTON CM (Editor). History of Exercise Physiology. Human Kinetics. Champaign, IL. 2014

STARLING EH. The Wisdom of the Body. The British Medical Journal, 2(3277): 685-690, 1923

第 1 章

概念 1

BROOKS GA. Cell-cell and intra-cellular lactate shuttles. The Journal of Physiology, 587:5591, 2009

CERRETELLI P. Energy sources for muscular exercise. International Journal of Sports Medicine (Supplement 13), 3:S106, 1992

HULTMAN E. Energy metabolism in human muscle. Journal of Physiology, 231:56P, 1973

MAUGHAN RJ, GLEESON M. The Biochemical Basis of Sports Performance. Oxford, United Kingdom: Oxford University Press; 2010.

MOMMARTS WFHM. Energetics of muscle contraction. Physiological Reviews, 49:427, 1969

RØNNESTAD BR, HANSEN J, STENSLØKKEN L, et al. Case studies in Physiology: temporal changes in determinants of aerobic performance in individual going from alpine skier to world junior champion time trial cyclist. Journal of Applied Physiology, 127:306, 2019

ROBERG RA, McNULTY CR, MINETT GM, et al. Lactate, not lactic acid, is produced by cellular cytosolic energy catabolism. Physiology, 33:10, 2018

概念 2

BROOKS GA. FAHEY T, BALDWIN K. Exercise Physiology: Human bioenergetics and its applications (4th ed.). McGraw-Hill, 2005

KENNEY WL, WILMORE JK, COSTILL DL. Physiology of Sport and Exercise (6th ed.), Human Kinetics, Champhaign, IL.2015

PATHI B, KINSEY ST, LOCKE BR. Oxygen control of intracellular distribution of mitochondria in muscle fibers. Biotechnology and Bioengineering, 110:2513, 2013

YOUNG VR, SCRIMSHAW NS. The Physiology of starvation. Scientific American, 225:14, 1971

概念 3

GASTIN PB. Energy system interaction and relative contribution during maximal exercise. Sports Medicine, 31: 778, 2001

GASTIN PB, COSTILL DL, LAWSON DL, et al. Accumulated oxygen deficit suppramaximal all-out and constant intensity exercise. Medicine and Science in Sports and Exercise, 27: 255, 1995

SPRIET LL. New insights into the interaction of carbohydrate and fat metabolism during exercise. Sports medicine. 44(Suppl 1):S87, 2014

概念 4

ASTRAND P-O, RODAHL K, DAHL HA, STROMME SB. Textbook of Work Physiology; Physiological Bases of Exercise. Human Kinetics, Champaign, IL, 2003

BANGSBO J. Quantification of anaerobic energy production during intense exercise. Medicine and Science in Sports and Exercise, 30:47, 1998

MITCHELL JH, HASKELL WL, RAVEN PB. Classification of Sports. Medicine and Science in Sports and Exercise, (Supplement 10) 26:S242, 1994

SPENCER MR GASTIN PB. Energy system contribution during 200 to 1500 m running in highly trained athletes. Medicine and Science in Sports and Exercise, 33: 157, 2001

概念 5

BELCASTRO AN, BONEN A. Lactic acid removcal rates during controlled and uncontrolled recovery exercise. Journal of Applied Physiology, 39:932, 1975

BROOKS GA. Cell-cell and intracellular lactate shuttles. The Journal of Physiology 587:5591, 2009 CHATHAM JC. Lactate: The forgotten fuel. Journal of Physiology, 542:333, 2002

DODD S, POWERS SK, CALLENDER T, BROOKS E. Blood lactate disappearance at various intensities of recovery exercise. Journal of Applied Physiology, 57: 1462, 1985

HERMANSEN L. Lactate production during exercise. Pernow B, Saltin B (eds.). Muscle metabolism during exercise. Plenum, New York, p. 401, 1971

MENZIES P, MENZIES C, McINTYRE L, et al. Blood lactate clearance during active recovery after an intense running bout depends on the intensity of the active recovery. Journal of Sports Sciences, 28:975, 2010

WILTSHIRE EV, POITRAS V, PAK M, HONG T, RAYNER J, TSCHAKIOVSKY ME. Massage impairs post-exercise blood flow and “lactic acid” removal. Medicine and Science in Sports and Exercise, 42: 1062, 2010

概念 6

COYLE EF, COGGAN AR, HEMMERT MK, IVY JL. Muscle glycogen utilization during prolonged strenuous exercise when fed carbohydrate. Journal of Applied Physiology, 61: 165, 1986

MILLWARD DJ. Protein and amino acid requirements of athletes. Journal of Sports Science, 22: 143, 2004

TAYLOR CR, WEIBEL ER, WEBER J-M, et al. Design of the oxygen and substrate pathways. The Journal of Experimental Biology, 199: 1643, 1996

概念 7

BROOKS GA, MERCIER J. Balance of carbohydrate and lipid utilizatrion during exercise: the «crossover» concept. The Journal of Applied Physiology, 76:2253, 1994

BURKE LM. Ketogenic low-CHO, high-fat diet:the future of elite endurance sport? Journal of Physiology, 599: 819, 2021

COLE M, COLEMAN D, HOPKER J, WILES J. Improved gross efficiency during long duration submaximal cycling following a short-term high carbohydrate diet. International Journal of Sports Medicine, 35:265. 2014

COYLE EF, COGGAN AR, HEMMERT MK, IVY JL. Muscle glycogen utilization during prolonged strenuous exercise when fed carbohydrate. Journal of Applied Physiology, 61: 165, 1986

SPRIET LL. New insights into the interaction of carbohydrate and fat metabolism during exercise. Sports medicine. 44(Suppl 1):S87, 2014

TURCOTTE LP. Muscle fatty acid uptake during exercise: possible mechanisms. Exercise and Sports Sciences Reviews, 1:4, 2000

概念 8

BROOKS GA. FAHEY T, BALDWIN K. Exercise Physiology: Human bioenergetics and its applications (4th ed.). McGraw-Hill New York 2005

HULTMAN E, BERGSTROM J, McLENNAN-ANDERSON N. Breakdown and resynthesis of phosphocreatine and adenosinetriphosphate in connection with muscular work in man. Scandinavian Journal of Clinical Investigation, 19:56, 1967

KARLSSON J. Lactate and phosphagen concentrations in working muscle in man. Acta Physiologica Scandinavica, 358 (Suppl.):1, 1971

MacDOUGALL JD, WARD GR, SALE DG, SUTTON JR. Muscle glycogen depletion after high-intensity interm-mitent exercise. Journal of Applied Physiology, 42: 129, 1977

POWERS SK, HOWLEY ET. Exercise Physiology: Theory and Application to Fitness and Performance (10th ed.), McGraw Hill, New York, 2018

概念 9

COYLE EF, SIDOSSIS LS, HOROWITZ JF, BELTZ JD. Cycling efficiency is related to the percentage of type I muscle fibers. Medicine & Science in Sports & Exercise, 24: 782, 1992

DANIELS J, DANIELS N. Running economy of elite male and female athletes. Medicine and Science in Sports and Exercise, 24:483, 1992

FRANZ JR, WIERZBINSKI CM, KRAM R. Metabolic cost of during barefoot versus shod: Is lighter better? Medicine and Science in Sports and Exercise, 44: 1519, 2012

HOGBERG P. Arbeitphysiologie, 14:437, 1952

HOROWITZ JF, SIDOSSIS LS, COYLE EF. High efficiency of type 1 muscle fibers improves performance. International Journal of Sports Medicine, 15:152, 1994

KLISSOURAS V. Ergophysiology. McGill University Press, Montreal, 1973

MORGAN DW, CRAIB M. Physiological aspects of running economy. Medicine and Science in Sports and

Exercise, 24: 456, 1992

WAUGH CM, KORFF T, FATH F, BLAZEVICH AJ. Rapid force production in children and adults: Mechanical and neural contributions. Medicine and Science in Sports and Exercise, 45:762, 2013

概念 10

ASTRAND PO, SALTIN B. Oxygen uptake during the first minutes of heavy muscular exercise. Journal of Applied Physiology, 16:971, 1961

GAESSER GA, POOLE DC. The slow component of oxygen uptake kinetics in humans. Exercise and Sports Science Reviews, 24:35, 1996

HOWLEY ET. $\dot{V}O_2$ max and the plateau – needed or not? Medicine and Science in Sports and Exercise, 39:101, 2007

SHORT KR, SEDLOCK DA. Excess postexercise oxygen consumption and recovery rate in trained and untrained subjects. Journal of Applied Physiology, 83:153, 1997

概念 11

BASSETT DR JR, HOWLEY ET. Limiting factors for maximum oxygen uptake and determinants of endurance performance. Medicine and Science in Sports and Exercise, 32:85, 2000

GAESSER GA, POOLE DC. The slow component of oxygen uptake kinetics in humans. Exercise and Sports Science Reviews, 24:35, 1996

HAWKINS MN, RAVEN PB, SNELL PG, et al. Maximal oxygen uptake as a parametric measure of cardiorespiratory capacity. Medicine and Science in Sports and Exercise, 39:103, 2007

VAN DER ZWAARD S, DE RUITER CJ, NOORDFOF DA, et al. Maximal oxygen uptake is proportional to muscle fiber oxidative capacity, from chronic heart failure patients to professional cyclists. Journal of Applied Physiology, 121:636, 2016

概念 12

ASTRAND I, ASTRAND PO, HALLBACK I, KILBOM A. A reduction in maximal oxygen uptake with age. Journal of Applied Physiology, 35:649, 1973

ROBINSON S. Experimental studies of physical fitness in relation to age. Arbeitphysiologie, 10:251, 1938

SHVARTZ N, REIBOLD Aerobic fitness norms for males and females aged 6 to 75 years. Aviation, Space and Environmental Medicine, 61:3, 1990

概念 13

AMERICAN COLLEGE OF SPORTS MEDICINE. ACSM's guidelines of exercise testing and prescription (9th ed.). Philadelphia: Lippincott Williams & Wilkins, 2014

BLAIR SN, KOHL HW, PAFFENBARGER JR RS, et al. Physical Fitness and All-Cause Mortality. A Prospective Study of Healthy Men and Women. Journal of American Medical Association, 262:2395, 1989

CASTRO-PINERO J, ARTERO EG, ESPANA-ROMERO V, et al. Criterion-related validity of field –based tests of youth: a systematic review. British Journal of Sports Medicine, 44:934, 2010

COOPER KH. The aerobic way. New York: Bantam Books, Inc. 1977

CURETON KJ, WARREN GL. Criterion-referenced standards for youth health-related fitness tests: a tutorial. Research Quarterly for Exercise & Sport, 61:7, 1990

LOBELO F, PATE RR, DOWDA M, ET AL. Validity of cardiorespiratory fitness citerion referenced standards for adolescents. Medicine and Science in Sports and Exercise, 41:1222, 2009

PLOWMAN SA, STERLING CL, CORBIN CB, et al. The history of the FITNESSGRAM. Journal of Physical Activity & Health. (Supple 2) SS-S20, 2006

POWERS SK, HOWLEY ET. Exercise Physiology:Theory & Applications to Fitness & Performance, McGraw-Hill Education, 2018

概念 14

BURTSCHER M, NACHBAUER W, WILBER RL. The upper limit of aerobic power in humans. European Journal of Applied Physiology, 10: 2625, 2011

Ekblom B, Hermansen L. Cardiac output in athletes. Journal of Applied Physiology

HOPPELER H. Deciphering $\dot{V}O_2$,max : limits of the genetic approach. Journal of Experimental Biology, 221(21):2018

NEWMANN L. Special Performance capacity. In: The Olympic Book of Sports Medicine, Dirix A, Knuttgen HG and Tittle K (eds.). Oxford, Blackwell Scientific Publications, 1988

RØNNESTAD BR, HANSEN J, STENSLØKKEN L, JOYNER MJ & LUNDBY C. Case studies in Physiology: temporal changes in determinants of aerobic performance in individual going from alpine skier to world junior champion time trial cyclist. Journal of Applied Physiology, 127:306, 2019

SALTIN B, ASTRAND P-O. Maximal oxygen uptake in athletes. Journal of Applied Physiology, 23:353, 1967

第 2 章

概念 15

HOLMES KC, GEEVES MA. The structural basis of muscle contraction . Philosophical Transactions of the Royal Society of London, 355:419, 2000

HUXLEY HE. The mechanism of muscular contraction. Science, 164: 1356, 1969

HUXLEY HE. Past, present and future experiments on muscle. Philosophical Transactions of the Royal Society of London, 355:419, 2000

KLUG GA, TIBBITS GF. The effects of activity on calcium-mediated events in striated muscle. Exercise and Sport Sciences Reviews, 16:1, 1998

PATEL TJ, LIEBER RL. Force transmission in skeletal muscle: from actomyosin to external tendons. Exercise and Sport Sciences Reviews, 25:321, 1997

Zurlo F, Larson K, Bogardus C, Ravussin E. Skeletal muscle metabolism is a major determinant of resting energy expenditure. Journal of Clinical Investigation, 86: 1423, 1990

概念 16

FITTS RH. The cross-bridge cycle and skeletal muscle fatigue. Journal of Applied Physiology 104:551,2008

TATE CA, HYEK MF, TAFFET GE. The role of calcium in the energetics of contracting skeletal muscle. Sports Medicine, 12:208,1991

VALE RD. Getting agrip of myosin. Cell, 78:733, 1994

概念 17

HERZOG W, DuVALL M, LEONARD TR. Molecular mechanisms of muscle force regulation: A role for titin. Exercise and Sports Science Reviews, 40:50, 2012

HERZOG W, SCHAPPACHER G, DuVALL M, LEONARD TR, HERZOG JA. Reidual force enhancement following eccentric contractions: A new mechanism involving titin. Physiology (Bethesda), 31:300, 2016

HOYLE G. How is muscle turned on and off. Scientific American, 222:85, 1970

NISHIKAWA KG, MONROY JA, UYENO TA, YEO SH, PAI DK, LINDSTEDT SL. Is titin a winding filament? A new twist on muscle contraction. Proceedings in Biological Sciences, 279:981, 2012

SINGH M, KARPOVICH PV. Isotonic and isometric forces of forearm flexors and extensors. Journal of Applied Physiology, 21:1435, 1966

概念 18

BILLETER R, HOPPELER H. Muscular basis of strentgh. In: Strentgh and Power in Sport (2ND ed.). Edited by P.Komi. Oxford Blackwell Scientific Publishing, 2003

HETTINGER T. Isometrisches Muskeltraining. Stuttgart, Georg Thieme Verlag, 1968

NARICI MV, MAFFULLI affulli N. Sarcopenia: characteristics, mechanisms and functional significance. British Medical Bulletin, 95:139,2010

ROGERS MA, EVANS WJ. Changes in skeletal muscle with aging: Effects of exercise training. Exercise and Sport Sciences Reviews, 21:65, 1993

VINCIGUERRA M, MUSARO A, ROSENTHAL N. Regulation of muscle atrophy in aging and disease. Advances in Experimental Medicine and Biology, 694:211, 2010

概念 19

LIEBER RL. Skeletal muscle structure and function. Baltimore: Williams and Wilkins, 1992, p.303

LIEBER RL, WARD SR. Skeletal muscle design to meet functional demands. Philosophical Transactions of the Royal Society of London, B Biological Sciences, 366:1466, 2011

McINTOSH BR, GARDINER PF, McCOMAS AJ. Skeletal muscle form and function (2nd ed.). Champaigh, IL. Human Kinetics, 2006

概念 20

CANEPARI M, PELLEGRINO MA, D'ANTONA G, BOTTINELLI R. Single muscle fiber properties in aging and disuse. Scandinavian Journal of Medicine and Scien EDGERTON V ET AL. Muscle fiber activation and recruitment. In: Biochemistry of Exercise, H. Knuttgen, J. Vogel and J. Poortmans (eds.). pp. 31-49, Champaign: IL, Human Kinetics, 1983

GILIVER SF, DEGENS H, RITTWEGER J, SARRGEANT AJ, JONES DA. Variation in the determinants of power of chemically skinned human muscle fibres. Experimental Physiology, 2009; 94: 1070, 2009

PETTE D, STARON RS. Cellular and molecular diversities of mammalian skeletal muscle fibers. Reviews of Physiological and Biochemical Pharmacology, 116:1, 1990

概念 21

BROOKS GA, FAHEY TD, BALDWIN KM. Exercise physiology: Human bioenergetics and its applications. 4th ed. New York: McGraw-Hill, 2005

EDGERTON V, et al. Muscle fiber activation and recruitment. In: Biochemistry of Exercise, H. Knuttgen, J. Vogel, J. Poortmans (eds.). pp. 31-49, Champaign: IL, Human Kinetics, 1983

GOLLNICK PD, PIEHL K, SALTIN . Selective glycogen depletion pattern in human muscle fibers after exercise of varying intensity and at varying pedalling rates. Journal of Physiology, 241:45, 1974

MENDELL LM. The size principle: a rule describing the recruitment of motorneurons. Journal of Neurophysiology, 93:3024, 2006

SALE DG. Influence of exercise and training on motor unit activation. In: Exercise and Sport Sciences Reviews. Pandolf KB (ed.), New York: MacMillan, 1987

概念 22

BOOTH FW, LAYE MJ, SPANGENBURG EE. Gold standards for scientists who are conducting animal-based exercise studies. Journal of Applied Physiology, 108: 219, 2010

COSTILL DL, DANIELS J, EVANS W, FINK WJ, KRAHENBUHL G, SALTIN B. Skeletal muscle enzymes and fiber composition in male and female track athletes. Journal of Applied Physiology, 40:149, 1976

COSTILL DL, FINK WJ, POLLOCK ML. Muscle fiber composition and enzyme activities of elite distance runners. Medicine and Science in Sports, 8:96, 1976

COYLE EF, SIDOSSIS LS, HOROWITZ JF, BELTZ JD. Cycling efficiency is related to the percentage of type I muscle fibers. Medicine & Science in Sports & Exercise, 24: 782, 1992

PETTE D. Historical perspectives: Plasticity of mammalian skeletal muscle. Journal of Applied Physiology, 90:1119, 2001

TESCH PA, THORSSON A, KALSER P. Muscle capillary supply and fiber type characteristics in weight and power lifters. Journal of Applied Physsiology, 56:35, 1984

概念 23

ALLEN DG, LAMB GD, WESTERBLAD H. Skeletal muscle fatigue: cellular mechanisms. Physiological Reviews, 88:287, 2008

AMANN M, PROCTOR LT, SEBRANEK JJ, PEGELOW DF, DEMPSEY JA.Opioidmediated muscle afferents inhibit central motor drive and limit peripheral muscle fatigue development in humans. Journal of Physiology, 587:271, 2009

AMANN M, DEMPSEY JA. Locomotor muscle fatigue modifies central motor drive in healthy humans and imposes a limitation to exercise performance. Journal of Physiology, 586:161, 2008

AMENT W, VERKERKE GJ. Exercise and fatigue. Sports Medicine, 39:389, 2009

BLANCVHFIELD AW, HARDY J, De MORREE HM, STAIANO W, MARCORA SM. Talking yourself out of exhaustion: Then effects of self-talk on endurance performance. Medicine & Science in Sports & Exercise, 46:998, 2014

GANDEVIA SC. Spinal and supraspinal factors in human muscle fatigue. Physiological Reviews, 81:1725, 2001

GARLAND SJ, GOSSEN ER. The muscle wisdom hypothesis in human muscle fatigue. Exercise and Sport Science Reviews, 30:45, 2002

GRASSI B, ROSSITER HB, ZOLANDZ JA. Skeletal muscle fatigue and decreased efficiency: Two sides of the same coin? Medicine & Science in Sports & Exercise, 43:75, 2015

FITTS RH. The cross-bridge cycle and skeletal muscle fatigue. Journal of Applied Physiology 104:551, 2008

HOSTRUP M, BANGSBO J. Limitations in intense exercise performance of athletes – effect of speed endurance training on ion handling and fatigue development. Journal of Physiology, 595:2897, 2017

IKAI M, STEINHAUS AH. Some factors modifying the expression of human strength. Journal of Applied Physiology 16:157, 1961

LINDINGER MI, CAIRNS SP. Regulation of muscle potassium: exercise performance, fatigue and health implications, European Journal of Applied Physiology, 121:721, 2021.

MARCORA SM, STAIANO W, MANNING V. Mental fatigue impairs physical performance in humans. Journal of Applied Physiology, 106:857, 2009.

MCKENNA MJ, BANGSBO J, RENAUD JM. Muscle K , Na , and Cl disturbances and Na -K pump inactivation: implications for fatigue. Journal of Applied Physiology, 104: 288, 2008.

MARSDEN CD, MEADOWS, MERTON PA. Muscular wisdom that minimizes fatigue during prolonged effort in man: peak rates of motoneuron discharge and slowing of discharge during fatigue. Advances in Neurology, 39:169, 1983

NEYROUD D, MAFFIULETTI NA, KAYSER B, PLACE N. Mechanisms of fatigue and task failure induced by sustained submaximal contractions. Medicine and Science in Sports, 44:1243, 2012

PERREY S. et al. Comments on Point: Counterpoint: Afferent feedback from fatigued locomotor muscles is/is not an important determinant of endurance exercise performance Journal of Applied Physiology, 108:458, 2010

SHEPHARD RJ. Is it time to retire the "central governor"? Sports Medicine, 39:709, 2009

概念 24

RMSTRONG R. Mechanisms of exercise-induced delayed onset of muscular soreness: A brief review. Medicine and Science in Sports and Exercise, 16:529, 1984

CLARKSON PM, SAYERS SP. Etiology of exercise – induced muscle damage. Canadian Journal of Applied

Physiology, 24;234, 1999

McHUGH MP. Recent advances in the understanding of the repeated bout effect: the protective effect against muscle damage from a single bout of eccentric excercise. Scandinavian Journal of Medicine & Science in Sports, 13:88, 2003

SMITH LL. Acute inflammation: the underlying mechanism in delayed onset muscle soreness? Medicine & Science in Sport & Exercise, 23, 542, 1991

概念 25

BERGERON MF. Exertional heat cramps: recovery and return to play. Journal of Sport Rehabilitation, 16:190, 2007

BERTOLASI L, DE GRANDIS D, BONGIOVANNI LG, ZANNETTE GP, GASPERINI M. The influence of muscu-lar lengthening on cramps. Annals of Neurology, 33:176, 1993

GISSEL H, CLAUSEN T. Excitation-induced Ca influx and skeletal muscle cell damage. Acta Physiological Scandinavica, 171:327, 2001

MAUGHAN RJ, SHIRREFFS SM. Muscle cramping during exercise: causes, solutions, and questions Remaining. Sports Medicine, 49, 115, 2019.

MILLER KC. Myths and misconceptions about exercise associated muscle cramping. ACSM's Health and Fitness Journal, 20:37, 2016

SCHWELLNUS MP. Cause of exercise associated muscle cramps (EAMC) – altered neuromuscular control, dehy-dration or electrolyte depletion. British Journal of Sports Medicine, 43:401, 2009

概念 26

HAWKE TJ, GARY DJ. Myogenic satellite cells: Physiology to molecular biology. Journal of Applied Physiology, 91:534, 2001

JONES D, ROUND J, De HAAN ARNOLD. Skeletal muscle from molecules to movement. Churchill Livingstone, Edinburgh, 2004

McHUGH MP, COSGRAVE CH. To stretch or not to stretch: the role of stretching in injury prevention and performance. Scandinavian Journal of Medicine & Science in Sports, 20:169, 2010

PAULSEN G, MIKKELSEN UR, RAASTAD T, PEAKE JM. LEUCOCYTES. Cytokines and satellite cells: What role do they play in muscle damage and regeneration following eccentric exercise? Exercise Immunology Review, 2012; 18: 42, 2012

PROSKE U, MORGAN DL. Muscle damage from eccentric exercise: mechanism, mechanical signs and adaptation and clinical applications. Journal of Physiology, 537:333, 2001

ROSE C, EDWARDS KM, SIEGLER J, GRAHAM K, CAILLAUD C. Whole-body cryotherapy as a recovery technique after exercise: a review of the literature. International Journal of Sports Medicine, 38:1049, 2017

第 3 章

概念 27

DEMPSEY JA. Is the lung built for exercise? Medicine and Science of Sports and Exercise 18:143, 1986

DEMPSEY JA, LA GERCHE A, HULL JH. Is the healthy respiratory system built just right, overbuilt, or underbuilt to meet the demands imposed by exercise? Journal of Applied Physiology, 129:1235, 2020

DEMPSEY JA, MILLER JD. The respiratory system. In: ACSM's Advanced Exercise Physiology. Tipton CM (ed.), Philadelphia: Lippincott Williams & Wilkins, 2006

GERMANN WJ, STANFIELD CL. Principles of Human Physiology, Benjamin Cummings, 2005

HWANGBO G, LEE DH, PARK SH, HANS JW. Changes in cardiopulmonary function according to posture during recovery after maximal exercise. Journal of Physical Therapy Science, 29:1163, 2017

POWERS SK, MARIN D, DODD S. Exercise – induced hypoxemia in elite endurance athletes: Incidence, cause and impact on $\dot{V}O_2$ max. Sports Medicine, 16:14, 1993

VOGIATZIS IS, ATHANASOPOULOS D, BOUSHEL R, GUENETTE JA, KOSKOLOU M, VASILOPOULOS M, WAGNERH, ROUSSOS C, WAGNER PD, ZAKYNTHINOS S. Contribution of respiratory muscle blood flow to exercise-in-duced diaphragmatic fatigue in trained cyclists. Journal of Physiology, 586:5575, 2008

概念 28

KARIM N, HASAN JA, ALI SS. Heart rate variability: A review. Journal of Basic and Applied Sciences, 7:21, 2011

MITCHELL JH, RAVEN P. Cardiovascular adaptation to physical activity. In: Physical Activity, Fitness and Health. Bouchard C (ed.), Champaign IL. Human Kinetics, 199

NESS BM, JANSZKY I, WISLLOF U. STOYLEN A, KARLSEN T. Age-predicted maximal heart rate in healthy subjects: The HUNT fitness study. Scandinavian Journal of Medicine & Science in Sports, 23:697, 2013

ROMEO SA, MINSON CT, HALLIWILL JR. The cardiovascular systrem after exercise. Journal of Applied Physiology, 122:925, 2017

ROWELL LB. Human cardiovascular control. Oxfordrci University and Applied Press, 1993

TANAKA H, MONAHAN DK, SEALS DR. Age-predicted maximal heart rate revisited. Journal of the American College of Cardiology, 37:153, 2001

WILLIAMSON JW, FADEL PJ, MITCHELL JH. New insights into central cardiovascular control during exercise in humans: a central command update. Experimental Physiolohy, 91:51, 2006

概念 29

AMERICAN COLLEGE OF SPORTS MEDICINE. Prevention of cold injuries during exercise. Medicine and Science in Sports and Exercise, 38:2012, 2006

LORENZO S, HALLIWILL R, SAWKA MN, MINSON CT. Heat acclimation improves exercise performance. Journal of Applied Physiology, 109:1140, 2009

NIELSEN M. Die Regulation der Korpertemperatur bei Muskelerbeit. Skandinavia Archives Physiologie, 79:193, 1938

NYBO L, NIELSEN B. Hyperthermia and central fatigue during prolonged exercise in humans. Journal of Physiology, 91:1055, 2001

PERIARD JD, RACINAIS S, SAWKA MN. Adaptations and mechanisms of human heat acclimation: Applications for competitive athletes and sports: Adaptations and mechanisms of heat acclimation. Scandinavian Journal of Medicine and Science in Sports, 25 (Supplement 1): 20, 2015

WEGMANN M, OLIVER F, WIGAND P, HECKSTEDEN A, FROHLICH M, MEYER T. Pre-cooling and sports perfor-mance: A meta-analytical review. Sports Medicine, 42:545, 2012

概念 30

BILLMAN GE. Counterpoint: Exercise training-induced bradycardia: the case for enhanced parasympathetic regulation. Journal of Applied Physiology, 123:686, 2017

GIRARD O. MILLET GP, MICALLEF JP, RACINAIS S. Alterations in neuromuscular function after a 5 km running time trial. Journal of Applied Physiology, 112:2323, 2012

KANDEL ER, SCHWARTZ JH, JESSELL TM. Principles of Neural Science. New York: McGraw-Hill, 2004

LEVY WC, CERQUERIA MD, HARP GD, JOHANNESSEN KA, ABRASS IB, SCHWARTZ RS, STRATTON JR. Effect of endurancear exercise training on heart rate variability at rest in healthy young and older men. American Journal of Cardiology, 82:1236, 1998

ROATTA S, FAEINA D. Sympathetic actions on the skeletal muscle. Exercise and Sports Science Review, 38:31, 2010

PROSKE U, GANDEVIA SC. Proprioception: The Sence Within. The Scientist, 1, 2016

概念 31

CANNON W. Bodily Changes in Pain, Hunger, Fear and Rage. Boston: Charles Branford Company, 1983

COKER RH, KJAER M AR. Glucoregulation the role of the neuroendocrine system. Sports Medicine, 35:575, 2005

GALBO H, HOLST JJ, CHRISTENSEN NJ. Glucagon and plasma catecholamine responses to graded and prolonged exercise in man. Journal of Applied Physiology, 38: 70, 1995

HEW-BUTLER T. Arginine vasopressin, fluid balance and exercise. Sports Medicine, 40:459, 2010

PEDERSEN BK. Physical activity and muscle-brain crosstalk. Nature Reviews Endocrinology 15:383, 2019

SELYE H. The Stess of Life. NewYork.McGraw –Hill, 1976

SEVERINSEN M, PEDERSEN BK. Muscle–Organ Crosstalk: The Emerging Roles of Myokines. Endocrine Reviews, 41:594,2020

WADE CE. Response, regulation, and actions of vasopressin during exercise: a review. Medicine and Science in Sports and Exercise, 16:506, 1984

ZOUHAI H, JACOB C, DELAMARCHE E P, GRATAS-DELAMARCHE A. Catecholamines and the effects of exercise, training and gender. Sports Medicine, 38:401, 2008

第 4 章

概念 32

AMERICAN COLLEGE OF SPORTS MEDICINE. ACSM Position stand: Progression models in resistance training for healthy adults. Medicine and Science in Sports and Exercise, 41:687, 2009

BONAFIGLIA JT, ROTUNDO MP, WHITTALL JP, SCRIBBANS TD, GRAHAM RB, GURD BJ. Inter-Individual Variabil-ity in the Adaptive Responses to Endurance and Sprint Interval Training: A Randomized Crossover Study. PLOS ONE | DOI:10.13 journal. pone.0167790 December 9, 2016

BOUCHARD C, AN P, RICE T, SKINNER JS, WILMORE JHGAGNON J, PERUSSE L, LEON AS, RAO DC. Familial ag-gregation of $\dot{V}O_2$ max response to exercise training: results from the HERITAGE Family Study. Journal of Applied Physiology, 87: 100, 1999

BOUCHARD C. Genomic predictors of trainability. Experimental Physiology, 97:347, 2012

BRUUSGAARD JC, JOHANSEN IB, RANA ZA, GUNDERSEN K. Myonuclei acquired by overload exercise precede hypertrophy and are not lost on detraining. Proceedings of the National Academy of Sciences USA, 107:1511, 2010

EDWARDS HT, BROUHA L, JOHNSON RT. Effets de l'entrainement sur le taux de l' acide lactique sanguin au cours du travail musculaire. Travail Humain, 8:1,1939

HAWLEY JA. Specificity of training adaptation: time to re-think? Journal of Physiology, 586:1, 2008

JOYNER MJ, LUNDBY C. Conceptrs about $\dot{V}O_2$ max and trainability are context pendent. Exercise & Sport Science Reviews, 46: 138, 2018

LAMBERT MI, VILJOEN W, BOSCH A, PEARCE AJ, SAYERS M. General Principles of Training. In The Olympic Textbook of Medicine in Sports (Ed. M. Schwellnus), Blackwell Publishing, 2008

MONTERO D, LUNDBY C. Refuting the myth of non-response to exercise training: 'non-responsders do respond to higher dose of training. Journal of Physiology, 595:3377, 2017

STROMME SB, INGJER F, MEEN ID. Assessment of maximal aerobic power in specifically trained athletes. Journal of Applied Physiology, 42: 833, 1977

TERJUNG RL. Muscle adaptations to aerobic training. Sports Science Exchange, 8:1, 1995 Barrington.

Illinois: Gatorade Sports Science Institute.

概念 33

AMERICAN COLLEGE OF SPORTS MEDICINE. POSITION STANCE: Quantity and Quality of Exercise for Developing and Maintaining Cardiorespiratory, Musculoskeletal, and Neuromotor Fitness in Apparently Healthy Adults: Guidance for Prescribing Exercise. Medicine and Science in Sports and Exercise, 143:134, 2011

BERG U. Endurance training and performance in runners. Sports Medicine, 33:59, 2003.

BISHOP D, GIRARD O, MENDEZ VILLANUEVA A. Repeated-Sprint Ability–Part II: Recommendations for training. Sports Medicine, 41:741, 2011

概念 34

ALLISON MK, BAGLOLE JH, MARTIN BJ, et al. Brief intense stair climbing improves cardiorespiratory fitness. Medicine & Science in Sports & Exercise, 49:298, 2016

ASTORINO TA, EDMUNDS RM, CLARK A, KING L, GALLANT RA, NAMM S, FISCHER A, WOOD KM. High-in-tensity interval training increases cardiac output and $\dot{V}O_2$ max. Medicine & Science in Sports & Exercise, 49:265, 2017

BACON AP, CARTER RE, OGLE EA, JOYNER MJ. $\dot{V}O_2$ max trainability and high intensity interval training in hu-mans: a meta-analysis. PLos One, 8: e73182, 2013

BILLAT V. Interval training for performance: a scientific and empirical practice. Sports Medicine, 31:13, 2001

BURGOMASTER KA, HOWARTH KR, PHILLIPS SM, RAKOBOWCHUK M MACDONALD MJ, MCGEE SL, GIBALA MJ. Similar metabolic adaptations during exercise after low volume sprint interval and traditional endurance training in humans. Journal of Physiology, 586:151, 2008

CAMERA DM, SMILES WJ, HAWLEY JA. Exercise-induced skeletal muscle signaling pathways and human athletic performance. Free Radical Biology and Medicine, 98:121, 2016

COSTILL D. Inside running: Basics of sports physiology. Indianapolis: Benchmark Press,1986

GIBALA MJ, LITTLE JP, van ESSEN, M, WILKIN GP, BURGOMASTER KA, SAFDAR A, RAHA S, TARNOPOLSKY MA. Short-term sprint interval versus traditional endurance training: Similar initial adaptations in human skeletal muscle and exerrcise performance. Journal of Physiology, 575:901, 2006

GIBALA MJ, LITTLE JP, MACDONALD MJ, HAWLEY JA. Physiological adaptations to low-volume, high-intensity interval training in health and disease. Journal of Physiology, 590: 1077, 2012

HANDSCHIN C. Regulation of skeletal muscle cell plasticity by the peroxisome proliferator-activated receptor gamma coactivator 1 alpha. Journal of Receptor and Signal Transduction Research, 30:376, 2010

HOPPELER H. Molecular networks in skeletal muscle plasticity. Journal of Experimental Biology, 219:205, 2016

LAURSEN PB. Training for intense exercise performance: high-intensity or high-volume training? Scandinavian Journal of Medicine and Science in Sports, 20 (Suppl. 2): 1, 2010

LAURSEN PB, BUCHEIT M. Science and Application of High-Intensity Interval Training. Human Kinetics, 2019

PARRA J, CADEFAU JA, RODAS G, AMIGO N, CUSSO R. The distribution of rest periods affects performance and adaptations of energy metabolism induced by high-intensity training in human muscle. Acta Physiologica Scan-dinavica, 169:157, 2000

STOREN O, HELGERRUD J, SAERBO M, STOA EM, BRATLAND-SANDA S, UNHJEM R, HOFF J, WANG F. The effect of age on the $\dot{V}O_2$ max response to high-intensity interval training. Medicine & Science in Sports & Exercise, 49:78, 2017

TABATA I, IRISAWA K, KOUZAKI M, NISIMURA K, OGITA F, MIYACHI M. Metabolic profile of high intensity inermittent exercises. Medicine and Science in Sports and Exercise, 29:390, 1997

概念 35

AMERICAN COLLEGE OF SPORTS MEDICINE. Position Stand: Quantity and Quality of Exercise for Developing and Maintaining Cardiorespiratory, Musculoskeletal, and Neuromotor Fitness in Apparently Healthy Adults: Guidance for Prescribing Exercise. Medicine and Science in Sports and Exercise 143:134, 2011

BILLMAN GE, Point: Exercise training induced bradycardia. The case for enhanced parasympathetic regulation. Journal of Applied Physiology, 123:686, 2017

BLOMQVIST CG, SALTIN B. Cardiovascular adaptations to physical training. Annual Reviews of Physiology, 45: 169, 1983

BOYETT MR, D'SOUZA AD, ZHANG H, MORRIS GM, DOBRZYNSKI H, MONFREDI O. Viewpoint: Is the resting bradycardia in athletes the result of remodeling of the sinoatrial node rather than high vagal tone? Journal of Applied Physiology, 114:1351, 2013

BOYETT MR, WANG Y, NAKAO S. ARIYARATMAN J, HART G, MONFREDI O, D' SOUZA A. Counterpoint: Exercise training -induced bradycardia is caused by changes in intrinsic sinus node function. Journal of Applied Physiology, 123:692, 2017

EIJSVOGELS TMH, FERNADEZ AB, THOMPSON PD. Are there deleterious cardiac effects of acute and chronic endurance exercise? Physiological Reviews, 96:99, 2016

FAGARD RH. Athlete's heart: A meta-analysis of the echocardiographic experience. International Journal of Sports Medicine, 17, S140, 1996

LUNDBY C, ROBACH P. Performance enhancement: What are the physiological limits? Acta Physiologica, 220:218, 2017

LUNDBY C. MONTERO D, JOYNER MJ. Biology of $\dot{V}O_2$ max: Looking under the physiology lamp. Physiology, 30:282, 2015

McGUIRE DR, LEVINE BD, WILLIAMSON JW, SNELL PG, BLOMQVIST CG, SALTIN B, MITCHELL JH. A 30-year folow-up of theDallas Bedrest and Training Study: II. Effects of age on cardiovascular adaptation to exercise training. Circulation, 104:1358, 2001

MONTERO D, DIAZ-CANESTRO C, LUNDBY C. Endurance training and $\dot{V}O_2$ max: Role of maximal cardiac output and oxygen extraction. Medicine & Science in Sports & Exercise, 47:2024, 2015

NAYLOR LH, GEORGE K, O'DRISCOLL, GREEN DJ. The athlete's heart: A contemporary appraisal of the "Morganroth hypothesis" . Sports Medicine, 38:69, 2008.

SALTIN B, BLOMQVIST G, MITCHELL JH, JOHNSON RL JR, WILDENTAL K, CHAPMAN CB. Response to exercise after bed rest and training. Circulation, 38:1, 1968.

概念 36

BOOTH FW, THOMASON DB. Molecular and cellular adaptation of muscle in response to exercise: perspectives of various models. Physiological Reviews, 71, 541, 1991

EGAN B, ZIERATH JR. Exercise Metabolism and the Molecular Regulation of Skeletal Muscle Adaptation. Cell Metabolism, 17:162, 2013

FLUCK M, HOPPELER H. Molecular basis of skeletal muscle plasticity—from gene to form and function. Review of Physiology, Biochemistry & Pharmacology, 146: 159,2003

GAITANOS GC, WILLIAMS C, BOOBIS LH, BROOKS S. Human muscle metabolism during intermittent maximal exercise. Journal of Applied Physiology, 75: 712, 1993

HAWLEY JA. Molecular Response to Strength and Endurance Training: Are they incompatible? Applied

Physiology Nutrition and Metabolosm, 34:355, 2009

HOLLOSZY JO. Biochemical adaptations in muscle. Effects of exercise on mitochondrial oxygen uptake and respiratory enzyme activity in skeletal muscle. Journal of Biological Chemistry, 242: 2278, 1967

HOLLOSZY JO, BOOTH FW. Biochemical adaptations to endurance exercise in muscle. Annual Review of Physiology, 18:273, 1976

HOLLOSZY JO, Coyle EF. Adaptations of skeletal muscle to endurance exercise and their metabolic consequences. Journal of Applied Physiology, 56: 831, 1984

HOPPELER H, FLUCK M. Plasticity of skeletal muscle mitochondria: structure and function. Medicine and Science in Sports and Exercise, 35:95, 2003

KONOPKA AR, HARBER MP. Skeletal muscle hypertrophy after aerobic exercise training. Exercise & Sports Science Reviews, 42:53, 2014

PORTER C, REIDY PT, BHATTARAI N, SIDOSSIS LS, RASMUSSEN BB. Resistance exercise training alters mitochondrial function in human skeletal muscle. . Medicine and Science in Sports and Exercise, 47:1922, 2015

SCHIAFFINO S, REGGIANI C. Fiber types in mammalian skeletal muscles. Physiological Reviews, 91:1447, 2011

VERDIJK LB, SNIJDENS T, HOLLOWAY TM, VAN KRANENBURG J, VAN LOON LJ. Resistance training increases capillarization in healthy older men. Medicine and Science in Sports and Exercise, 48:2157, 2016

概念 37

ANDRUSHKO JW, LANOVAZ JL, BJÖRKMAN KM, KONTULAINEN SA, FARTHING JP. Unilateral strength training leads to muscle-specific sparing effects during opposite homologous limb immobilization. Journal of Applied Physiology, 14, 2017

BHASIN S, STORER TW, BERMAN N. CALLEGARI C, CLEVENGER B, PHILLIPS J, BUNNELL TJ, TRICKER R, SHIRAZI A, CASABURI R. The effects of supraphysiologic doses of testosterone on muscle size and strtength in normal men. New England Journal of Medicine, 335:1, 1996

COFFEY VG, HAWLEY JA. Concurrent exercise training: do opposites distract? Journal of Physiology, 595: 2883, 2017

DUCHATEAU J, ENOKA RM. Neural adaptations and chronic activity patterns in abled-bodied humans. American Journal of Physical Medicine and Rehabilitation, 81 (Suppl. 11): 517, 2002

FORBES GB. The effect of anabolic steroids on lean body mass: The dose response curve. Metabolism, 34:571, 1985

GONYEA WJ, SALE DG, GONYEA FB, MIKESKY A. Exercise induced increases in muscle fiber number. European Journal of Applied Physiology, 55:137, 1986

KANEKO M, FUCHIMOTO T, TOJI H, SUEI K. Training effect of different loads on the force-velocity relationship and mechanical power output in human muscle. Scandinavian Journal of Sport Science, 5:50, 1983

KOMI PV. Training of muscle strength and power: interaction of neuromotoric, hypertrophic, and mechanical factors. International Journal of Sports Medicine, 7(Suppl. 1): 10, 1986

KRAEMER WJ, FLECK SJ, EVANS WJ. Strength and power training: physiological mechanisms of adaptation. Exercise and Sport Science Reviews, 24: 363, 1996

MacRAE BA, COTTER JD, LAING RM. Compession garmets and exercise: Garment considerations, physiology and performance. Sports Medicine, 41:815, 2011

McCALL GE, BYRNES WC, DICKINSON A, PATTANY PM, FLECK SJ. Muscle fiber hypertrophy, hyperplasia, and capillart density in college men after resistance training. Journal of Applied Physiology, 81:2004, 1996

NADER GA. Concurrent strength and endurance training: From Molecules to Man. Medicine & Science in Sports & Exercise, 38:1965. 2006

PORTER C, REIDY PT, BHATTARAI N, SIDOSIS LS, RASMUSSEN BB. Resistance exercise training alters mitochondrial function in human skeletal muscle. Medicine & Science in Sports & Exercise, 47:1922, 2015

SCHOENFIELD BJ. Is there a minimum intensity threshold for resistance training-induced hypertrophic adaptations? Sports Medicine, 43:1279, 2013

SELYE H. The Stress of Life. McGraw Hill. New York, 1976

SHEPSTONE TN, TANG JF, DALLAIRE S, SCHUENKE MD, STARON RS, PHILLIPS SM. Short-term high –vs. low-velocity isokinetic lengthening training results in greater hypertrophy of the elbow flexors in young men. Journal of Applied Physiology, 98: 1768, 2005

STARON RS, KARAPONDO DI, KRAEMER WJ, FRY AC, GORDON SE, FALKEL JF, HAGERMAN FC, HIHIDA RS. Skel-etal muscle adaptations during early phase of heavy rssistance training in men and women. Journal of Appllied Physiology, 76:1247, 1994

TIMMING RG, RUDDY JD, PRESLAND J, MANIAR N, SHIELD AJ, WILLIAMS D, OPAR DA. Architectural changes of the biceps femoris long head after concentric or eccentric training. Medicine & Science in Exercise & Sports, 48:499,2016

TIPTON KD, PHILLIPS SM. Dietary Protein for Muscle Hypertrophy. In: van LOON LJC, MEEUSEN R (eds): Limits of Human Endurance. Karger AG., Basel, 2013

WEST DW, PHILLIPS SM. Associations of exercise-induced hormone profiles and gains in strength and hypertrophy in a large cohort after weight training. European Journal of Applied Physiology, 112:2693, 2012

WILSON JM, MARTIN PJ, RHEA MR, WILSON SM, LOENNEKE JP, ANDERSON JC. Concurrent training: A Meta-analysis examining interference of aerobic and resistance exercise. Journal of Strength and Conditioniong Research, 26:2293, 2012

VERDIJK LB, SNIJDERS T, HOLLOWAY TM, Van KRANENBURG J, Van LOON LJ. Resitance training increases skeletal muscle capillarization in healthy older men. Medicine & Science in Sports & Exercise, 48:2157, 2016

概念 38

HAKKINEN K. Aging and neuromuscular adaptations in strength training. In: Strength and power. Komi PV (ed.), Oxford: Blackwell Science, 2003

HERMANSEN L, WACHTLOVA M. Capillary density in skeletal muscle in trained and untrained men. Journal of Applied Physiology, 30:860, 1971

SALE DG. Neural adaptations to strength training. In: Strength and power in sport. Komi PV (ed.), Oxford: Blackwell Science, 1992

WILMORE JH, STANFORTH PR, HUDSPETH LA, GAGNON J, DAW EW, LEON AS, RAO DC, SKINNER JS, BOUCH-ARD. Alterations in resting metabolic rate as a consequence of 20 wk of endurance training: The HERITAGE Family Study. American Journal of Clinical Nutrition, 68:,66, 1998

YAN Z, LIRA VA, GREENE NP. Exercise training-induced regulation of mitochondrial quality. Exercise and Sports Science Reviews, 40:159, 2012

概念 39

DICKINSON JP, VOLPI F, RASMUSEN BB. Exercise and nutrition to target protein synthesis impairements in aging skeletal muscle. Exercise and Sports Science Reviews, 41:216, 2013

HAWKE TJ, GARRY DJ. Myogenic satellite cells: Physiology to molecular biology. Journal nof Applied Physiology, 91:534, 2001

TIPTON KD, WOLFE RR. Exercise induced changes in protein metabolism. Acta Physiologica Scandinavica, 162:377, 1998

WANG Y, RUDNICKI M. Satellite cells, the engines of muscle repair. Nature Reviews of Molecular Cell Biology, 13:127, 2012

概念 40

BRUUSGAARD JC, JOHANSEN IB, EGNERM IM, RANA ZA, GUNDERSEN, K. Myonuclei acquired by overload exercise precede hypertrophy and are not lost on detraining. Proceedings of the National Academy of Sciece, USA, 107:15111, 2010

EGNER IM, BRUUSGAARD JC, EFTESTØL E, GUNDERSEN K. A cellular memory mechanism aids overload hypertrophy in muscle long after an episodic exposure to anabolic steroids. Journal of Physiology, 591: 6221, 2013

GUNDERSEN K. Muscle memory and a new cellular model for muscle atrophy and hypertrophy. Journal of Experimental Biology, 219: 235, 2016

SEABORNE RA, STRAUSS J, COCKS M, SHEPHERD S, O'BRIEN TD, VAN SOMEREN KA, BELL PG, MURGATROYDC, MORTON JP, STEWART CE, SHARPLES AP. Human Skeletal Muscle Possesses an Epigenetic Memory of Hypertrophy. Nature / Scientific Reports, 8:1898, 2018 doi:10.1038/s41598-018-20287-3

TAAFFE DR, MARCUS R. Dynamic muscle strength alterations to detraining and retraining in elderly men. Clinical Physiology, 17: 31, 1997

概念 41

ADKINS DL, BOYCHUK J, REMPLE MS, KLEIM JA. Motor training induces experience-specific patterns of plasticity across motor cortex and spinal cord. Journal of Applied Physiology, 101:1776, 2006

BAYS PM, FLANAGAN JR, WOLPERT DM. Interference between velocity-dependent and position-dependent force-fields indicates that tasks depending on different kinematic parameters compete for motor working memory. Experimental Brain Research, 163: 400, 2005

KARNI A, MEYER G, JEZZARD P, ADAMS MM, TURNER R, UNGERLEIDER LG. Functional MRI evidence for adult motor cortex plasticity during motor skill learning. Nature, 377: 155, 1995

MILTON J, SOLODKIN A, HLUSTÍK P, SMALL SL. The mind of expert motor performance is cool and focused. NeuroImage, 35:804, 2007

MISSITZI J, GENTNER R, GELADAS N, POLITIS P, KARANDREAS N, CLASSEN J, KLISSOURAS V. Plasticity in human motor cortex is in part genetically determined. Journal of Physiology, 589:297, 2011

PANZER S, WILDE H, SHEA CH. Learning of similar complex movement sequences: proactive and retroactive effects on learning. Jouranl of Motor Behavior, 38:60, 2006

TYC F, BOYADJIAN A, DEVANNE H. Motor cortex plasticity induced by extensive training revealed by transcranial magnetic stimulation in human. European Journal of Neuroscience, 21: 259, 2005

第 5 章

概念 42

BANNISTER R. The prediction of the ultimsate limits of athletic performance depends on the understanding of the physiological limiting factors when a man runs at different speeds. Proceedings of the Royal Society of Medicine, 59:656, 1966

BAXTER JR, NOVACK TA, VAN WERKHOVEN H, PENNELL DR, PIAZZA SR. Ankle joint mechanics and foot proportions differ between human sprinters and non-sprinters. Proceedings in Biological Science, 279:2018, 2012

BUNDLE MW, WEYAND PG. Sprint exercise performance: does metabolic power matter? Exercise and Sports Science Reviews, 40:174, 2012

HILL AV. The Physiological Basis of Athletic Records. Lancet, 2:481, 1925

JOYNER MJ, COYLE EF. Exercise Endurance Performance: The Physiology of Champions. Journal of Physiology, 586:35, 2008

JOYNER MJ. Modelling: optimal marathon performance on the basis of physiological factors. Journal of Applied Physiology, 70:683, 1991

LEE SS, PIAZZA SR. Build for speed. Musculoskeletal structure and sprinting ability. Journal of Experimental Biology, 212:3700, 2009

Letter to the Editor. Commentaries on Viewpoint: The two-hour marathon: Who and when? Journal of Applied Physiology, 110:278, 2011

LUNDBY C, ROBACH P. Performance enhancement: What are the physiological limits? Physiology, 30:382, 2015

Sandbakk Ø, Holmberg HC. A reappraisal of success factors for Olympic cross-country skiing. International Journal of Sports Physiology & Performance, 9: 117, 2014

TRAPPE S, LUDEN N, MINCHEV K, RAUE U, JEMIOLO B, TRAPPE TA. Skeletal muscle signature of a champion sprint runner. Journal of Applied Physiology, 118: 1460, 2015. doi:10.1152/japplphysiol.00037.2015

概念 43

BOUCHARD C. Exercise genomics–a paradigm shift is needed: a commentary. British Journal of Sports Medicine, 49:1492, 2015

BOUCHARD C, HOFFMAN EP. Genetic and Molecular Aspects of Sports Performance. Wiley-Blackwell, UK, 2011

BOUCHARD C, SARZYNSKI MA, RICE TK, et al. Genomic predictors of the maximal O_2 uptake response to standardized exercise training programs. Journal of Applied Physiology, 110: 1160, 2011

ERICSSON KA. Deliberate practice and the modifiability of body and mind: Toward a science of the structure and acquisition of expert and elite performance. International Journal of Sport Psychology, 38:4, 2007

EPSTEIN D. The Sports Gene: Inside the Science of extraordinary athletic performance, Penguin, 2014

GANDEVIA SC, BUTLER AA, HÉROUX ME. Heritability of major components of proprioception. Journal of Applied Physiology, 125: 971, 2018

GEORGIADES E, KLISSOURAS V, BAULCH J, WANG G, PITSILADIS Y. Why nature prevails over nurture in the making of the elite athlete. BMC Genomics, (Suppl 8): 835, 2017

HOPPELER H. Deciphering $\dot{V}O_2$, max: limits of the genetic approach. Journal of Experimental Biology, 221(21):2018

HAWLEY JA, SPARGO FJ. It's all in the genes, so pick your parents wisely. Journal of Applied Physiology, 100: 1751, 2006; doi:10.1152/japplphysiol.00150.2006

JOYNER, M.J. Limits to the evidence that DNA sequence differences contribute to variability in fitness and trainability. Medicine and Science in Sports and Exercise, 51:1786, 2019

KLISSOURAS V. Heritability of Adaptive Variation. Journal of Applied Physiology, 38:338, 1971

MA F, YANG Y, LI X, ZHOU F, GAO C, LI M, GAO L. The association of sport performance with ACE and ACTN3 genetic polymorphisms: a systematic review and meta-analysis. PLoS One, 8: e54685, 2013

MACNAMARA BN, HAMBRICK DZ, OSWALD FL. Deliberate practice and performance in music, games, sports, education, and professions: A meta-analysis. Psychological Science, 8: 1608, 2014

MATTSSON CM, WHEELER MT, WAGGOTT D, CALESHU C, ASHLEY EA. Sports genetics moving forward: lessons learned from medical research. Physiological Genomics, 48: 175, 2016

MISSITZI J, GELADAS N, MISITZI A, MISITZIS L, CLASSEN J, KLISSOURAS V. Heritability of proprioceptive senses. Journal of Applied Physiology, 125:918, 2018

PITSILADIS Y, WANG G, WOLFARTH B, SCOTT R, FUKU N, MIKAMI E, HE Z, FIUZA-LUCES C, EYNON N, LUCIA A. Genomics of elite sporting performance: what little we know and necessary advances. British Journal of Sports Medicine, 47: 550, 2013.

PITSILADIS YP, TANAKA M, EYNON N, BOUCHARD C, NORTH KN, WILLIAMS AG, COLLINS M, MORAN CN, BRITTON SL, FUKU N, ASHLEY EA, KLISSOURAS V, LUCIA A, AHMETOV II, DE GEUS EJ, ALSAYRAFI M. The Athlome Project Consortium: a concerted effort to discover genomic and other "omic" markers of athletic performance. Physiological Genomics, 48:183, 2016

PLOMIN R, SHAKESHAFT NG, MCMILLAN A, TRZASKOWSKI M. Nature, Nurture, and Expertise. Intelligence, 45: 46, 2014.

PLOMIN R. Blueprint: How DNA Makes Us Who We Are, Penguin Books, 2018

REN YY, OVERMYER KA, QI NR, TREUTELAAR MK, HECKENKAMP L, KALAHAR M, KOCH L, BRITTON S, BURANT C, LI J. Genetic Analysis of a Rat Model of Aerobic Capacity and Metabolic Fitness. PLoS ONE, 8(10): e77588, 2013

TUCKER R, COLLINS M. What makes champions? A review of the relative contribution of genes and training to sporting success. British Journal of Sports Medicine, 46:555, 2012.

WANG G, TANAKA M, EYNON N, NORTH KN, WILLIAMS AG, COLLINS M, MORAN CN, BRITTON SN, FUKU N, ASHLEY EA, KLISSOURAS V, LUCIA A, AHMETOV II, DE GEUS E, ALSAYRAFI M, PITSILADIS YP. The future of genomic research in athletic performance and adaptation to training. Medicine and Sport Science, 61:55, 2016

概念 44

BOUCHARD TJ, LYKKEN DT, MCGUE M, SEGAL NL, TELLEGEN A. Sources of human psychological differences: the Minnesota study of twins reared apart. Science, 250:223, 1990

COLLINS A, HILL LE, CHANDRAMOHAN Y, WHITCOMB D, DROSTE SK, REUL JM. Exercise improves cognitive responses to psychological stress through enhancement of epigenetic mechanisms and gene expression in the dentate gyrus. PLoS One, 4:e4330, 2016

DAWSON C. The Genie in your Genes: Epigenetic Medicine and the New Biology of Intention.

EHLERT T, SIMON P, MOSER DA. Epigenetics in sports. Sports Medicine, 43:93, 2013

FAGIOLINI M, JENSEN CL, CHAMPAGNE FA. Epigenetic influences on brain development and plasticity. Current Opinion in Neurobiology, 19:207, 2009

FERNANDES J, ARIDA RM, GOMEZ-PINILLA F. Physical Exercise as an Epigenetic Modulator of Brain Plasticity and Cognition. Neuroscience Biobehavior Reviews, 80:443,2017 doi: 10.1016/j.neubiorev.2017.06.01228666827

FRAGA MF, BALLESTAR E, PAZ MF, ROPERO S, SETIEN F, BALLESTAR ML, HEINE-SUÑER D, CIGUDOSA JC, URI-OSTE M, BENITEZ J, BOIX-CHORNET M, SANCHEZ-AGUILERA A, LING C, CARLSSON E, POULSEN P, VAAG A, STEPHAN Z, SPECTOR TD, WU YZ, PLASS C, AND ESTELLER M. Epigenetic differences arise during the lifetime of monozygotic twins. Proceedings of National Academy of Science, USA, 102:10604, 2015

KLISSOURAS V. Editorial: Soma and psyche. McGill Journal of Education, 11: 1, 1976

KLISSOURAS V, CASINI B, DI SALVO V, FAINA M, MARINI C, PIGOZZI F, PITTALUGA M, SPATARO A, TADDEI F, PARISI P. Genes and Olympic performance: a co-twin study. International Journal of Sports Medicine, 22:250, 2001

PAREJA-GALEANO H, SANCHIS-GOMAR F, GARCÍA-GIMÉNEZ JL. Physical Exercise and Epigenetic Modulation: Elucidating Intricate Mechanisms. Sports Medicine, 44: 429, 2014 https://doi.org/10.1007/s40279-013- 0138-6

PETRONIS A. Epigenetics as a unifying principle in the aetiology of complex traits and diseases. Nature, 465:721, 2010

SHARPLES AP, STEWART CE, SEABORNE R A. Does skeletal muscle have an 'epi'-memory? The role of epigenetics in nutritional programming, metabolic disease, aging and exercise. Aging Cell, 15, 603–616, https://doi. org/10.1111/acel.12486 (2016)

概念 45

AMERICAN COLLEGE OF SPORTS MEDICINE: Position Stand. Progression models in resistance training for healthy adults. Medicine and Science in Sports and Exercise, 41:687, 2009

GAMBLE P. Periodization training for team sports athletes. Strength Conditioning Journal, 28:56, 2006

HARRIES S, LUBANS D, CALLISTER R. Systematic review and meta-analysis of linear and undulating periodized resistance training programs on muscular strength. Journal of Strength and Conditioning Research 29:1113, 2015

ISSURIN VB. New horizons for the methodology and physiology of training periodization. Sports Medicine, 40:189, 2010

KEARNEY IT. Training the Olympic Athlete. Scientific American, 274:51, June 1996

RHEA MR, ALDERMAN BL. A meta-analysis of periodized versus nonperiodized strength and power training programs. Resaerch Quarterly for Exercise & Sport, 75:413, 2004

SYLTA O, TONNESSEN E, HAMMAQRSTROM D, et al. The effect of different high-intensity periodization models on endurance adaptations. Medicine and Science in Sports and Exercise, 48:2165, 2016

概念 46

ARMSTRONG LE, VANHEEST JL. The unknown mechanism of the overtraining syndrome. Sports Medicine, 32:185, 2002

AUBRY A, HAUSSWIRTH C, LOUIS J, COUTTS AJ, Le MEUR Y. Functional overreaching: The key to peak performance during the taper? Medicine & Science in Sports & Exercise, 46:1769, 2014

BOSQUET L, MONTPETIT J, ARVISAIS D, MUJIKA I. Effects of tapering on performance: A meta-analysis. Medicine & Science in Sports & Exercise, 39:1358, 2007

COSTILL DL. Inside Running: Basics of Sports Physiology. Indianapolis. Benchmark Press,1986

MEEUSEN R, DUCLOS M, FOSTER C. FRY A, GLEESON M, NIEMAN D, RAGLIN J, RIETJENS G, STENACKER J, URHAUSEN A. Prevention, Diagnosis, and treatment of the overtraining syndrome: joint consensus statement of ECSS & ACSM. Medicine & Science in Sports & Exercise, 45:186, 2012

TRAPPE SW, COSTILL DL, THOMAS P. Effect of swim taper on whole muscle and single muscle fiber contractile properties. Medicine & Science in Sports & Exercise,33:48, 2001

WYATT F, DONALDSON A, BROWN E. The overtraining syndrome: A Meta-analytic review. Journal of Exercise Physiology, 16:12, 2013

概念 47

AMERICAN COLLEGE OF SPORTS MEDICINE: Position Stand. Prevention of cold injuries during exercise. Medicine and Science in Sports and Exercise, 38:2012, 2006

AMERICAN COLLEGE OF SPORTS MEDICINE: Position Stand. Exertional heat illness during training and competition. Medicine and Science in Sports and Exercise, 39:556, 2007

BROATCH JR, PETERSEN AC, BISHOP DJ. Cold-water immersion following sprint training does not alter endurance signalling pathways or training adaptations in human skeletal muscle. American Journal of Physiology. Regulatory, Integrative & Comparative Physiology, 313: R372, 2017

COKER RH, WEAVER AN, COKER MS, MURPHY CJ, GUNGA HC, STEINACH M. Metabolic responses to the Yokon Arctic Ultra: Longest and coldest in the world. Medicine and Science in Sports and Exercise, 49:357, 2017

GONZALEZ-ALONSO J, TELLER C, ANDERSEN SL,ET AL.Influence of body temperature on the development of fatigue during prolonged exercise in the heat. Journal of Applied Physiology, 86:1052, 1999

DE KORTE JQ, BONGERS CCWG, HOPMAN MTE, EIJSVOGELS TMH. Exercise Performance and Thermoregulatory Responses of Elite Athletes Exercising in the Heat: Outcomes of the Thermo Tokyo Study. Sports Medicine, 51: 2423, 2021

GONZÁLEZ-ALONSO J, CRANDALL CG, JOHNSON JM. The cardiovascular challenge of exercising in the heat. Journal of Physiology, 586:45, 2008

HAMAN F, MANTHA OL, CHEUNG SS, DuCHARME MB, TABER M, BLONDIN DP, McCARR GW, HARTLEY GL, HYNES Z, BASSET FA. Oxidative fuel selection and shivering thermogenesis during 12- and 24-h cold-survival stimulation. .Journal of Applied Physiology, 120:640, 2016

LIND AR, BASS BF. Optimal exposure time for development of acclimatization to heat. Federation Proceedings, 22:704, 1963

LORENZO S, HALLIWILL JR, SAWKA MN, et al. Heat acclimation improves exercise performance. Journal of Applied Physiology, 109:1140, 2010

LUNDBY C, ROBACH P. Performance enhancement: What are the physiological limits? Physiology, 30:382, 2015

NYBO L, GONZÁLEZ-ALONSO J. Critical core temperature: a hypothesis too simplistic to explain hyperther-mia-induced fatigue. Scandinavian Journal of Medicine & Science in Sports 25 (Suppl. 1): 4, 2015 doi: 10.1111/sms.12444

PERIARD JD, RACINAIS S. Heat Stress in Sport & Exercise: Thermophysiology of Health & Performance. Springer Nature Switzerland, 2019

PERIARD J, RACINAIS S. Editorial: Training and competing in the heat. Scandinavian Medicine & Science in Sports & Exercise, 25(Suppl 1):2, 2015

RACINAIS S, ALONSO JM, COUTTS AJ, FLOURIS AD , GIRARD O, GONZÁLEZ-ALONSO J, HAUSSWIRTH C, JAY O, LEE JKW, MITCHELL N, NASSIS GP, NYBO L, PLUIM BM, ROELANDS B, SAWKA MN, WINGO J. PÉRIARD JD. Consensus recommendations on training and competing in the heat. Btitish Journal of Sports Medicine, 2015; 0:1–10. doi:10.1136/bjsports-2015-094915

ROWELL LB. Human Cardiovascular Adjustments to Heat Stress. Physiological Reviews, 54:75, 1974

TYLER CJ, SUNDERLAND C, CHEUNG SS. The effects of cooling prior to and during exercise on exercise performance and capacity in the heat: A meta-analysis. British Journal of Sports Medicine, 49:7, 2014

WEGMANN M, OLIVER F, WIGAND P, HECKSTEDEN A, FROHLICH M, MEYER T. Pre-cooling and sorts perfor-mance: A meta-analytical review. Sports Medicine, 42:545, 2012

YOUNG AJ. Homeostatic responses to plolonged cold exposure: Human cold acclimation. In MJ Fregley & GM Blatteis (Eds.). Handbook of Physiology: Section 4. Environmental Physiology. New York: Oxford University Press, 1996

概念 48

BARTSCH P, SALTIN B. General introduction to altitude adaptation and mountain sickness. Scandinavian Journal of Medicine & Science in Sports, 18(Suppl 1): 1, 2008

CHAPMAN RF, KARLSEN T, GE RL, STRAY-GUNDERSEN J, LEVINE BD. Living altitude influences endurance exercise performance change over time at altitude. Journal of Applied Physiology, 120:1151, 2016

CHAPMAN RF, KARLSEN T, RESALAND GK, GE RL, HARBER MP, WITKOWSKI S, STRAY-GUNDERSEN J, LEVINE BD. Defining the "dose" of altitude training: How high to live for optimal sea level performance enhancement. Journal of Applied Physiology, 116:595, 2014

CHAPMAN R, LEVINE BD. Altitude training for the marathon. Sports Medicine, 37: 392, 2007

FULCO CS, ROCK PB, CYMERMAN A. Maximal and submaximal exercise performance at altitude. Aviation Space Environmental Medicine, 69:793, 1998

FOSS JL. CONSTANTINI K, MICKLEBOROUGH TD, CHAPMAN RF. Short-term arrival strategies for endurance exercise performance at moderate altitude. Journal of Applied Physiology, 123:1258, 2017.

GORE CJ, SHARPE K, GARVICAN-LEWIS LA, SAUNDERS PU, HUMBERSTONE CE, ROBERTSON EY, WACHSMUTH NB, CLARK SA, MCLEAN BD, FRIEDMANN-BETTE B, NEYA M, POTTGIESSER T, SCHUMACHER YO, SCHMIDT WF. Altitude training and haemoglobin mass from the optimised carbonmonoxide rebreathing method deter-mined by a meta-analysis. British Journal of Sports Medicine, 47 (Suppl 1): i31, 2013

GILBETT-KAWAI ET, MILLEDGE JS, GROCOTT MP, MARTIN DC. King of the mountains. Tibetan and Sherpa physiological adaptations for life at high altitude. Physiology, 29:388, 2014

JULIAN CG. Epigenetics and human adaptation to high altitude. Journal of Applied Physiology, 123:1362, 2017

LUNDBY C, ROBACH P. Does altitude training increase exercise performance in elite athletes? Experimental Physiology, 101:783, 2016

ROBACH P, BONNE T, FLUCK D, BURGI S, TOIGO M, JACOBS RA, LUNDBY C. Hypoxic training: Effect on mitochondrial function and aerobic performance in hypoxia. Medicine & Science in Sports & Exercise, 46:1936, 2014

RODRIGUEZ FA, IGLESIAS X, FERICHE B, CALDERON-SOTO C, CHAVERRI D, WACHSMUTH NB, SCHMIT W, LEVINE BD. Altitude training in elite swimmers for sea level performance (altitude project). Medicine and Science in Sports and Exercise, 47:1965, 2015

ROBERTSON EY, SAUNDERS PU, PYNE DB, AUGHEY RJ, ANSON JM, GORE CJ. Reproducibility of performance changes to simulated live high/train low altitude. Medicine & Science in Sports & Exercise, 42: 394, 2010.

STRAY-GUNDERSEN J, CHAPMAN RF, LEVINE BD. "living high-training low" altitude training improves sea level performance in male and female elite runners. . Journal of Applied Physiology, 91:1113, 2001

WILBER RL. Application of altitude/hypoxic by elite athletes. Medicine and Science in Sports and Exercise, 39: 1610, 2007

概念 49

ARMSTRONG N, McMANUS AM. Physiology of elite young male athletes. Medicine & Sport Science, 56:1, 2011

BAR-OR O, ROWLAND TW. Pediatric Exercise Medicine: From Physiologic Principles to Health Care Applications. Champaign, IL, Human Kinetics, 2004

BERGERON MF, MOUNTJOY M, ARMSTRONG N, CHIA M,CÔTÉ J, EMERY CA, FAIGENBAUM A, HALL GJR, KRIEMLER S, LÉGLISE M, MALINA RM, PENSGAARD AM, TORBJØRN AS, SOLIGARD, SUNDGOT-BORGEN J, VAN MECHELEN W, WEISSENSTEINER JR, ENGEBRETSE L. International Olympic Committee consensus statement on youth athletic development. British Journal of Sports Medicine, 49:843, 2015

EKBLOM B. Effect of physical training in adolescent boys. Journal of Applied Physiology, 27:350, 1969

EYNON N, HANSON ED, LUCIA A, HOUWELING PJ, GARTON F, NORTH KN, BISHOP DJ. Genes for elite power and sprint performance: ACTN3 leads the way. Sports Medicine, 43:803, 2013

FAIGENBAUM AR, LOYD J, MACDONALD, MYER G. Citius, altius, fortius: Beneficial effecs of resistance training for young athletes. British Journal of Sports Medicine, doi:10.1136/bjsports-2015-094621

JOYNER MJ. Genetic Approaches for Sports Performance: How Far Away Are We? Sports Medicine, 49 (Suppl 2):199, 2019

KACZOR J, ZIOLKOWSKI W, POPINIGIS J, TARNOPOLSKY MA. Anaerobic and aerobic enzyme acivities in human skeletal muscle from children and adults. Pediatric Research, 57:3312, 2005

MALINA RM, BOUCHARD C, BAR-OR O. Growth, Maturation and Physical activity. (2nd ed.). Champaign, IL, Human Kinetics, 2004

MEYER F, TIMMONS BW. The Young athlete. In: Maughan RJ. Sports Nutrition. Wiley Blackwell, 2014

PATE RR, WARD DS. Endurance trainability of children and youths. In: Bar-Or O, ed. The Child Adolescent Athlete. Oxford: Blackwell Scientific, 1996

RAMSAY JA, BLINKIE CJR, SMITH K, GARNER S, MacDOUGALL JD, SALE DG. Strength taining effects in prepubescent childen. Medicine & Science in Sports & Exercise, 22:605, 1990

ROTH SM. Genes and talent selection. In: Bouchard C & Hoffman EP (eds.) Genetics & Molecular Aspects of Sport Performance. Wiley-Blackwell, UK, 2011

VAEYENS R, LENOIR M, WILLIAMS AM, PHILIPPAERTS RM. Talent identification and development programs in sport. Current models and future directions. Sports Medicine, 38:703, 2008

WEBBORN N, WILLIAMS A, MCNAMEE M, BOUCHARD C, PITSILADIS Y, AHMETOV I, ASHLEY E, BYRNE N, CAMPORESI S, COLLINS M, DIJKSTRA P, EYNON N, FUKU N, GARTON FC, HOPPE N, HOLM S, KAYE J, KLISSOU-RAS V, LUCIA A, MAASE K, MORAN C, NORTH KN, PIGOZZI F, WANG G. Direct-to-consumer genetic testing for predicting sports performance and talent identification: consensus statement. Bitish Journal of Sports Medicine, 49: 1486, 2015

WANG G, PADMANABHAN S, WOLFARTH B, FUKU N, LUCIA A, AHMETOV II, CIESZCZYK P, COLLINS M, EYNON N, KLISSOURAS V, WILLIAMS A, PITSILADIS Y. Genomics of elite sporting performance: what little we know and necessary advances. Advances in Genetics, 84:123. 2013 doi: 10.1016/B978-0-12-407703-4.00004-9.

WILLIAMS AG, FOLLAND JP. Similarity of polygenic profiles limits the potential for elite human physical performance. The Journal of Physiology, 586:113, 2008

概念 50

AMERICAN COLLEGE OF SPORTS MEDICINE. The female athlete triad. Medicine & Science in Sports & Exercise, 39:1867, 2017

BARR S. The Female athlete. In: Maughan RJ. Sports Nutrition. Wiley Blackwell, 2014

CARTER JEL. Physical structure of Olympic athletes. Karger, Basel, 1984

CHEUVRONT SN, CARTER R, DERUISSEAU KC & MOFFATT RJ. performance differences between men and women: an update. Sports Medicine, 35: 1017, 2005

DANIELS J, DANIELS N. Running economy of elite male and elite female runners. Medicine & Science in Sports & Exercise, 24:483, 1992

DEANER RO, CARTER RE, JOYNER MJ, HUNTER SK. Men are more likely than women to slow in the marathon. Medicine & Science in Sports & Exercise, 47: 607, 2015

DRINKWATER BL. Women in sport. Malden, MA: Blackwell Science, 2000

HARMS CA, MCCLARAN SR, NICKELE GA, PEGELOW DF, NELSON WB, DEMPSEY JA. Exercise-induced arterial hypoxaemia in healthy young women. Journal of Physiology, 507: 619, 1998

HAWLEY JA, LECKEY JJ. Carbohydrate dependence during prolonged, intense endurance exercise. Sports Medicine, 45 (Suppl. 1), 5. 2015

HELGERUD J. Maximal oxygen uptake, anaerobic threshold and running economy in women and men with similar performance in marathon. European Journal of Applied Physiology, 68:155, 1994

HOLLOSZY JO, COYLE EF. Adaptations of skeletal muscle to endurance exercise and their metabolic consequences. Journal of Applied Physiology, 56: 831,1984

HUNTER SK, STEVENS AA, MAGENNIS K, SKELTON KW & FAUTH M. Is there a sex difference in the age of elite marathon runners? Medicine & Science in Sports & Exercise, 43: 656, 2011

JOYNER MJ. Physiological limits to endurance exercise performance: influence of sex. Journal of Physiology, 595:2949, 2017

JOYNER MJ, COYLE EF. Endurance exercise performance: the physiology of champions. Journal of Physiology, 586: 35, 2008

KARKAZIS K, JOREDAN-YOIUNG R, DAVIS G, CAMPORESI S. Out of bounds? A critique of the new policies on hyperandrogenism in elite female athletes. Amereican Journal of Bioethics, 12:3, 2012

KENNEY WR, WILMORE J, COSILL D. Physiology of Sport and Exercise. Human Kinetics,Champaign IL, 2020

LARSEN HB, SHEEL AW. The Kenyan runners. Scandinavian Journal of Medicine & Science in Sports, 25 (Suppl. 4), 110, 2015.

QUADAGNO D, FAQUIN L, LIM GN, KUMINKA W, MOFFATI R. The menstrual cycle: Does it affect athletic performance? Physician and Sportsmedicine, 19:121, 1991

ROSS W, WARD R. Proportionality of Olympic athletes. In: Physical structure of Olympic athletes (Ed. Carter) Karger, Basel, 1984

SALTIN B, ÅSTRAND PO. Maximal oxygen uptake in athletes. Journal of Applied Physiology, 23:353, 1967

SALTIN, B, KIM, CK, TERRADOS, N, LARSEN, H, SVEDENHAG, J, ROLF, CJ. Morphology, enzyme activities and buffer capacity in leg muscles of Kenyan and Scandinavian runners. Scandinavian Journal of Medicine & Science in Sports, 5:222, 1995.

SANTOS-CONCEJERO J, TAM N, COETZEE DR, OLIVA N J, NOAKES TD, TUCKER R. Are gait characteristics and ground reaction forces related to energy cost of running in elite Kenyan runners? Journal of Sports Science, 35:531, 2017.

SCHMIDT W, PROMMER N. Impact of alterations in total hemoglobin mass on $\dot{V}O_2$ max. Exercise Sport Science Reviews, 38:68, 2010.

SENEFELD J, JOYNER MJ, STEVENS A, HUNTER SK. Sex differences in elite swimming with advanced age are less than marathon running. Scandinavian Journal of Medicine & Science in Sports, 26:17, 2016.

STELLINGWERFF T, PERREY S, SHEPHARD RJ, et al. Commentaries on Viewpoint: The two-hour marathon: Who and when? Journal of Applied Physiology, 110:278, 2011.

概念 51

ALWAY SE, MYERS MJ, MOHAMED JS. Regulation of satellite cell function in sarcopenia. Frontiers in

Aging Neuroscience, 6:1, 2014

BAKER J, LEMEZ S. Do Elite Athletes Live Longer? A Systematic Review of Mortality and Longevity in Elite Athletes. Sports Medicine, 1:16, 2015

BOHM P, SCHNEIDER G, LINNEWEBER L, RENTZSCH A, KRAMER N, ABDULKHALIQ H, KINDERMANN W, MEYER T, SCHARHAG J. Right and left ventricular function and mass in male elite master athletes: a controlled contrast-enhanced cardiovascular magnetic resonance study. Circulation, 133:1927, 2016

CLARKE PM, WALTER SJ, HAYEN A, MALLON WJ, HEIJMANS J, STUDDERT DM. Survival of the fittest: retrospective cohort study of the longevity of Olympic medallists in the modern era. British Journal of Sports Medicine, 49: 898, 2015

COGGAN AR, SPINA RJ, ROGERS MA, KING DS, BROWN M, NEMETH PM, HOLLOSZY JO. Histochemical and enzymatic characteristics of skeletal muscle in master athletes. Journal of Applied Physiology, 68:1896, 1990

DUBE JJ, BROSKEY NT, DESPINES AA, STEFANOVIC-RACIC M, TOLEDO FG, GOODPASTER BH, AMATI E. Muscle characteristics and substrate energetics in life-long endurance athletes. Medicine & Science in Sports & Exercise, 3:472, 2016

GARATACHEA N, SANTOS-LOZANO A, SANCHIS-GOMAR F, et al. Elite athletes live longer than the general population: a meta-analysis. Mayo Clinic Proceedings, 89: 1195, 2014

LEVINE BD. Can intensive exercise harm the heart? The benefits of competitive endurance training for cardiovascular structure and function. Circulation, 130: 987, 2014

LEPERS R, STAPLEY PJ, CATTAGNI T. Centenarian athletes: Examples of ultimate human performance? Age and Ageing, 45:732, 2016

MARON BJ, PD THOMPSON. Longevity in elite athletes: the first 4 min milers. The Lancet, 392: 913, 2018

MARCELL TJ, HAWKINS SA, TARPENNING KM, HYSLOP DM, WISWELL RA. Longitudinal analysis of lactate threshold in male and female master athletes. Medicine & Science in Sports & Exercise, 35:810, 2003

PIMENTEL AE, GENTILE CL, TANAKA H, SEALS DR, GATES PE. Greater rate of decline in maximal aerobic capacity with age in endurance trained vs. sedentary men. Journal of Applied Physiology, 94:2406, 2003

POWER GA, ALLEN MD, GILMORE KJ, STASHUK DW, DOHERTY TJ, HEPPLE RT, TAIVASSALO T, RICE CL. Motor unit number and transmission stability in octogenarian world class athletes: Can age-related deficits be outrun? Journal of Applied Physiology, 121:1013, 2016

PROCTOR DN, SINNING WE, WALRO JM, SIECK GC, LEMON PW. Oxidative capacity of human muscle fiber types: effects of age and training status. Journal of Applied Physiology, 78:2033, 1995

ROSENBLOOM C. The Aging athlete. In Maughan RJ. Sports nutrition. Wiley Blackwell, 2014

SARNA S, SAHI T, KOSKENVUO M, KAPRIO J. Increased life expectancy of world class male athletes. Medicine & Science in Sports & Exercise, 25: 237, 1993.

TANAKA H, SEALS DR. Endurance exercise performance in Masters athletes: age-associated changes and underlying physiological mechanisms. Journal of Physiology, 586:55, 2008

THOMPSON PD. D. BRUCE DILL historical lecture. Historical concepts of the athlete's heart. Medicine & Science in Sports & Exercise, 36: 363, 2004

TRAPPE SW, COSTILL DL, FINK WJ, PEARSON DR. Skeletal muscle characteristics among distance runners: a 20-yr follow-up study. Journal of Applied Physiology, 78:823, 1995

TRAPPE SW, COSTILL DL, VUKOVICH MD, JONES J, MELHAM T. Aging among elite distance runners:

a 22-yr longitudinal study. Journal of Applied Physiology, 80:285, 1996

TRAPPE S, HAYES E, GALPIN A, KAMINSKY I, JEMIOLO B, FINK W, et al. New records in aerobic power among octogenarian lifelong endurance athletes. Journal of Applied Physiology, 114:3, 2013

WILSON TM, TANAKA H. Meta-analysis of the ageassociated decline in maximal aerobic capacity in men: relation to training status. American Journal of Physiology Heart Circulation, 278: H829 –H834, 2000

第 6 章

概念 52

AMERICAN COLLEGE OF SPORTS MEDICINE, AMERICAN DIETETIC ASSOCIATION, DIETICIANS OF CANADA. Nutrition and athletic performance. Joint Position Statement. Medicine & Science in Sports & Exercise, 48:543, 2016

BARTLETT JD, HAWLEY JA, MORTON JP. Carbohydrate availability and exercise training adaptation: Too much of a good thing? European Journal of Sport Science, 1–10, 2014

BURKE LM. Fueling strategies to optimize performance: training high or training low? Scandinavian Journal of Medicine & Science in Sports, 20(Suppl 2):48, 2010

BURKE LM. Re-examining high-fat diets for sports performance: did we call the ‘nail in the coffin’ too soon? Sports Medicine, 45 (Suppl 1), S33, 2015

BURKE LM, HAWLEY JA, WONG SHS, JEUKENDRUP AE. Carbohydrates for training and competition. Journal of Sports Sciences, 29 (Suppl 1), S17, 2011

BURKE LM, CASTELI LM, CASA DJ, CLOSE GL, COSTA RJS, DESBROW D, HAISON SL, LIS DM, MELIN AK, PEELING P, SAUNDERS PU, SLATER GJ, SYGO J, WITARD OC, BERMON S, STELLINGWERFF T. IAAF Consensus Statement 2019: Nutrition for Athletics. International Journal of Sports Nutrition, Exercise Metabolism, 29:73, 2019

CHAMBERS ES, BRIDGE MW, JONES DA. Carbohydrate sensing in the mouth: effects on exercise performance and brain activity. Journal of Physiology, 587:1779, 2009

HAWLEY JA, BURKE LM, PHILLIPS SM, SPRIET LL. Nutritional modulation of training-induced skeletal muscle adaptations. Journal of Applied Physiology, 110:834. 2011

IVY JL. The regulation and synthesis of muscle glycogen by means of nutrient intervention. In R.J.MAUGHAN (ed.) Sports Nutrition. Wiley Blackwell, 2014

JEUKENDRUP AE, ROLLO I, CARTER JM. Carbohydrate mouth rinse: performance effects and mechanisms. Sports Science Exchange, 26:No128:1, 2013

LANE SC, CAMERA DM, LASSITER DG, et al. Effects of sleeping with reduced carbohydrate availability on acute training responses. Journal of Applied Physiology, 119: 643, 2015

LOUCKS AB. Energy balance and energy availability. In: Maughan RJ, ed. Sports Nutrition, The Encyclopaedia of Sports Medicine, an IOC Medical Commission Publication. West Sussex, UK: John Wiley & Sons, Ltd, 2014

MANORE M, THOMPSON J. Energy requirements of the athlete: assessment and evidence of energy efficiency. In: Burke L, Deakin V, eds. Clinical Sports Nutrition. 5th eds. Sydney, Australia: McGraw-Hill, 2015

MAUGHAN RJ. Sports Nutrition. Wiley Blackwell, 2014

PHILP A, HARGREAVES M, BAAR K. More than a store: regulatory roles for glycogen in skeletal muscle adaptation to exercise. American Journal of Physiology Endocrinology & Metabolism, 302:E1343, 2012

PHILLIPS SM. Dietary protein requirements and adaptive advantages in athletes. The British Journal of Nutrition. 108(Suppl 2): S158, 2012

ROLLO I, WILLIAMS C, NEVILLE M. Influence of ingesting versus mouth rinsing a carbohydrate solution during a 1-h run. Medicine & Science in Sports & Exercise, 43: 468, 2011

ROSENBLOOM CA, COLEMAN EJ. Sports Nutrition: A Practice Manual for Professionals. Academy of Nutrition, & Dietetics, 2012

SPRIET LL. New insights into the interaction of carbohydrate and fat metabolism during exercise. Sports Medicine, 44(Suppl 1):S87, 2014

STELLINGWERFF T. Contemporary nutrition approaches to optimize elite marathon performance. International Journal of Sports Physiology and Performance, 8:573, 2013

VAN LOON LJC, GREENFALF PL, CONSTANTIN-THEODOSIN D, et al. The effects of increasing exercise intensity on muscle fuel utilization in humans. Journal of Physiology (Lond), 536:295, 2001

概念 53

BAAR K, MCGEE SL. Optimizing training adaptations by manipulating glycogen. European Journal of Sport Science, 8:97, 2008

BERGSTROM J, HERMANSEN L, HULTMAN E, SALTIN B. Diet, muscle glycogen and physical performance. Acta Physiologica Scandinavica, 71:140, 1967

BETTS JA, WILLIAMS C, BOOBIS L, TSINTZAS K. Increased carbohydrate oxidation after ingesting carbohydrate with added protein. Medicine and Science in Sports and Exercise, 40:903, 2008

BURKE LM, HAWLEY JA, WONG SHS, JEUKENDRUP AE. Carbohydrates for training and competition. Journal of Sports Sciences, 29 (Suppl. 1): S17, 2011

CERMAK NM, VAN LOON LJ. The use of carbohydrates during exercise as an ergogenic aid. Sports Medicine, 43:1139, 2013

COSTILL DL, BOWERS R, BRANAM G, SPARKS K. Muscle glycogen utilization during prolonged exerciseon successsive days. Journal of Applied Physiology, 31:834, 1971

HARGREAVES M. Metabolic responses to carbohydrate ingestion: Effects on exercise performance. In: D. R. Lamb & R. Murray (Eds.), Perspectives in exercise science and sports medicine. Carmel, IN: Cooper, 1999

HERMANSSEN L, HULTMAN E, SALTIN B. Muscle glycogen during prolonged severe exercise. Acta Physiologica Scandinavica, 71:129, 1967

HAWLEY JA, HOLLOSZY JO. Exercise: it's the real thing! Nutrition Reviews, 67:172, 2009

HAWLEY JA, BURKE LM. Carbohydrate availability and training adaptation: Effects on cell metabolism. Exercise and Sport Sciences Reviews, 38: 152, 2010

IVY JL, GOFORTH HW, DAMON BM, MCCAULEY TR, PARSONS EC, PRICE TB. Early post exercise muscle glycogen recovery is enhanced with a carbohydrate-protein supplement. Journal of Applied Physiology, 93:1337, 2002

JEUKENDRUP AE, MOSELEY L, MAINWARING GI, SAMUELS S, PERRY S, MANN CH. Exogenous carbo-hydrate oxidation during ultra endurance exercise. Journal of Applied Physiology, 100: 1134, 2006

KARELIS AD, SMITH JW, PASSE DH, PERONNET F. Carbohydrate administration and exercise performance: What are the potential mechanisms involved? Sports Medicine, 40:747, 2010

KARLSSON J, SALTIN B. Diet, muscle glycogen, and endurance performance. Journal of Applied Physiology, 31: 203, 1971

NYBO L, PEDERSEN B, CHRISTENSEN B, AAGAARD P, BRANDT N, KIENS B. Impact of carbohydrate supplementation during endurance training on glycogen storage and performance. Acta Physiologica, 197: 117, 2009

PEDERSEN DJ, LESSARD SJ, COFFEY VG, CHURCHLEY EG, WOOTTON AM, NG T. et al. High rates of muscle glycogen resynthesis after exhaustive exercise when carbohydrate is coingested with caffeine. Journal of Applied Physiology, 105: 7, 2008

PFEIFFER B, STELLINGWERFF T, ZALTAS E, JEUKENDRUP AE. Oxidation of solid versus liquid carbohydrate sources during exercise. Medicine and Science in Sports and Exercise, 42: 2030, 2010

WU CL, WILLIAMS C. A low glycemic index meal before exercise improves endurance running capacity in men. International Journal of Sport Nutrition and Exercise Metabolism, 16: 510, 2009

YEO WK, PATON CD, GARNHAM AP, BURKE LM, CAREY AL, HAWLEY JA. Skeletal muscle adaptation and performance responses to once a day versus twice every second day endurance training regimens. Journal of Applied Physiology, 105: 1462, 2008

概念 54

AHLBORG G, FELIG P, HAGENFELDT L. Substrate turnover during prolonged exercise in man. Splanchnic and leg metabolism of glucose, free fatty acids, and amino acids. Journal of Clinical Investigation, 53: 1080, 1974

BERGSTROM J, HULTMAN E. Muscle Glycogen Synthesis after Exercise: an Enhancing Factor localized to the Muscle Cells in Man. Nature, 210:309, 1966

BERGSTROM J, HULTMAN E. A study of the glycogen metabolism during exercise in man. Scandinavian Journal of Clinical & Laboratory Investigations, 19:218, 1967

HAWLEY JA, SCHABORT EJ, NOAKES TD, DENNIS SC. Carbohydrate-loading and exercise performance: An update. Sports Medicine, 24: 73, 1997.

MCINERNEY P, LESSARD SJ, BURKE LM, COFFEY VG, LO GIUDICE SL, SOUTHGATE RJ, et al. Failure to repeatedly supercompensate muscle glycogen stores in highly trained men. Medicine and Science in Sports and Exercise, 37: 404, 2005.

SALTIN B, HERMANSEN L. Glycogen stores and prolonged severe exercise. In: Nutrition and Physical performance, Blix G (ed.) Almqvist and Weksells, Uppsala, 1967

SHERMAN WM, COSTILL DL, FINK WJ, MILLER JM. Effect of exercise-diet manipulation on muscle glycogen and its subsequent utilisation during performance. International Journal of Sports Medicine, 2: 114, 1981

SHERMAN EM. Carbohydrate, muscle glycogen and improved performance. The Physician & Sportsmedicine 15:157, 1987

SPRIET LL. New insights into the interaction of carbohydrate and fat metabolism during exercise. Sports Medicine. 44 (Suppl 1): S87, 2014

概念 55

AMERICAN COLLEGE OF SPORTS MEDICINE , AMERICAN DIETARY ASSOCIATION, AND DIATETICIANS OF CANADA. Nutrition and athletic performance. Joint position statement . Medicine and Science in Sports and Exercise, 48:543, 2016

BARTLETT JD, HAWLEY JA, MORTON JP. Carbohydrate availability and exercise training adaptation: Too much of a good thing? European Journal of Sport Science.1–10, 2014

BURKE LM, KIENS B, IVY JL. Carbohydrates and fat for training and recovery. Journal of Sports Science 22:15, 2004

BURKE LM. Fuelling strategies to optimize performance: training high or training low? Scandinavian Journal of Medicine & Science in Sports. 20(Suppl 2):48, 2010.

BURKE LM, HAWLEY JA, ANGUS DJ, COX GR, CLARK S, CUMMINGS NK, et al. Adaptations to short-term high-fat diet persist during exercise despite high carbohydrate availability. Medicine and Science in Sports and Exercise, 34:83, 2002

BURKE LM, DEAKIN V, Clinical Sports Nutrition, 5th ed. North Ryde NSW, Australia: McGraw-Hill Pty Ltd.; 2015

CHAMBERS ES, BRIDGE MW, JONES DA. Carbohydrate sensing in the human mouth: Effects on exercise performance and brain activity. Journal of Physiology, 587:1779, 2009

COX GR, CLARK SA, COX AJ, HALSON SL, HARGREAVES M, HAWLEY JA, et al. Daily training with high carbohydrate availability increases exogenous carbohydrate oxidation during endurance cycling. Journal of Applied Physiology, 109:126, 2010

DE BOCK K, DERAVE W, EIJNDE BO, HESSELINK MK. et al. Effect of training in the fasted state on metabolic responses during exercise with carbohydrate intake. Journal of Applied Physiology, 104:1045, 2008

HANSEN AK, FISCHER CP, PLOMGAARD P, ANDERSEN JL, SALTIN B, PEDERSEN BK. Skeletal muscle adaptation: Training twice every second day vs training once daily. Journal of Applied Physiology, 98:93, 2005

HARGREAVES M, HAWLEY JA, JEUKENDRUP AE. Pre-exercise carbohydrate and fat ingestion: Effects on metabolism and performance. Journal of Sports Sciences, 22:31, 2004

HAWLEY JA, BURKE LM. Carbohydrate availability and training adaptation: Effects on cell metabolism. Exercise and Sport Sciences Reviews, 38:152, 2010

HAWLEY JA, BURKE LM, PHILLIPS SM, SPRIET L. Nutritional modulation of training-induced skeletal muscle adaptation. Journal of Applied Physiology, 110:834,2011

HAWLEY JA, MAUGHAN RJ, HARGREAVES M. Exercise metabolism: historical perspective. Cell Metabolism. 22: 12, 2015

JEUKENDRUP AE, MOSELEY L, MAINWARING GI, SAMUELS S, PERRY S, MANN, CH. Exogenous carbohy-drate oxidation during ultraendurance exercise. Journal of Applied Physiology, 100:1134, 2006

MAUGHAN RJ. Sports Nutrition. The Encyclopaedia of Sports Medicine, an IOC Medical Commission, West Sussex, UK: John Wiley & Sons Ltd.; 2014

SPRIET LL, GIBALA MJ. Nutritional strategies to influence adaptations to training. Journal of Sports Sciences, 22:127, 2004

THOMAS DE, BROTHERHOOD JE, BRAND JC. Carbohydrate feeding before exercise: Effect of glycemic index. International Journal of Sports Medicine, 12:180, 1991

Van Hall G, Shirreffs SM, Calbet JA. Muscle glycogen resynthesis during recovery from cycle exercise: No effect of additional protein ingestion. Journal of Applied Physiology, 88:1631, 2000

VAN PROEYEN K, SZLUFCIK K, NIELENS H, RAMAEKERS M, HESPEL P. Beneficial metabolic adaptations due to endurance exercise training in a fasted state. Journal of Applied Physiology, 110:236, 2000

WU CL, WILLIAMS C. A low glycemic index meal before exercise improves endurance running capacity in men. International Journal of Sport Nutrition and Exercise Metabolism, 16:510, 2009

概念 56

AMERICAN COLLEGE OF SPORTS MEDICINE , AMERICAN DIETARY ASSOCIATION, and DIATETICIANS OF CAN-ADA. Nutrition and athletic performance. Joint position statement . Medicine and Science in Sports and Exercise, 48:543, 2016

AMERICAN COLLEGE OF SPORTS MEDICINE. Position stand: Exercise and fluid replacement. Medicine and Science in Sports and Exercise, 39:377, 2007

AMERICAN COLLEGE OF SPORTS MEDICINE. Position Stand: Exercise and fluid replacement. Medicine and Science in Sports and Exercise 28:1, 1996

COYLE EF. Fluid and fuel intake during exercise. Journal of Sports Sciences, 22:39, 2004

GOULET ED. Dehydration and endurance performance in competitive athletes. Nutrition Reviews. 70(Suppl

2):S132, 2012
JEUKENDRUP A, CARTER J, MAUGHAN RJ. Competition fluid and fuel. In: Burke L, Deakin V, eds. Clinical Sports Nutrition. 5th ed. North Ryde NSW, Australia: McGraw-Hill Australia Pty Ltd; 2018
KENEFICK RW, CHEUVRONT SN. Hydration for recreational sport and physical activity. Nutrition Reviews, 70(Suppl 2):S137, 2012
LUETKEMEIER MJ, HANISKO JM. AHO KM. Skin tatoos after sweat rate and Na^+ concentration. Medicine and Science in Sports and Exercise, 49:1432, 2017
MAUGHAN RJ, LIEPER JB. Sodium intake and post-exercise rehydration in man. European Journal of Applied Physiology, 71:311, 1995
SHIRREFFS SM, SAWKA MN. Fluid and electrolyte needs for training, competition, and recovery. Journal of Sports Sciences, 29(Suppl 1):S39, 2011
TRANGMAR SJ, GONZALEZALONSO J. New insights into the impact of dehydration on blood flow and metabolism during exercise. Exercise & Sport Science Reviews, 45:146, 2017

概念 57

AMERICAN COLLEGE OF SPORTS MEDICINE , AMERICAN DIETARY ASSOCIATION, AND DIATETICIANS OF CANADA. Nutrition and athletic performance. Joint position statement . Medicine and Science in Sports and Exercise, 48:543, 2016
AMERICAN COLLEGE OF SPORTS MEDICINE. Roundtable: The physiological and health effects of oral creatine supplementation. Medicine and Science in Sports and Exercise, 32:706, 2000.
BAILEY SJ, WINYARD P, VANHATALO A, BLACKWELL JR, DIMENNA F, WILKERSON DP, TARR J, BENJAMIN N, JONES AM. Dietary nitrate supplementation reduces the O_2 cost of low-intensity exercise and enhances toler-ance to high-intensity exercise in humans. Journal of Applied Physiology, 107: 1144, 2009
BRANCH JD. Effect of creatine supplementation on body composition and performance: a meta-analysis. International Journal of Sports Nutrition & Exercise Mertabolism, 13:198, 2003
BESCOS R, SUREDA A, TAR JA, PONS A. The effect of nitric-oxidee-related supplements on human performance. Sports Medicine, 42:90, 2012
BOWTELL JL, SUNNERS DP, DYER A, FOX P, MILENA KN. Montmorency cherry juice reduce muscle damage caused by intensive strength exercise. Medicine and Science in Sports and Exercise, 43:1544, 2011
BOWTELL J, & KELLY V. Fruit-derived polyphenol supplementation for athlete recovery and performance. Sports Medicine, 49:3, 2019
CHRISTENSEN PM, NYBERG M, BANGSBO J. Influence of nitrate supplementation on $\dot{V}O_2$ kinetics and endur-ance of elite cyclists. Scandinavian Journal of Medicine & Science 1n Sports, 23: e21, 2013
CONNOLLY DA,McUGH MP, PADILLA-ZAKOUR OI, CARLSON I, & SAYERS SP. Efficacy of tart cherry juice blend in preventing the symptoms of muscle damage. British Journal of Sports Medicine, 40:679, 2006
DEVRIES MC, PHILLIPS SM. Creatine supplementation during resistance training in older adults: A meta-analysis. Medicine and Science in Sports and Exercise, 46:1197, 2014.
GUALAONO B, ROSCHEL H, LANCHA Jn AH, et al. In sickness and in health: the widespread application of creatine supplementation. Amino Acids, 43:519, 2012
HUSMANN F, BRUHN S, MITTLMEIER T, ZSCHORLICH V, BEHRENS M. Dietary Nitrate Supplementation Improves Exercise Tolerance by Reducing Muscle Fatigue and Perceptual Responses. Frontiers in Physiology, 10:404, 2019

JONES AM. Dietary nitrate supplementation and exercise performance. Sports Medicine, 44 (Suppl 1):S35, 2014.

JONES AM. Influence of dietary nitrate on the physiological determinants of exercise performance: a critical review. Applied Physiology, Nutrition, and Metabolism, 39:1019, 2014

KUEHL KS, PERRIER ET, ELLIOT DL, CHESNUTT JC. Efficacy of tart cherry juice in reducing muscle pain duringv running. A randomnized controled trial. Journal of the International Society of Sports Nutrition, 7:17, 2010

MAUGHAN RJ. Sports Nutrition. The Encyclopaedia of Sports Medicine, an IOC Medical Commission, West Sussex, UK: John Wiley & Sons Ltd.; 2014.

MAUGHAN RJ, SHIRREFFS SM. Alcohol, Exercise, and Sport. In Maughan RJ.ed. Sports Nutrition. The Encyclopaedia of Sports Medicine, an IOC Medical Commission, West Sussex, UK: John Wiley & Sons Ltd.; 2014.

SPRIET LL, GIBALA MJ. Nutrional stragedies to influence adaptations to training. Journal of Sports Sciences, 22:127, 2004.

STEPHENS FB, GREENHAFF PL. Creatine. In: Maughan RJ.ed. Sports Nutrition. The Encyclopaedia of Sports Medicine, an IOC Medical Commission, West Sussex, UK: John Wiley & Sons Ltd.; 2014

SUZUKI T, MORITA M, KAMIMURA A. Oral L-citrulline supplementation enhances cycling time trial performance in healthy trained men: Double-blind randomized placebo-controlled 2-way crossover study. Journal of international Society of Sports Nutrition, 2016

WYLIE LJ, KELLY J, BAILEY SJ, BLACKWELL JR, SKIBA PF, WINYARD PG, JEUKENDRUP AE, VANHATALO A, JONES AM. Beetroot juice and exercise: pharmacodynamic and dose-response relationships. Journal of Applied Physiology, 115: 325, 2013

概念 58

AMERICAN COLLEGE OF SPORTS MEDICINE , AMERICAN DIETARY ASSOCIATION, AND DIATETICIANS OF CANADA. Nutrition and athletic performance. Joint position statement . Medicine and Science in Sports and Exercise, 48:543, 2016

BURKE LM, CATO L. Supplements and Sports Foods. In: Burke LM, Deakin V, eds. Clinical Sports Nutrition, 5th ed. North Ryde NSW, Australia: McGraw-Hill Pty Ltd.; 2015

DRAEGER CL, NAVES A, MARQUES N, ET AL. Controversies of antioxidant vitamins supplementation in exercise: ergogenic or ergolytic effects in humans? Journal of the International Society of Sports Nutrition,11:4, 2014

FOGELHOM M. Vitamins:Metabolic functions. In: Maughan RJ. Ed. Sports Nutrition, Blackwell Science, 2000

MAUGHAN RJ. Sports nutrition. Wiley Blackwell, 2014

MERRY TL, RISTOW M. Do antioxidant supplements interfere with skeletal muscle adaptations to exercise training? Journal of Physiology, 594:5135, 2016

PETERNELJ TT, COOMBES JS. Antioxidant supplementation during exercise training: beneficial or detrimental? Sports Medicine, 41:1043, 2011

POWERS S, NELSON WB, LARSON-MEYER N. Antioxidant and Vitamin D supplements for athletes: sense or nonsense? Journal of Sports Sciences, 29(S1): S47, 2011

POWERS SK, JACKSON MJ. Exercise-induced oxidative stress: cellular mechanisms and impact on muscle force production. Physiological Reviews, 88:1243, 2008

QUINDRY JC, KAVAZIS AN, POWERS SK. Exercise-induced oxidative stress: Are supplemental antioxidants warranted? In: Maughan RJ. Ed. Sports Nutrition, Wiley Blackwell, 2014

REID MB. Invited review: redox modulation of skeletal muscle contraction: what we know and what we don't. Journal of Applied Physiology, 90:724, 2001

REID MB. Reactive oxygen species as agents of fatigue. Medicine & Science in Sports & Exercise, 48:2239, 2016

RISTOWZ, ZARSE K,OBERBACH A, ET AL. Antioxidants prevent health-promoting effects of physical exercise in humans. Proceedings of the National Acdemy of Sciences USA, 106:8665, 2009

第 7 章

概念 59

BAHRKE MS, YESSALIS CE. Performance enhancing substances in sport and exercise. Champaign, IL: Human Kinetics, 2002

BAHRKE MS, YESSALIS CE, WRIGHT IE. Psychological and behavioural effects of endogenous testosterone levels and anabolic-androgenic steroids among males: A review. Sports Medicine, 10:303, 1990

BHASIN DM, STORER TW, BERMAN N, et al. The effects of superphysiologic doses of testosterone on muscle size and strength in normal men. New England Journal of Medicine, 335:1, 1996

DE HON O, KUIPERS H, VAN BOTTENBURG M. Prevalence of doping use in elite sports: A review of numbers and methods. Sports Medicine, 45:57, 2015

EVANS NA. Current concepts in anabolic-androgenic steroids. American Journal of Sports Medicine, 32:534, 2004

FORBES GB. The effect of anabolic steroids on lean body mass: The dose response curve. Metabolism, 34:571, 1985

GEYER H, PARR MK, MARECK U, et al. Analysis of non-hormonal nutritional supplements for anabolicandrogenic steroids: results of an international study. International Journal of Sports Medicine, 25:124, 2004

HARTGENS F, & KUIPERS H. Effects on androgenic-anabolic steroids in athletes. Sports Medicine, 34:513, 2004

HERMANSEN K, BENGTSEN M, KJÆR M, VESTERGAARD P, JØRGENSEN JOL. Impact of GH administration on athletic performance in healthy young adults: A systematic review and meta-analysis of placebo-controlled trials. Growth Hormone & IGF Research, 34:38, 2017

HOFFMAN JR, KRAEMER WJ, BHASIN S, STORER T, RATAMESS NA, HAFF GG, WILLOUGHBY DS, ROGOL AD. Position stand on androgen and human growth hormone use. Journal of Strength and Conditioning Research, 23(Supplement 5): S1, 2009

KANAYAMA G, HUDAON JI, POPE Jr HG. Cognitive deficits in long term anaboloc – androgenic steroid users. Drug & Alcohol Deoperndence, 130:208, 2013

LIU H, BRAVATA DM, OLKIN I, FRIEDLANDER AI, LIUY V, ROBERTS B, et al. Systematic review: the effects of growth hormone on athletic performance. Annals of Internal Medicine, 148:747, 2008

PARSSINNEN M, SEPPALA T. Steroid use longterm health risks in former athletes. Sports Medicine, 32:83, 2002

PITSILADIS Y, et al. Olympic Declaration. Current Sports Medicine Reports, 18:448, 2019

POPE HG, WOOD RI, ROGOL A, NYBERG F, BOWERS L, BHASIN S. Adverse health consequences of performance-enhancing drugs: An Endocrine Society scientific statement. Endocrine Reviews, 35: 341, 2014

RENNIE MJ. Claims for the anabolic effects of growth hormone: a case of the emperor's new clothes? British Journal of Sports Medicine, 37:100, 2003

TAMAKI T, UCHIYAMA S, UCHIYAMA Y, AKATSUKA A, ROY RR. EDGERTON VR. Anabolic steroids increase exercise tolerance. American Journal of Physiology, Endocrinology and Metabolism, 280:E973, 2001

YESSALIS CE. Anabolic steroids in sports and exercise. Champaign, IL: Human Kinetics, 2000

概念 60

ALVOIS L, ROBINSON N, SAUDAN D, BAUME N, MANGIN P, SAUGY N. Central nervous system stimulants and sport practice. British Journal of Sports Medicine, 40(Suppl 1): 116, 2006

Astorino TA, Roberson DW. Efficacy of acute caffeine ingestion for short-term high-intensity exercise performance: a systematic review. Journal of Strength and Conditioning Research, 24:257, 2010

BARNES MJ, MUNDEL T, STANNARD SR. The effects of acute alcohol consumption and eccentric muscle damage on neuromuscular function. Applied Physiology, Nutrition, and Metabolism, 37:63, 2013

BARNES MJ. Alcohol: impact on sports performance and recovery in male athletes. Sports Medicine, 44:909, 2014

BLACK CD, WADELL DE, CONGLACH AR. Caffeine's ergogenic effects on cycling: Neuromuscular and perceptual factors. Medicine and Science in Sports and Exercise, 47:1145, 2015

BURKE LM, COLLIER GR, BROAD EM, et al. Effect of alcohol intake on muscle glycogen storage after prolonged exercise. Journal of Applied Physiology, 95:983, 2003

BURKE L, DESBROW B, SPRIET L. Caffeine for Sports Performance. Human Kinetics; 2013.

CERMAK NM, VAN LOON LJ. The use of carbohydrates during exercise as an ergogenic aid. Sports Medicine, 43:1139, 2013

DOHERTY M, SMITH PM. Effects of caffeine ingestion on rating of perceived exertion during and after exercise: a meta-analysis. Journal of Medicine &Science in Sports, 15:69,2005

GRAHAM TE. Caffeine and exercise: Metabolism, endurance and performance. Sports Medicine, 31:785, 2001

GRAHAM TE, SPRIET LL. Metabolic, catercholamine and exercise performance responses to varying doses of caffeine. Journal of Applied Physiology, 78:867, 1995

HURST P, FOAD A, COLEMAN D, BEEDIE C. Athletes intending to use sports supplements are more likely to respond to a placebo. Medicine and Science in Sports and Exercise 49:1877, 2017

MacINTOSH BR, WRIGHT BM. Caffeine ingestion and performance of 1500 metre swim. Canadian Journal of Applied Physiology, 20:2168, 1995

MAGKOS F, KAVOURAS SA. Caffeine and ephedrine: Physiological, metabolic and performance enhancing effects. Sports Medicine, 34:871, 2004

NEHLIG A, DEBRY G. Caffeine and sports activity: a review. International Journal of Spors Medicine, 15:215, 1994

POWERS SK, DODD S. Caffeine and endurance performance. Sports Medicine, 2:165, 1985

SPRIET LL. Exercise and sport performance with low doses of caffeine. Sports Medicine, 44(Suppl 2):S175, 2014

SPRIET LL. Caffeine and Exercise Performance. In: Maughan RJ, ed. Sports Nutrition. The Encyclopaedia of Sports Medicine, an IOC Medical Commission, West Sussex, UK: John Wiley & Sons Ltd.; 2014

TALLIS J, DUNCAN MJ, JAMES RS. What isolated skeletal muscle experiments tell us about the effects of caffeine in exercise performance. British Journal of Pharmacology, 172:3703, 2015

TARNOPOLSKY MA. Caffeine and creatine use in sport. Annals of Nutrition & Metabolism, 57(Suppl 2):1, 2010

TARNOPOLSKY MA. Effect of caffeine on neuromuscular system: potential as an ergogenic aid. Applied

Physiology, Nutrition & Metabolism, 33:1284, 2008

WARREN GL, PARK ND, MARESCA RD, MCKIBANS KI, MILLARD-STAFFORD ML. Effect of caffeine ingestion on muscular strength and endurance: a meta-analysis. Medicine and Science in Sports and Exercise, 42:1387, 2010

概念 61

AMERICAN COLLEGE OF SPORTS MEDICINE , AMERICAN DIETARY ASSOCIATION, and DIATETICIANS OF CAN-ADA. Nutrition and athletic performance. Joint position statement. Medicine and Science in Sports and Exercise, 48:543, 2016

BURKE LM, PYNE DB. Bicarbonate loading to enhance training and competitive performance. International Journal of Sports Physiology & Performance, 2: 93, 2007

CARR AJ, HOPKINS WG, GORE CJ. Effects of acute alkalosis and acidosis on performance: a meta-analysis. Sports Medicine, 41:801, 2011

COSTILL DL, VERSTTAPPEN F, KUIPERS H, JANSSEN F, FINK W. Acid-base balance during repeated bouts of exercise: Influence of HCO-3. International Journal of Sports Medicine, 5:228, 1984

DOUROUDOS II, FATOUROS IG, GOURGOULIS V, ET AL. Dose-related effects of prolonged $NaHCO_3$ ingestion during high-intensity exercise. Medicine and Science in Sports and Exercise, 38:1746, 2006

LINDERMAN J, FAHEY TD. Sodium bicarbonate ingestion and exercise performance: an update. Sports Medicine, 11:71, 1991

OSNES JB, HERMANSEN L. Acid-base balance after maximal exercise of short duration. Journal of Applied Physiology, 32:51, 1972

PRICE MJ, SIMONS C. The effect of sodium bicarbonate ingestion on high intensity intermittent running and subsequent performance. Journal of Strength & Conditioning Research, 24:1834, 2010

QUESNELE JJ, LAFRAMBOISE MA, WONG JJ, KIM P, WELLS GD. The effects of beta-alanine supplementation on performance: a systematic review of the literature. International Journal of Sport Nutrition and Exercise Metabolism, 24:14, 2014

SALE C, HARRIS RC. Buffering Agents. In Maughan RJ, ed. Sports Nutrition. The Encyclopaedia of Sports Medicine, an IOC Medical Commission, West Sussex, UK: John Wiley & Sons Ltd.; 2014

SIEGLER JC, MIDGLEY AW, POLMAN RCJ, LEVER R. Effects of various bicarbonate loading protocols on the time-dependent extracellular buffering profile. Journal of Strength & Conditioning Research, 24:2551, 2010

STEPHENS TJ, MCKENNA MJ, CANNY BJ, et al. Effect of sodium bicarbonate on muscle metabolism during intense endurance cycling. Medicine & Science in Sports & Exercise, 43:614, 2002

概念 62

AMERICAN COLLEGE OF SPORTS MEDICINE POSITION STAND. The use of blood doping as an ergogenic aid. Medicine and Science in Sports and Exercise, 28:1, 1996

BUICK JL, GLEDHILL N, FROESE AB, SPRIET L, MEYERS EC. Effect of induced erythrocythemia on aerobic work capacity. Journal of Applied Physiology, 48:636, 1980

EKBLOM B, GOLDBARG AN, GULLBRING B. Response to exercise after blood loss and reinfusion. Journal of Applied Physiology, 32:175, 1972

EKBLOM B, BERGLUND B, Effect of erythropoietin administration on maximal aerobic power. Scandinavian Journal of Medicine & Science in Sports, 1:88, 1991

GLEDHILL N. The influence of altered blood volume and oxygen transport capacity on aerobic performance. Exercise & Sport Sciences Reviews, 13:75, 1985

LUNDBY C, ROBACH P. Assessessment of total hemoglobin mass: can it detect erythropoietin-induced blood manipulations? European Journal of Applied Physiology, 108:197, 2010

LUNDBY C, ROBACH P, SALTIN B. The evolving science of detection of *Blood Doping*. British Journal of Pharmacology, 165:1306, 2012

PITSILADIS YP, DURUSSEL J, RABIN O. An integrative 'Omics' solution to the detection of recombinant human erythropoietin and blood doping. British Journal of Sports Medicine, 48:856, 2014

概念 63

ASMUSSEN E, BOJE O. Body temperature capacity for work. Acta Physiologica Scandinavica, 10:1, 1945

BISHOP D. Warm up I: potential mechanisms and the effects of passive warm up on exercise performance. Sports Medicine, 33:439, 2003

BISHOP D. Warm up II: performance changes following active warm up and how to structure the warm up. Sports Medicine, 33:483, 2003

CHAPADOS C, LEVITIN DJ. Cross-modal interactions in the experience of musical performances: Physiological correlates. Cognition, 108:639, 2008

CHWALBINSKA-MONETA J, HANNINEN O. Effect of active warming up on thermoregulatory, circulatory, and metabolic responses to incremental exercise in endurance trained athletes. International Journal of Sports Medicine, 10:25, 1989

ELIAKIM M, BODNER E, ELIAKIM A, NEMET D, MECKEL Y. Effect of motivational music on lactate levels during recovery from intanse exercise. Journal of Strength Conditioning Research, 26:80, 2010

FRANKS B. Physical warm-up. In Williams M. ed. Ergogenic Aids in Sport. Human Kinetics, Champaign IL.1983 HETZLER R. Effect of active warm-up on plasma free fatty acid responses and substrate utilization during submaximal exercise. Research Quarterly for Exercise & Sports, 57:223, 1986

JONES L, TILLER NB, KARAGEORGHIS CI. Psychophysiological effects of music on acute recovery from high-intensity interval training. Physiological Behavior,170:106, 2017

JONES AM, KOPPO K, BURNLEY M. Effects of prior exercise on metabolic and gas exchange responses to exercise. Sports Medicine. 33:921, 2003

JUSLIN PN. What does music express? Basic emotions and beyond. Frontiers of Psychology, 4:e596, 2013

KARAGEORGHIS CI. Applying Music in Exercise and Sport. Champaign (IL): Human Kinetics; 2017

KARAGEORGHIS CI, AC, BRUCE ST, POTTRATZ RC, STEVENS M, BIGLIASSI M HAMER. Psychological and Psychophysiological Effects of Recuperative Music Postexercise. Medicine & Science in Sports & Exercise, 50:739, 2018.

SIMIC L, SARABON N, MARKOVIC G. Does preexercise static stretching inhibit maximal muscular performance? A meta-analytical review. Scandinavian Journal of Medicine & Science in Sports, 23:131, 2013

TRACKER SB, GILCHRIST J, STROUP DF, 7 KIMSEY CD Jr, The impact of stretching on sports injury risk: a systematic review of the literature. Medicine & Science in Sports & Exercise, 36:371, 2004

ZENO SA, PURVIS D, CRAWFORD C, LEE C, LISMAN P, DEUSTER PA. Warmups for military fitness testing: rapid evidence assessment of the literature. Medicine & Science in Sports & Exercise, 45:1369, 2013

第 8 章

概念 64

BLAIR SN. Physical inactivity: the biggest public health problem of the 21st century. British Journal of Sports Medicine 43: 1, 2009.

BLAIR SN, DAVEY SMITH G, LEE IM, FOX K, HILLSDON M, MCKEOWN RE, HASKELL WL, MARMOT M. A tribute to Professor Jeremiah Morris: the man who invented the field of physical activity epidemiology. Annals of Epidemioogyl, 20: 651, 2010.

BOOTH FW,GORDON SE, CARLSON CJ, HAMILTON MT. Waging war on modern chronic diseases: primary prevention through exercise biology. Journal of Applied Physiology, 88: 774, 2000.

CHANKO E. A time for exercise: The exercise window. Journal of Applied Physiology, 122:206, 2016

CHAPMAN CB. Response to exercise after bed rest and after training. Circulation 38, Supplement: VII1–VII78, 1968

DIAZ KM, HOWARD VJ, HUTTO B, COLABIANCHI N, VENA JE, SAFFORD MM, BLAIR SN, HOOKER SP. Patterns of Sedentary Behavior and Mortality in U.S. Middle-Aged and Older Adults. Annals of Internal Medicine. Sept 12. 2017

EIJSVOGELS TMH, THOMPSON PD, FRANKLIN BA. The "Extreme Exercise Hypothesis" : Recent Findings and Cardiovascular Health Implications, Current Treatment Options of Cardiovascular Medicine, 20:84, 2018

EIJSVOGELS TMH, FERNADEZ AB, THOMPSON PD. Are there deleterious cardiac effects of acute and chronic endurance exercise? Physiological Reviews, 96:99, 2016

KATZMARZYK PT, PATE RR. Physical activity and mortality: The potential impact of sitting. Translational Journal of the American College of Sports Medsicine, 2:32, 2017

LEVINE BD. Can Intensive Exercise Harm the Heart? The Benefits of Competitive Endurance Training for Cardiovascular Structure and Function. Circulation, 130:987, 2014

MATTHEWS CE, MOORE SC, SAMPSON J, BLAIR A, XIAO Q, KEADLE SK, HOLLENBECK A, PARK Y. Mortality benefits for replacing sitting time with different physical activities. Medicine and Science in Sports and Exercise, 47:1833, 2015

MCGUIRE DK, LEVINE BD, WILLIAMSON JW, SNELL PG, BLOMQVIST CG, SALTIN B, MITCHELL JH. A 30-year follow-up of the Dallas Bedrest and Training Study: I. Effect of age on the cardiovascular response to exercise. Circulation, 104: 1350, 2001

MORRIS JN, HEADY JA, RAFFLE PA, ROBERTS CG, PARKS JW. Coronary heart-disease and physical activity of work. Lancet, 262: 1053, 1953

PAFFENBARGER RS JR, BLAIR SN, LEE IM. A history of physical activity, cardiovascular health and longevity: the scientific contributions of Jeremy N Morris, DSc, DPH, FRCP. International Journal of Epidemioogyl, 30: 1184, 2001

PAFFENBARGER RS, HYDE RT, WING AL, LEE IM, LUNG DL, KAMPET JB. The association of changes in physical activity level and other lifestyle characteristics with mortality among men. New England Journal of Medicine,328:538, 1993

PELLICCIA A, MARON BJ, DI PAOLO FM, BIFFI A, QUATTRINI FM, PISICCHIO C, ROSELLI A, CASELLI S, CULASSO F. Prevalence and clinical significance of left atrial remodelling in competitive athletes. Journal of the American College of Cardiology, 46:690, 2005

SALTIN B, BLOMQVIST G, MITCHELL JH, JOHNSON RL JR, WILDENTHAL K, CHAPMAN CD. Response to exer-cise after bed rest and training. Ciculation, 38 (Suppl: VII-VII78, 1968

概念 65

AREM H, MOORE SC, PATEL A, et al. Leisure time physical activity and mortality: a detailed pooled analysis of the dose-response relationship. Journal of American Medical Association, Intern Medicine,175:959, 2015

BAGGISH AL, WOOD MJ. Athlete's heart and cardiovascular care of the athlete: Scientific and clinical update. Circulation, 123:2723, 2011

BHELLA PS, LEVINE BD. The heart of a champion. Journal of the American College of Cardiology,

55:1626, 2010

EIJSVOGELS TMH, THOMPSON PD, FRANKLIN BA. The“Extreme Exercise Hypothesis”: Recent Findings and Cardiovascular Health Implications. Current Treatment Options of Cardiovascular Medicine, 20: 84, 2018

EIJSVOGELS TM, THOMPSON PD. Exercise is medicine: at any dose? Journal of the American Medical Association, 314:1915, 2015

FASELIS C, KOKKINOS P, TSIMPLOULIS A, PITTARAS A, MYERS J, LAVIE CJ, KYRITSI F, LOVIC D, KARASIK P, MOORE H. Exercise capacity and atrial fibrillation risk in veterans: A cohort study. Mayo Clinic Proceedings, 91:558, 2016

HILL JA, OLSON EN. Cardiac plasticity. New England Journal of Medicine. 358:1370, 2008

LEE DC, BRELLENTHIN AG, THOMPSON PD, et al. Running as a key lifestyle medicine for longevity. Progress in Cardiovascular Diseases, 60:45, 2017

LEE DC, LAVIE CJ, SUI X, BLAIR SN. Running and Mortality: Is More Actually Worse? Mayo Clinic Proceedings, 291:534, 2016

LEVINE BD. Can intensive exercise harm the heart? The benefits of competitive endurance training for cardiovascular structure and function. Circulation. 130:987, 2014

MAESSEN MF, VERBEEK AL, BAKKER EA, et al. Lifelong 4. exercise patterns and cardiovascular health. Mayo Clinic Proceeding, 91:745, 2016

OFMAN P, KHAWAJA O, RAHILLY-TIERNEY CR, PERALTA A, HOFFMEISTER P, REYNOLDS MR, GAZIANO JM, DJOUSSE L. Regular physical activity and risk of atrial fibrillation: A systematic review and metaanalysis. Circulation. Arrhythmia and Electrophysiology, 6:252, 2013

PELLICCIA A, MARON BJ, DI PAOLO FM, BIFFI A, QUATTRINI FM, PISICCHIO C, ROSELLI A, CASELLI S, CULASSO F. Prevalence and clinical significance of left atrial remodelling in competitive athletes. Journal of the American College of Cardiology, 46:690, 2005

PRIOR DL, LA GERCHE A. The athlete's heart. Heart, 98:947, 2012

SALTIN B, BLOMQVIST G, MITCHELL JH, JOHNSON RL JR, WILDENTHAL K, CHAPMAN CD. Response to exercise after bed rest and training. Ciculation, 38 (Suppl: VII-VII78), 1968.

SANCHIS-GOMAR F, LUCIA A. Pathophysiology of atrial fibrillation in endurance athletes: An overview of recent findings. Canadian Medical Association Journal. 188:E433, 2016

SCHARHAG J, SCHNEIDER G, URHAUSEN A, ROCHETTE V, KRAMANN B, KINDERMANN W. Athlete's heart: Right and left ventricular mass and function in male endurance athletes and untrained individuals determined by magnetic resonance imaging. Journal of the American College of Cardiology, 40:1856, 2002

THOMPSON PD D. Bruce Dill historical lecture. Historical concepts of the athlete's heart. Medicine and Science in Sports and Exercise, 36:363, 2004

TRIVAX JE, MCCULLOUGH PA. Phedippides cardiomyopathy: A review and case illustration. Clinical Cardiology, 35:69, 2012

概念 66

ÅBERG MAI, PEDERSEN NL, TORÉN K, SVARTENGREN M, BÄCKSTRAND B, JOHNSSON T, KUHN HG. Cardiovascular tness is associated with cognition in young adulthood. Proceedings of the National Academy of Sciences, 106:20906, 2009

CHADDOCK L, HILLMAN CH, PONTIFEX MB, JOHNSON CR, RAINE LB, KRAMER AF. Childhood aerobic fitness predicts cognitive performance one year later. Journal of Sports Sciences, 30:421, 2012

CHANG YK, LABBAN JD, GAPIN JI, ETNIER JL. The effects of acute exercise on cognitive performance:

a meta-analysis. Brain Research, 1453: 87, 2012

COTMAN CW, BERTCHTOLD NC, CHRISTIE LA. Exercise builds brain health: key roles of growth factor cascades and inflammation. Trends in Neurosciences, 30:464, 2007

DAVIS CL, TOMPOROWSKI PD, MCDOWELL JE, AUSTIN BP, MILLER PH, YANASAK NE, NAGLIERI JA. Exercise improves executive function and achievement and alters brain activation in overweight children: a randomized, controlled trial. Health Psychology, 30: 91, 2011

DIAMOND AB. The cognitive benefits of exercise in youth. Current Sports Medicine Reports, 14:320, 2015

DONNELLY JE, HILLMAN CH, CASTELLI DM, ETNIER JL, LEE SM, TOMPOROWSKI P, LAMBOURNE K, SZA-BO-REED AN. Physical activity, fitness, cognitive function, and academic achievement in children: A systematic review. Medicine and Science in Sports and Exercise, 48:1197, 2016

ERIKSON K, HILLMAN C, STILLMAN CM, et al. Physical activity, cognition, and brain outcomes: a review of the 2018 physical activity guidelines. Medicine and Science in Sports and Exercise, 51:1242, 2019

ERICKSON KL, VOSS MW, PRAKASH RS, BASAK C, SZABO A, CHADDOCK L, KRAMER AF. Exercise training increases size of hippocampus and improves memory. Proceedings of the National Academy of Sciences, 108: 3017, 2011

GOMEZ-PINILA F, HILMAN C. The influence of exercise on cognitive abilities. Comparative Physiology, 3:403, 2013

HILLMAN CH, ERICKSON KI, HATFIELD BD. Run for Your Life! Childhood Physical Activity Effects on Brain and Cognition. Kinesiology Review, 6:12, 2017

HILLMAN CH, ERICKSON KL, KRAMER AF. Be smart, exercise your heart: exercise effects on brain and cognition. Nature Reviews Neuroscience, 9:58, 2008

INDER WJ, HELLEMANS J, SWANNEY MP, PRICKETT TC, Donald RA. Prolonged exercise increases peripheral plasma ACTH, CRH, and AVP in male athletes. Journal of Applied Physiology, 85:835,1998

KRAMER AF, HAHN S, COHEN NJ, BANICH MT, MCAULEY E, HARRISON CR, CHASON J, VAKIL E, BARDELL L, BOILEAU RA, COLCOMBE A. Ageing, fitness and neurocognitive function. Nature, 400:418, 1999

MATTSON MP. Energy Intake and Exercise as Determinants of Brain Health and Vulnerability to Injury and Disease. Cell Metabolism, 16:706, 2012

MCARTHUR JW. Endorphins and exercise in females: possible connections with reproductive dysfunction. Med-icine and Science in Sports and Exercise, 17:82, 1985

PINDUS DM, DROLLETTE ES, SCUDDER MS, KHAN NA, RAINE LB, SHERAR LB, HILLMAN CH. Associations among moderate-to-vigorous physical activity, indices of cognitive control, and academic achievement in pre-adolescents. The Journal of Pediatrics, 173:136, 2016

RAINE LB, LEE HK, SALIBA BJ, CHADDOCK-HEYMAN L, HILLMAN CH, KRAMER AF. The influence of childhood aerobic fitness on learning and memory. PLoS One, 8, e72666, 2013

RAICHLEN DA, POLK JD. Linking brains and brawn: exercise and the evolution of human neurobiology. Proceed-ings of Biological Sciences, 280: 20122250, 2013

SYVÄOJA H, KANTOMAA MT, AHONEN T, HAKONEN H, KANKAANPÄÄ A, TAMMELIN TH. Physical activity, sedentary behavior, and academic performance in Finnish children. Medicine and Science in Sports and Exercise, 45: 2098, 2016

TARUMI T, ZHANG R. The role of exercise-induced cardiovascular adaptation in brain health. Exercise & Sport Science Reviews, 43:181, 2015

TOMPOROWSKI P, LAMBOURNE K, SZABO-REED AN. Physical activity, Fitness, Cognitive Function, and Academic Achievement in Children: A Systematic Review: American College of Sports Medicine Position Stand. Medicine and Science in Sports and Exercise, 48: 1197, 2016

ZHU W, WADLEY VG, HOWARD VJ, HUTTO B, BLAIR SN, HOOKER SP. Objectively measured physical activity and cognitive function in older adults. Medicine & Science in Exercise & Sports, 49:47, 2017

概念 67

DURSTENFELD, MS, KAIWEN S, TAHIR P,PELUSO MJ, DEEKS SG, MANDAR AA, GRANDIS DJ, LONG CS, BEATT A, HSUE PY. Use of Cardiopulmonary Exercise Testing to Evaluate Long COVID-19 Symptoms in Adults: A Systematic Review and Meta-analysis. JAMA Network Open, October 12,2022

GAO M, PIEMAS C, ASTBURY NM, et al. Association between body-mass index and COVID-19 severity in 6.9 million people in England: a prospective, community based, cohort study. The Lancet, Diabetes & Endocrinology, 9:350, 2021

GLEESON M. Immune function in sport and exercise. Journal of Applied Physiology, 103:693, 2007

HOEMAN-GOETZ L, PEDERSRN BK. Exercise and the immune system. In eds. Farell PA, Joyner MJ, & Caiozzo VC. ACSM'S Advanced Exercise Physiology. Lippincott Williams& Wilkins, Philadelphia, 2012

NIEMAN DC. Marathon training and immune function, Sports Medicine, 37:412, 2007

NIEMAN DC, HENSON DA, AUSTIN MD, SHA W. Upper respiratory track infection is reduced in physically fit and active adults. British Journal of Sports Medicine, 45:987, 2011

NIEMAN DC. Immune response to heavy exertion. Journal of Applied Physiology, 82:1385, 1997

SALLIS R, YOUNG DR, TARTOF SY, SALLIS JF, SALL J, LI Q, SMITH GN, COHEN DA. Physical inactivity is associated with a higher risk for severe COVID-19 outcomes: a study in 48.440 adult patients. British Journal of Sports Medicine, 0:1, 2021

SIMPSON RJ, CAMPELL JP, GLEESON M, KRUGER K, NIEMAN DC, PYNE DB, TURNER JE, WALSH NP. Can exercise affect immune function to increase susceptibility to infection? Exercise Immunology Review, 26:8, 2020

SIMPSON RJ, LOWDER T, SPIELMANN G, BIGLEY A, LaVOY E. Exercise and the aging immune system. Ageing Research Reviews, 11:404, 2012

SIMPSON RJ, CAMPBELL JP, GLEESON M, KRUGER K, NIEMAN DC, PYNE DB, TURNER JE, WALSH NP. Can exercise affect immune function to increase susceptibility to infection? Exercise Immunology Review, 26:8, 2020

WALSH N. Position statement. Part one.Immune system and exercise. Exercise Immunology Reviews, 17:6, 201

WALSH N, OLIVER S. Exercise, immune function, and respiratory infection: an updare on the influence of training and environmental stress. Immunology and Cell Biology, 10:1038, 2015

概念 68

ACTEN J, GLEESON M, JEUKENDRUP AE. Determination of the exercise intensity that elicits maximal fat oxidation. Medicine & Science in Sports & Exercise, 34:92, 2002

AMERICAN COLLEGE OF SPORTS MEDICINE POSITION STAND. Appropriate physical activity intervention strategies for weight loss and prevention of weight regain for adults. Medicine & Science in Sports & Exercise, 41:459, 2009

BAZZANO LA, HU T, REYNOLDS K, YAO I, BUNOL C, LIU Y, CHEN CS, KLAG MJ, WHELTON PK, HE J. Effects of low-carbohydrate and low-fat diets: A randomized trial. Annals of Internal Medicine, 161:309, 2011

BERNSTEIN MS, COSTANZA MC, MORABIA A. Association of physical activity intensity levels with overweight and obesity in a population-based sample of adults. Preventive Medicine, 38:94, 2004

BRAY GA. Obesity: Definition, diagnosis and disadvantages. The Medical Journal of Australia, 142:52, 1985

CAUDWELL P, GIBBONS C, FINLAYSON G, NASLUND E, BLUNDELL J. Exercise and weight loss: No sex difference in body weight response to exercise. Exercise & Sport Science Reviews, 42:92, 2014

DRONOWATZ C, HAND GA, SAGNER M, SHOOK RP, BURGESS S, BLAIR SN. The prospective association between different types of exercise and body composition. Medicine and Science in Sports and Exercise, 47:2535, 2015

JAKICIC JM, POWELL KE, CAMPBELL WW, et al. Physical activity and the prevention of weight gain in adults: a systematic review. Medicine and Science in Sports and Exercise, 51:1262, 2019

KIRK EP, DONNELLY JE, SMITH BK, et al. Minimal resistance training improves daily energy expenditure and fat oxidation, Medicine & Science in Sports & Exercise, 41:1122, 2009

KRAUS WE, JANZ KF, POWELL KE, et al. Daily Step Counts for Measuring Physical Ac tivity Exposure and Its Relation to Health. Medicine & Science in Sports & Exercise, 51:1206, 2019

LADABAUM U, MANNALITHARA A, MYER PA, SINGH G. Obesity, abdominal obesity, physical activity, and caloric intake in US adults: 1988 to 2010. American Journal of Medicine, 127:717, 2014

MEKARY RA, GRØNTVED A, DESPRES JP, et al. Weight training, aerobic physical activities, and longterm waist circumference change in men. Obesity, 23:461, 2015

OHKAWARA K, TANAKA S, MIYACHI M, ISHIKAWA-TAKATA K, TABATA I. A dose-response relation between aerobic exercise and visceral fat reduction: systematic review of clinical trials. International Journal of Obesity (Lond). 31:1786, 2007

SMITH KJ, GALL SL, MCNAUGHTON SA, et al. Lifestyle behaviours associated with 5-year weight gain in a prospective cohort of Australian adults aged 26–36 years at baseline. BMC Public Health, 17:54, 2017

SWIFT DL, JOHANNSEN NM, LAVIE CJ, EARNEST CP, CHURCH TS. The role of exercise and physical activity in weight loss and maintenance. Progress in Cardiovascular Diseases, 56:441, 2014

概念 69

BARLOW SE, THE EXPERT COMMITTEE. Expert committee recommendations regarding the prevention, assessment, and treatment of child and adolescent overweight and obesity: summary report. Pediatrics, 120:S164

CENTER FOR DISEASE CONTROL AND PREVENTION. Childhood Obesity Causes & Consequences. Available from: http://www.cdc.gov//2016

CENTER FOR DISEASE CONTROL AND PREVENTION. Defining Childhood Obesity. Available from: http://www. cdc.gov//2016

COLE TJ, BELLIZZI MC, FLEGAL KM, DIETZ WH. Establishing a standard definition for child overweight and Obesity worldwide: international survey. British Medical Journal, 320:1240, 2000

COTE AT, HARRIS KC, PANAGIOTOPOULOS C, et al. Childhood obesity and cardiovascular dysfunction. Journal of American College of Cardiology, 62:1309, 2013

DE BOURDEAUDHUIJ I, VERLOIGNE M, MAES L, et al. Associations of physical activity and sedentary time with weight and weight status among 10 to 12-year-old boys and girls in Europe: a cluster analysis within the ENERGY project. Pediatric Obesity, 8: 367, 2013

DIAS I, FARINATTI P, DE SOUZA MG, MANHANINI DP, BALTHAZAR E, et al. Effects of resistance training in obese adolescents. Medicine & Science in Sports & Exercise, 47:2636,2015

EKELUND U, LUAN J, SHERAR LB, ESLIGER DW, GRIEW P, COOPER A. Moderate to vigorous physical activity and sedentary time and cardiometabolic risk factors in children and adolescents. JAMA, 307:704, 2012

GURNANI M, BIRKEN C, HAMILTON J. Childhood obesity: Causes, consequences, and management. Pediatric Clinics of North America, 62:821, 2015

HALLAL PC, ANDERSEN LB, BULL FC, GUTHOLD R, HASKELL W, EKELUND U. Global physical activity: le Some activity is better than none, and more is better than some, vels: surveillance progress, pitfalls, and prospects. Lancet, 380: 247, 2012

JANSSEN I, LEBLANC AG. Systematic review of the health benefits of physical activity and fitness in school-aged children and youth. International Journal of Behavior, Nutrition & Physical Activity, 7:40, 2010

KATZMARZYK PT, BARREIRA TV, BROYLES ST, CHAMPAGNE CM, CHAPUT JP, et al. Physical activity, sedentary time, and obesity in an international sample of children. Medicine and Science in Sports and Exercise, 47:2062, 2015

LLOYD LJ, LANGLEY-EVANS SC, MCMULLEN S. Childhood obesity and risk of the adult metabolic syndrome: a systematic review. International Journal of Obesity (Lond), 36:1, 2012

MAES HH, NEALE MC, EAVES LJ. Genetic and environmental factors in relative body weight and human adiposity. Behavioral Genetics, 27:325, 1997

MALINA RM, KATZMARZYK PT. Validity of the body mass index as an indicator of the risk and presence of overweight in adolescents. American Journal of Clinical Nutrition, 70:131, 1999

OGDEN CL, CARROLL MD, LAWMAN HG, FRYAR CD, KRUSZON-MORAN D, KIT BK, FLEGAL KM. Trends in obesity prevalence among children and adolescents in the United States, 1988-1994 through 2013-2014. JAMA, 315: 2292, 2016.

PAHKALA K, HERNELAHTI M, HEINONEN OJ, RAITTINEN P, HAKANEN M. et al. Body mass index, fitness and physical activity from childhood through adolescence. British Journal of Sports Medicine, 47:71, 2012

PATE RR, HILLMAN C, JANZ K, et al. Physical activity and health in children younger than 6 years: a systematic review. Medicine and Science in Sports and Exercise,51:1282, 2019

SAHOO K, SAHOO B, CHOUDHURY AK, et al. Childhood obesity: causes and consequences. Journal of Family Medicine & Primary Care, 4:187, 2015

TAMBALIS KD, PANAGIOTAKOS D, PSARAAMBROS G, SIDOSIS L. Inverse But Independent Trends in Obesity and Fitness Levels among Greek Children: A Time-Series Analysis from 1997 to 2007 . Obesity Facts, 4:165, 2011

TREMBLAY MS, CARSON V, CHAPUT JP, CONNOR GORBER S, et al. Canadian 24h movement Guidelines for children and youth: An integration of physical activity, sedentary behaviour, and sleep. Applied Physiology, Nutrition & Metabolism, 41: S311, 2016

TROST SG, PATE RR, SALLIS JF, FREEDSON PS, TAYLOR WC, et al. Age and gender differences in objectively measured physical activity in youth. Medicine and Science in Sports and Exercise, 34:350, 2002

U.S. DEPARTMENT OF HEALTH AND HUMAN SERVICES. Physical Activity Guidelines for Americans. Washington, Centers for Disease Control and Prevention, 2008

U.S. DEPARTMENT OF HEALTH AND HUMAN SERVICES. Physical Activity Guidelines Advisory Committee, 2008

WOLFF-HUGHES DL, BASSETT DR, FITZHUGH EC. Population-referenced percentiles for waist-worn accelerometer-derived total activity counts in U.S. youth: 2003–2006 NHANES. PLoS One, 9: e115915, 2014

WORLD HEALTH ORGANIZATION. Global Recommendations on Physical Activity for Health. Geneva,

Switzerland, 2010
WORLD HEALTH ORGANISATION. Obesity: preventing and managing the global epidemic. Geneva, Switzerland, 1998

概念 70

BAR OR O, ROWLAND TW. Pediatric Exercise Medicine: From Physiological Principles to Health Care Application. Champaign (IL): Human Kinetics, 2004

CLARKE HH. Physical and motor tests in the Medford boy's growth study. Englewood Cliffs, NJ:Prentice Hall: 1971

DANIELS J, OLDRIDGE N, NAGLE F, & WHITE B. Differences and changes in $\dot{V}O_2$ among young runners 10 to 18 years of age. Medicine and Science in Sports, 10:200, 1978

ERIKSSSON BO, Muscle metabolism in children: a review. Acta Paediatric Scandinavica. Supplement, 283:20, 1980

ERIKSSON BO, KOCH G. Effect of physical training on hemodynamic responses during submaximal and maximal exercise in 11 to 13-year-old boys. Acta Physiologica Scandinavica, 87:27, 1973

KACZOR JJ, ZIOLKOWSKI W, POPINIGIS J, TARNOPOLSKY MA. Anaerobic and aerobic enzyme activities in human skeletal muscle from children and adults. Pediatric Resrearch, 57:331, 2005

KOCH G, ROCKER L. Plasma volume and intravascular protein masss in trained boys and fit young men. Journal of Applied Physiology, 43:1055, 1977

KRAEMER WJ, FLECK SJ. Strength training for young athletes.2nd ed. Champaign (IL): Human Kinetics, 2005

MALINA RM, BOUCARD C, BAR-OR O. Growth, maturation, and physical activity (2nd ed.). Champaign,Il: Human Kinetics, 2004

NES BM, OSTHUS LB, WELDE B, ASPENES AT, WISLOFF U. Peak oxygen uptake and physical activity in 13-to 18-year olds: The young HUNT Study. Medicine and Science in Sports and Exercise, 45:304, 2013

PATE RR, HILLMAN C, JANZ K, et al. Physical activity and health in children younger than 6 years: a systematic review. Medicine & Science in Sports & Exercise, 51:1282, 2019

PATE RR, WARD DS. Endurance trainability of children and youths. In Bar-Or O, ed. The child adolescent athlete. Oxford: Blackwell Scientific, 1996

PAYNE VC, MORROW Jr JR, JOHNSON L, DALTON SN. Resistance training in children and youth: A meta-analysis. Research Quarterly in Exercise & Sports, 64:305, 1993

PAYNE VC, MORROW Jr JR. Exercise and $\dot{V}O_2$ max in Children: A meta-analysis. Research Quarterly in Exercise & Sports, 68:80, 1997

PITUKCHEEWAMONT P, PUNYASAVATSUT N, FEUILLE M. Physical activity and bone health in children and adolescents. Pediatriuc Endocrinolog Reviews, 7:275, 2010

RIDDELL MC. The endocrine response and substrate utilization during exercise in children and adolescents. Journal of Applied Physiology, 105:725, 2008

ROWLAND TW. Evolution of maximal oxygen uptake in children. Medicine and Sport Science, 50:200, 2007

ROWLAND T, KLINE G, GOFF L, MARTEL L, FERRONE L. Physiological determinants of maximal aerobic power in healthy 12-year-old boys. Pediatric Exercise Science, 11:317, 1999

SANTOS AMC, WELSMAN JR, DE STE CROIS, MBA, ARMSTRONG N. Age and sex-related differences in optimal peak power, Pediatric Exercise Science, 14:202, 2002

SJODIN B, SVEDENHAAG J. Oxygen uptake during running as related to body mass circumpubertal children, European Journal of Applied Physiology, 65:150, 1992

TURLEY KR, WILMORE JH. Cardiovascular responses to treadmill and cycle ergometer exercise in children and adults. Journal of Applied Physiology, 83:948, 1997

WEBER G, KARDODIHARDJO W, KLISSOURAS V. Growth and physical training with reference to heredity. Journal of Applied Physiology, 40:211, 1976

概念 71

AMERICAN COLLEGE OF SPORTS MEDICINE. Position stand: Exercise and physical activity for the older adult. Medicine & Science in Sports & Exercise, 41:1510, 2009

ARVANDI M, STRASSER B, MEISINGER C, VOLAKLIS C, et al. Gender differences in the association between grip strength and mortality in older adults: results from the KORA-age study. BMC Geriatrics, 16:201, 2016

BUTLER AA, LORD SR, ROGERS MW, FITZPATRICK RC. Muscle weakness impairs the proprioceptive control of human standing. Brain Research, 1242: 244, 2008.

CARTER HN, CHEN CCW, HOOD DA. Mitochondria, muscle health and exercise with advancing age. Physiology, 30:208, 2014

COFFMAN RE, CARLSON AR, MILLER AD, JOHNSON BD, TAYLOR BJ. The effect of aging and cardiorespiratory fitness on the lung diffusing capacity response to exercise in healthy humans. Journal of Applied Physiology, 122:1425, 2017

DESOUZA CA, SHAPIRO LF, CLEVENGER CM, et al. Regular aerobic exercise prevents and restores age-related declines in endothelium-dependent vasodilation in healthy men. Circulation,102:1351, 2000

EHSANI AA, SPINA RJ, PETERSON LR, et al. Attenuation of cardiovascular adaptations to exercise in frail octogenarians. Journal of Applied Physiology, 95:1781, 2003

FRANCO OH, DE LAET C, PEETERS A, JONKER J, MACKENBACH J, NUSSELDER W. Effects of physical activity on life expectancy with cardiovascular disease. Archives of Internal Medicine, 165:2355, 2005

GOLDSPINK D. Ageing and activity: their effects on the functional reserve capacities of the heart and vascular smooth and skeletal muscles. Ergonomics, 48:1334, 2005

HJELMBORG J, JACOB VB, IACHINE I, et al. Genetic Influence on Human Lifespan and Longevity. Human Genetics, 119:312, 2006

HUANG G, SHI X, DAVIS-BREZETTE JA, OSNESS WH. Resting heart rate changes after endurance training in older adults: a metaanalysis. Medicine & Science in Sports & Exercise, 37:1381, 2005

HUNTER GR, MCCARTHY JP, BAMMAN MM. Effects of resistance training on older adults. Sports Medicine, 345:329, 2004

KIM M, KOWALSKY AH, LEE JH. Sestrins in physiological stress responses. Anual Review of Physiology, 81:381, 2021

LARSON EB, WANG L, BOWEN JD, MCCORMICK WC. Exercise Is Associated with Reduced Risk for Incident Dementia among Persons 65 Years of Age and Older. Annals of Internal Medicine, 144:73, 2017

LEE DC, BRELLENTHIN AG, THOMPSON PD, et al. Running as a key lifestyle medicine for longevity. Progress in Cardiovascular Diseases, 60:45, 2017

LEE D, PATE RR, LAVIE CJ, SUI X, CHURCH TS, BLAIR SN. Leisure-time running reduces all-cause and cardiovascular mortality risk. Journal of American College of Cardiolology, 64:472, 2014

LEMMER JT, HURLBUT DE, MARTEL GF, et al. Age and gender responses to strength training and detraining. Medicine & Science in Sports & Exercise, 32:1505, 2000

MITCHEL W, WILLIAMS P, ATHERTON M, LARVIN M, NARICI M. Sarcopenia, dynapenia, and the impact of advancing age on human skeletal muscle size and strentgh: A quantitative review. Frontiers in Physiology, 3:1, 2012

MOREAU KL, OZEMEK C. Vascular adaptations to habitual exercise in older adults. Exercise & Sport Sciences Reviews, 45:116, 2017

NARICI MV, MAFFULLI N. Sarcopenia: characteristics, mechanisms and functional significance. British Medical Bulletin, 95:139, 2010

NATIONAL ACADEMY OF MEDICINE 2022. Global Roadmap for Healthy Longevity. Washington, DC: The National Academies Press. https://doi.org/10.17226/26144.

NEWMAN AB, KUPELIAN V, VISSER M, et al. Strength, but not muscle mass, is associated with mortality in the health, aging and body composition study cohort. Journal of Gerontology, 61:72, 2007

OGAWA T, SPINA RJ, MARTIN WH, et al. Effects of aging, sex, and physical training on cardiovascular responses to exercise. Circulation, 86:494, 1992

OKAZAKI K, IWASAKI K, PRASAD A, et al. Dose–response relationship of endurance training for autonomic circulatory control in healthy seniors. Journal of Applied Physiology, 99:1041, 2005

PAFFENBARGER RS JR, HYDE RT, WING AL, HSIEH CC. Physical activity, all-cause mortality, and longevity of college alumni. New England Journal of Medicine, 314:605, 1986

PHYSICAL ACTIVITY GUIDELINES ADVISORY COMMITTEE. Physical Activity Guidelines Advisory Committee Scientific Report. Washington, DC: U.S. Department of Health and Human Services; 2018

PROCTOR DN, DIETZ NM, EICKHOFF TJ, et al. Reduced leg blood flow during dynamic exercise in older endurance-trained men. Journal of Applied Physiolology, 85:68, 1998

PROSKE U, GANDEVIA SC. The proprioceptive senses: their roles in signaling body shape, body position and movement, and muscle force. Physiological Reviews. 92:1651, 2012

SCHULMAN S, FLEG J, GOLDBERG A, et al. Continuum of cardiovascular performance across a broad range of fitness levels in healthy older men. Circulation, 94:359, 1996

SEALS DR, TAYLOR JA, NG AV, ESLER MD. Exercise and aging: autonomic control of the circulation. Medicine & Science in Sports & Exercise, 26:558, 1994

SPINA RJ, TURNER MJ, EHSANI AA. Exercise training enhances cardiac function in response to an afterload stress in older men. American Journal of Physiology, 272:H995, 1997

STRATTON J, LEVY W, CERQUEIRA M, SCHWARTZ R, ABRASS I. Cardiovascular responses to exercise: effects of aging and exercise training in healthy men. Circulation, 89:1648, 1994

TANAKA H, DINENNO FA, MONAHAN KD, CLEVENGER CM, DESOUZA CA, SEALS DR. Aging, habitual exercise, and dynamic arterial compliance. Circulation, 102:1270, 2000

THOM JM, MORSE CI, BIRCH KM, NARICI MV. Influence of muscle architecture on the torque and power-velocity characteristics of young and elderly men. European Journal of Applied Physiology, 100: 613, 2007

WEN CP, WAI JPM, TSAI MK, YANG YC, CHENG TYD, LEE M-C, et al. Minimum amount of physical activity for reduced mortality and extended life expectancy: a prospective cohort study. Lancet, 378:1244, 2011

Wen CP, WAI JPM, TSAI MK, CHEN HC. Minimal amount of exercise to prolong life: To walk, to run, or just mix it up? Cardiology, 64:482, 2014

概念 72

AMERICAN COLLEGE OF OBSTETRICIANS AND GYNECOLOGISTS. Physical Activity and Exercise During Pregnancy and the Postpartum Period. (ACOG committee opinion, no 804). Obstetrics & Gynecology, 135:e178, 2020

AMERICAN COLLEGE OF SPORTS MEDICINE. ACSM's guidelines for exercise testing and prescription. 10th ed. Philadelphia, PA: Wolters Kluwer, 2018.

ARTAL R. The role of exercise in reducing the risks of gestational diabetes mellitus in obese women. Best Practice & Research Clinical Obstetrics & Gynaecology, 29:123, 2015

AUNE D, SAUGSTAD OD, HENRIKSEN T, TONSTAD S. Physical activity and the risk of preeclampsia: a systematic review and metaanalysis. Epidemiology, 25:331, 2014

BARAKAT R, PERALES M CORDERO Y, et al. Influence of land or water exercise in pregnancy on outcomes. A cross-sectional study. Medicine & Science in Sports & Exercise, 49:1397, 2017

BEETHAM KS, GILES C, NOETEL M, et al. The effects of vigorous intensity exercise in the third trimester of pregnancy: a systematic review and meta-analysis. BMC Pregnancy Childbirth, 19:281, 2019

BERGHELLA V, SACCONE G. Exercise in pregnancy! American Journal of Obstetrics & Gynecology,216:335, 2017

BØ K, ARTAL R, BARAKAT R, et al. Exercise and pregnancy in recreational and elite athletes: 2016 evidence summary from the IOC expert group meeting, Lausanne. Part 1–exercise in women planning pregnancy and those who are pregnant. British Journal of Sports Medicine, 50:571, 2016

CORDERO Y, MOTTOLA MF, VARGAS J, et al. Exercise is associated with a reduction in gestational diabetes mellitus. Medicine & Science in Sports & Exercise, 47:1328, 2015

KANDEL RR. Effects of intense training during and after pregnancy in top-level athletes. Scandinavian Journal of Medicine & Science in Sports, 15:79, 2005

KRAMER MS, MCDONALD SW. Aerobic exercise for women during pregnancy. Cochrane Database of Systematic Reviews, CD000180, 2006

LOTGERING FK, VAN DOORN MB, STRUIJK PC. et al. Maximal aerobic exercise in pregnant women: heart rate, O_2 consumption, CO_2 production and ventilation, Journal of Applied Physiology, 70:1016, 1991

MOTTOLA MF, NAGPAL TF, BGEGINSKI R, et al. Is supine exercise associated with adverse maternal and fetal outcomes? A systematic review. British Journal of Sports Medicine, 53:82, 2019

MUDD IM, OWE KM, MOTTOLA MF. et al. Health benefits of physical activity during pregnancy: an international perspective. Medicine & Science in Sports & Exercise, 45:268, 2013

NAKAMURA A, VAN DER WAERDEN J, MELCHIOR M, et al. Physical activity during pregnancy and postpartum depression: systematic review and meta-analysis. Journal of Affective Disorders, 246:29, 2019

PIVARNIK JM, SZYMANSKI LM, CONWAY MR. The elite athlete and strenuous exercise in pregnancy. Clinical Obstetrics Gynecology, 59:613, 2016

PRICE BB, AMINI SB, KAPPELER K. Exercise in pregnancy: effect on fitness and obstetric outcomes-a randomized trial. Medicine & Science in Sports & Exercise, 44:2263, 2012

SALVESEN KA, HEM E, SUNDGOT-BORGEN J. Fetal wellbeing may be compromised during exercise among pregnant elite athletes. British Journal of Sports Medicine, 46:279, 2012

WANG SM, DEZINNO P, MARANETS I, et al. Low back pain during pregnancy: prevalence, risk factors, and outcomes. Obstetrics & Gynecology, 104:65, 2004

WOLFE LA, PREGNANCY. IN SKINNER JS. Exercise Testing and Exercise Prescription for Special Cases. Lippincott Williams & Wilkins, Baltimore, MD, 2005

第 9 章

概念 73

AARNIO M, WINTER T, KUJALA UM, KAPRIO J. Familial aggregation of leisure-time physical activity: A three generation study. Internationl Journal of Sports Medicine, 18:549, 1997

BAUMAN AE, REIS RS, SALLIS JF, et al. Correlates of physical activity: why are some people physically active and others not? Lancet, 380:258, 2012

BOOMSMA DI, BUSJAHN A, PELTONEN L. Classical twin studies and beyond. National Review of Genetics, 3:872, 2002

BOOTH FW, ROBERTS CK, THYFAULT JP, RUEGSEGGER GN,TOEDEBUSCH RG. Role of inactivity in chronic diseases: Evolutionary insight and pathophysiological mechanisms. Physiological Reviews, 97: 1351, 2017

DEN HOED M, BRAGE S, ZHAO JH, WESTGATE K. Heritability of objectively assessed daily physical activity and sedentary behavior. American Journal of Clinical Nutrition, 98: 1317, 2013.

DISHMAN RK, SALLIS JF, ORENSTEIN DR. The determinants of physical activity and exercise. Public Health Reports, 100:158, 1985

DUNCAN GE, GOLDBERG J, NOONAN C, MOUDON AV, et al. Unique environmental effects on physical activity participation: a twin study. PLoS One. 3:e2019, 2008

EKKEKAKIS P, HALL EE, PETRUZZELLO SJ. Variation and homogeneity in affective responses to physical activity of varying intensities: An alternative perspective on dose–response based on evolutionary considerations. Journal of Sports Science, 23:477, 2005

HAWLEY JA, JOYNER MJ. GREEN DJ. Mimicking exercise: what matters most and where to next? Journal of Physiology, 599: 791, 2021

HUPPERTZ C, BARTELS M, JANSEN IE, et al. A twin-sibling study on the relationship between exercise attitudes and exercise behavior. Behavioral Genetics, 44:45, 2014

HUPPERTZ C; BARTELS, MEIKE1,2; VAN BEIJSTERVELDT, et al. Effect of Shared Environmental Factors on Exercise Behavior from Age 7 to 12 Years. Medicine & Science in Sports & Exercise, 44:2025, 2012

JOOSEN AM, GIELEN M, VLIETINCK R, WESTERTERP KR. Genetic analysis of physical activity in twins. American Journal Clinical Nutritioin, 82:1253, 2005

KATZMARZYK PT, POWELL KE, JAKICIC JM, et al. Sedentary behavior and health: update from the 2018 physical activity guidelines advisory committee. Medicine & Science in Sports & Exercise, 51:1227, 2019

KNAB AM, LIGHTFOOT JT. Does the difference between physically active and a couch potato lie in the dopamine system? International Journal of Biological Sciences, 6:133, 2010

LALLY P, GARDNER B. Promoting habit formation. Health Psychology Reviews, 7:137, 2013

LAUDERDALE D.S, FABSITZ R, MEYER J.M, SHOLINSKY P, et al, Familial determinants of moderate and intense physical activity: a twin study. Medicine & Science in Sports & Exercise, 29:1062, 1997

LIGHTFOOT JT, DE GEUS EJC, BOOTH, FW, BRAY MS, DEN HOED M, KAPRIO J, KELLY SA, POMP D, SAUL MC, THOMIS, MA, GARLAND JR, G, BOUCHARD C. Biological/Genetic Regulation of Physical Activity Level: Consensus from GenBioPAC. Medicine & Science in Sports & Exercise, 50:863, 2018

MAIA JAR, THOMIS M, BEUNEN G. Genetic factors in physical activity levels: a twin study. American Journal of Preventive Medicine, 23: 87, 2002

PROCHASKA JO, Strong and weak principles for progression from precontemplation to action on the basis of twelve problem behaviors. Health Psychology, 13:47, 1994

ROWLAND TW. The biological basis of physical activity. Medicine & Science in Sports & Exercise, 30:392, 1998

RUNDQUIST EA. Inheritance of spontaneous activity in rats. Journal of Comparative Psychology, 16:415, 1933

STUBBE JH, BOOMSMA D.I, DE GEUS EJC. Sports participation during adolescence: a shift from environmental to genetic factors. Medicine & Science in Sports & Exercise, 37:563, 2005

STUBBE JH, BOOMSMA DI, VINK JM, et al. Genetic Influences on Exercise Participation in 37.051 Twin Pairs from Seven Countries. PLoS ONE, 1: e22, 2006

STUBBE JH, DE MOOR MHM, BOOMSMA DI, DE GEUS EJC. The association between exercise participation and well-being: A co-twin study. Preventive Medicine, 44: 148, 2007

概念 74

AMERICAN COLLEGE OF SPORTS MEDICINE. Guidelines of exercise testing and prescription (9th ed.). Pliladelphia:Lippincott Williams & Wilkins, 2014

BACON AP, CARTER RE, OGLE EA, JOYNER M. $\dot{V}O_2$ max trainability and high intensity interval training in humans: a meta-analysis. PLoS One, 8:e73182, 2013

BOUCHARD C. Genomic predictors of trainability. Experimental Physiology, 97:347, 2012

BOUCHARD C, RANKINEN T. Individual differences in response to regular physical activity. Medicine & Science in Sports & Exercise, 33, Suppl 6: S446, 2001

BOUCHARD C, AN P, RICE TK, SKINNER JH, et al. Family aggregation of $\dot{V}O_2$ max response to exercise training: results from HERITAGE family study. Journal of Applied Physiology, 87:103, 1999

BOUCHARD C, SARZYNSKI MA,RICE TK, KRAUS WE,CHURCH TS, et al. Genomic predictors of maximal oxygen uptake response to standarized exercise training program. Journal of Applied Physiology, 110:1160, 2011

BOUCHARD C, RANKINEN T, CHAGNON YC, et al. Genomic scan for maximal oxygen uptake and its response to training in the HERITAGE family study. Journal of Applied Physiology, 88: 551, 2000

HAWLEY JA. Commentary on viewpoint: perspective on the future use of genomics in exercise prescription. Journal of Applied Physiology, 104:1253, 2008

JOYNER MJ, LUNDBY C. Concepts about $\dot{V}O_2$ max and trainability are context dependent. Exercise & Sport Science Reviews, 46:138, 2018

MANN T, LAMBERTS R, LAMBERT MI. High responders and low responders: Factors associated with individual variation in response to standardized training. SportsMedicine, 44:1113, 2014

MONTERO D, LUNDBY C. Refuting the myth of non-response to exercise training: 'non-responders' do respond to higher dose of training. Journal of Physiology, 595: 3377, 2017

PITSILADIS Y, WANG G. Necessary advances in exercise genomics and likely pitfalls. Journal of Applied Physiology, 110:1150, 2011

ROTH SM, Perspective on the future use of genomics in exercise prescription Journal of Applied Physiology, 104: 1243, 2008

SARZYNSKI MA, GHOSH S, BOUCHARD C. Genomic and transcriptomic predictors of response levels to endurance exercise training. Journal of Physiology, 595:2931, 2017

TIMMONS JA. Perspective on the future use of genomics in exercise prescription. Journal of Applied Physiology, 104: 1250, 2008

TIMMONS JA, KNUDSEN S, RANKINEN T, KOCH LG, SARZYNSKI M, et al. Using molecular classification to predict gains in maximal aerobic capacity following endurance exercise training in humans. Journal of Applied Physiology, 108: 1487, 2010

概念 75

AMERICAN COLLEGE OF SPORTS MEDICINE. ACSM's Guidelines for Exercise Testing and Prescription. 9th ed. Philadelphia (PA): Lippincott Williams & Wilkins; 2014.

AMERICAN COLLEGE OF SPORTS MEDICINE. Position Stand: Quantity and quality of exercise for developing and maintaining cardiorespiratory, musculoskeletal, and neuromotor fitness in apparently healthy adults: guidance for prescribing exercise. Medicine & Science in Sports & Exercise, 43:1334, 2011

CANADIAN SOCIETY OF EXERCISE PHYSIOLOGY. Physical Activity Readiness Questionnaire, 2002

CUSHMAN M. Recent advances in preventive cardiology and lifestyle medicine: a themed series. Circulation, 123:2274, 2011

DAHABREH IJ, PAULUS JK. Association of episodic physical and sexual activity with triggering of acute cardiac events: systematic review and meta-analysis. Journal of American Medical Association. 305:1225, 2011

FRANKLIN BA. Preventing Exercise-Related Cardiovascular Events: Is a Medical Examination More Urgent for Physical Activity or Inactivity? Circulation, 129:1081. 2014

FRANKLIN BA, MCCULLOUGH PA. Cardiorespiratory fitness: an independent and additive marker of risk stratification and health outcomes. Mayo Clinic Proceedings, 84:776, 2009

GOODMAN JM, THOMAS SG, BURR J. Evidence-based risk assessment and recommendations for exercise testing and physical activity clearance in apparently healthy individuals. Applied Physiology, Nutrition & Metabolism, 36:S14. 2011

LEE DC, PATE RR, LAVIE CJ, SUI X, CHURCH TS, BLAIR SN. Leisuretime running reduces all-cause and cardiovascular mortality risk. Journal of American College of Cardiology, 64:472, 2014

MOZAFFARIAN D, WILSON PW, KANNEL WB. Beyond established and novel risk factors: lifestyle risk factors for cardiovascular disease. Circulation, 117:3031–3038, 2008

RIEBE D, FRANKLIN BA, THOMPSON PD, GARBER CE, WHITFIELD GP, MAGAL M, PESCATELLO LS. Updating ACSM_s Recommendations for Exercise Preparticipation Health Screening. Medicine & Science in Sports & Exercise, 47:2473, 2015

SALLIS R, FRANKLIN B, JOY L, ROSS R, SABGIR D, STONE J. Strategies for promoting physical activity in clinical practice. Progress in Cardiovascular Disease, 57:375, 2015

THOMPSON PD, FRANKLIN BA, BALADY GJ, et al. Exercise and acute cardiovascular events placing the risks into perspective: a scientific statement from the American Heart Association Council on Nutrition, Physical Activity, and Metabolism and the Council on Clinical Cardiology. Circulation, 115:2358, 2007

UNITED STATES DEPARTMENT OF HEALTH AND HUMAN SERVICES. Physical activity guidelines advisory committee report 2008 [Internet] . Washington (DC): ODPHP Publications No. U0049 [cited 2014 Sep 25] . Available from: http://www.health.gov/paguidelines/ Report/pdf/CommitteeReport.pdf.

WARBURTON DE, GLEDHILL N, JAMNIK VK, et al. Evidence-based risk assessment and recommendations for physical activity clearance: consensus document, Applied Physiology, Nutrition & Metabolism, 36:S266, 2011

WHANG W, MANSON JE, HU FB, et al. Physical exertion, exercise, and sudden cardiac death in women. Journal of American Medical Association, 295:1399, 2006

概念 76

AMERICAN COLLEGE OF SPORTS MEDICINE. ACSM Guidelines of Exercise Testiting and Prescription (10th ed.). Pliladelphia: Lippincott Williams & Wilkins, 2018

AMERICAN COLLEGE OF SPORTS MEDICINE. Position stand. Quantity and Quality of Exercise for Developing and Maintaining Cardiorespiratory, Musculoskeletal, and Neuromotor Fitness in Apparently Healthy Adults: Guidance for Prescribing Exercise. Medicine & Science in Sports & Exercise, 43:1334, 2011

BORG GAV. Borg's perceived exertion and pain scales. Champaign IL. Human Kinetics, 1998

BYRNE NM, HILLS AP, HUNTER GR, WEINSIER RL, SCHUTZ Y. Metabolic equivalent: one size does not fit all. Journal of Applied Physiology, 99:1112, 2005

CAMPBELL WW, KRAUS WE, POWELL KE, et al. High-intensity interval training for cardiometabolic disease prevention. 51:1220, 2019

EKKEKAKIS P, HALL EE, PETRUZZELLO SJ. The relationship between exercise intensity and affective responses demystified: to crack the 40-year-old nut, replace the 40-year-old nutcracker! Annals of Behavioral Medicine, 35:136, 2008

EKKEKAKIS P, HALL EE, PETRUZZELLO SJ. Practical markers of the transition from aerobic to anaerobic metabolism during exercise: rationale and a case for affect-based exercise prescription. Preventive Medicine, 38:149, 2004

FOSTER C, PORCARI JP, ANDERSON J, et al. The talk test as a marker of exercise training intensity. Journal of Cardiopulmonary Rehabilitation & Prevention. 28:24, 2008

HASKELL WL, LEE IM, PATE RR, et al. Physical activity and public health: updated recommendation for adults from the American College of Sports Medicine and the American Heart Association. Medicine & Science in Sports & Exercise, 39:1423, 2007

HELGERUD J, HOYDAL K, WANG E, et al. Aerobic high-intensity intervals improve $\dot{V}O_2$ max more than moder-ate training. Medicine & Science in Sports & Exercise, 39:665, 2007

HICKSON RC, BOMZE HA, HOLLOSZY JO. Linear increase in aerobic power induced by a strenuous program of endurance exercise. Journal of Applied Physiology, 42:372, 1977

HOWLEY ET. Type of activity: resistance, aerobic and leisure versus occupational physical activity. Medicine & Science in Sports & Exercise, 33(Suppl 6):S364, 2001

JAKICIC JM, KRAUS WE, POWELL KE, et al. Association between bout duration of physical activity and health: systematic review. Medicine & Science in Sports & Exercise, 51:1213, 2019

LEE IM,REXRODE KM,COOK NR,MANSON JE,BURING JE. Physical activity and coronary heart disease in women: is "no pain, no gain" passe? Journal of American Medical Association, 285:1447, 2001

NESS BM, JANSZKY I, WISLLOF U, STOYLEN A, KARLSEN T. Age-predicted maximal heart rate in healthy subjects: The HUNT fitness study. Scandinavian Journal of Medicine & Science in Sports, 23:697, 2013

PERSINGER R, FOSTER C, GIBSON M, et al. Consistency of the talk test for exercise prescription. Medicine & Science in Sports & Exercise, 36:1632, 2004

POWELL KE, PALUCH AE, BLAIR SN. Physical activity for health: What kind? How much? How intense? On top of what? Annual Review of Public Health, 32:349, 2011

ROSE EA, PARFITT G. Can the feeling scale be used to regulate exercise intensity? Medicine & Science in Sports & Exercise, 40:1852, 2008

SWAIN DP. Moderate or Vigorous Intensity Exercise: Which Is Better for Improving Aerobic Fitness? Preventive Cardiology, 8:55, 2005

SWAIN DP. Energy cost calculations for exercise prescription: an update. Sports Medicine, 30:17, 2000

SWAIN DP, FRANKLIN BA. Comparative cardioprotective benefits of vigorous vs. moderate intensity aerobic exercise. American Journal of Cardiology, 97:141, 2006

SWAIN DP, LEUTHOLTZ BC. Heart rate reserve is equivalent to reserve % $\dot{V}O_2$ max, not to %$\dot{V}O_2$ max. Medicine & Science in Sports & Exercise, 29:410, 1997

UNITED STATES DEPARTMENT OF HEALTH AND HUMAN SERVICES. Physical Activity Guidelines for Americans: Be Active, Healthy, and Happy! Washington, DC: U.S. Dept. of Health and Human Services, 2008

WENGER HA, BELL GJ. The interactions of intensity, frequency and duration of exercise training in altering cardiorespiratory fitness. Sports Medicine, 3:346, 1986

概念 77

AMERICAN COLLEGE OF SPORTS MEDICINE. ACSM's Guidelines for Exercise Testing and Prescription. 9th ed. Philadelphia (PA): Lippincott Williams & Wilkins; 2014.

AINSWORTH BE, HASKELL WL, WHITT MC, et al. Compendium of physical activities: an update of activity codes and MET intensities. Medicine & Science in Sports & Exercise, 32 (Suppl 9):S498, 2000

AINSWORTH BE, HASKELL WL, HERMANN S, et al. 2011 Compendium of physical activities: A Second Update of Codes and MET Values. Medicine & Science in Sports & Exercise, 43:1575, 2011

BASSETT DR JR, WYATT HR, THOMPSON H, PETERS JC, HILL JO. Pedometer-measured physical activity and health behaviors in U.S. adults. Medicine & Science in Sports & Exercise, 42:1819, 2010

BRAVATA DM, SMITH-SPANGLER C, SUNDARAM V, et al. Using pedometers to increase physical activity and improve health: a systematic review. Journal of American Medical Association, 298:2296, 2007

KANG M, MARSHALL SJ, BARREIRA TV, LEE JO. Effect of pedometerbased physical activity interventions: a metaanalysis. Research Quarterly for Exercise & Sport, 80:648, 2009

KING AC, WHITT-GLOVER MC, MARQUEZ DX, et al. Physical activity promotion: highlights from the 2018 Physical Activity Guidelines Advisory Committee systematic review. Medicine & Science in Sports & Exercise, 51:1340, 2019

KRAUS WE, JANZ KF, CAMPBELL WW, et al. Daily step counts for measuring physical activity exposure and its relation to health. Medicine & Science in Sports & Exercise, 51:1206, 2019

KUMAHARA H, TANAKA H, SCHUTZ Y. Are pedometers adequate instruments for assessing energy expenditure? European Journal of Clinical Nutrition, 63:1425, 2009

LEE JM, KIM Y, WELK GJ. Validity of consumer-based physical activity monitors. Medicine & Science in Sports & Exercise, 46:1840, 2014

McMURAY RG, et al. Examining variations of resting metabolic rate of adults. Medicine & Science in Sports & Exercise, 46:1352, 2014

PAFFENBARGER RS, HYDE RT, WING AL, et al. The association of changes in physical activity level and other lifestyle characteristics with mortality among men. New England Journal of Medicine, 328:538, 1993

PALUCH AE, BAJPAI S, BASSETT DR, CARNETHON MR, EKELUND U, EVENSON KR, GALUSKA DA, JEFFERIS BJ, KRAUS WE, LEE L-M, et al. Daily steps and all-cause mortality: a meta-analysis of 15 international cohorts. The Lancet Public Health, 7: e219, 2022

RICHARDSON CR, NEWTON TL, ABRAHAM JJ, et al. A meta-analysis of pedometer-based walking interventions and weight loss. Annals of Family Medicine, 6(1):69, 2008

ROTSTEIN A, MECKEL Y, INBAR O. Perceived speech difficulty during exercise and its relation to exercise intensity and physiological responses. European Journal of Applied Physiology, 92:431, 2004

SAINT-MAURICE PF, TROIANO RP, et al. Association of daily step count and step Intensity with mortality among US adults. Journal of American Medical Association, 323: 1151, 2020

TUDOR-LOCKE C, HAN H, AGUIAR EJ, et al. How fast is fast enough? Walking cadence (steps/min) as a practical estimate of intensity in adults: a narrative review. British Journal of Sports Medicine, 52: 776, 2018

TUDOR-LOCKE C, CRAIG CL, THYFAULT JP, SPENCE JC. A step-defined sedentary lifestyle index: < 5000 steps/ day, Applied Physiology, Nutrition & Metabolism, 38: 100, 2013.

WOODMAN JA, CROUTER SE, BASSETT DR Jr, et al. Accuracy of consumer monitors for estimating energy expenditure and activity type. Medicine & Science in Sports & Exercise, 49:371, 2017

概念 78

ASMUSSEN E, BOJE O. Body temperature capacity for work. Acta Physiologica Scandinavica, 10:1, 1945

BISHOP D. Warm-up I: Potential mechanisms and the effects of passive warm-up on exercise performance. Sports Medicine, 33: 439, 2003

BISHOP D. Warm-up II: Performance changes following active warm-up and how to structure the warm-up. Sports Medicine, 33: 483, 2003

JONES AM, KOPPO K, BURNEY M. Effects of prior exercise on metabolic and gas ecxhange responses to exercise. Sports Medicine, 33:949, 2003

KING AC, WHITT-GLOVER MC, MARQUEZ DX, et al. Physical activity promotion: highlights from the 2018 Physical Activity Guidelines Advisory Committee systematic review. Medicine & Science in Sports & Exercise, 51:1340, 2019

McCRARY JM, ACKERMANN BJ, HALAKI M. A systematic review of the effects of upper body warm-up on performance. British Journal of Sorts Medicine, 49:935, 2015

PHYSICAL ACTIVITY GUIDELINES ADVISORY COMMITTEE. Report of the Physical Activity Guidelines Advisory Committee, 2008. Washington, DC: U.S. Department of Health and Human Services, 2008

PHYSICAL ACTIVITY GUIDELINES ADVISORY COMMITTEE. 2018 Physical Activity Guidelines Advisory Com-mittee Scientific Report. Washington, DC: U.S. Department of Health and Human Services, 2018

TOMARAS EK, MacINTOSH BR. Less is more: Standard warm-up causes fatigue and less warm-up permits greater cycling power output. Journal of Applied Physiology, 111:228, 2011

WORLD HEALTH ORGANIZATION. Guidelines on physical activity and sedentary behaviour.Geneva WHO, 2020

概念 79

AMERICAN COLLEGE OF SPORTS MEDICINE. Position stand. Quantity and Quality of Exercise for Developing and Maintaining Cardiorespiratory, Musculoskeletal, and Neuromotor Fitness in Apparently Healthy Adults: Guidance for Prescribing Exercise. Medicine & Science in Sports & Exercise, 43:1334, 2011

AMERICAN COLLEGE OF SPORTS MEDICINE. ACSM's Guidelines for Exercise Testing and Prescription. 9th ed. Philadelphia (PA): Lippincott Williams & Wilkins; 2014

BALSHEM H, HELFAND M, SCHUNEMANN HJ, et al. Grade guidelines: Rating the quality of evidence. Journal of Clinical Epidemiology, 64:401, 2011

EKELUND U, STEENE-JOHANNESSEN J, BROWN WJ, et al. Does physical activity attenuate, or even eliminate, the detrimental association of sitting time with mortality? A harmonised meta-analysis of data from more than 1 million men and women. Lancet, 388:1302, 2016

HASKELL WL, LEE IM, PATE RR, et al. Physical activity and public health: updated recommendation for adults from the American College of Sports Medicine and the American Heart Association. Medicine & Science in Sports & Exercise, 39:1423, 2007

KATZMARZYK PT, POWELL KE, JAKICIC JM, et al. Sedentary behavior and health: update from the 2018 physical activity guidelines advisory committee. Medicine & Science in Sports & Exercise, 51:1227, 2019

NELSON ME, REJESKI WJ, BLAIR SN, et al. Physical activity and public health in older adults: recommendation from the American College of Sports Medicine and the American Heart Association Medicine & Science in Sports & Exercise, 39:1435, 2007

NYBO L, SUNDSTRUP E, JAKOBSEN MD, et al. High-intensity training versus traditional exercise interventions for promoting health. Medicine & Science in Sports & Exercise, 42:1951, 2010

O'DONOVAN G, KEARNEY EM, NEVILL AM, WOOLF-MAY K, BIRD SR. The effects of 24 weeks of moderateor high-intensity exercise on insulin resistance. European Journal of Applied Physiolology, 95:522, 2005

SWAIN DP. Moderate or vigorous intensity exercise: which is better for improving aerobic fitness? Preventive Cardiololgy, 8:55, 2005

SWAIN DP, FRANKLIN BA. Comparative cardioprotective benefits of vigorous vs. moderate intensity aerobic exercise. American Journal of Cardiology, 97:141, 2006

概念 80

AMERICAN COLLEGE OF SPORTS MEDICINE. Position stand. Quantity and Quality of Exercise for Developing and Maintaining Cardiorespiratory, Musculoskeletal, and Neuromotor Fitness in Apparently Healthy Adults: Guidance for Prescribing Exercise. Medicine & Science in Sports & Exercise, 43:1334, 2011

AMERICAN COLLEGE OF SPORTS MEDICINE. Position Stand: progression models in resistance training for healthy adults. Medicine & Science in Sports & Exercise, 41:687, 2009

AMERICAN COLLEGE OF SPORTS MEDICINE. ACSM's Guidelines for Exercise Testing and Prescription. 9th ed. Philadelphia (PA): Lippincott Williams & Wilkins; 2014.

AMERICAN COLLEGE OF SPORTS MEDICINE. Position Stand: physical activity and bone health. Medicine & Science in Sports & Exercise, 36: 1985, 2004

BEHM DG, FEIGENBAUM MS, FALK B, KLENDROU P. Resistance training in children and adolescents. Applied Physiology, Nutrition and Metabolism, 33:547, 2008

BONNEFOY M, JAUFFRET M, JUSOT JF. Muscle power of lower extremities in relation to functional ability and nutritional status in very elderly people. Journal of Nutrition & Health Aging, 11:223, 2007

BRILL PA, MACERA CA, DAVIS DR, BLAIR SN, GORDON N. Muscular strength and physical function. Medicine & Science in Sports & Exercise, 32:412, 2000

CAMPOS GE, LUECKE TJ, WENDELN HK, et al. Muscular adaptaions in response to three different resistance-training regimens: specificity of repetition maximum training zones. European Journal of Applied Physiology, 88:50, 2002

CHAN BK, MARSHALL LM, WINTERS KM, et al. Incident fall risk and physical activity and physical performance among older men: the Osteoporotic Fractures in Men Study. American Journal of Epidemioloigy,165:696, 2007

FEIGENBAUM MS, POLLOCK ML. Prescription of resistance training for health and disease. Medicine & Exercise in Sports & Exercise, 31:38, 1999

GALE CR, MARTYN CN, COOPER C, SAYER AA. Grip strength, body composition, and mortality. International Journal of Epidemiology, 36:228, 2007

GUY JA, MICHELI LJ. Strength training for children and adolescents. Journal of the American Society of Orthopaedic Surgeons, 9:29, 2001

JURCA R, LAMONTE MJ, CHURCH TS, et al. Associations of muscle strength and fitness with metabolic syndrome in men. Medicine & Science in Sports & Exercise, 36:1301, 2004

JURCA R, LAMONTE MJ, BARLOW CE, et al.Association of muscular strength with incidence of metabolic syndrome in men. Medicine & Science in Sports & Exercise, 37:1849, 2005

Li Y, Devault CN, Van Oteghen S. Effects of extended tai chi intervention on balance and selected motor functions of the elderly. American Journal of Clinical Medicine, 35:383, 2007

NEWMAN AB, KUPELIAN V, VISSER M, et al. Strength, but not muscle mass, is associated with mortality in the health, aging and body composition study cohort. Journal of Gerontology, 61:72, 2007

PAYNE N, GLEDHILL N, KAZAMRZYK PT, et al. Canadian musculoskeletal fitness norms. Canadian Journal of Applied Physiology, 25:430, 2000

PETERSON MD, RHEA MR, ALVAR BA. Applications of the dose– response for muscular strength development: a review of metaanalytic efficacy and reliability for designing training prescription. Journal of Strength & Conditioning Research, 19:950, 2005

PUETZ TW. Physical activity and feelings of energy and fatigue: epidemiological evidence. Sports Medicine, 36(9):767-80, 2006

RHEA MR, ALVAR BA, BURKETT LN, BALL SD. A meta-analysis to determine the dose response for strength development, Medicine & Science in Sports & Exercise, 35:456, 2003

REYNOLDS JM, CORDON TJ, ROBERTS RA. Prediction of one repetition maximum strength from multiple repetition testing and anthropometry. Journal of Strength & Conditioning Research, 20:584, 2006

SUOMINEN H. Muscle training for bone strength. Aging & Clinical Experimental Research, 18:85, 2006

WERNBOM M, AUGUSTSSON J, THOMEE R. The influence of frequency, intensity, volume and mode of strength training on whole muscle cross-sectional area in humans. Sports Medicine, 37: 225, 2007

WILLIAMS MA, HASKELL WL, ADES PA, et al. Resistance exercise in individuals with and without cardiovascular disease: 2007 update: a scientific statement from the American Heart Association Council on Clinical Cardiology and Council on Nutrition, Physical Activity, and Metabolism. Circulation, 116: 572, 2007

概念 81

AMERICAN COLLEGE OF SPORTS MEDICINE. Position stand. Quantity and Quality of Exercise for Developing and Maintaining Cardiorespiratory, Musculoskeletal, and Neuromotor Fitness in Apparently Healthy Adults: Guidance for Prescribing Exercise. Medicine & Science in Sports & Exercise, 43:1334, 2011

AMERICAN COLLEGE OF SPORTS MEDICINE. ACSM's Guidelines for Exercise Testing and Prescription. 9th ed. Philadelphia (PA): Lippincott Williams & Wilkins; 2018.

ARAUJO CG, CHRISTINA GRÜNE DE SOUZA E SILVA CGE, LAUKKA JA, SINGH MF, KUNUTSOR SK, MYERS J, FRANCA JF, CASTRO CL. Successful 10-second one-legged stance performance predicts survival in middle-aged and older individuals. British Journal Sports Medicine, 56:975, 2022

BIR DM, HIL KD, BALL M. The long-term benefits of a multi-component exercise intervention to balance and mobility in healthy older adults. Archives of Gerontology & Geriatrics, 52:211, 2011

CLEMSEN L, FIATARONE SINGH MA, et al. Integration of balance and strength training into daily life activity to reduce rate of falls in older people (the LiFE study): randomised parallel trial. British Medical Journal, 345:e4547, 2012

COSTA PB, GRAVES BS, WHITEHURST M, JACOBS PL. The acute effects of different durations of static stretching on dynamic balance performance. Journal of Strength & Conditioning Research, 23:141, 2009

DECOSTER LC, CLELAND J, ALTIERI C, RUSSELL P. The effects of hamstring stretching on range of motion: a systematic literature review. Journal of Orthopedic Sports & Physical Therapy. 35:377, 2005

GATTS S. Neural mechanisms underlying balance control in tai chi. Medicine & Sport Science, 52:87, 2008

GUISSARD N, DUCHATEAU J. Neural aspects of muscle stretching. Exercise & Sport Science Review, 34:154, 2006

HAFSTRÖM A, MALMSTRÖM E-M, TERDÈN T. Improved Balance Confidence and Stability for Elderly After 6 Weeks of a Multimodal Self-Administered Balance-Enhancing Exercise Program: A Randomized Single Arm Crossover Study. Journal of Gerontology & Geriatric Medicine, 2:1, 2016

HORAK FB. Postural orientation and equilibrium: What do we need to know about neural control of balance to prevent falls? Age and Ageing, 35(Suppl. 2), ii7, 2006

JAHNKE R, LARKEY L, ROGERS C, et al. A comprehensive review of health benefits of qigong and tai chi. American Journal of Health Promotion, 24:e1, 2010

KOKKONEN J, NELSON AG, ELDREDGE C, WINCHESTER JB. Chronic static stretching improves exercise performance. Medicine & Science in Sports & Exercise, 39:1825, 2007

LIJX, XU DQ, HONG Y. Tai chi exercise and proprioception behavior in old people. Medicine & Sports Science, 52:77, 2008

LOGGHE IH, VERHAGEN AP, RADEMAKER AC, et al. The effects of tai chi on fall prevention, fear of falling and balance in older people: a meta-analysis. Preventive Medicine, 51:222, 2010

LUNDIN H, SAAF M, STRENDER L.et al. One-leg standing time and hip-fracture prediction. Osteoporosis International, 25:1305, 2014

MAGNUSSON SP, SIMONSEN EB, AAGAARD P, et al. Determinants of musculoskeletal flexibility: viscoelastic properties, cross-sectional area, EMG and stretch tolerance. Scandinavian Journal of Medicine & Science in Sports, 7:195, 1997

McMILLAN DJ, MOORE JH, HATLER BS, TAYLOR DC. Dynamic vs. static stretching warm-up: the effect on power and agility performance. Journal of Strength & Conditioning Research, 20:492, 2006

MOLTUBAKK MM, ERIKSRUD O, PAULSEN G. et al. Hamstrings functional properties in athletes with high musculo-skeletal flexibility. Scandinavian Journal of Medicine and Science in Sports, 26: 659, 2016

ORR R, DE Vos NJ, SINGH NA, et al. Power training improves balance in healthy older adults. Journal of Gerontology, 61:78, 2006

PETERKA RJ. Sensorimotor integration in human postural control. Journal of Neurophysiology, 88:1097, 2002

RADFORD JA, BURNS J, BUCHBINDER R, et al. Does stretching increase ankle dorsiflexion range of motion? A systematic review. British Journal of Sports Medicine, 40:870, 2006

REESSS, MURPHYAJ, WATSFORDMI. Effectson proprioceptive neuro muscular facilitation stretching on stiffness and force-producingcharacteristicsoftheankleinactivewomen.Journal of Strength & Conditioning Research, 21:572, 2007

REID DA, MCNAIR PJ. Passive force, angle, and stiffness changes after stretching of hamstring muscles. Medicine & Science in Sports & Exercise, 36:1944, 2004

SHARMAN MJ, CRESSWELL AG, RICK S. Proprioceptive neuromuscular facilitation stretching mechanisms and clinical implications. Sports Medicine, 36:929, 2006

TAKESHIMA N, ROGERS NL, ROGERS ME, et al. Functional fitness gain varies in older adults depending on exercise mode. Medicine & Science in Sports & Exercise, 39:2036, 2007

THORNTON EW, SYKES KS, TANG WK. Health benefits of tai chi exercise: improved balance and blood pressure in middle-aged women. Health Promotion International, 19:33, 2004

WEBER M, BELALA N, CLEMSON L, et al. Feasibility and effectiveness of intervention programmes integrating functional exercise into daily life of older adults: a systematic review. Gerontology, 64:172, 2018

WINTERS MV, BLAKE CG, TROST JS. et al. Passive vs active stretching of hip flexor muscles in subjects with limited hip extension: a randomized clinical trial. Physical Therapy, 84:800, 2007

WOOLSTENHULME MT, GRIFFITHS CM, WOOLSTENHULME EM, PARCELL AC. Ballistic stretching increases flexibility and acute vertical jump height when combined with basketball activity. Journal of Strength & Conditioning Research, 20:799, 2006

第 10 章

概念 82

AMERICAN COLLEGE OF SPORTS MEDICINE. Position stand. Quantity and Quality of Exercise for Developing and Maintaining Cardiorespiratory, Musculoskeletal, and Neuromotor Fitness in Apparently Healthy Adults: Guidance for Prescribing Exercise. Medicine & Science in Sports & Exercise, 43:1334, 2011

AMERICAN COLLEGE OF SPORTS MEDICINE. ACSM's Guidelines for Exercise Testing and Prescription. 9th ed. Philadelphia (PA): Lippincott Williams & Wilkins; 2018.

BLAIR SN, KOHL HW, BARLOW CE, et al. Changes in physical fitness and all cause mortality: prospective study of healthy and unhealthy men. Journal of the American Medical Association, 273:1093, 1995

BLAIR SN, CHENG Y, HOLDER JS. Is physical activity or physical fitness more important in defining health benefits? Medicine & Science in Sports & Exercise, 33:S379, 2001

BOOTH FW, ROBERTS CK, LAYE MJ. Lack of exercise is a major cause of chronic disease. Comparative Physiology, 2: 1143, 2012

BOOTH FW, ROBERTS CK, THYFAULT JP, et al. Role of inactivity in chronic diseases: Evolutionary insight and pathophysiological mechanisms. Physiological Reviews 97: 1351, 2017

JACOBS DR, AINSWORTH BE, HARTMAN TJ, LEON AS. A simultaneous evaluation of 10 commonly used physical activity questionnaires. Medicine & Science in Sports & Exercise, 25:81, 1993

KRAUS WE, POWELL KE, HASKELL WL, et al. Physical activity, all-cause and cardiovascular mortality, and cardiovascular disease. Medicine & Science in Sports & Exercise, 51:1270, 2019

MOORE SC, PATEL AV, MATTHEWS CE, et al. Leisure time physical activity of moderate to vigorous intensity and mortality: a large pooled cohort analysis. PLoS Medicine, 9:e1001335, 2012

MYERS J, KAYKHA A, GEORGE S, et al. Fitness versus physical activity patterns in predicting mortality in men. American Journal of Medicine, 117: 912, 2004

PALUCH AE, BAJPAI S, BASSETT DR, CARNETHON MR, EKELUND U, EVENSON KR, GALUSKA DA, JEFFERIS BJ, KRAUS WE, LEE L-MIN, et al. Daily steps and all-cause mortality: a meta-analysis of 15 international cohorts. The Lancet Public Health, 7: e219, 2022

PEDERSEN BK, SALTIN B. Exercise as medicine evidence for prescribing exercise as therapy in 26 different chronic diseases. Scandinavian Journal of Medicine & Science in Sports 25, Supplement 3: 1, 2015

REY LOPEZ JP, GEBEL K, CHIA D, STAMATAKIS E. Associations of vigorous physical activity with all-cause, cardiovascular and cancer mortality among 64 913 adults. British Medical Journal, 12;5, 2019

SNADER C, MARWICK TH, PASHKOW FJ, et al. Importance of estimated functional capacity as a predictor of all-cause mortality among patients referred for exercise thallium single-photon emission computed tomography: report of 3,400 patients from a single center. Journal of American College of Cardiology, 30:641, 1997

WATTS EL, MATTHEWS CE, FREEMAN JR, GORZELITZ JS, HONG HG, LIAO LM, McCLAIN KM, SAINT-MAURICE PF, SHIROMA EJ, MOORE SC. Association of Leisure Time Physical Activity Types and Risks of All-Cause, Cardiovascular, and Cancer Mortality Among Older Adults. JAMA Network Open, August 24, 2022

WILLIAMS PT. Physical fitness and activity as separate heart disease risk factors: a meta analysis. Medicine & Science in Sports & Exercise, 33:754, 2001

VILLENEUVE PJ, MORRISON HI, CRAIG CL. Physical activity, physical fitness, and risk of dying. Epidemiology, 9:626, 1998.

概念 83

AMERICAN COLLEGE OF SPORTS MEDICINE. Position stand. Quantity and Quality of Exercise for Developing and Maintaining Cardiorespiratory, Musculoskeletal, and Neuromotor Fitness in Apparently Healthy Adults: Guidance for Prescribing Exercise. Medicine & Science in Sports & Exercise, 43:1334, 2011

AMERICAN COLLEGE OF SPORTS MEDICINE. ACSM's Guidelines for Exercise Testing and Prescription. 9th ed. Philadelphia (PA): Lippincott Williams & Wilkins; 2018.

AMERICAN COLLEGE OF SPORTS MEDICINE, AMERICAN HEART ASSOCIATION. Position stand. Exercise and acute cardiovascular events: placing the risks into perspective. Medicine and Science in Sports and Exercise, 39:886, 2007

BEAVERS KM, HSU FC, ISOM S, et al. Long-term physical activity and inflammatory biomarkers in older adults. Medicine & Science in Sports & Exercise, 42,2189, 2010

BLAIR SN, KOHL HW, BARLOW CE, PAFFENBERGER RS, et al. Changes in physical fitness and all cause mortality: prospective study of healthy and unhealthy men. Journal of the American Medical Association, 273:1093, 1995

BOOTH FW, ROBERTS CK, THYFAULT JP, et al. Role of inactivity in chronic diseases: Evolutionary insight and pathophysiological mechanisms. Physiological Reviews, 97: 1351, 2017

FRANKLIN BA, SWAIN DP, SHEPHARD RJ. New insights in the prescription of exercise for coronary patients. Journal of Cardiovascular Nursery, 18:116, 2003

HASKELL WL. Health consequences of physical activity: understanding and challenges regarding dose-response. Medicine and Science in Sports and Exercise, 26:649, 1994

KACHUR S, CHONGTHAMMAKUN V, LAVIE CJ, et al. Impact of cardiac rehabilitation and exercise training programs in coronary heart disease. Progress in Cardiovascular Diseases, 60:103, 2017

KHERA AV, EMDIN CA, DRAKE I, et al. Genetic Risk, Adherence to a Healthy Lifestyle, and Coronary Disease. New England Journal of Medicine, 375:2349, 2016

KRAAL JJ, VROMEN T, SPEE R, et al. The influence of training characteristics on the effects of exercise training in patients with coronary artery disease: Systematic review and meta-regression analysis. International Journal of Cardiology, 245:52, 2017

KRAUS WE, POWELL KE, HASKELL WL, et al. Physical activity, all-cause and cardiovascular mortality, and cardiovascular disease. Medicine & Science in Sports & Exercise, 51:1270, 2019

KYU HH, BACHMAN VF, ALEXANDER LT, et al. Physical activity and risk of breast cancer, colon cancer, diabetes, ischemic heart disease, and ischemic stroke events: systematic review and dose–response meta-analysis for the global burden of disease study 2013. British Medical Journal, 354:i3857, 2016

LAVIE CJ, CHURCH TS, MILANI RV, et al. Impact of physical activity, cardiorespiratory fitness, and exercise training on markers of inflammation. Journal of Cardiopulmonary Rehabilitation & Prevention, 321:137, 2011

LAWLER JA, FILION KB, EINSENBERG MJ. Efficacy of exercise-based cardiac rehabilitation post-myocardial infarction: A systematic review and meta-analysis of randomized controlled trials. American Heart Journal, 162:571, 2011and stroke. LIBBY P. Atherosclerosis: the new view. Scientific American, 286:46, 2002

LIBBY P, OKAMOTO Y, ROCHA VZ, FOLCO E. Inflammation in atherosclerosis. Circulation Journal, 74:213, 2010

McLEOD JC, STOKES T, PHILLIPS SM. Resistance Exercise Training as a Primary Countermeasure to Age-Related Chronic Disease. Frontiers in Physiology, 10:645, 2019

MORRIS JN, HEADY JA, RAFFLE PA, et al. Coronary heart disease and physical activity of work. Lancet, 265:1111, 1953

MYERS J, PRAKASH M, FROELICHER V, et al. Exercise Capacity and Mortality among Men Referred for Exercise Testing, New England Journal of Medicine, 346:793, 2002

PAFFENBARGER RS Jr, HYDE RT, WING AL, LEE IM, et al. The association of changes in physical activity level and other lifestyle characteristics with mortality among men. The New England Journal of Medicine, 328:538, 1993

PAFFENBARGER RS Jr, LAUGHLIN ME, GIMA AS, et al. Work activity of longshoreman as related to death from coronary heart disease and stroke. The New England Journal of Medicine, 282:1109, 1970

PANDEY A, GARG S, KHUNGER M, et al. Dose–response relationship between physical activity and risk of heart failure: a meta-analysis. Circulation, 132:1786, 2015

PEDERSEN BK, SALTIN B. Exercise as medicine evidence for prescribing exercise as therapy in 26 different chronic diseases. Scandinavian Journal of Medicine & Science in Sports, 25, Supplement 3: 1, 2015

POWELL KE, PALUCH AE, BLAIR SN. Physical activity for health: What kind? How much? How intense? On top of what? Annual Review of Public Health, 32:349, 2011

SATTELMAIR J, PERTMAN J, DING EL, et al. Dose response between physical activity and risk of coronary heart disease: a meta-analysis. Circulation, 124:789, 2011

SAME RV, FELDMAN DL, SHAH N. et al. Relationship between sedentary behavior and cardiovascular risk. Current Cardiology Reports, 18.0678-5, 2016

SOFI F, CAPALBO A, CESARI F, et al. Physical activity during leisure time and primary prevention of coronary heart disease: an updated meta-analysis of cohort studies. European Journal of Cardiovascular Prevention & Rehabilitation,15:247, 2008

TANASESCU M, LEITZMANN MF. RIM EB, et al. Exercise type and intensity in relation to coronary heart disease in men. Journal of the American Medical Association, 288:1994, 2002

WILLIAMS PT. Physical fitness and activity as separate heart disease risk factors: a meta-analysis. Medicine & Science in Sports & Exercise, 33:754, 2001

WILLIAMS MA, HASKELL WL, ADES PA, et al. Resistance exercise in individuals with and without cardiovascular disease. Circulation, 116:272, 2007

WILLIAMS PT. Dose-response relationship of physical activity to premature and total all-cause and cardiovascular disease mortality in walkers. PLoS One, 8:e78777, 2013

ZHENG H, ORSINI N, AMIN J, et al. Quantifying the dose–response of walking in reducing coronary heart disease risk: meta-analysis. European Journal of Epidemiology, 24:181, 2009

概念 84

AMERICAN COLLEGE OF SPORTS MEDICINE. Position stand. Exercise and hypertension. Medicine and Science in Sports and Exercise. 36:553, 2004

AMERICAN COLLEGE OF SPORTS MEDICINE. Position stand. Quantity and Quality of Exercise for Developing and Maintaining Cardiorespiratory, Musculoskeletal, and Neuromotor Fitness in Apparently Healthy Adults: Guidance for Prescribing Exercise. Medicine & Science in Sports & Exercise, 43:1334, 2011

AMERICAN COLLEGE OF SPORTS MEDICINE. ACSM's Guidelines for Exercise Testing and Prescription. 9th ed. Philadelphia (PA): Lippincott Williams & Wilkins; 2018.

AMERICAN HEART ASSOCIATION. Statement on exercise benefit and recommendations for physical programs for all Americans. Circulation, 86:340, 1992

BLAIR SN, KAMPEREJB, KOHL HW, BARLOW CE, et al. Influence of cardiorespiratory fitness and other precursors on cardiovascular disease and all-cause mortality. Journal of the American Medical Association, 276:205, 1996

BÖRJESSON M, ONERUP A, LUNDQVIST S, DAHLFÖF B. Physical activity and exercise lower blood pressure in individuals with hypertension: narrative review of 27 RCTs. British Journal of Sports Medicine, 50:356, 2016

BUNDY JD, LI C, STUCHLIK P, et al. Systolic blood pressure reduction and risk of cardiovascular disease and mortality. Journal of American Medical Association, Cardiology, 2:775, 2017

CAREY RM, MORAN AE, WHELTON PK. Treatment of Hypertension: A review. JAMA, 328:1849, 2022

CARLSON DJ, DIEBERG G, HESS NC, et al. Isometric exercise training for blood pressure management: a systematic review and meta-analysis. Mayo Clinic Proceedings, 89:327, 2014

CASONATTO J, GOESSLER KF, CORNELISSEN VA, et al. The blood pressure-lowering effect of a single bout of resistance exercise: a systematic review and meta-analysis of randomised controlled trials. European Journal of Preventive Cardiology, 23:1700, 2016

CORNELISSEN VA, FAGARD RH. Effects of endurance training on blood pressure, blood pressure-regulating mechanisms and cardiovascular risk factors. Hypertension, 46:667, 2005.

CORNELISSEN VA, AND SMART NA. Exercise training for blood pressure: a systematic review and meta-analysis. Journal of American Heart Association, 2:e004473, 2013

CORNELISSEN VA, FAGARD RH, COECKELBERGHS E, VANHEES L. Impact of resistance training on blood pressure and other cardiovascular risk factors: a meta-analysis of randomized, controlled trials. Hypertension 58:950, 2011

CORSO LM, MACDONALD HV, JOHNSON BT, et al. Is concurrent training efficacious antihypertensive therapy? A meta-analysis. Medicine & Science in Sports & Exercise, 48:2398, 2016

FAGARD RH. Physical activity, fitness, mortality. Journal of Hypertension, 30:1310, 2012

FAGARD RH. Exercise therapy in hypertensive cardiovascular disease.Progress in Cardiovascular Disease, 53:404, 2011

HUAI P, XUN H, REILLY KH, et al. Physical activity and risk of hypertension: a meta-analysis of prospective cohort studies. Hypertension, 62:1021, 2013

LAW MR, MORRIS JK, WALD NJ. Use of blood pressure lowering drugs in the prevention of cardiovascular disease: meta-analysis of 147 randomised trials in the context of expectations from prospective epidemiological studies. British Medical Journal, 338:b1665, 2009

LIU X, ZHANG D, LIU Y, et al. Dose-response association between physical activity and incident hypertension: a systematic review and meta-analysis of cohort studies. Hypertension, 69:813, 2017

MacDONALD HV, JOHNSON BT, HUEDO-MEDINA TB, et al. Dynamic resistance training as stand-alone antihypertensive lifestyle therapy: a meta-analysis. Journal of American Heart Association, 5:e003231, 2016

MacDonald JP. Potential causes, mechanisms, and implications of post exercise hypotension, Journal of Human Hypertension, 16:225, 2002

McLEOD JC, STOKES T, PHILLIPS SM. Resistance Exercise Training as a Primary Countermeasure to Age-Related Chronic Disease. Frontiers in Physiology, 10:645, 2019

MOLMEN-HANSEN HE, STOLEN T, TJONNA AE, et al. Aerobic interval training reduces blood pressure and improves myocardial function in hypertensive patients. European Journal of Preventive Cardiology, 19:151, 2012

PEDERSEN BK, SALTIN B. Exercise as medicine evidence for prescribing exercise as therapy in 26 different

PESCATELLO LS, BUCHNER DM, JAKICIC JM, et al. Physical activity to prevent and treat hypertension:

a systematic review. Medicine & Science in Sports & Exercise, 51:1314, 2019

PESCATELLO LS, FRANKLIN BA, FAGARD R, et al. Exercise and hypertension. Medicine & Science in Sports & Exercise, 36:533, 2004

POWELL KE, THOMSON PD, CARPENSEN CJ, KENDRICK JS. Physical activity and the incidence of coronary heart disease. Annual Review of Public Health, 8:253, 1987

ROSSI A, DIKAREVA A, BACON SL, DASKALOPOULOU SS. The impact of physical activity on mortality in patients with high blood pressure: a systematic review. Journal of Hypertension, 30:1277, 2012

STONE NJ, ROBINSON JG, LICHTENSTEIN AH, et al. 2013 ACC/AHA guideline on the treatment of blood cholesterol to reduce atherosclerotic cardiovascular risk in adults. Circulation, 129 (suppl 2):S1, 2014

VANHEES L, GELADAS N, HANSEN D, KOUIDI ED, et al. Importance of characteristics and modalities of physical activity and exercise in the management of cardiovascular health in individuals with cardiovascular risk factors: recommendations from the EACPR. Part II. European Journal of Preventive Cardiology, 19:1005, 2012

概念 85

AMERICAN COLLEGE OF SPORTS MEDICINE. ACSM's Guidelines for Exercise Testing and Prescription. 9th ed. Philadelphia (PA): Lippincott Williams & Wilkins; 2018

AMERICAN THORACIC SOCIETY. Pulmonary rehabilitation. American Journal of Respiratory Critical Care Medicine, 159:1666, 1999

AMERICAN THORACIC SOCIETY. Guidelines for the six-minute walk test. American Journal of Respiratory Critical Care Medicine, 166:111, 2002

ARMSTRONG M, VOGIATZIS I. Personalized exercise training in chronic lung diseases. Respirology, 24: 854, 2019

BRITISH THORACIC SOCIETY, Pulmonary Rehabilitation. Thorax, 56:827, 2001

CARSON KV, CHANDRATILLEKE MG, PICOT J, et al. Physical training for asthma. Cochrane Database Systemic Review 9: CD001116, 2013

FANELLI MJ, CABRAL AL, NEDERT JA, et al. Exercise training on disease control and quality of life in asthmatic children. Medicine & Science in Sports & Exercise, 39:1474, 2007

GARCIA-AYMERICH, J, LANGE P, BENET M, et al. Regular Physical Activity Reduces Hospital Admission and Mortality in Chronic Obstructive Pulmonary Disease: A Population Based Cohort Study. Thorax, 61: 772, 2006

GARCIA-RIO F, ROJO B, CASITAS R, et al. Prognostic value of the objective measurement of daily physical activity in patients with COPD. Chest, 142:338,2012

GIMENO-SANTOS E, FREI A, STEURER-STEY C, et al. Determinants and Outcomes of Physical Activity in Patients with COPD: A Systematic Review. Thorax, 69:731, 2014

IEPSEN UW, JORGENSEN KJ, RINGBAEK T, et al. Combination of resistance and endurance training increases leg muscle strengtnh COPD: an evidence-based recommendation based on systematic review with meta-analyses. Chronic Respiratory Disease, 12:132, 2015

IEPSEN UW, JORGENSEN KJ, RINGBAEK T, et al. A systematic review of resistance training versus endurance training in COPD. Journal of Cardiopulmonary Rehabilitation of Prevention, 35:163, 2015

KONGSGAARD M, BACKER V, JORGENSEN K, et al. Heavy resistance training increases muscle size, strength and physical function in elderly male COPD-patients–a pilot study. Respiratory Medicine, 98: 1000, 2004

MAGNUSSEN H, WATZ H. Systemic inflammation in chronic obstructive pulmonary disease and asthma: relation with comorbidities. Proceedings of American Thoracic Society, 6:648, 2009

McCARTHY B, CASEY D, DEVANE D, et al. Pulmonary rehabilitation for chronic obstructive pulmonary disease. Cochrane Database Systemic Review, 2: CD003793, 2015

MENDES FA, ALMEIDA FM, CUKIER A, et al. Effects of aerobic training on airway inflammation in asthmatic patients. Medicine & Science in Sports & Exercise, 43:197, 2011

PEDERSEN BK, SALTIN B. Exercise as medicine-evidence for prescribing exercise as therapy in 26 different chronic diseases. Scandinavian Journal of Medicine & Science in Sports, 25, Supplement 3: 1, 2015

RAM FS, ROBISNSON SM, BLACKPN, PICOT J. Physical training for asthma. Cochrane Database, Systematic Review, 4:CD001116, 2005

ROSSMAN MJ, NADER S, BERRY D, et al. Effects of altered airway function on exercise ventilation in asthmatic adults. Medicine &Science in Sports & Exercise, 46:1104, 2014

RUGBJERG M, IEPSEN UW, JORGENSEN KJ, et al. Effectiveness of pulmonary rehabilitation in COPD with mild symptoms: a systematic review with meta-analyses. International Journal of Chronic Obstructive Pulmonary Disease, 10: 791, 2015.

SÁNCHEZ CASTILLO S, SMITH L, DÍAZ SUÁREZ A, LÓPEZ SÁNCHEZ GF. Associations between Physical Activity and Comorbidities in People with COPD Residing in Spain: A Cross-Sectional Analysis. International Journal of Environmental Research and Public Health,17:594, 2020

SIEVI NA, SENN O, BRACK T, et al. Impact of Comorbidities on Physical Activity in COPD. Respirology, 20:413, 2015

SILVA RA, VIEIRA RP, DUARTE AC, et al. Aerobic training reverses airway inflammation and remodelling in an asthma murine model. European Respiration Journal, 35: 994, 2010

TROOSTERS T, VAN DER MOLEN T, POLKEY M, RABINOVICH RA, VOGIATZIS I, et al. Improving Physical Activity in COPD: Towards a New Paradigm. Respiratory Research, 14:115, 2013

TURNER S, EASTWOOD P, COOK A, et al. Improvements in symptoms and quality of life following exercise training in older adults with moderate/severe asthma. Respiration, 81:302, 2011

WATZ H, PITTA F, ROCHESTER CL, et al. An official European Respiratory Society statement on physical activity in COPD. European Respiratory Journal, 44:1521, 2004

WILLIAMS PT. Dose-response relationship between exercise and respiratory disease mortality. Medicine & Science in Sports & Exercise, 46:711, 2014

概念 86

AMERICAN COLLEGE OF SPORTS MEDICINE. ACSM's Guidelines for Exercise Testing and Prescription. 9th ed. Philadelphia (PA): Lippincott Williams & Wilkins; 2014.

BARRY VW, BARUTH M, BEETS MW, et al. Fitness vs. fatness on all-cause mortality: a meta-analysis. Progress in Cardiovascular Disease, 56: 382, 2014

BOOTH FW, ROBERTS CK, THYFAULT JP, et al. Role of inactivity in chronic diseases: Evolutionary insight and pathophysiological mechanisms. Physiological Reviews, 97: 1351, 2017

BROWN WJ, KABIR E, CLARK BK, GOMERSALL SR. Maintaining a healthy BMI. Data from a 16-year study of young Australian women. American Journal of Preventive Medicine, 51:e165, 2016

CHO ER, SHIN A, KIM J, et al. Leisure-time physical activity is associated with a reduced risk for metabolic syndrome. Annals of Epidemiology, 19: 784, 2009

DRENOWATZ C, GRIBBEN N, WIRTH MD, et al. The association of physical activity during weekdays and weekend with body composition in young adults. Journal of Obesity, 2016:8236439, 2016

DURSTINE JL, HASKELL. WL. Effects of exercise training on plasma lipids and lipoproteins. Exercise & Sports Science Reviews, 22:477, 1994.

FARRELL SW, FINLEY CE, GRUNDY SM. Cardiorespiratory fitness, LDL cholesterol, and CHD mortality in men. Medicine & Science in Sports &Exercise, 44: 2132, 2012

FOGELHOLM M. Physical activity, fitness and fatness: relations to mortality, morbidity and disease risk factors. A systematic review. Obesity Reviews, 11: 202, 2010

HASKELL WL, LEE IM, PATE RR. et al. Physical activity and public health: updated recommendation for adults from the American College of Sports Medicine and the American Heart Association. Medicine & Science in Sports &Exercise, 39:1423, 2007

JAKICIC JM, POWELL KE, CAMPBELL WW, et al. Physical Activity and the Prevention of Weight Gain in Adults: A Systematic Review. Medicine & Science in Sports & Exercise, 51: 1262, 2019

JOHNS DJ, HARTMANN-BOYCE J, et al. Diet or exercise interventions vs combined behavioral weight management programs: a systematic review and meta-analysis of direct comparisons. Journal of the Academy of Nutrition & Dietetics, 114: 1557, 2014

LEON AS, SANCHEZ OA. Response of blood lipids to exercise training alone or combined with dietary interventions. Medicine & Science in Sports & Exercise, 33: S502, 2001

MANN S, BEEDIE C, JIMENEZ A. Differential effects of aerobic exercise, resistance training and combined exercise modalities on cholesterol and the lipid profile: review, synthesis and recommendations. Sports Medicine, 44 211, 2014

MYERS J, PRAKASH M, FROELICHER V, et al. Exercise capacity and mortality among men referred for exercise testing. New England Journal of Medicine, 346:793, 2002

NICKLAS BLI, KATZEL J, et al. Increases in high-density lipoprotein cholesterol with endurance exercise training are blunted in obese compared with lean men. Metabolism, 46:556, 1997

O'DONOVAN G, THOMAS EL, MCCARTHY JP, et al. Fat distribution in men of different waist girth, fitness level and exercise habit. International Journal of Obesity (Lond), 33: 1356, 2009

PEDERSEN BK, SALTIN B. Exercise as medicine-evidence for prescribing exercise as therapy in 26 different chronic diseases. Scandinavian Journal of Medicine & Science in Sports, 25, Supplement 3: 1, 2015

PESCATELLO LS, FRANKLIN BA, FAGARD R, et al. American College of Sports Medicine position stand: Exercise and Hypertension. Medicine & Science in Sports &Exercise, 36:533, 2004

SMITH SC Jr, ALLEN J, BLAIR SN, et al. AHA/ACC guidelines for secondary prevention for patients with coronary and other atherosclerotic vascular disease: 2006 update: endorsed by the National Heart, Lung, and Blood Institute. Circulation, 113:2363, 2006

STRASSER B, SIEBERT U, SCHOBERSBERGER W. Resistance training in the treatment of the metabolic syndrome: a systematic review and meta-analysis of the effect of resistance training on metabolic clustering in patients with abnormal glucose metabolism. Sports Medicine, 40: 397, 2010

WARBURTON DE, NICOL CW, BREDIN SS. Health benefits of physical activity: The evidence. Canadian Medical Association Journal,174:801, 2006

WILLIAMS PT. HDL cholesterol and other risk factors for CHD in female runners. New England Journal of Medicine, 334:1298, 1996

概念 87

ALLEN NA, FAIN JA, BRAUN B, CHIPKIN SR. Continuous glucose monitoring counseling improves physical activity behaviors of individuals with type 2 diabetes: a randomized clinical trial. Diabetes Research Clinical Practice, 80:371, 2008

AMERICAN COLLEGE OF SPORTS MEDICINE / AMERICAN DIABETES ASSOCIATION. Joint Position Statement: Exercise and Type 2 Diabetes. Medicine & Science in Exercise & Sports, 42:2282, 2010

AMERICAN DIABETES ASSOCIATION. Clinical practice recommendations. Diabetes Care, Jan: S1, 2002

AUNE D, NORAT T, LEITZMANN M, et al. Physical activity and the risk of type 2 diabetes: a systematic review and dose-response meta-analysis. European Journal of Epidemiology, 30: 529, 2015

BOULE NG, HADDAD E, KENNY GP, et al. Effects of exercise on glycemic control and body mass in type 2 diabetes mellitus: a meta-analysis of controlled clinical trials. Journal of American Medical Association, 286:1218, 2001

BOULE NG, KENNY GP, HADDAD E, et al. Meta-analysis of the effect of structured exercise training on cardiorespiratory fitness in Type 2 diabetes mellitus. Diabetologia, 46: 1071, 2003

CAMPBELL RK. Type 2 diabetes: where we are today: an overview of disease burden, current treatments, and treatment strategies. Journal of American Pharmacology Association, 49(Suppl. 1): S3, 2009

CHACKO E. A time for exercise: the exercise window. Journal of Applied Physiology, 122: 206, 2017

CHURCH TS, BLAIR SN, COCREHAM S, et al. Effects of aerobic and resistance training on hemoglobin A1c levels in patients with type 2 diabetes: a randomized controlled trial. Journal of American Medical Association, 304: 2253, 2010

COLBERG SR, SIGAL RG, YARDLEY JE, et al. Physical activity/exercise and diabetes: A position statement of the American Diabetes Association. Diabetes Care, 39:2065, 2016

DAVIDSON LE, HUDSON R, KILPATRICK K. Effects of exercise modality on insulin sensitivity and functional limitation in older adults. A randomized controlled trial. Archives of Internal Medicine, 169:122, 2009

GRACE A, CHAN E, GIALLAURIA F, et al. Clinical outcomes and glycaemic responses to different aerobic exercise training intensities in type II diabetes: a systematic review and meta-analysis. Cardiovascular Diabetology, 16:37, 2017

HOLLOSZY JO. Exercise-induced increase in muscle insulin sensitivity. Journal of Applied Physiology, 99:338, 2005

JELLEYMAN C, YATES T, O'DONOVAN G, et al. The effects of high-intensity interval training on glucose regulation and insulin resistance: a meta-analysis. Obesity Reviews, 16:942, 2015

KRAUS WE, POWELL KE, HASKELL WL, et al. Physical activity, all-cause and cardiovascular mortality, and cardiovascular disease. Medicine & Science in Sports & Exercise, 51:1270, 2019

LARSEN JJ, DELA F, MADSBAD S, GALBO H. The effect intense exercise on postprandial glucose homeostasis in type II diabetic patients. Diabetologia, 42:1282, 1999

MALIN SK, BRAUN B. Impact of metformin on exercise-induced metabolic adaptations to lower type 2 diabetes risk. Exercise & Sport Science Reviews, 44:4, 2016

MANDERS RJF, VAN DIJK JWM, VAN LOON LJC. Low-Intensity Exercise Reduces the Prevalence of Hyperglycemia in Type 2 Diabetes. Medicine & Science in Sports & Exercise, 42,219, 2010.

MANDROUKAS K, KROTKIEWSKI M, HEDBERG M. et al. Physical training in obese women. Effects of muscle morphology, biochemistry and function. European Journal of Applied Physiology, 52: 355, 1984

McLEOD JC, STOKES T, PHILLIPS SM. Resistance Exercise Training as a Primary Countermeasure to Age-Related Chronic Disease. Frontiers in Physiology, 10:645, 2019

PEDERSEN BK, SALTIN B. Exercise as medicine-evidence for prescribing exercise as therapy in 26 different chronic diseases. Scandinavian Journal of Medicine & Science in Sports, 25, Supplement 3: 1, 2015

PRAET SF, VAN LOON LJ. Optimizing the therapeutic benefits of exercise in type 2 diabetes. Journal of Applied Physiology, 103:1113, 2007

RICHTER E, HARGREAVES M. Exercise, GLUT4, and skeletal muscle glucose uptake. Physiological Reviews, 93:993, 2013

SALTIN B, HENRIKSSON J, NYGAARD E, et al. Fiber types and metabolic potentials of skeletal muscles in sedentary man and endurance runners. Annals of New York Academy of Science, 301: 3, 1977

SIGAL RJ, KENNY GP, WASSERMAN DM. et al. Physical activity/exercise and type 2 diabetes: a consensus statement from the American Diabetes Association. Diabetes Care, 29:1433, 2006

SNOWLING NJ, HOPKINS WG. Effects of different modes of exercise training on glucose control and risk factors for complications in type 2 diabetic patients: a meta-analysis. Diabetes Care, 29:2518, 2006

UMPIERRE D, RIBEIRO PA, KRAMER CK, et al. Physical activity advice only or structured exercise training and association with HbA1c levels in type 2 diabetes: a systematic review and meta-analysis. Journal of American Medical Association, 305: 1790, 2011

YANG Z, SCOTT CA, MAO C, et al. Resistance exercise versus aerobic exercise for type 2 diabetes: a systematic review and meta-analysis. Sports Medicine, 44: 487, 2014

ZANUSO S, JIMENEZ A, PUGLIESE G, et al. Exercise for the management of type 2 diabetes: a review of the evidence. Acta Diabetology, 47: 15, 2010

概念 88

BLUMENTHAL JA, SMITH PJ, HOFFMAN BM. Is exercise a viable treatment for depression? ACSMs Health Fitness Journal, 16: 14, 2012

CAMPBELL BURTON CA, MURRAY J, et al. Frequency of anxiety after stroke: a systematic review and meta-analysis of observational studies. International Journal of Stroke, 8: 545, 2013

CHROUSOS GP, Stress and disorders of the stress system. Nature Reviews of Endocrinology,5:374, 2009

DE MOOR MHM, BOOMSMA DI, STUBBE JH, et al. Testing causality in the association between regular exercise and symptoms of anxiety and depression. Archives of Genetic Psychiatry, 65:897, 2008

DiMATTEO MR, LEPPER HS, CROGHAN TW. Depression is a risk factor for noncompliance with medical treatment: meta-analysis of the effects of anxiety and depression on patient adherence. Archives of Internal Medicine, 160:2101, 2001

DIMEO F, BAUER M, VARAHRAM I, et al. Benefits from aerobic exercise in patients with major depression: a pilot study. British Journal of Sports Medicine, 35:114, 2001

DUNN AL, TRIVEDI MH, KAMPERT JB, et al. Exercise treatment for depression: efficacy and dose response. American Journal of Preventive Medicine, 28:1, 2005

EKEKKAKIS P, PARFITT G, PETRUZZEL SJ. The Pleasure and Displeasure People Feel When they Exercise at Different Intensities. Sports Medicine, 41:641, 2011

ESCH T, STEFANO GB. Endogenous reward mechanisms and their importance in stress reduction, exercise and the brain. Archives of Medicine Science, 6: 447, 2010

GORDON BR, MCDOWELL CP, HALLGREN M, et al. Association of efficacy of resistance exercise training with depressive symptoms: meta-analysis and meta-regression analysis of randomized clinical trials. Journal of American Medical Association-Psychiatry, 75:566, 2018

GREENWOOD BN, FLESHNER M. Exercise, stress resistance, and central serotonergic systems. Exercise Sport Science Reviews, 39:140, 2011

HEIJNEN S, HOMMEL B, KIBELE A, COLZATOL S. Neuromodulation of aerobic exercise–a review. Frontiers of Psychology, 6: 1890, 2016

HERRING MP, O'CONNOR PJ, DISHMAN RK. The effect of exercise training on anxiety symptoms among patients: a systematic review. Archives of Internal Medicine, 170:321, 2010

KVAM S, KLEPPE CL, NORDHUS IH, et al. Exercise as a treatment for depression: a meta-analysis. Journal of Affect Disorders, 202:67, 2016

LAWLOR DA, et al. The Effectiveness of Exercise as an Intervention in the Management of Depression: Systematic Review and Meta-Regression Analysis of Randomised Controlled Trials, British Medical Journal, 322:763, 2001

MAMMEN G, FAULKNER G. Physical activity and the prevention of depression: a systematic review of prospec-tive studies. American Journal of Preventive Medicine, 45:649, 2013

PEDERSEN BK, SALTIN B. Exercise as medicine-evidence for prescribing exercise as therapy in 26 different chronic diseases. Scandinavian Journal of Medicine & Science in Sports, 25, Supplement 3: 1, 2015

SAEED S, CUNNINGHAM K, BLOCH RM. Depression and Anxiety Disorders: Benefits of Exercise, Yoga, and Meditation. American Family Physician.15:620, 2019

SCHUCH FB, VANCAMPFORT D, FIRTH J, et al. Physical activity and incident depression: a meta-analysis of prospective cohort studies. American Journal of Psychiatry. 175:631, 2018

SELYE H. Stress and Physical Activity. McGill Journal of Education, 11: 3, 1976

VANCAMPFORT D, RICHARDS JA,ROSENBAUM S, WARD PB. Exercise as a treatment for depression: A metaanalysis adjusting for publication bias. Journal of Psychiatric Research, 77:42, 2016

概念 89

AARSLAND D, SARDAHAEE FS, ANDERSSEN S, BALLARD C. Is physical activity a potential preventive factor for vascular dementia? A systematic review. Aging & Mental Health, 14: 386, 2010

AHLSKOG JE. Does vigorous exercise have a neuroprotective effect in Parkinson disease? Neurology, 19: 288, 2011

BURLEY CV, BAILEY DM, MARLEY CJ, LUCAS SJE. Brain train to combat brain drain; focus on exercise strategies that optimise neuroprotection. Experimental Physiology, 101:1178, 2016

DA SILVA PG, DOMINGUES DD, DE CARVALHO LA, et al. Neurotrophic factors in Parkinson's disease are regulated by exercise: Evidence-based practice. Journal of Neurology Science, 363:5, 2016

EARHART GM, FALVO MJ. Parkinson disease and exercise. Comparative Physiology, 3: 833, 2013

ERICKSON KI, VOSS MW, PRAKASH RS, et al. Exercise training increases size of hippocampus and improves memory. Proceedings National Academy of Science USA, 108:3017, 2011

FAN B, JABEEN R, BO B, et al. What and How Can Physical Activity Prevention Function on Parkinson's Disease? Oxidative Medicine & Cellular Longevity, Febr.13, 2020

FILLIT H, NASH DT, RUNDEK T, ZUCKERMAN A. Cardiovascular risk factors and dementia. American Journal of Geriatric Pharmacotherapy, 6: 100, 2008

FORBES D, FORBES SC, BLAKE CM. et al. Exercise programs for people with dementia. Cochrane Database Systematic Review, 2015: 4: CD006489.

HEIJNEN S, HOMMEL B, KIBELE A, COLZATOL S. Neuromodulation of aerobic exercise–a review. Frontiers of Psychology 6: 1890, 2016

ISO-MARKKU P, WALLER K, KUJALA UM, KAPRIO J. Physical activity and dementia: long-term follow-up study of adult twins. Annals of Medicine, 47: 81, 2015

KETAKI S. BHALSING, MASOOM M. ABBAS, et al. Role of Physical Activity in Parkinson's Disease. Annals of Indian Academy of Neurology, 21: 242, 2018

KIM JM, STEWART R, BAE KY, K et al. Role of BDNF val66met polymorphism on the association between physical activity and incident dementia. Neurobiology of Aging, 32: 551, 2011

LI J, SHAO YH, GONG YP, et al. Diabetes mellitus and dementia – a systematic review and meta-analysis. European Review of Medical Pharmacolical Science, 18: 1778, 2014

MEHRHOLZ J, FRIIS R, KUGLER J, et al. Treadmill training for patients with Parkinson's disease. Cochrane Database Systematic Reviews, 20: CD007830, 2010

NELSON LM. Physical activity and Parkinson disease Risk. Journal of American Medical Association, Network Open, 1:5, 2018.

NYBERG J, ABERG MA, SCHIOLER L, et al. Cardiovascular and cognitive fitness at age 18 and risk of early-onset dementia. Brain, 137: 1514, 2014

OLSON AK, EADIE BD, ERNST C, CHRISTIE BR. Environmental enrichment and voluntary exercise massively increase neurogenesis in the adult hippocampus via dissociable pathways. Hippocampus, 16: 250, 2006

PEDERSEN BK. The Diseasesome of Physical Inactivity-and the role of myokines in muscle-fat cross talk. Journal of Physiology, 587: 5559, 2009

PETERSEN AM, PEDERSEN BK. The anti-inflammatory effect of exercise. Journal of Applied Physiology, 98: 1154, 2005

PETZINGER GM, FISHER BE, MCEWEN S, et al. Exercise-enhanced neuroplasticity targeting motor and cognitive circuitry in Parkinson's disease. Lancet Neurology, 12:716, 2013

SALTYCHEV M, BÄRLUND E, PALTAMAA J, et al. Progressive resistance training in Parkinson's disease: A systematic review and meta-analysis. British Medical Journal, Open. 6:e008756, 2016

SPEELMAN AD, VAN DE WARRENBURG BP, VAN NIMWEGEN M, et al. How might physical activity benefit patients with Parkinson disease? Nature Reviews Neurology, 7: 528, 2011

TUON T, VALVASSORI SS, DAL PONT GC, et al. Physical training prevents depressive symptoms and a decrease in brain-derived neurotrophic factor in Parkinson's disease. Brain Research Bulletin, 108:106, 2014

UHRBRAND A, STENAGER E, PEDERSEN MS, DALGAS U. Parkinson's disease and intensive exercise therapy-A systematic review and meta-analysis of randomized controlled trials. Journal of Neurology Science, 353:9, 2015

WARBURTON DE, NICOL CW, BREDIN SS. Health benefits of physical activity: The evidence. Canadian Medical Association Journal,174:801, 2006

YAFFE K, FIOCCO AJ, LINDQUIST K, et al. Predictors of maintaining cognitive function in older adults: the Health ABC study. Neurology, 72: 2029, 2009

概念 90

AMERICAN COLLEGE OF SPIORTS MEDICINE, Position stand: Physical activity bone health. Medicine & Science in Sports & Exercise, 36:1985, 2004

BARTELS EM, JUHL CB, CHRISTENSEN R, et al. Aquatic exercise for the treatment of knee and hip osteoarthritis. Cochrane Database Systematic Review, 3:CD005523, 2016

BECK BR, SNOW CM. Bone health across the lifespan–exercising our options. Exercise & Sports Science Reviews, 31:117, 2003

BENATTI FB, PEDERSEN BK. Exercise as an anti-inflammatory therapy for rheumatic diseases-myokine regulation. Nature Reviews Rheumatology, 11: 86, 2015

BONAIUTI D, SHEA B, IOVINE R, et al. Exercise for preventing and treating osteoporosis in postmenopausal women. Cochrane Database Systematic Review, CD000333, 2002

DORE D, WINZENBERG T, DING C, et al. The association between objectively measured physical activity and knee structural change using MRI. Annals of Rheumatoid Disease, 72:1170, 2013

DUNLOP D, SONG J, LEE J, et al. Physical activity minimum threshold predicting improved function in adults with lower-extremity symptoms. Arthritis Care Research, 69:475, 2017

EKBLOM B, LOVGREN O, ALDERIN M, et al. Physical performance in patients with rheumatoid arthritis. Scandinavian Journal of Rheumatology, 3: 121, 1974

FRANSEN M, MCCONNELL S, HARMER AR, et al. Exercise for osteoarthritis of the knee: a Cochrane systematic review. British Journal of Sports Medicine, 49:1554, 2015

HARDMAN AE, STENSEL DJ. Physical activity and health: The evidence explained. Routledge, London 2006

HEINONEN A, KANNUS P, SIEVANEN H, et al. Randomized controlled trial of the effect of high-impact exercise on selected risk factors for osteoporotic fractures. The Lancet, 348:1343, 1966

HENRIKSEN M, HANSEN JB, KLOKKER L, et al. Comparable effects of exercise and analgesics for pain secondary to knee osteoarthritis: a meta-analysis of trials included in Cochrane systematic reviews. Journal of Comparative Effectiveness Research, 5:417, 2016

HOJMAN P, GEHL J, CHRISTENSEN JF, PEDERSEN BK. Molecular mechanisms linking exercise to cancer prevention and treatment. Cell Metabolism, 27:10, 2018

HOWE TE, SHEA B, DAWSON LJ, et al. Exercise for preventing and treating osteoporosis in postmenopausal women. Cochrane Database Systematic Review, 7: CD000333, 2011

JUHL C, CHRISTENSEN R, ROOS EM, et al. Impact of exercise type and dose on pain and disability in knee osteoarthritis: a systematic review and metaregression analysis of randomized controlled trials. Arthritis Rheumatology, 66: 622, 2014

KENDZERSKA T, KING L, LIPSCOMBE L, et al. The impact of hip and knee osteoarthritis on the subsequent risk of incident diabetes: a population-based cohort study. Diabetologia, 61:2290, 2018

KRAUS VB, SPROW K, POWELL KE, et al. Effects of Physical Activity in Knee and Hip Osteoarthritis: A Systematic Umbrella Review. Medicine & Science in Sports & Exercise, 51:1324, 2019

METSIOS GS, STAVROPOULOS-KALINOGLOU A, et al. Individualised exercise improves endothelial function in patients with rheumatoid arthritis. Annals of Rheumatoid Disease, 73: 748, 2014

NIKANDER R, SIEVANEN H, HEINONEN A, et al. Targeted exercise against osteoporosis: a systematic review and meta-analysis for optimising bone strength throughout life. BMC Medicine, 8: 47, 2010

PETERSEN AM, PEDERSEN BK. The antiinflammatory effect of exercise. Journal of Applied Physiology, 98:1154, 2005

PEDERSEN BK, SALTIN B. Exercise as medicine-evidence for prescribing exercise as therapy in 26 different chronic diseases. Scandinavian Journal of Medicine & Science in Sports, 25, Supplement 3: 1, 2015

ROOS EM, HERZOG W, BLOCK JA, BENNELL KL. Muscle weakness, afferent sensory dysfunction and exercise in knee osteoarthritis. Nature Reviews Rheumatology, 7: 57, 2011

SEVERINSEN M, PEDERSEN B. Muscle–Organ Crosstalk: The Emerging Roles of Myokines. Endocrine Reviews, 41:594,2020

WALLER B, OGONOWSKA-SLODOWNIK A, VITOR M, et al. Effect of therapeutic aquatic exercise on symptoms and function associated with lower limb osteoarthritis: systematic review with meta-analysis. Physical Therapy, 94: 1383, 2014

WARBURTON DE, GLEDHILL N, QUINNEY A. The effects of changes in musculoskeletal fitness on health. Canadian Journal of Applied Physiology, 26:161, 2001

WARBURTON DE, NICOL CW, BREDIN SS. Health benefits of physical activity: The evidence. Canadian Medical Association Journal,174:801, 2006

概念 91

BONN SE, SJOLANDER A, LAGERROS YT, et al. Physical activity and survival among men diagnosed with prostate cancer. Cancer Epidemiology, Biomarkers & Prevention, 24:57, 2015

BOOTH FW, ROBERTS CK, THYFAULT JP, et al. Role of inactivity in chronic diseases: Evolutionary insight and pathophysiological mechanisms. Physiological Reviews, 97: 1351, 2017

BURÓN PUST A, ALISON R, BLANKS R, et al. Heterogeneity of colorectal cancer risk by tumour characteristics: large prospective study of UK women. International Journal of Cancer, 140:1082, 2017

EAGLEHOUSE YL, KOH WP, WANG R, et al. Physical activity, sedentary time, and risk of colorectal cancer: the Singapore Chinese Health Study. European Journal of Cancer Prevention, 26:469, 2017

FRIEDENREICH CM, NEILSON HK, FARRIS MS, et al. Physical activity and cancer outcomes: a precision medicine approach. Clinical Cancer Research, 22:4766, 2016

FRIEDENREICH CM, WANG Q, NEILSON HK, et al. Physical activity and survival after prostate cancer. Euro-pean Urology, 70:576, 2016

HOJMAN P, GEHL J, CHRISTENSEN JF, PEDERSEN BK. Molecular mechanisms linking exercise to cancer prevention and treatment. Cell Metabolism, 27:10, 2018

HOLICK CN, NEWCOMB PA, TRENTHAM-DIETZ A, et al. Physical activity and survival after diagnosis of invasive breast cancer. Cancer Epidemiology, Biomarkers & Prevention, 17: 379, 2008

KENFIELD SA, STAMPFER MJ, GIOVANNUCCI E, et al. Physical activity and survival after prostate cancer diagnosis in the health professionals follow-up study. Journal of Clinical Oncology, 29:726, 2011

LAHART IM, METSIOS GS, NEVILL AM, et al. Physical activity, risk of death and recurrence in breast cancer survivors: a systematic review and meta-analysis of epidemiological studies. Acta Oncologica, 54:635, 2015

LIU L, SHI Y, LI T, et al. Leisure time physical activity and cancer risk: evaluation of the WHO's recommendation based on 126 highquality epidemiological studies. British Journal of Sports Medicine, 50:372, 2016

MARTINEZ ME, GIOVANNUCCI E, SPIEGELMAN D, et al. Leisure time physical activity, body size, and colon cancer in women. Journal of the National Cancer Institute, 89:948, 1997

McTIERNAN A C M, FRIEDENREICH P T. KATZMARZYK, et al. Physical Activity in Cancer Prevention and Survival: A Systematic Review. Medicine & Science in Sports & Exercise, 51:1252, 2019.

PEDERSEN BK. Regular exercise helps patients combat cancer. Scientist, April 1, 2020

PEDERSEN BK, SALTIN B. Exercise as medicine-evidence for prescribing exercise as therapy in 26 different chronic diseases. Scandinavian Journal of Medicine & Science in Sports 25, Supplement 3: 1, 2015

RATJEN I, SCHAFMAYER C, DI GIUSEPPE R, et al. Post-diagnostic physical activity, sleep duration, and TV watching and all-cause mortality among long-term colorectal cancer survivors: a prospective cohort study. BMC Cancer, 17:701, 2017

SCHMID D, LEITZMANN MF. Association between physical activity and mortality among breast cancer and colorectal cancer survivors: a systematic review and meta-analysis. Annals of Oncology, 25:1293, 2014

SEVERINSEN M,PEDERSEN B.Muscle-Organ Crosstalk: The Emerging Roles of Myokines. Endocrine Reviews, 41:594,2020

SHAW E, FARRIS MS, STONE CR, et al. Effects of physical activity on colorectal cancer risk among family history and body mass index subgroups: a systematic review and meta-analysis. BMC Cancer, 18:71, 2018

SHEPHARD RJ, SHEK PN. Association between physical activity and susceptibility to cancer: possible mechanisms. Sports Medicine, 26:293, 1998

SHTTERY ML, POTTER JD. Physical activity and colon cancer: confounding or interaction? Medicine & Science in Sports & Exercise, 34:913, 2002

WALTER V, JANSEN L, KNEBEL P, et al. Physical activity and survival of colorectal cancer patients: population-based study from Germany. International Journal of Cancer, 140:1985, 2017

WANG Y, JACOBS EJ, GAPSTUR SM, et al. Recreational physical activity in relation to prostate cancer-specific mortality among men with nonmetastatic prostate cancer. European Urology, 72:931, 2017

WOLIN KY, YANY, COLDITZ GA, et al. Physical activity and colon cancer prevention: a meta-analysis. British Jourbal of Cancer 100: 611, 2009

WU W, GUO F, YE J, et al. Preand postdiagnosis physical activity is associated with survival benefits of colorectal cancer patients: a systematic review and meta-analysis. Oncotarget, 7:52095, 2016

第 11 章

概念 92

AMERICAN COLLEGE OF SPORTS MEDICINE. ACSM's Guidelines for Exercise Testing and Prescription. 9th ed. Philadelphia (PA): Lippincott Williams & Wilkins; 2018

AINSWORTH BE, HASKELL WL, HERMANN S, et al. Compendium of physical activities: A Second Update of Codes and MET Values. Medicine & Science in Sports & Exercise, 43:1575, 2011

ASTRAND PO, RODAHL K. Textbook of Work Physiology. McGraw Hill, 1970

BASSETT DRJ, HOWLEY ET, THOMPSON DL, et al. Validity of inspiratory and expiratory methods of measuring gas exchange with a computerized system. Journal of Applied Physiology, 91:218, 2001

BROOKS G. FAHEY BT, BALDWIN K. Exercise Physiology: Human Bioenergetics and its Applications. New York, McGraw Hill, 2005

BYRNE NM, HILLS AP, HUNTER GR, et al. Metabolic equivalent: one size does not fit all. Journal of Applied Physiology, 99:1112, 2005

CONSOLAZIO CF, JONSON RE, PECORA LJ. Physiological measurements of metabolic function in man. New York, McGraw Hill 1963

KARPIOVICH PV. Physiology of Muscular Activity.Philadelphia, Saunders Company, 1965

KENNEY WL, WILMORE JH, COSTILL DL. Physiology of Sport & Exercise. Human Kinetics, 2020

KLEIBER M. The Fire of Life. An Introduction to Animal Energetics. New York, Wiley,1961

McMURAY RG, et al. Examining variations of resting metabolic rate of adults. Medicine & Science in Sports & Exercise. 46:1352, 2014

SKINNER JS. Exercise tesing and exercise prescription for special cases: Theoretical basis and clinical application. Lippincott Williams & Wilkins, 2005

SWAIN DP. Energy cost calculations for exercise prescription: an update. Sports Medicine, 30:17, 2000

THODEN JS. Testing Aerobic Power. In: MacDougall ID, Wenger ha, Green HJ. (eds.) Physiological Testing of High Performance Athletes. Human Kinetics, 1991

WEEB P. Human calorimeters. Endocrinology and Metabolism Series. Vol. 7. New York, Praeger Scientifuc, 1985

概念 93

AMERICAN COLLEGE OF SPORTS MEDICINE. ACSM's Guidelines for Exercise Testing and Prescription. 9th ed. Philadelphia (PA): Lippincott Williams & Wilkins; 2018

ASTRAND PO, RODAHL K. Textbook of Work Physiology. McGraw-Hill, 1986

BRUCE RA. Current Concepts of Cardiology: Exercise Testing of Ventricular Function. The New England Journal of Medicine, 296:671, 1977

BUCHFUHMER MJ. et al. optimizing the exercise protocol for cardiopulmonary assessment, Journal of Applied Physiology, 55:1558, 1983

DAY JR, ROSSITER HB, COATS EM, et al. The maximally attainable $\dot{V}O_2$ max during exercise in humans.

Journal of Applied Physiology, 95:1901, 2003
EDVARDSEN E, HEM E, ANDERSEN SA, End criteria for reaching maximal oxygen uptake must be strict and adjusted for sex and age. A cross-sectional study. PLoS One 9:1 e85276, 2014
FLETCHER GF, ADES PA, KLIGFIELD P, et al. Exercise standards for testing and training: a scientific statement from the American Heart Association, Circulation, 128:873, 2013
GIBSON AL, WAGNER DR, HEYWARD VH. Advanced Fitness Assessment & Exercise Prescription. Human Kinetics, 2019
HOWELY E. $\dot{V}O_2$ max and the plateau – needed or not? Medicine & Science in Sports & Exercise, 39:101, 2007
MAGNAN RE, KWAN BM, CICCOLO JT, et al. Aerobic capacity testing with inactive individuals: The role of subjective experience. Journal of Physical Activity & Health, 10:3271, 2013
MIER CM, ALEXANDER RP, MAGEEAN AL. Achievement of $\dot{V}O_2$ max criteria during continuous graded exercise test and a verification stage performed by college-aged athletes. Journal of Strength and Conditioning Research, 26:2648, 2012
MYERS J, FORMAN DE, BALADY GJ, et al. Supervision of exercise testing by non physicians: A scientific statement from the American Heart Association, Circulation, 130:1014, 2014
NAUGHTON JP, HEIDER R. Methods of Exercise Testing. In Naughton et al (eds). Exercise Testing & Exercise Training in Coronary Heart Disease. Academic Press, 1973
NAGLE FJ, BALKE B, NAUGTON JP. Gradational step tests for assessing working capacity. Journal of Applied Physiology, 20: 745, 1965
POLLOCK ML, WILMORE J. Exercise in Health and Disease. WB Saunders Company, Philadelphia, 1990
POOLE DC, JONES AM. Measurement of the maximum oxygen uptake $\dot{V}O_2$ max: $\dot{V}O_2$ peak is no longer acceptable. Journal of Applied Physiology, 122:997, 2017
SHEPHARD RJ. Tests of maximum oxygen uptake: a critical review. Sports Medicine, 1:99, 1984
TAYLOR HL, BUSKIRK E, HENESCELL A. Maximal oxygen uptake as an objective measure of cardiorespiratory performance. Journal of Applied Physiology, 8:73, 1955
YOON BK, OH SW. $\dot{V}O_2$ max, protocol duration, and the $\dot{V}O_2$ max plateau. Medicine & Science in Sports & Exercise, 39:1186, 2007

概念 94

AMERICAN COLLEGE OF SPORTS MEDICINE. ACSM's Guidelines for Exercise Testing and Prescription. 9th ed. Philadelphia (PA): Lippincott Williams & Wilkins; 2018
ASTRAND PO, RYHMING I. A nomogram for calculation of aerobic capacity (physical fitness) from pulse rate during submaximal work. Journal of Applied Physiology, 7:218, 1954
ASTRAND PO. Aerobic Capacity in Men and Women with Special Reference to Age. Acta Physiologica Scandinavica, 49 (Suppl. 169), 1960
ASTRAND PO. Work tests with bicycle ergometer, Vanberg, Sweden, 1980 ASTRAND PO, RODAHL K. Textbook of Work Physiology. McGraw-Hill, 1986
CLEARY MA, HETZLER RK, WAGES JJ, et al. Comparisons of age predicted maximum heart age equations in college-aged subjects. Journal of Strength conditioning Research, 25:2591, 2011
DAVIES CTM. Limitations to the prediction of maximum oxygen intake from cardiac frequency measurements. Journal of Applied Physiology, 24:700, 1968
EVANS HJL, FERRAR KE, SMITH AE, et al. A systematic review of methods to predict maximal oxygen uptake from submaximal, open circuit spirometry in healthy adults. Journal of Science & Medicine in Sport, 18:183, 2015

GELLISH RL, GOSLIN BR, OLSON RE, et al. Longitudinal modeling on the relationship between age and maximal heart rate. Medicine & Science in Sports & Exercise, 39:822, 2007

GIBSON AL, WAGNER DR, HEYWARD VH. Advanced Fitness Assessment & Exercise Prescription. Human Kinetics, 2019

HOLMGREN A. Cardiorespiratory determinants of cardiovascular fitness. The Canadian Medical Association Journal, 96:697, 1967

LEGGE BJ, BANISTER EW. The Astrand-Rhyming nomogram revisited. Journal of Applied Physiology, 61:1203, 1986

McARDLE WD, KATCH FI, KATCH VL. Exercise Physiology: Energy, nutrition and human performance. 4th ed. Baltimore: Williams & Wilkins, 1996

McARDLE WD, KATCH FI, PECHAR GS, et al. Reliability and interrelationships between maximal oxygen uptake, physical working capacity and stetest scores in college women. Medicine & Science in Sports & Exercise, 4:182, 1972

ROWELL LB, TAYLOR HL, WANG Y. Limitations to prediction of maximal oxygen uptake. Journal of Applied Physiology, 19:919, 1964

TANAKA H, MONAHAN KD, SEALS DR. Age-predicted maximal heart rate revised. Journal of the American College of Cardiology, 37:151, 2001

WHALEY M, KAMINSKY L, DWYER G, et al. Predictors of over-and underachievement of age-predicted maximal heart rate. Medicine & Science in Sports & Exercise, 24:1173, 1992

WYNDHAM CH. Submaximal tests for estimating maximum oxygen intake. The Canadian Medical Association Journal. 96:736, 1967

概念 95

ADAM C, KLISSOURAS V, RAVAZZOLO M, et al. Eurofit: European test of Physical Fitness. Council of Europe, Committee for the Development of Sport, 1988

AMERICAN COLLEGE OF SPORTS MEDICINE. ACSM's Guidelines for Exercise Testing and Prescription. 9th ed. Philadelphia (PA): Lippincott Williams & Wilkins; 2018.

CASTRO-PINERO J, ARTERO EG, et al. Criterion-related validity of field-based fitness tests in youth: a systematic review. British Journal of Sports Medicine, 44:934, 2010

COOPER KH. A means of assessing maximal oxygen intake: correlating between field and treadmill running. Journal of the American Medical Association, 203:201, 1968

FLOURIS AD, METSIOS GS, KOUTEDAKIS Y. Enhancing the efficacy of the 20 m multistage shuttle run test. British Journal of Sports Medicine, 39:166, 2005

GIBSON AL, WAGNER DR, HEYWARD VH. Advanced Fitness Assessment & Exercise Prescription. Human Kinetics, 2019

LACOUR JR, BOURDIN M. Factors affecting the energy cost of level running at submaximal speed. European Journal of Applied Physiology, 115:651, 2015

LARSEN GE, GEORGE JD, ALEXANDER JL. et al. Prediction of maximum oxygen consumption from walking, jogging, or running. Research Quarterly for Exercise & Sport, 73:66, 2002

LÉGER LA, LAMBERT J. A maximal multistage 20 m shuttle run test to predict $\dot{V}O_2$ max. European Journal of Applied Physiology, 49:1, 1982

LÉGER LA, MERCIER D. et al. The multistage 20 meter shuttle run test for erobic fitness. Journal of Sports Sciences, 6: 93, 1988

LOBELO F, PATE RR, DOWDA M, et al. Validity of cardiorespiratory fitness criterion-referenced standards for adolescents. Medicine & Science in Sports & Exercise, 41:1222, 2009

MAYORGA-VEGA D, AGUILAR-SOTO P, VICIANA J. Criterion related validity of the 20 m shuttle run test for estimating cardiorespiratory fitness: A meta-analysis. Journal of Sports Science & Medicine, 14: 536, 2015

MAYORGA-VEGA D, BOCANEGRA-PARILLA R, et al. Criterion related validity of the distance and time-based walk/run field tests for estimating cardiorespiratory fitness: A systematic review and meta-analysis. PLoS One. 015167,2016

MORROW Jr JR, MARTIN SB, JACKSON AW. Reliability and validity of the FITNESSGRAM quality teacher-collected health-related fitness surveillance data. Research Quarterly for Exercise and Sport, 81:S24, 2010

PARADISIS G, ZACHAROGIANNIS E, et al. Validity of 20 mmst for predicting $\dot{V}O_2$ max. Medicine & Science in Sports & Exercise, 45:687, 2013

RUIZ JR., CASTRO-PINERO J, ARTERO EG, et al. Predictive validity of health-related fitness in youth: A systematic review. British Journal of Sports Medicine, 43: 909, 2009

概念 96

AMERICAN COLLEGE OF SPORTS MEDICINE. ACSM's Guidelines for Exercise Testing and Prescription. 9th ed. Philadelphia (PA): Lippincott Williams & Wilkins; 2018

BOURDON P. Blood lactate transition thresholds: concepts & controversies. In: GORE CS (ed.) Physiological tests for elite athletes. Champaign , IL: Human Kinetics, 2000

GIBSON AL, WAGNER DR, HEYWARD VH. Advanced fitness assessment & exercise prescription. Human Kinetics, 2019

GRANT S, LAWSON D, HARGREAVES M, et al. Reproducibility of the blood lactate threshold, 4 mmol. L-1 marker, heart rate and ratings of perceived exertion during incremental treadmill exercise in humans. European Journal of Applied Physiology,87:159, 2002

HILL DW. The critical power concept: a review. Sports Medicine, 16:237, 1993

HOLLMANN W. 42 years ago: Development of ventilatory and lactate threshold. Sports Medicine, 31:315, 2001

JONES AM, VANHATALO A, BURNLEY M, et al. Critical power: implications for determination of $\dot{V}O_2$ max and exercise tolerance. Medicine & Science in Sports & Exercise, 42:1876, 2010

KOLBE T, DENNIS SC, SELLEY E, et al. The relationship between critical power and running performance. Journal of Sports Science, 13:265, 1995

LUNDBY C, ROBACH P. Performance enhancement: what are the physiological limits. Physiology, 30:282, 2015

NICHOLSON RM, SLEIVERT GG. Indices of lactate threshold and their relationship with 10 km running velocity. Medicine & Science in Sports & Exercise, 33:339, 2001

NOAKES TD, MYBURGH KH, SCHALL R. Peak treadmill running velocity during the $\dot{V}O_2$ max test predicts running performance. Journal of Sports Sciences, 8:35, 1990

POWERS SK, HOWLEY ET. Exercise Physiology-Theory & Applications to Fitness & Performance. McGraw-Hill , 2018

SCOTT BK, HOUMARD JA. Peak running velocity is highly related to distance running performance. International Journal of Sports Medicine, 15:504, 1994

TANAKA K, MATSUURA Y, KUMAGAI S. et al. Relationship of anaerobic threshold and onset of blood lactate accumulation with endurance performance. European Journal of Applied Physiology, 52:51, 1983

TOKMAKIDIS SP, LEGER LA, PILIANIDIS TC. Failure to obtain a unique threshold on the blood lactate concentration curve during exercise. European Journal of Applied Physiology, 77:333, 1998

WASSERMAN K, WHIPP BJ, KOYL SN, BEAVER WL. Anaerobic threshold and respiratory gas exchange during exercise. Journal of Applied Physiology, 35:236, 1973

ZHANG YY, JOHNSON MC, CHOW N, et al. Effect of exercise testing protocol on parameters of aerobic function. Medicine & Science in Sports & Exercise, 23:625, 1991

概念 97

AMERICAN COLLEGE OF SPORTS MEDICINE. ACSM's Guidelines for Exercise Testing and Prescription. 9th ed. Philadelphia (PA): Lippincott Williams & Wilkins; 2018

BOUCHARD C, TAYLOR AW, SIMONEAU JA, DULAC S. Testing Anaerobic power & Capacity. In: MacDougall JD, Wenger HA, Green HJ (Eds.) Physiological Testing of the High-Performance Athlete. Champaign, IL. Human Kinetics, 1991

DARDOURI W, GHARBI Z, SELMIU MA, et al. Reliability and validity of a new maximal anaerobic shuttle running test. International Journal of Sports Medicine, 35:320, 2013

DOTAN R, BAR-OR O. Load optimization for the Wingate anaerobic test. European Journal of Applied Physiology, 51:409, 1983

GASTIN P, LAWSON D, HANGREAVES M. et al. Variable resistance loading in anaerobic power testing. International Journal of Sports Medicine, 12:513, 1991

GIBSON AL, WAGNER DR, HEYWARD VH. Advanced fitness assessment & exercise prescription. Human Kinetics, 2019

HUDGINS B, SCHANFENBERG J, TRIPLET NT. et al. Relationship between jumping ability and running performance in events of varying distance. Journal of Strength and conditioning Research, 27:563, 2013

INBAR O, BAR-OR O, SKINNER JS. The Wingate anaerobic test. Champaign, IL: human Kinetic; 1996

JACOBS I, TESCH P, BAR-OR O, et al. Lactate in human skeletal muscle after 10 and 30 s supramaximal exercise. Journal of Applied Physiology, 55:365, 1983

MARGARIA R, AGHEMO P, ROVELLI E. Measurement of muscular power (anaerobic) in man. Journal of Applied Physiology, 21:1662, 1966

NICHOLAS CW, NUTTALL FE, WILLIAMS C. The Loughborough intermittent shuttle test: a field test that simulates the activity pattern of soccer. Journal of Sports Science, 18:97, 2000

O'REILLYJ, WONG S. The development of aerobic and skill assessment in soccer. Sports Medicine, 42:1029, 2012

PATTON JF, MURPHY MM, FREDERICK FA. Maximal power outputs during the Wingate anaerobic test. International Journal of Sports Medicine, 6:82, 1985

POWERS SK, HOWLEY ET. Exercise Physiology-Theory & Applications to Fitness & Performance. McGraw-Hill , 2018

SIMONEAU JA, LORTIE G, BOULAY MR, BOUCHARD C. Tests of anaerobic alactacid and lactacid capacities. Description and reliability. Canadian Journal of Applied Sport Sciences, 8:266, 1983

SCHENAU G. Can cycle power output predict sprint running performance? Journal of Applied Physiology, 63:255, 1991

SCHNABEL A, KINDERMANN W. Assessment of anaerobic capacity in runners. European Journal of Applied Physiology, 52:42, 1983

TAUNTON JE, MARON H, WILKINSON JG. Anaerobic performance in middle and long distance runners. Canadian Journal of Applied Sport Sciences, 6:109, 1981

THOMSON JM, KARVIE KJ. A laboratory method for determination of anaerobic energy expenditure during sprinting. Canadian Journal of Applied Sport Sciences, 6:21, 1981

ZACHAROGIANNIS E, PARADISIS G, TZIORTZIS S. An evaluation of tests of anaerobic power and capacity. Medicine & Science in Sports & Exercise, 36:S116, 2004

ZAGATTO AM, BECK WR, GOBATTO CA. Validity of the running anaerobic sprint test for assessing anaerobic power and predicting short distance performance. Journal of Strength and conditioning Research, 23:1820, 2009

概念 98

AMERICAN COLLEGE of SPORTS MEDICINE. ACSM's Guidelines for Exercise Testing and Prescription. 9th ed. Philadelphia (PA): Lippincott Williams & Wilkins; 2018.

BUCKTHORPE M, MORRIS J, FOLLAND JP. Validity of vertical jump measurement devices. Journal of Sports Sciences, 30:63, 2012

DESGORCES FD, BERTHELOT G, DIETRICH G, et al. Local muscular endurance and prediction o 1 repetition maximum for bench in 4 athletic populations. Journal of Strength & Conditioning Research, 24:394, 2010

GIBSON AL, WAGNER DR, HEYWARD VH. Advanced fitness assessment & exercise prescription. Human Kinetics, 2019

HAN L, YANG F. Strength or power, which is more important to prevent slip-related falls? Human Movement Science, 44:192, 2015

JACKSON AW, MORROW JR, BRILL PA. et al. Relation of sit-up and sit-and reach test to low back pain in adults. Journal of Orthopaedic and Sports Physical Therapy 27: 22, 1998

KNUDSON D. The validity of recent curl-up tests in young adults. Journal of Strength & Conditioning Research, 15:81, 2001

LEVINGER I, GOODMAN C, HARE DL, et al. The reliability the 1-RM strength test for untrained middle-aged individuals. Journal of Science & Medicine in Sport, 12:310, 2009

MAGNUSDOTTIR A, PORGILSSON B, KARLSSON B. Comparing three devices for jump height measurement in a heterogeneous group of subjects. Journal of Strength & Conditioning Research, 28:2837, 2014

PAYNE N, GLENDHILL N, KAZMARZYK PT, et al. Canadian musculoskeletal fitness norms. Canadian Journal of Applied Physiology, 25:430, 2000

REYNOLDS JM, GORDON TJ, ROBERGS RA. Prediction of one repetition maximum strength from multiple repetition maximum testing and anthropometry. Journal of Strength & Conditioning Research, 20:584, 2006

SALE D, Testing strength and power. In: MacDougall JD, Wenger HA, Green HJ (Eds.) Physiological Testing of the High –Performance Athlete. Champaign, IL. Human Kinetics, 1991

SAYERS SP, HARACKIEWICZ DV, HARMAN EA, et al. Cross-validation of three jump power equations. Medicine & Science in Sports & Exercise, 31:572, 1999

WHITMER TD, FRY AC, FORSYTHE CM. et al. Accuracy of a vertical jump contact mat for determining jump height and flight and time. Journal of Strength & Conditioning Research, 29:877, 2015

概念 99

AMERICAN COLLEGE OF SPORTS MEDICINE. ACSM's Guidelines for Exercise Testing and Prescription. 9th ed. Philadelphia (PA): Lippincott Williams & Wilkins; 2018

ALTER MJ, Science of Flexibility. Champaign, IL. Human Kinetics, 2004

BROWN DA, MILLER WC. Normative data for strength and flexibility of women throughout life. European Journal of Applied Physiology, 78:77, 1998

CANADIAN SOCIETY FOR EXERCISE PHYSIOLOGY. Physical activity training for Health: Resource manual, Ottawa, 2013

CAREY MA, LAIRD DE, MURRAY KA, et al. Reliability, validity, and clinical usability of a digital goniometer. Work, 36:55, 2010

DAVIS DS, QUINN RO, WHITEMAN CT, et al. Concurrent validity of four clinical tests to measure hamstring flexibility. Journal of Strength & Conditioning Research, 22:5683, 2008

HUI SC, YUEN PY. Validity of the modified back-saver sit-and-reach test: A comparison with other protocols. Medicine & Science in Exercise & Sports, 32:1655, 2000

JACKSON AW, BAKER AA. The relationship of sit and reach test to criterion measures of hamstring and low back flexibility in young females. Research Quarterly in Exercise & Sports, 57:183, 1986

JACKSON AW, MORROW JR Jr, BRILL PA, et al. Relationship of sit-up and sit-and-reach tests to low back pain in adults. Journal of Orthopedics & Sports Physical Therapy, 27:22, 1998

JONES CJ, RIKLI RE, MAX J, et al. The reliability and validity of a chair sit-and reach test as a measure of hamstring flexibility in older adults. Research Quarterly in Exercise & Sports, 69:338, 1998

LÓPEZ-MIÑARRO PA, ANDÚJAR PS, RODRÑGUEZ-GARCÑ PL. A comparison of the sit-and-reach test and the back-saver sit-and-reach test in university students. Journal of Sports Science & Medicine, 8:116. 2009

MAGNUSSON SP, SIMONSEN EB, AAGAARD P, et al. Determinants of musculoskeletal flexibility: viscoelastic properties, across-sectional area, EMG and stretch tolerance. Scandinavian Journal of Medicine & Science in Sports, 7:195, 1997

MARTIN SB, JACKSON AW, MORROW JR, et al. The rationale for the sit and reach test revisited. Measurement in Physical Education & Exercise Science, 2:85, 2009

MCHUGH MP, COSGRAVE CH. To stretch or not to stretch: The tole of stretching in injury prevention and performance. Scandinavian Journal of Medicine & Science in Sports, 20:169, 2010

MUYOR JM, VAQUERO-CRISTOBAL R, ALACID F, et al. Criterion-related validity of si-and-reach and toe-touch tsts as a measure of hamstring extensibility in athletes. Journal of Strength & Conditioning Research, 28:546, 2014

PATTERSON P, WIKSTEN DL, RAY L, et al. The validity and reliability of the backsaver sit-and-reach test in middle school girls and boys. Research Quarterly in Exercise & Sports, 67:448, 1996

PAYNE N, GLEDHILL N, KAZAMRZYK PT, et al. Canadian musculoskeletal fitness norms. Canadian Journal of Applied Physiology, 25:430, 2000

PROTAS FJ. Flexibility and range of motion. In: Roitman R. (Ed.). ACSM Resource Manual for Guidelines for Exercise Tesing & Prescription. Baltimore: Lippincott Williams & Wilkins, 2001

RIKLI R, JONES CJ. Development and validation of a functional fitness test for community-residing older adults. Journal of Aging & Physical Activity, 7:127, 1999

STUTCHFIELD BM, COLEMAN S. The relatioship between hamstring flexibility, lumbar flexion, and low back pain in rowers. European Journal of Sport Science, 6:255, 2006

TOGNETTI A, LORUSSI F, CARBONARO N, et al. New generation of wearable goniometers for motion capture systtems. Journal of NeuroEngineering & Rehabilitation, 11:56, 2014

URWIN SG, KADER DF, CAPLAN N, et al. Validation of an electrogoniometry system as a measure of knee kinematics during activities of daily living. Journal of Musculoskeletal Research, 16: 1350005, 2013

VOHRALIK SL, BOWEN AR, BURNS J, et al. Reliability and validity of smartphone app to measure joint range. American Journal of Physical Medicine & Rehabilitation, 945:325, 2015

WELLS KF, DILLON EK. The sit and reach: A test of back and leg flexibility. Research Quarterly, 23:115, 1952

概念 100

AMERICAN COLLEGE OF SPORTS MEDICINE. ACSM's Guidelines for Exercise Testing and Prescription. 9th ed. Philadelphia (PA): Lippincott Williams & Wilkins; 2018.

ANDROUSOS O, GERASIMIDIS K, KARANIKOLOU A, et al. Impact of eating and drinking on body composition measurements by bioelectrical impedance, Journal of Human Nutrition & Dietetics, 28:165, 2015

BAZZOCCHI A, PONTI F, ALBISSINI U, et al. Technical aspects of and application. European Journal of Radiology, 85:1481, 2016

CYRINO ES, OKANO AH, GLANER MF, et al. Impact of the use of different skinfold callipers for the analysis of body composition. Revista Brasiliera de Medicina do Exporte, 9:150, 2003

EVANS EM, ROWE DA, MISIC MM, et al. Skinfold prediction equation for athletes developed using a four component model, Medicine & Science in Sports & Exercise, 37:2006, 2005

ESCO MR, SNARR RL, LEATHERWOOD MD, et al. Comparison of total and segmental body composition using DXA and multifrequency bioempedance in collegiate female athletes. Journal of Strength & Conditioning Research, 29:918, 2015

FREEDMAN DS, FORD ES. Are the recent secular increases in the waist circumferences independent of changes in BMI? American Journal of Clinical Nutrition, 101:425, 2015

GIBSON AL, WAGNER DR, HEYWARD VH. Advanced fitness assessment & exercise prescription. Human Kinetics, 2019

HARROP BJ, WOODRUFF SJ. Effects of acute and 2-hour postphysical activity on the estimation of body fat made by the Bod Pod. Journal of Strength & Conditioning Research 29:1527, 2015

HEYWARD VH. Practical body composition assessment for children, adults, and older adults. International Journal of Sport Nutrition 8:285, 1998

JACKSON AS, POLLOCK ML. Generalized equations for predicting body density of men. British Journal of Nutrition 40:497, 1978

JACKSON AS, POLLOCK ML, WARD A. Generalized equations for predicting body density of women. Medicine & Science in Sports & Exercise, 12:175, 1980

KUSHNER RF. Bioelectrical impedance analysis: A review of principles and applications. Journal of the American College of Nutrition, 11:199, 1992

KUSHNER RF, GUDIVAKA R, SCHOELLER DA. Clinical characteristics influencing bioelectrical impendance analysis measurements, American Journal of Clinical Nutrition, 64:4238, 1996

LOHMAN TG. Skinfolds and body density and their relation to body fatness: A review. Human Biology, 53:181, 1981

LOHMAN TG. HARRIS M, TEIXERA PJ, WEISS I. Assessing body composition and changes in body composition: Another look at dual-energy absorptiometry. Annals of the New York Academy of Sciences, 904:45, 2000

NANA N, SLATER GJ, STEWART AD, et al. Methodology review: Using dual-energy absorptiometry for assessment of body composition in athletes and active people. International Journal of Sport Nutrition & Exercise Metabolism, 25:198, 2015

POLLOCK ML, JACKSON AS. Research progress in validation of clinical methods of assessing body composition. Medicine & Science in Sports & Exercise, 16:606, 1984

ROCHE AF, HEYMSFIELD SB, LOHMAN TG. Human Body Composition. Human Kinetics, 1996

SINNING WE. Body composition in athletes. In: Roche AF, Heymsfield SB, Lohman TG, (eds.). Human Body Composition. Human Kinetics, 1996

SIRI WE. Body composition from fluid space and density. In Brozek J & Henschel a (eds.). Techniques for measuring body composition. Washington DC. National Academy of Sciences, 1961

TOOMEY CM, McCORMACK WG, JAKEMAN P. The effect of hydration status on the measurements of lean tissue mass by dual-energy X-ray absorptiometry. European Journal of Applied Physiology, 117:567, 2017

运动生理学的测量单位

国际单位制（法语缩写为 SI：Le Système International d'unités）是科学中广泛使用的公制的现代形式。然而，一些附加单元传统上也用于人体生理学。这种单位的例子是 MET 和千磅（kp），其中 1-MET 是静止时的能量消耗率，1 kp 是正常重力下 1 kg 质量施加的力（即 1 kg=1 kp）；而 V 表示气体体积・单位时间（通常为 L/min。

SI基本标准单位

长度	米	m
质量	千克	kg
时间	秒	s
分子量	摩尔	mol

其他的标准单位

力	牛顿	N
能量	焦耳	J
功率	瓦特	W
速度	米每秒	m/s
力矩	牛顿米	N・m
加速度	米每二次方秒	m/s^2
容量	升	L
压力	帕斯卡	Pa

单位转换

能量

1 kcal = 4.19 kJ = 426.94 kg・m

1 J = 1 N・m = 0.10 kg・m = 0.24 cal

1 kg-m = 1 kp-m = 9.81 J = 2.34 cal

1 L O_2= 5 kcal = 21.1 kJ (RQ = 1.00)

1 MET = 3.5ml O_2・kg BW/min = kcal・kg BW/h

力

1 N = 0.1019 kg

1 kg = 9.81 N

功率

1 W = 1 J/s = 6.12 kg-m/min = 0.86 kcal/h = 0.0013 hp

1 kg-m/min = 1 kp・m/min = 0.16 W = 0.14 kcal/h

1 kcal/min = 69.78 W

附录 1:

Physical Activity Readiness Questionnaire - PAR-Q (2002 修订版)

PAR-Q

身体活动调查问卷（适用范围：15 ~ 69 岁）

有规律的锻炼身体既有趣又健康，因而越来越多的人坚持每天运动。对大多数人来说，多运动是安全的，然而，一部分人在增加运动量前，应该咨询医生。

如果你打算比现在更积极地锻炼身体，可以从回答下面的 7 个问题开始。如果你的年龄在15～69岁，PAR-Q 会告诉你在开始运动之前是否应该咨询医生。如果你的年龄超过69岁，并且日常不习惯运动，在增加运动量前同样请咨询你的医生。

当你回答以下这些问题时，常识是最好的向导。请仔细阅读，用“是”或者“否”，如实地回答每一个问题。

是	否	
☐	☐	1. 你的医生说过你有心脏病，那你只能选择医生推荐的体育活动。
☐	☐	2. 当你进行体育活动时，你会感到胸部疼痛吗?
☐	☐	3. 在过去的一个月里，你有没有在没进行体育活动时感到胸痛?
☐	☐	4. 你是否因为头晕而失去平衡或失去意识?
☐	☐	5. 你是否因骨关节问题(如背部、膝盖或臀部)，停止体育活动?
☐	☐	6. 你的医生目前是否为你的血压或心脏问题开了处方药(如水丸)。
☐	☐	7. 你还知道其他不应该运动的原因吗?

如果你的答案是：

有一个及以一个上的“是”

在你开始进行更多的体育活动或进行健康评估之前，通过电话或亲自与你的医生交谈。告诉你的医生 PAR-Q 测试的哪些问题你的回答是肯定的。

- 你可以做任何你想做的运动——只要你慢慢开始，慢慢积累。或者，你可能需要把你的活动限制在对你安全的范围内。和你的医生谈谈你希望参加的活动种类，并听从他/她的建议。
- 找出哪些活动项目是安全的，对你是有帮助的。

全是“否”

如果你诚实地回答了所有PAR-Q问题，你基本可以：

- 开始更积极地锻炼身体——慢慢开始，逐渐增加运动量。这是最安全、最简单的方法。
- 参加健康评估——这是确定你的基本健康状况的一个很好的方法，这样你就可以为自己积极的生活规划出最好的方式。同时也强烈建议你进行血压评估。如果你的血压超过144/94mmHg，在你开始更多的体育活动之前，请和你的医生沟通。

推迟体育活动：

- 如果你感觉不舒服是因为暂时性的疾病，如感冒或发热——等到你感觉好了再说。
- 如果你怀孕了或可能怀孕了——在你开始运动之前应当和你的医生沟通。

请注意:
如果你的健康状况发生变化，对上述任何一个问题的回答是“是”，请告诉你的健身教练，问问自己是否应该改变体育锻炼计划。

使用 PAR-Q 的注意事项:加拿大运动生理学会、加拿大卫生部及其代理商不对从事体育活动的人承担任何责任，如果在完成本问卷后有任何疑问，请在进行体育活动前咨询您的医生。

本表不允许更改，我们鼓励你复印 PAR-Q 表格，但你必须使用整份表格。

注:如果 PAR-Q 是在一个人参加体育活动或体能评估之前发给他或她的，则该部分可用于法律或行政目的。

“我已经阅读、理解并完成了这份问卷，我回答的每一个问题都与我的情况相符。”

姓名：
签名： 时间：
家长签字： 见证者：

注意：锻炼许可有效期为自完成表格之日起最多12个月，如果您的健康情况发生变化，您对 7 个问题中的任何一个回答为“是”，则该许可无效。